WALTHARIUS UND WALTHERSAGE

Eine Dokumentation der Forschung

herausgegeben

von

Emil Ernst Ploss

O

1969

GEORG OLMS VERLAGSBUCHHANDLUNG

HILDESHEIM

© Copyright 1968 by Georg Olms, Hildesheim
Printed in Germany
Herstellung: fotokop Wilhelm Weihert, Darmstadt
Best.-Nr. 5 102 328

INHALTSVERZEICHNIS

OLMS STUDIEN BAND 10

VORWORT

Die hier vorgelegte Dokumentation »Waltharius und Walthersage« soll
einmal der Forschung dienen, indem sie die Leitaufsätze der letzten Jahrzehnte zu bequemer Handhabung vereint. Sie soll zum anderen der Lehre
dienen und den Teilnehmern zu akademischen Übungen den umständlichen
Handapparat in Seminar- und Universitätsbibliotheken ersetzen.

Auf einige zu umfangreiche Arbeiten war aus Raumgründen ein schmerz-
licher Verzicht zu leisten: R. Heinzels bekannte Abhandlung über die Walthersage umfaßt rund 100 Seiten. Der Verlag W. G. Olms hat sich jedoch
entschlossen, die drei Wiener Sitzungsberichte von R. Heinzel zur Walthersage, zu den Nibelungen und zum ostgotischen Sagenkreis, die ihrem ganzen Tenor nach zusammengehören, in einem Sammelband ..... nachzudrucken.
Die Arbeit von F. Panzer »Der Kampf am Wasichenstein« ist nicht als Aufsatz, sondern als selbständige Publikation erschienen und noch im Buch-
handel zu haben. Aus mancherlei Gründen konnten wir für mehrere Aufsätze die Nachdruckerlaubnis nicht erhalten.

Die beigefügte bibliographische Einleitung kann den Zugang zu Sonder-
fragen erschließen. Daß die Bibliographie nur eine Auswahl darstellt, muß
wohl nicht eigens begründet werden. Es wäre ohne weiteres möglich gewesen, die Zahl der Titel beträchtlich zu vermehren, doch bieten die genannten Arbeiten an zahlreichen Stellen die Möglichkeit zu rascher biblio-
graphischer Weiterführung.

Es bleibt schließlich die angenehme Pflicht des Dankes: Er gilt in erster
Linie Herrn Professor Stackmann/Göttingen, dem Verlag und Herausgeber
die Anregung zu dieser Dokumentation verdanken, ebenso den Autoren
oder deren Erben und besonders den Verlagen, die uns die Nachdruckerlaubnis erteilt haben. Für wertvolle Ratschläge danken wir den Herren
Professoren Bernhard Bischoff/München, Axel Goria/Turin und Karl
Langosch/Köln. Herrn Dr. Horst Brunner/Erlangen haben wir für seine
Hilfe bei Sichtung und Überprüfung der bibliographischen Angaben zu
danken.

E. E. Ploss

ABKÜRZUNGEN

AfdA	=	Anzeiger für deutsches Altertum
DA	=	Deutsches Archiv für Erforschung des Mittelalters
DLZ	=	Deutsche Literaturzeitung
DVjs	=	Deutsche Vierteljahresschrift für Literaturwissenschaft und Geistesgeschichte
frz.	=	französisch
FuF	=	Forschungen und Fortschritte
GRM	=	Germanisch-Romanische Monatsschrift
HZ	=	Historische Zeitschrift
Jb.	=	Jahrbuch
Jbb.	=	Jahrbücher
Lit.	=	Literatur
NA	=	Neues Archiv der Gesellschaft für ältere deutsche Geschichtskunde
NF	=	Neue Folge
N. S.	=	Nova Series
PBB	=	Paul und Braunes Beiträge zur Geschichte der deutschen Sprache und Literatur
SB	=	Sitzungsberichte der Akademien der Wissenschaften, phil.-hist. Klasse
SBB	=	Berlin
SBH	=	Heidelberg
SBM	=	München
SBW	=	Wien
Spr.	=	Sprache
Verfasserlexikon	=	Die deutsche Literatur des Mittelalters. Verfasserlexikon, hrsg. von Wolfgang Stammler und Karl Langosch, Leipzig / Berlin 1931—1955
ZfdA	=	Zeitschrift für deutsches Altertum
ZfdPh	=	Zeitschrift für deutsche Philologie
ZfrPh	=	Zeitschrift für romanische Philologie
Zs.	=	Zeitschrift

BIBLIOGRAPHIE

Zusammengestellt und mit einer Einleitung versehen von Emil Ploss

Wenn diese Dokumentation der Forschung »Waltharius und Walthersage« überschrieben wird, so ist es klar, daß in der beherrschenden Mitte eben das lateinische Epos steht. Mit der Entdeckung und Erschließung des lateinischen Textes beginnt der Forschungsweg, der in den wichtigsten Fakten schon von K. Strecker gezeichnet wurde: Der erste, der eine Walthariusausgabe plante, war der pfälzische Landeshistoriker Marquard Freher (1612). Bekannt war der Text durch die Pariser Handschrift auch den führenden Vertretern der benediktinischen Maurinerkongregation zu St.-Germain-des-Près. Sie nahmen den Text so, wie sie ihn vorfanden: Die ersten Berichte über den Inhalt waren sehr knapp, als Verfasser wurde der frater Geraldus des Prologs angesehen. Die Pariser Handschrift gehörte zu einer Bibliothek, die J. B. Colbert geschlossen erworben hatte. E. Baluze, seit 1667 Bibliothekar des allmächtigen Ministers, hat den Geraldus des Prologs mit dem bekannten Poeten und Historiographen Girald von Fleury vom Beginn des 11. Jahrhunderts identifiziert. Bereits im ältesten Katalog der Colbertina (Bibliothèque Nationale/Paris Ms. lat. 9365, Bl. 92r) wurde der Prolog einer literarhistorischen Interpretation unterworfen; unter Nr. 6388: Geraldi Monachi Floriacensis, ut videtur, Poema de rebus preclare gestis a Waltario quem Regem Aquitanorum vocat, ad Erchambaldum summum Pontificem, id est archiepiscopum Turonensem. Aus dem »quem . . . vocat« geht vor allem hervor, daß man die Geschichte Aquitaniens, von der Spätantike an, gut genug übersah, um festzustellen, daß dem rex Aquitaniae keine namentlich greifbare historiographische Überlieferung entsprach.
Die beginnende sagengeschichtliche Spekulation kam auch schon in dem Titel zum Ausdruck, den Fr. Chr. J. Fischer für die erste Ausgabe wählte: De prima expeditione Attilae regis Hunnorum in Gallias ac de rebus gestis Waltharii Aquitanorum principis carmen epicum saeculi VI. (Leipzig 1780). Auf die vermutbaren völkerwanderungszeitlichen Ursprünge sei ein Zeitabschnitt gefolgt, in dem die Sage lied- und epenfähig wurde. Fischer hat die Nähe zu Vergil, deren Ausmaß später sorgfältig erarbeitet wurde, deutlich gesehen und den Waltharius zum barbarischen Ausklang antiker Latinität gerechnet. Die darin enthaltene ästhetische Bewertung sollte man nicht übersehen. F. Molter, der 1782 Fischers Abdruck der bis Vers 1337 reichenden Stuttgarter Handschrift aus der Karlsruher Handschrift ergänzte (in: Meusels Historische Litteratur für das Jahr 1782, I, 366—374), hat noch im gleichen Jahr seinen Übersetzungsversuch publiziert: »Prinz Walther von Aquitanien. Ein Heldengedicht aus dem sechsten Jahrhundert. Aus einem latei-

nischen Codex der Markgräflich-Badischen Bibliothek metrisch übersetzt von Fr. Molter.« (Carlsruhe 1782). Fischer hat schließlich den Waltharius zu einem Kulturspiegel des frühen Mittelalters gemacht, wie aus dem Titel eines weiteren Buches von ihm hervorgeht: Sitten und Gebräuche der Europäer im 5.—6. Jahrhundert. Aus einem alten Denkmale beschrieben, Frankfurt a. d. O. 1784. So skurril manches wirken mag, die Hauptfragen waren im 17./18. Jahrhundert bereits gestellt: nach dem Verfasser, dem Text und seinem stilistischen Verhältnis zur antiken Latinität, nach den geschichtlichen Ursprüngen und dem subterranen Wegstück, das von ihnen zum Epos führte.

Einen neuen Forschungsabschnitt leitete zu Beginn des 19. Jahrhunderts die Geschichtswissenschaft ein. Es kam zu einer Neubewertung der Quellen, der kleineren Denkmäler und auch der Sagenzeugnisse, die manchmal auch negativ ausfiel. Über die eigenartige Waltharius-Tradition des Klosters Novalese am Mont Cenis hätte man schon bei G. L. Rochex, La gloire de l'abbaye et vallée de la Novalese située au bas du Moncinis du côté d'Italie, Chambéry 1670 nachlesen können. Der große italienische Historiker L. A. Muratori hatte sich seit 1723 mit dem Chronicon Novaliciense beschäftigt und es in Pars II, 740 sqq. seiner Scriptores rerum Italicarum ediert. Zu lange mit dem Etikett einer mehr lästigen Lokaltradition versehen, blieb es den Romanisten unserer Tage vorbehalten, die interessante literarhistorische Aussage voll zu würdigen.

Daß der Geraldusprolog in der deutschen Forschung von Anfang an hinter dem Zeugnis Ekkeharts IV., er habe eine Vita Waltharii manufortis Ekkeharts I. metrisch und stilistisch gebessert, zurücktreten mußte, beruht nicht zuletzt auf den Umständen seiner Neuentdeckung.

E. Studer hat in seiner aufschlußreichen Studie über Joseph von Laßberg und Ildefons von Arx dargelegt, daß schon 1819 die später nahezu kanonische Lehrmeinung festgelegt wurde. Laßberg schrieb nämlich in seiner Vorrede zum »Liedersaal« (I, Einleitung S. IX), als er auf das St. Gallische Dorf Jonschwil einging: »der edlen Eckehardten Heimat von denen der Aelter, den man do nannt den Decan, das schön, herrlich Lied von Walther von Aquitanien in Latin bracht und sin Vetter Eckehardt IV., uf Anhalten Erzbischof Aribo von Mainz, bald hundert Jar danach noch verbessert. Also lieber Meister! warent damal in Sanct Gallen freudig Münch, die neben den Psalmen, wol ouch ein ritterlich Lied singen mochten.«

Ildefons von Arx, der 1829 die Monumenta Sangallensia im 2. Scriptores-Band herausgab, äußerte Zweifel (S. 118, Anm. 92), zumal er 1826 den Prolog des Geraldus in der Brüsseler Handschrift (B) gelesen hatte. 1837 machte F. J. Mone den Prolog aus B der Forschung zugänglich. (Ein Jahr später schrieb J. Grimm in der Ausgabe (S. 57) zwar den bemerkenswerten Satz »Den text aufzustellen erschwert auch der zweifel über des gedichts urheber ...«, aber Folgen hatte dieser Zweifel nicht mehr. Es blieb dabei, daß das Zeugnis Ekkeharts IV. in den Casus S. Galli, er habe eine Vita Waltharii manufortis Ekkeharts I. stilistisch gebessert, auf den Waltharius bezogen wurde.

Mit der Grimm'schen Ausgabe von 1838 wurde für genau 100 Jahre bis zu

Alfred Wolfs Vortrag am Berliner Seminar die Verfasserschaft Ekkehards zumindest für die deutsche Forschung zu einem Fundament, an dem nicht zu rütteln war. Das Jahr 1839 brachte eine Überraschung: Th. G. von Karajan veröffentlichte in seiner »Frühlingsgabe für Freunde älterer Literatur« die Wiener Bruchstücke eines mhd. Epos, dem in der Folgezeit der Titel »Walther und Hildegund« gegeben wurde. K. Weinhold fand später im Steirischen Landesarchiv zu Graz ein Blatt aus einer Handschrift von Wolframs Willehalm. Daran befanden sich als Bundstreifchen die Grazer Fragmente. (»Steirische Bruchstücke altdeutscher Sprachdenkmale«, in: Mitt. d. hist. Ver. f. Steiermark 1859, S. 51–53). 1860 hat E. C. Werlauff, der Erste Bibliothekar an der Kgl. Bibliothek zu Kopenhagen, die altenglischen Waldere-Fragmente gefunden. Damit begann die Rückerschließung; bis in die Literaturgeschichten hinein wurden Listen der aus dem Waltharius erdichteten Stabreimverse oder wenigstens -formeln vorgelegt. Die Leistung des Walthariusdichters wurde für lange Zeit verkannt und oft absichtlich verdunkelt.

ZUR FRÜHGESCHICHTE
UND ZUM JETZIGEN STAND DER FORSCHUNG

STUDER, EDUARD: Laßberg und Ildefons von Arx, in: Joseph von Laßberg. Mittler und Sammler, Aufsätze, hrg. von K. S. Bader, Stuttgart 1956,
besonders S. 189 ff. und 197 ff.
STRECKER, KARL: Probleme in der Walthariusforschung, Neue Jbb. f. d.
klass. Altertum, Deutsch und Gesch. 2 (1899), S. 573—629.
KRALIK, DIETRICH VON: Probleme der Walthariusforschung, unge-
druckter Akademievortrag, DLZ 63 (1942), Sp. 765 f.
PANZER, FRIEDRICH: Der Waltharius in neuer Beleuchtung, FuF 24
(1948), Sp. 156—158.
SÜSS, GUSTAV ADOLF: Die Probleme der Waltharius-Forschung, Zs. f. d.
Gesch. d. Oberrheins 99 (1951), S. 1—53.
VINAY, GUSTAVO: Rez. von Süß, in: Studi Medievali N. S. 18 (1952),
363—375.
LANGOSCH, KARL: Waltharius, Verfasserlexikon IV (1953), Sp. 776—788;
Walther und Hildegunde, Verfasserlexikon IV, Sp. 822—825, Nachtrag in V
(1955), Sp. 1114 f.
SCHUMANN, OTTO: Waltharius-Literatur seit 1926, AfdA 65 (1951/52),
S. 13—41.
LANGOSCH, KARL: Überlieferungsgeschichte der mittellateinischen Lite-
ratur, in: Geschichte der Textüberlieferung der antiken und mittelalterlichen
Literatur, Bd. 2, Zürich 1964, S. 23 f., 61, 87, 148 ff.
HAUCK, KARL: Mittellateinische Literatur, in: Dt. Philologie im Aufriß,
2. Aufl. (Nachdruck) Berlin 1966, Bd. 2, Sp. 2584—2587.

AUSGABEN, ÜBERSETZUNGEN, ZUR ÜBERLIEFERUNG

Vgl. **K. Streckers Monumentenausgabe** S. 9—12 (mit genauen Angaben über
die Editionen).
GRIMM, JACOB: Waltharius, in: J. Grimm und A. Schmeller, Lateinische
Gedichte des X. und XI. Jahrhunderts, Göttingen 1838, S. 1—126.
ALTHOF, HERMANN: Waltharii Poesis. Das Waltharilied Ekkehards I.
von St. Gallen nach den Geraldushss. hrsg. u. erl. Bd. 1, Leipzig 1899, Bd. 2
(Kommentar) Leipzig 1905.
Prolog des Geraldus zum Waltharius, ed. Karl Strecker, in: Monumenta
Germaniae Historica, Poetae Latini. Bd. 5 fasc. 2. Weimar 1939, S. 405—408.
Waltharius, ed. Karl Strecker, in: Monumenta Germaniae Historica, Poetae
Latini, Bd. 6, fasc. I Weimar 1951, S. 1—85.

VON SCHEFFEL, JOSEPH VICTOR: Ekkehard. Eine Geschichte aus dem 10. Jahrhundert, 1. Aufl. Frankfurt/M. 1855 (Kap. 24 das Walthariuslied in gereimte Jamben übersetzt. Diese Übersetzung auch separat in: Waltharius. Latein. Gedicht des 10. Jhds. Nach d. handschriftl. Überlieferung berichtigt, m. dt. Übertragung u. Erläuterungen v. J. V. Scheffel u. A. Holder, Stuttgart 1874).

LINNIG, FRIEDRICH: Walther von Aquitanien. Heldengedicht in 12 Gesängen m. Beitrr. z. Heldensage und Mythologie, 1. Aufl. Paderborn 1869 (5. Aufl. 1936).

SIMROCK, KARL: Walther und Hildegunde, (Übertragung in Nibelungenstrophen), in: K. Simrock, Das Heldenbuch, B. 3: Das kleine Heldenbuch, 3. verm. Aufl., Stuttgart 1874, S. 1—66.

ALTHOF, HERMANN: Das Waltharilied, übersetzt und erläutert, Sammlung Göschen 46, Berlin/Leipzig, 1. Aufl. 1896, 2. Aufl. 1900 (Neudruck 1920).

VON WINTERFELD, PAUL: Des St. Galler Mönchs Ekkehard I. Gedicht von Walther und Hildegund (Übersetzung), Innsbruck 1897, Wiederabdruck in: P. v. Winterfeld, Deutsche Dichter des lat. MAs. in deutschen Versen, hrsg. von H. Reich, München 1913.

Walthari. Ein deutsches Helden- und Liebeslied der Völkerwanderungszeit, lat. überliefert durch Ekkehard von St. Gallen, hrsg. und in dt. Prosa übertragen von Herbert Ronge, München 1934.

Waltharius, hrsg. von Karl Strecker, deutsche Übersetzung von Peter Vossen, Berlin 1947.

LANGOSCH, KARL: Waltharius, Ruodlieb. Märchenepen. Lateinische Epik des Mittelalters mit deutschen Versen, Basel/Stuttgart (1956) (Ekkehards Waltharius S. 1—85).

ALTHOF, HERMANN: Besprechungen von Norden, Le chant de Walther, und Linnig, Walther von Aquitanien, 3. Aufl., ZfdPh 33 (1901), S. 540—545.

WILLERT, PAUL: Deutsche Übersetzungen des Waltharius, Scheffel, Winterfeld, Althof, Diss. Jena 1940.

Das Waltharilied und die Waldere-Bruchstücke, übertragen, eingeleitet und erläutert von Felix Genzmer, Stuttgart 1957 (= Reclams Universalbibliothek Nr. 4174).

ZEYDEL, EDWIN H.: Prolegomena to an English Translation of Waltharius in: Middle ages — Reformation, Volkskunde. (=Festschrift für J. G. Kunstmann) Univ. of North Carolina studies in the Germanic languages and literatures 26, Chapel Hill 1959, S. 21—38.

ALTHOF, HERMANN: Kritische Bemerkungen zum Waltharius, Germania 37 (Neue Reihe 25) (1892), S. 1—38.

VON WINTERFELD, PAUL: Zur Beurteilung der Hss. des Waltharius, NA 22 (1897), S. 554—570.

ALTHOF, HERMANN: Zur Würdigung der Walthariushandschriften, ZfdPh 32 (1900), S. 173—191.

LEBEGUE, HENRI: Le Waltharius du Parisinus 8488 A, in: Mélanges off. à Emile Chatelin, Paris 1910.

STRECKER, KARL: Neue Fragmente der Innsbrucker Walthariushandschrift, ZfdA 73 (1936), S. 261—268.

LEHMANN, PAUL und GLAUNING, OTTO: Mittelalterliche Handschriftenbruchstücke der Universitätsbibliothek und des Gregorianums zu München, Leipzig 1940 (Zentralblatt f. Bibliothekswesen, Beiheft 72, darin S. 91 bis 103 über Walthariusbruchstücke aus Ingolstadt).

SCHUMANN, OTTO: Über die Pariser Waltharius-Handschrift, in: Corona quernea, Festgabe f. Karl Strecker zum 80. Geburtstag dargebracht, Leipzig 1941, S. 236—246. (Schriften d. Reichsinst. f. ält. Geschichtskde. 6).

STRECKER, KARL: Vorbemerkungen zur Ausgabe des Waltharius, DA 5 (1942), S. 23—54.

HAUCK, KARL: Rez. von Streckers Edition in den Monumenta, HZ 177 (1954), S. 533—537.

PELLEGRIN, ELISABETH: Membra disiecta Floriacensia, Bibliothèque de l'Ecole des Chartes CXVII (1959), S. 5—56, bes. S. 25 ff. über den Parisinus.

BISCHOFF, BERNHARD: in: Festschrift zur 1200-Jahr-Feier der Reichsabtei Lorsch, im Druck befindlich, 1967 (über die Hamburger Fragmente).

VIDIER, ALEXANDRE: L'Historiographie à Saint-Benoit-sur-Loire et Les Miracles de Saint Benoit, Paris 1965, bes. S. 28 f. über den Parisinus, mit weiterer Lit., auch über die ergänzte Inschrift an der Südseite der Klosterkirche von Fleury HIC SITVS ES CLARVS VERBO VERSVQUE, GERALDE etc.

CHRONICON NOVALICIENSE

Die Sonderstellung der umfangreichen Waltharius-Exzerpte innerhalb der Texttradition und die auffällige Nähe des Mönches Walther zu den Moniage-Typen der altfranzösischen Chansons de geste geben Anlaß, nicht nur zum Chronicon, sondern auch zum Kloster Novalesa, seinen monastischen, besitzrechtlichen und kulturellen Beziehungen Literatur zu nennen.

a) Chronicon
ROCHEX, LUIGI: La gloire de l'abbaye et vallée de la Novalése, Chambéry 1670.
Monumenta Novaliciensa vetustiora ed. **Carlo Cipolla** (Fonti per la storia d'Italia. Scrittori. Secoli VIII—XI) Vol. II, Rom 1901, Cap. VII—XII (S. 135 bis 156).
LECOY, FELIX: Le »Chronicon Novaliciense« et les »légendes épiques«, Romania 67 (Paris 1942/43), S. 1—52.
WOLFF, LUDWIG: Der Waltharius Ekkehards und das Chronicon Novaliciense, in: Erbe der Vergangenheit, Festgabe für K. Helm, Tübingen 1951, S. 71—81.
PENCO, G.: Tradizione mediolatina e fonti romanze nel Chronicon Novaliciense, Benedictina 12 (1958), S. 1—14.

b) Abhandlungen

MONTICELLI, G.: La valle die Susa e l'abbazia della Novalesa, Pinerolo 1925.

DUPARC, PIERRE: Les cluses et la frontière des Alpes, Bibliothèque de l'Ecole des Chartes 109 (1951), S. 5—31.

GULLI, LUCIANO: A proposito della più antica tradizione novalicense, Archivio storico Italiano 117 (1959), S. 306—318.

COGNASSO, FRANCESCO: Attorno alla fondazione della Novalesa, Boll. stor. bibliogr. subalpino 58 (1960), S. 362—364.

DE LEVIS TRAFFORD, MARC A.: Etudes sur les voies transalpines dans la region du Montcenis depuis l'antiquité classique jusqu'au début du XIII siècle, Bull. philologique et historique du Comité des Travaux Historiques et Scientifiques 1, Paris 1960, S. 51—91.

RENOUARD, Y.: Les voies de communication entre la France et le Piémont au moyen âge, Boll. stor. bibliogr. subalpino 61 (1963), S. 233—256.

TABACCO, G.: Dalla Novalesa a S. Michele della Chiusa, in Monasteri in: Alta Italia dopo le invasioni saracene e ungare. Atti del XXXII congresso storico subalpino e III convegno di storia della Chiesa in Italia, Pinerolo 1964.

DIE ALTENGLISCHEN WALDERE-FRAGMENTE

So gut wie alle Untersuchungen zur Walthersage gehen auch auf die Waldere-Fragmente ein. Die Arbeiten zum Text, zur Textkritik und den Stilfragen verzeichnet F. Holthausen bis 1929. Von F. Norman wird die Literatur bis 1931, in The Anglo-Saxon Poetic Records 3 bis 1935 weitergeführt. D. C. Miller und G. Eis geben sie in Auswahl bis 1941 bzw. 1960 an.

a) Ausgaben (und Übertragung)

The Exeter Book, ed. by G. P. Krapp and E. von Kirk Dobbie, London - New York 1936 (The Anglo-Saxon Poetic Records. 3.)

Beowulf nebst den kleineren Denkmälern der Heldensage, hrsg. von Ferdinand Holthausen, 8. Aufl. Heidelberg 1948.

Waldere (King Waldere's Lay), ed. by Frederik Norman, 2nd Ed. London 1949 (Methuen's Old English Library. Poetic texts 3.)

Das Waltharilied und die Waldere Bruchstücke, übertragen, eingeleitet und erläutert von Felix Genzmer, Stuttgart 1953 (Reclams Universalbibl. 4147).

b) Spezielle Abhandlungen

ALTHOF, HERMANN: Über einige Stellen im Waltharius und die ags. Waldere-Fragmente, Programm des Weimarer Realgymnasiums, Weimar 1899.

LEITZMANN, ALBERT: Walther und Hildegund bei den Angelsachsen, Halle 1917.
SCHÜCKING, LEVIN L.: Waldere und Waltharius, Engl. Studien 60 (1925/26), S. 17—36.
MILLER, DONALD C.: The Sequence of the Waldhere Fragments, Medium Aevum 10 (1941), S. 155—158.
EIS, GERHARD: Waltharius-Probleme, Bemerkungen zu dem lateinischen Waltharius, dem angelsächsischen Waldere und dem voralthochdeutschen Walthari, in: Britannica, Festschrift f. H. M. Flasdieck, Heidelberg 1960, S. 96—112.

ZUM MHD. EPOS VON WALTHER UND HILDEGUNDE

HEINZEL, RICHARD: SBW 117/2 (1889) — Ausgabe der Fragmente S. 13 bis 19.
STRECKER, KARL: Ekkehards Waltharius, Berlin 1907, die bisher zuverlässigste Edition der Fragmente S. 100—109.
ECKERTH, W.: Das Waltherlied. Gedicht in mittelhochdeutscher Sprache, mit einem Anhange über die Schriftdenkmale zur Walthersage und die Walthersage, 2. verm. Aufl., Halle/S. 1909 (über weite Strecken nur der Versuch, das Verlorene in Art einer Nachdichtung zu erschließen).
SCHNEIDER, HERMANN: Das Epos von Walther und Hildegunde, GRM 13 (1925), Teil I S. 14—32, II S. 119—130.

ZUM SOGEN. POLNISCHEN WALTHER

Es gibt nur wenige Untersuchungen, die auf den lateinischen Text in der Chronik des Boguphalus und die polnischen Versionen wirklich eingehen.
LIEBRECHT, FELIX: Zur slavischen Walthariussage, Germania 11 (1866), S. 172—173.
HEINZEL, RICHARD: Über die Walthersage, SBW 117/2 (1889) — mit dem lat. Text und den polnischen Versionen.
LABUDA, GERARD: Zródla, sagi i legendy do najdawniejszych Dziegów Polski, Warschau 1960, Powiesc o Walgierzu z Tyńca i o Wislawie z Wislicy, S. 243—295 (S. 307—308 frz. Zusammenfassung).

WALTHARIUS (VERFASSERFRAGE, ZEITLICHER ANSATZ, LITERARHISTORISCHE EINORDNUNG)

GEYDER, AUGUST: Anmerkungen zum Waltharius, ZfdA 9 (1853), S. 145 bis 166 (gegen C. Fauriels Geschichte der provenç. Literatur, in welcher der Waltharius der mittelalterlichen Literatur Frankreichs zugerechnet wird).

MEYER, WILHELM: Philologische Bemerkungen zum Waltharius, SBM 3 (1873), S. 358—398.

GRELLET-BALQUERIE, CH.: Etude sur l'épopée latine de Walter, prince et doi d'Aquitaine, et sur son auteur, Géraud, moine de Fleury, in: Comptes rendus des séances de l'Acad. des Inscript. et Belles Lettres, 4e série XVIII, 1890, 378 sq.

STRECKER, KARL: Waltharius 263 f., ZfdA 42 (1898), S. 267—270.

MEYER, WILHELM: Der Dichter des Waltharius, ZfdA 43 (1899), S. 113 bis 146.

STRECKER, KARL: Bemerkungen zum Waltharius, Progr. d. Gymnasiums Dortmund 1899.

ALTHOF, HERMANN: Zum Waltharius, ZfdPh 33 (1901), I S. 349—368, II S. 437—455.

ALTHOF, HERMANN: Gerald und Erchambold, Jbb. d. Akademie Erfurt NF 30, Erfurt 1904, S. 631—652.

FLACH, JACQUES: Revendications contre l'Allemagne du poème de Gauthier d'Aquitaine, Revue des études historiques 82 (1916), S. 298—313.

WILMOTTE, MAURICE: La patrie du Waltharius, Revue historique 127 (1918), S. 1—30.

NECKEL, GUSTAV: Das Gedicht von Waltharius manu fortis, GRM 9 (1921), I S. 139—149, II S. 209—221, III S. 277—288.

REEH, RUDOLF: Zur Frage nach dem Verfasser des Walthariliedes, ZfdPh 51 (1926), S. 413—431.

SIEVERS, EDUARD: Ekkehard oder Geraldus? PBB 51 (1927), S. 222—232.

STRECKER, KARL: Neues zum Waltharius, ZfdA 69 (1932), S. 117—122 und S. 144.

BORK, HANS: Artikel ›Ekkehard I.‹, Verfasserlexikon Bd. 1 (1933), Sp. 527—532, Nachtrag: Karl Langosch, Bd. 5 (1955), Sp. 183 f.

SCHRÖDER, EDWARD: ›Attila versifice‹, AfdA 53 (1934), S. 235.

GREGOIRE, HENRI: Le »Waltharius« et Strasbourg, Bull. de la Faculté des Lettres de Strasbourg 14 (1936), Nr. 6, S. 201 ff.

WOLF, ALFRED: Der mittelalterliche Waltharius und Ekkehard I. von St. Gallen, Studia neophilologica 13 (1940/41), S. 80—102.

LANGOSCH, KARL: Der Verfasser des Waltharius, ZfdPh 65 (1940), S. 117 bis 142.

ERDMANN, CARL: Die Entstehungszeiten des »Waltharius« und der »Ecbasis captivi«, FuF 17 (1941), Sp. 169—171.

STRECKER, KARL: Der Walthariusdichter, DA 4 (1941), S. 355—381.

STRECKER, KARL: Vorbemerkungen zur Ausgabe des Waltharius, DA 5 (1942), S. 23—54.

WOLF, ALFRED: War der Verfasser des Waltharius ein Germane? (Vortrag, ungedr., gehalten am 5. 2. 1932. Notiz darüber von K. Strecker, DA 5 (1942), S. 54).

STACH, WALTHER: Geralds Waltharius. Das erste Heldenepos der Deutschen, HZ 168 (1943), S. 57—81.

VINAY, GUSTAVO: A proposito dell'autore e della cronologia del Waltharius, Boll. storico-bibliografico subalpino 45 (1947), S. 5—12.

PANZER, FRIEDRICH: Der Waltharius in neuer Beleuchtung, FuF 24 (1948), S. 156—158.

PANZER, FRIEDRICH: Der Kampf am Wasichenstein, Waltharius-Studien, Speyer 1948.

MINIS, COLA: Ekkehard I. und der Waltharius, Der Wächter 30/31 (1948/49), S. 81—91.

SCHUMANN, OTTO: Walthariusprobleme, Studi medievali N. S. 17 (1951), S. 177—202.

SCHUMANN, OTTO: Zum Waltharius, ZfdA 83 (1951/52), S. 12—40.

GREGOIRE, HENRI: L'auteur Strasbourgeois de Waltharius, La Nouvelle Clio 4 (1952), S. 319—321.

STEINEN, WOLFRAM VON DEN: Der Waltharius und sein Dichter, ZfdA 84 (1952/53), S. 1—47.

BECKER, HENRIK: Zum Waltharius, Wiss. Zs. d. Fr.-Schiller-Univ., Jena 1952/53, S. 65—68.

LANGOSCH, KARL: Artikel: >Waltharius<, Verfasserlexikon Bd. 4 (1953), Sp. 776—788, Nachtrag Bd. 5 (1955) Sp. 1114 f.

HAUCK, KARL: Das Walthariusepos des Bruders Gerald von Eichstätt, GRM 35 (NF 4, 1954) S. 1—27.

HAUCK, KARL: Eichstätt und Waltharius-Epos, Hist. Bll. f. Stadt- und Landkreis Eichstätt 3 (1954), Nr. 3.

HAUCK, KARL: Erchanbald von Eichstätt, der Mäzen des Walthariusdichters, Die Erlanger Universität 7, 1. Beilage 1954, S. 2 f.

GENZMER, FELIX: Wie der Waltharius entstanden ist, GRM 35 (NF 4, 1954), S. 161—178.

REINDL, KURT: Besprechung der Arbeiten von Karl Hauck zum Waltharius, DA 11 (1954/55), S. 262.

WOLF, ALFRED: Zum Waltharius Christianus, ZfdA 85 (1954/55), S. 291 bis 293.

FRANCESCHINI, EZIO: L'epopea post-carolingia, in: I problemi communi dell'Europa post-carolingia, Spoleto 1955, S. 313—326 (über den Waltharius S. 318—325).

EIS, GERHARD: Ein Gesichtspunkt für die Datierung des Walthariusepos, GRM 37 (NF 6, 1956), S. 288 f.

KATSCHER, ROSEMARIE: Waltharius. Dichtung und Dichter, Diss. Masch. Leipzig 1958.

FICKERMANN, NORBERT: Zum Verfasserproblem des Waltharius, PBB (Tübingen) 81 (1959), S. 267—273.

EIS, GERHARD: Waltharius-Probleme, Bemerkungen zu dem lateinischen Waltharius, dem angelsächsischen Waldere und dem vorahd. Walthari, in:

Britannica. Festschrift für H. M. Flasdieck, Heidelberg 1960, S. 96—112.

HAUCK, KARL: Mittellateinische Literatur, in: Deutsche Philologie im Aufriß, 2. Aufl., Berlin 1960, Bd. 2 Sp. 2555—2624 (Waltharius Sp. 2584—2587).

WALTHER, HANS: Noch einmal zum Waltharius, ZfdA 90 (1960/61), S. 269—273.

VINAY, GUSTAVO: Waltharii poesis, Studi Medievali, IIIᵃ serie V (1964), S. 476—524.

SCHALLER, DIETER: Geraldus und St. Gallen. Zum Widmungsgedicht des »Waltharius«, Mittellateinisches Jahrbuch II (1965), S. 74—84.

INTERPRETATIONEN, STILFRAGEN, METRIK (VGL. VOR ALLEM STRECKERS AUSGABE S. 16 ff.), ZITATE, NACHWIRKUNGEN TEXTLICHER ART

MEYER, WILHELM: Die Arten der gereimten Hexameter, SBM 3 (1873), S. 70—91, Wiederabdruck in: W. Meyer, Ges. Abhandlungen zur mittellateinischen Rhythmik Bd. 1, Berlin 1905, S. 79—98 (Leonini S. 83 f.).

STRECKER, KARL: Ekkehard und Vergil, ZfdA 42 (1898), S. 339—365.

BRINKMANN, HENNIG: Ekkehards Waltharius als Kunstwerk, Zs. f. deutsche Bildung 4 (1928), S. 625—636, Wiederabdruck in: H. Brinkmann, Studien zur Geschichte der deutschen Sprache und Literatur, Bd. 2, Düsseldorf 1966, S. 137—150.

LOHMEYER, HERMANN: Vergil im deutschen Geistesleben bis auf Notker III, Germanische Studien 96, Berlin 1930, besonders S. 146—159.

CORIN, A. L.: Simples réflexions d'un curieux à propos du procès du »Waltharius« et du »Ruodlieb«; I: La geste de Waltharius, Le Musée Belge 34 (1930/31), S. 109—133.

WOLF, ALFRED: Irisch-Lateinisches um Karl den Großen (Vortrag ungedr.), Referat darüber: Die Neueren Sprachen 42 (1934), S. 509 f.

CURTIUS, ERNST ROBERT: Zur Literaturästhetik des Mittelalters, ZfrPh 58 (1938), I S. 1—50; II S. 129—232; III S. 433—479 (passim).

WAGNER, HANS: Ekkehard und Vergil, eine vergleichende Interpretation der Kampfschilderungen im Waltharius, Heidelberg 1939 (Quellen u. Stud. z. Gesch. u. Kultur d. Altert. u. d. Mittelalters, Reihe D, Heft 9, zugl. Diss. Heidelberg).

CURTIUS, ERNST ROBERT: Über die altfranzösische Epik, ZfrPh 64 (1944), S. 233—320 (passim).

ZEYDEL, EDWIN H.: Ekkehard's Influence upon Hrotsvitha. A Study in Literary Integrity, Modern Language Quarterly (1945), S. 333—339.

SCHUMANN, OTTO: Statius und Waltharius, in: Studien zur deutschen Philologie des MAs. Festschrift f. F. Panzer, Heidelberg 1950, S. 12—19.

STACKMANN, KARL: Antike Elemente im Waltharius. Zu Friedrich Panzers neuer These, Euphorion 45 (1950), S. 231—248.

SCHUMANN, OTTO: Walthariusprobleme, Studi Medievali 17 (1951), S. 177 ff.

GENZMER, FELIX: Wie der Waltharius entstanden ist, GRM 35 (1954), S. 161–178.

BLASCHKA, ANTON: Eine Versuchsreihe zum Waltharius-Problem, Wiss. Zs. der Martin-Luther-Univ. Halle-Wittenberg (Gesellsch.- und Sprachwiss. Reihe) 5 (1955/56), S. 413–419.

JONES, GEORGE F.: The Ethos of the Waltharius, in: Middle ages – Reformation. Volkskunde. (Festschrift für J. G. Kunstmann), Chapel Hill 1959 (= Univ. of North Carolina studies in the Germanic languages and literatures 26), S. 1–20.

BRUNHÖLZL, FRANZ: Zum Ruodlieb, DVjs 39 (1965), S. 506–522 (wichtig wegen der oft behaupteten Waltharius-Parallelen).

WEHRLI, MAX: Waltharius. Gattungsgeschichtliche Betrachtungen, Mittellateinisches Jahrbuch II (1965), S. 63–73.

DER WALTHARIUS UND DIE »NIBELUNGIAS«

LACHMANN, KARL: Kritik der Sage von den Nibelungen, Rhein. Museum 3 (1829), S. 435–464, Wiederabdruck in: K. Lachmann, Zu den Nibelungen und zur Klage, Berlin 1836, S. 333–349.

ROETHE, GUSTAV: Nibelungias und Waltharius, SBB 1909.

DROEGE, KARL: Die Vorstufe unseres Nibelungenliedes, ZfdA 51 (1909), S. 177–218, darin besonders S. 208 gegen die Abhandlung Roethes, daraufhin

ROETHE, GUSTAV: Zu Zs. 51, 208, ZfdA 51 (1909), S. 290 f.

DROEGE, KARL: Nibelungenlied und Waltharius, ZfdA 52 (1910), S. 193 bis 231.

RENOIR, ALAIN: Nibelungenlied and Waltharii poesis: A note and tragic irony, Philological Quaterly 43, Iowa City 1964, S. 14–19.

CHANSONS DE GESTE UND WALTHARIUS

TAVERNIER, WILHELM: Waltharius, Carmen de prodicione Guenonis und Rolandsepos, Zs. f. frz. Spr. und Lit. 42 (1914), S. 41–81.

WILMOTTE, MAURICE: Une nouvelle théorie sur l'origine des chansons de geste, Revue historique 120 (1915), S. 241–288.

WILMOTTE, MAURICE: Une source latine de la Chanson de Roland, Mélanges offerts à M. Gustave Lanson, Paris 1922, S. 77–84.

CHIRI, GIUSEPPE: L'epica latina medioevale e la Chanson de Roland, Genova 1936, bes. S. 102 ff. und 246 ff.

WILMOTTE, MAURICE: L'épopée française. Origine et élaboration, Paris 1939, bes. S. 84–93.

LEJEUNE, RITA: La composition du personnage de Gautier del Hum dans la Chanson de Roland, in: Bibliothèque de la Faculté de Philosophie et Lettres de l'Université de Liège, Fasc. 150, Paris 1959, S. 237–270, bes. S. 263 ff.

über die Möglichkeit, in Gautier del Hum einen Walther vom Hunnenland zu sehen.

MENENDEZ PIDAL, RAMON: La Epopeya castellana através de la literatura española, 2. Aufl., Madrid 1959.

MENENDEZ PIDAL, RAMON: Los Godos y la Epopeya Española, Madrid 1956 (S. 41 ff. über die mit Walther und Hildegund zusammengebrachte Romanze »Gaiferos y Melisenda«. Vgl. dazu WALTHER METTMANN, Altspanische Epik, GRM 42, 1961, S. 128 ff., besonders S. 141 ff., dort auch Stellungnahme zu C. GUERRIERI CROCETTI, L' Epica spagnola, Florenz 1957).

JONES, GEORGE FENWICK: Friendship in the Chanson de Roland, Modern Language Quarterly 24, Washington 1963, S. 88—98 (wichtig für die Beurteilung der Arbeiten von W. Tavernier).

DIE NAMEN, INSBESONDERE DIE PERSONENNAMEN IM WALTHARIUS, WURDEN ZU EINER SONDERFRAGE.

ALTHOF, HERMANN: Über einige Namen im Waltharius, ZfdPh 34 (1902), S. 365—374.

KLUGE, FRIEDRICH: Miszellen zur Namenkunde, Zs. f. Dt. Wortforschung 8 (1906/7), S. 143—145 (über den Namen des Westgotenkönigs Wallia 〈* Walthaharjis wie Ammius — Hamthér). Vgl. A. Bach, Deutsche Namenkunde I, 2. Aufl., S. 101.

SCHRÖDER, EDWARD: Die deutschen Personennamen in Ekkehards Waltharius, in: Studien zur lat. Dichtung des Mittelalters. Festschr. f. Karl Strecker, hrsg. von W. Stach und H. Walther, Dresden 1931, S. 143—157, (Schriftenreihe d. Hist. Vierteljahresschr. I) abgedruckt in: Schröder, Edward: Deutsche Namenkunde. Gesammelte Aufsätze zur Kunde deutscher Personen- und Ortsnamen, Göttingen 1938, S. 35—47, 2. Aufl. bes. von L. Wolff, Göttingen 1944, S. 80—92.

SCHRÖDER, EDWARD: Blattfüllsel (Hagano im Waltharius), ZfdA 68 (1931), S. 269.

SCHRÖDER, EDWARD: Zu den deutschen Namen des Waltharius, ZfdA 70 (1933), S. 23 f.

SCHRÖDER, EDWARD: Franci Nebulones, ZfdA 74 (1937), S. 80.

BISCHOFF, BERNHARD: Il Monachesimo Irlandese nei suoi rapporti col continente, in: Settimane di studi sull'alto medioevo 4 (Spoleto 1957), S. 121 bis 138, jetzt: Mittelalterliche Studien I, Stuttgart 1966, S. 195—205, bes. S. 204.

DIE SAGE

Das Bild der Heldensage hat sich im Laufe der letzten Jahrzehnte immer stärker zu einem Bild der Denkmäler der Heldensage gewandelt. Es wurde zunehmend schwieriger, den schlechthin gültigen Bestand an Motiven und Schemata der Handlung an Charakteristika der Personen und an erschlossene Phänomene des Stils verlorener Vorstufen in Urliedern usw. zu konstituieren oder in Sagenkreisen zu fixieren. Für die Sage von Walther und Hildegund gibt es zunächst zwei Vorfragen, wenn man nämlich auf die Frühzeit schaut: Ob überhaupt eine historische Grundlage zu ermitteln ist und wie eine darauf entwickelte »Sage« mit der Nibelungensage in Berührung kam. Es sei ausdrücklich betont, daß es nur eine Berührung in der personalen Staffage sein konnte, schon in der Gestaltung Gunthers, Hagens und seiner Gefolgsleute stoßen wir auf Tendenzen, die weit auseinandergehen. Wichtiger als der Rückschluß auf die Völkerwanderungszeit oder das frühe Mittelalter ist das Problem, wie der Walthariusdichter um 900 verfuhr: Wie stand er zur Vorlage bzw. zu den Vorlagen? Hat er, wie F. Panzer meint, aus einzelnen Namen von Personen, Städten, Flüssen, Ländern, dazu aus einem festen, von römischer Epik (Statius) übernommenen Handlungsgefüge und dem großen geprägten Vorrat von Stilelementen vergilischer Diktion erst das Urbild oder — weniger scharf auf eine literarische Gattung hin formuliert — jene Basis geschaffen, von dem alle spätere Dichtung über Walther und Hildegund auszugehen hatte? Am klarsten scheidet sich hier die Forschung an der Frage, wie der alte Schluß war: Versöhnliches Ende oder Tod von der Hand Hagens? Mit einem solchen hic et nunc ergeben sich eigentlich von selbst die thematisch oftmals umworbenen Parallelfassungen volkssprachiger heroischer Liedkunst. Damit wäre der lat. Waltharius ein einsamer Zweig, dem kein weiteres Wachstum beschieden war. Wer ihn zur Wurzel der ganzen Sage macht, muß viel stärker mit Reduktions- und Ausbaugestalten, Umstrukturierung und Zyklisierung, d. h. Einbau in andere Sagenkreise, rechnen.

UHLAND, LUDWIG: Schriften zur Dichtung und Sage, 8 Bde., Stuttgart 1865—73: Bd. 1 (Zum Waltharius bes. S. 56—59; 428—432) (In einer bei E. Ploss angefertigten Magisterarbeit wurde die bisher unedierte Abhandlung Uhlands »Wasgenstein« untersucht und für eine Edition vorbereitet).
GRIMM, WILHELM: Die deutsche Heldensage, 3. Auflage 1889 (Neudruck Darmstadt 1957), bes. S. 95—107.
BEER, LUDWIG: Zur Hildensage, PBB 14 (1889), S. 522—572, bes. S. 535 ff. über die denkbaren Beziehungen zu dem Sagenkomplex »Walther und Hildegund«.
SIMONS, L.: Waltharius en de Walthersage, Leuvensche Bijdragen 11 (Lier/ Leipzig 1913/14), I S. 1—110, II S. 149—246; Leuvensche Bijdragen 12 (Lier/ Leipzig 1914), III S. 1—132.
HEUSLER, ANDREAS: Walther und Hildegund, in: Hoops Reallexikon d. german. Altertumskunde Bd. 4, Straßburg 1918/19, S. 476—477.

HEUSLER, ANDREAS, Die Sage von Walther und Hildegund, Zs. f. deutsche Bildung 11 (1935), S. 69—78, Wiederabdruck in: A. Heusler, Kleine Schriften, hrsg. von H. Reuschel, Berlin 1943, S. 12—25.

LENZ, WILHELM: Der Ausgang der Dichtung von Walther und Hildegunde, Hermaea 34, Halle/S. 1939.

BAESECKE, GEORG: Vor- und Frühgeschichte des deutschen Schrifttums, Bd. 1, Halle/S. 1940, bes. S. 407—455.

Survivals in Old Norwegian of Medieval English, French and German Literature, together with the Latin Versions of the Heroic Legend of Walther of Aquitaine, transl. by H. M. Smyser and F. P. Magoun jr., Baltimore 1941 (Connecticut Coll. Monogr. I.)

VON KRALIK, DIETRICH: Vortrag in der Wiener Akademie am 22. April 1942 über Probleme der Walthariusforschung, Bericht in: Deutsche Literaturzeitung 63 (1942), Sp. 765—766.

FRINGS, THEODOR: Herbort. Studien zur Thidrekssaga I = Berichte über die Verhandlungen der Sächs. Akademie der Wissenschaften 95 (1943), 5. Heft, S. 1—38, bes. S. 3, 25—32, 36.

CASTLE EDUARD: Die Geschichte von Walther und Hildegunde in ihren Gestaltungen, Anz. d. Akad. d. Wiss. in Wien, Phil. hist. Kl. 81 (1944/45), S. 51—65.

PANZER, FRIEDRICH: Der Kampf am Wasichenstein. Waltharius-Studien, Speyer 1948.

MAGOUN jr., FRANCIS PEABODY und SMYSER, HAMILTON MARTIN: Walter of Aquitaine. Materials for the Study of his Legend, Connecticut Coll. Monogr. 4, New London Conn. 1950.

BETZ, WERNER: Die Doppelzeichnung des Gunther im Waltharius und die deutsche Vorlage, PBB 73 (1951), S. 468—470.

CARROLL, BENJAMIN HAWKINS: An Essay on the Walther Legend, Florida State Univ. Studies 5 (1952), S. 123—179.

BECKER, HENRIK: Zum Waltharius, Wiss. Zs. der Friedrich-Schiller-Universität Jena (Gesellsch.- und Sprachwiss. Reihe) 2 (1952/53), Heft 5, S. 65 bis 68.

CARROLL, BENJAMIN HAWKINS: On the Lineage of the Walther Legend, Germanic Revue 28 (1953), S. 34—41.

VON DER LEYEN, FRIEDRICH: Das Heldenliederbuch Karls des Großen, München 1954, S. 34—37. »Der starke Walther«.

GEISSLER, FRIEDMAR: Brautwerbung in der Weltliteratur, Halle 1955 (passim).

KROES, HENDRICK WILLEM J.: Die Walthersage, PBB (Halle) 77 (1955), S. 77—88.

ZINK, GEORGES: Walther et Hildegund. Remarques sur la vie d'une légende, Etudes Germaniques 11 (1956), S. 193—201.

VAN DER LEE, ANTHONY: Einiges zur stofflichen Grundlage der Walthersage, in: Miscellanea litteraria in commemorationem primi decimi instituti edita, Studia litteraria Pheno-Traiectina 4, Groningen 1959, S. 69—85.

WISNIEWSKI, ROSWITHA: Kudrun (= Slg. Metzler), Stuttgart 1963, bes. S. 27 ff., S. 32 ff., S. 53.

HARMS, WOLFGANG: Der Kampf mit dem Freund oder Verwandten in der deutschen Literatur bis um 1300, Medium aevum I, München 1963 (Waltharius S. 29—33).

KUHN, HANS: Zur Geschichte der Walthersage, in: Festgabe für U. Pretzel, Berlin 1963, S. 5—12.

STACKMANN, KARL: Kudrun, Wiesbaden 1965, Einleitung S. XI und Anm. 151, hrsg. von Karl Bartsch, 5. Aufl. überarb. u. neu eingeleitet von Karl Stackmann.

HAUG, ARTHUR: Zur Entstehung und Entwicklung der Walthersage, Diss. phil. Freiburg 1965 (S. 79 ff. »Persisches im Waltharius«, S. 128 ff. »Irisches im Waltharius«).

REGISTER ZUR FORSCHUNG

Vorbemerkungen
zur Ausgabe des Waltharius

Von

Karl Strecker

Im vorhergehenden Bande dieſer Zſ. S. 355 ff. habe ich dar=
gelegt, warum ich mich entſchloſſen habe, den Waltharius doch
noch in die Poetae aevi Carolini aufzunehmen. Um Raum zu
ſparen, habe ich dieſen Weg gewählt, und aus demſelben Grunde
ſtelle ich hier eine Reihe von Bemerkungen zuſammen, die er=
wünſcht erſcheinen, aber die Ausgabe unnötig anſchwellen laſſen
würden.

1. Dem geplanten Druck in Poetae 5 wird natürlich ein Bericht
über die Handſchriften vorausgeſchickt werden müſſen, der dort
nicht zu entbehren iſt, ich beabſichtige darum nicht ihn auch hier
zu geben, zumal ſchon ſehr viel über das Thema geſchrieben
worden iſt. Nur einiges, was weniger bekannt oder noch un=
bekannt iſt, ſei kurz mitgeteilt. Ich zähle hier alle mittelalterlichen
Erwähnungen des Waltharius auf, obwohl für den, der an einen
Waltharius christianus[1] glauben kann, die Möglichkeit bleibt,
gelegentlich an dieſen zu denken wie etwa bei dem Waltharius
von Stablo. Die erhaltenen Hſſ. bilden bekanntlich im allgemeinen
zwei Klaſſen, γ im Weſten oder Nordweſten beheimatet, und α,
die man als ſüddeutſch bezeichnen kann. Dieſer landſchaftlichen
Gruppierung fügen ſich auch die verlorenen, aber in Katalogen
erwähnten. Zu γ rechne ich die Hſſ. von Egmond, St. Omer,
Stablo. Auch in Metz war der Waltharius bekannt, denn in der

---

[1] Vgl. a. a. O. Bd. 4 S. 362 ff.

von dort stammenden Genealogia s. Arnulfi erscheint unter den
Söhnen Chlotars der aus dem Waltharius bekannte Guntherius:
Guntherius Germanię primę regnum obtinuit ac prime Belgicę,
in qua Treveris, qui cum Walthario hunorum obside (so, nicht
abside) fertur pugnasse. Die Hs., welche die Genealogia erhalten
hat, Dindobonensis 7436, Hist. eccl. 160, ist jung, 16. Jh., Pertz[1]
setzt ihre Vorlage nach den vielfach noch mitabgeschriebenen ę
ins 12. bis 13. Jh. Am Schluß des Textes steht ap̄ Metenses.
Möglicherweise kannte der Vf. der Genealogie den Waltharius
aus derselben Hs., aus welcher in der aus St. Nabor stammenden
Metzer Hs. 377 in einem Gedicht auf dem Schlußblatt Waltharius
V. 74 zitiert wird.[2] Ferner zählt ein seit 1628 in Bern liegender
Kodex Nr. 4, 9. Jh., s. 54ᵛ — die Stelle von Hd. 10.—11. Jh. ge=
schrieben — unter den autores huius monasterii an dreizehnter
Stelle den Waltharius auf.[3] Dieser Katalog wird von Ch. Cuissard[4]
für Fleury an der Loire in Anspruch genommen, und der darin er=
wähnte Waltharius mit der Pariser Hs. P, Bibl. nat. 8488 A, die ja
auch aus Fleury stammen soll, identifiziert. Aber eine Begründung
dafür gibt es nicht.[5] Eher ist in Betracht zu ziehen, worauf schon
Wolf aufmerksam machte, daß von den vier Heiligenviten bzw.
Passionen, die in dem Katalog genannt werden, drei in die Nähe
der Brüsseler Hs. B (Gembloux) oder der oben genannten
(Egmond, St. Omer, Stablo) weisen, 43 Medardus (Soissons),
48 Quintinus (St. Quentin), 54 Lambertus (Lüttich). A. Holder[6]
wollte den Katalog aus Weißenburg stammen lassen, aber das
schwebt völlig in der Luft, ebenso seine Annahme, daß der hier
aufgeführte Kodex das von Geraldus nach Straßburg gesandte
Exemplar war. Hierher gehören auch die drei Walthariushss.,
die nach Ausweis des erhaltenen Katalogs vom J. 1084 das

---

[1] Pertz in Archiv 3 S. 667. Vgl. auch R. Peiper, Ekkehardi primi
Waltharius 1873 S. XIV.

[2] Poetae 5, 384, 25.

[3] Vgl. H. Hagen, Fleckeisens Jahrb. 99, 1869, S. 510 f.

[4] Ch. Cuissard, Catal. général 8°, 12 S. III. Ch. Cuissard, Fonds
de Fleury 1885 S. 209 ff. Vgl. auch Leclerq im Dictionnaire d'archéologie
chrétienne et de liturgie 5 S. 1744 ff.

[5] Vgl. L. Traube, Vorles. u. Abhandl. 3 S. 12.

[6] J. V. Scheffel und A. Holder, Waltharius, Lateinisches Gedicht
des 10. Jh. ... 1874 S. 151.

Kloster St. Apri in Tull besaß.¹) Es ist schon früher²) darüber
gesprochen worden, daß darin ein Waltharius unter den divini
poetae aufgeführt wird, zwei unter den gentiles, doch habe ich
es für richtig gehalten alle drei hier aufzuzählen. Erinnert sei
auch daran, daß Walther von Speyer 6, 83 (vgl. Poetae 5, 58)
den Geraldusprolog V. 20 zu kennen scheint vgl. Poetae 5, 408.

Zur Klasse α gehören sicherlich die beiden Hss. im Kloster Muri
(Aargau) und die im Kloster Pfaevers (Kanton St. Gallen). Viel=
leicht hat Edw. Schröder Recht mit der Annahme, daß diese
letztere die abgegebene Doublette von Muri ist.³) Ferner kommen
hierzu die poesis Baltherii in St. Rupert in Salzburg, die Ma=
nitius mit dem aus Salzburg stammenden Vindobonensis 289
identifizieren möchte, und der Attila versifice im Bücher=
verzeichnis des Bischofs von Passau Otto von Lonstorf († 1265)⁴).
Roethe dachte dabei an seine Nibelungias. Näher liegt es sicher=
lich, dies auf den Waltharius zu beziehen, was Roethe nicht
unbedingt ablehnt, Edw. Schröder für zweifellos erklärt. Zur
süddeutschen Gruppe gehört auch, wenn er überhaupt den Wal=
tharius gentilis enthielt⁵), der Kodex, den der Anonymus Melli=
censis aus Prüfening kannte.

Gar nichts weiß man über die Herkunft der Hs., die Marquard
Freher in Heidelberg, † 1614, hatte und zu edieren beabsichtigte,
wozu es leider nicht gekommen ist. Sicher ist nur, daß sie nicht
zur süddeutschen Klasse gehörte, ihr Text von V. 1086 stimmte zu γ.
Doch gibt es keinen Anhaltspunkt für Holders Annahme, daß sie
mit der nach ihm aus Echternach stammenden Hs. P identisch sei.

Über die erhaltenen Hss. ist im allgemeinen nicht viel Neues
zu berichten mit Ausnahme der Pariser Hs. P, über deren rätsel=
haften Herkunftsvermerk ich schon oben⁶) ein paar Worte gesagt
habe.⁷) Mittlerweile hat O. Schumann die ganze Hs. einer mi=

¹) Vgl. Becker, Catalogi antiqui Nr. 68, 180ff.
²) A. a. O. S. 364.
³) E. Schröder in Anz. f. d. Altert. 44, 1925, S. 70f.
⁴) Vgl. A. Czerny, Die Bibliothek des Chorherrnstiftes St. Florian
1874 S. 231.
⁵) A. a. O. S. 365.
⁶) A. a. O. S. 372, 4.
⁷) S. XI meiner kleinen Ausgabe (2. Aufl. 1924) habe ich die Ver=
mutung geäußert, die so sicher auftretende Behauptung von Grellet=

nutiöſen Prüfung unterzogen[1]) mit dem Ergebnis, daß der Wal=
thariustext von ſieben verſchiedenen Händen ſtammt und die
Hand, welche die ſieben letzten Verſe auf einem neuen Blatte
eintrug und welche man bisher einem fremden Schreiber zuwies,
zumal ſie tatſächlich auf den erſten Blick einen fremden Eindruck
machen, auch ſchon vorher tätig geweſen iſt, alſo die bisher gel=
tende Annahme, die ſieben letzten Verſe ſeien nachgetragen,
nicht richtig iſt. Das iſt natürlich außerordentlich wichtig, denn
man hat bisher die Tatſache, daß dieſe ſieben Verſe in P wie
geſagt einen fremden Eindruck machen, in B ebenfalls auf einem
neuen Blatt und mit kleinerer Schrift eingetragen ſind und in T
ganz fehlen, ſo gedeutet, daß ſie ſchon im Archetypus γ nicht vor=
handen geweſen ſeien. Schumann zeigt in durchaus einleuchten=
der Weiſe, daß dies Verhältnis in B und P der reine Zufall iſt
und keine Schlüſſe daraus gezogen werden können. Warum frei=
lich die Verſe in T ganz fehlen, iſt mir noch nicht klar.

Von den Hſſ. der α=Klaſſe iſt die Karlsruher K, Raſtatt 24,
näher beſchrieben von A. Holder[2]) und R. Peiper[3]), und ſie
verdient auch eine nähere Unterſuchung, wie ſie wie geſagt P
erfahren hat; es bedarf dafür beſſerer Augen als ſie mir zur
Verfügung ſtehen. Hier ſei nur erwähnt, daß es drei Lagen
ſind, Bl. 224—231, 232—237, 239—247. Dazu Bl. 248 und
ein eingelegter Streifen mit 10 Verſen = Bl. 238. Es ſind
mehrere Hände zu unterſcheiden, intereſſant iſt, daß Bl. 235ʳ
in V. 683 eine andere, feinere Hd. einſetzt, die auch die Namen
anders ſchreibt, 686 camalo gegen ſonſt camelo, 696 Walterius,

---

Balguerie, daß die Hſ. P aus Fleury ſtamme, werde dem ungedruckten
Katalog der Colbertini von Baluze entnommen ſein. Das war ein Irr=
tum, Th. Schieffer hat auf meine Bitte dieſen Katalog angeſehen (nouv.
acq. franc. 5692), die dortige Eintragung hat dem gedruckten Katalog
von 1744 (4 S. 532) zur Grundlage gedient und bringt nur die knappe
Notiz zu Cod. 6388 (jetzt 8488 A) Geraldi monachi Floriacensis ut videtur
poema de rebus praeclare gestis a Waltario uſw., alſo wörtlich überein=
ſtimmend. Wie mag Baluze zu dieſer Vermutung gekommen ſein?

[1]) O. Schumann, Über die Pariſer Walthariu=Handſchrift in Corona
quernea. Feſtgabe Karl Strecker 1941 S. 236ff.

[2]) In ſeiner Ausgabe S. 143—145. A. Holder, Katalog v. Karlsruhe
III Die Durlacher u. Raſtatter Hſſ., 1895, S. 107—116.

[3]) R. Peiper S. IIIf.

während vorher waltarius, waltharius, vultharius geschrieben
war. Über die Stuttgarter Hf. S, Theol. et philof. 41, und ihre
Schicksale, die dazu führten, daß in Grimms Ausgabe drei daraus
wurden, ist ja auch hinreichend gehandelt worden, nur auf einen
Punkt möchte ich hinweisen, der oft übersehen wird. Unser Wal=
tharius hat in allen Ausgaben 1456 Verse, in Wirklichkeit aber
nur 1455. Das hat seinen Grund darin, daß in der Hf. S der
Vers 647 von anderer, ziemlich gleichzeitiger Hd. am Rande als
V. 652 wiederholt ist. Da nun die erste Ausgabe, die von J. Chr.
J. Fischer 1780, die Hf. S zugrunde legte und mithin den V. 652
in den Text aufnahm, ist diese Zählung in alle Ausgaben über=
gegangen. Die Hf. hat an den Rändern gelegentliche Notizen
eines aufmerksamen Lesers, der Namen, die zum ersten Male
vorkommen, dort wiederholte, wie 27 hagano, 35 herricus, 36
hilgūt usw. Die Vermutung liegt nahe, daß sie von Aventinus
stammen, der die Hf. in St. Emmeram sah; er liebte es ja Ein=
träge in Hff. zu machen.[1] Es wäre erwünscht, wenn eine andere
Hf. daraufhin mit S verglichen würde, die Randnotizen zum
Chronicon Bavariae des Veit Arnpeck bei Chroust[2] geben nicht
viel her.

Wichtiger sind die Nachträge, die ich zu den sogenannten Inns=
brucker Fragmenten zu geben habe. Die Hf., von der diese Frag=
mente stammen, war alt und wertvoll. Sie lag wenigstens im
späteren Mittelalter wohl in Südbayern und wurde um 1510
in Ingolstadt von einem Buchbinder in Streifen zerschnitten und
zum Einbinden von Hff. und Inkunabeln verwendet. In den
letzten Jahrzehnten ist ein Teil dieser Streifen aus den ver=
schiedensten Hff. und Drucken losgelöst und als Waltharius er=
kannt worden, und die Hoffnung ist nicht ganz unberechtigt, daß
noch weitere zutage treten werden. 1. Zuerst wurden aus Inns=
brucker Inkunabeln, die zumeist aus dem Zisterzienserstift Neu=
stift bei Brixen stammen, 14 Streifen losgelöst und von Anton
E. Schönbach[3] ediert. Diese Fragmente gehören jetzt der Inns=
brucker Universitätsbibliothek unter der Signatur Hff. Fragm. 89.
2. Dann löste Ernst Schulz aus einem Calepinus, Dict. lat.,

---

[1] Vgl. P. Lehmann in SB. Bayer. Akad. 1939 S. 19 ff.
[2] A. Chroust, Monumenta palaeographica 1, 10 Taf. 9.
[3] A. E. Schönbach in Zf. f. d. A. 33, 1889, S. 339 ff.

Straßburg 1516, Provenienz Bozener Franziskaner, eine Anzahl Streifen, deren Zusammenhang mit denen in Innsbruck sofort klar war, und schenkte sie der Innsbrucker Bibliothek, wo sie die Signatur hss. Fragm. 90 erhielten. Ediert von K. Strecker.[1] 3. Nicht lange darauf brachte E. Schulz in München weitere Fragmente zutage, deren Herkunft leider nicht mehr festzustellen ist. Sie wurden von der Staatsbibliothek in Berlin erworben und sind signiert Fragm. 61. Ediert von K. Strecker.[2] 4. Zuletzt hat P. Lehmann aus zwei hss. der Münchener Universitätsbibliothek 2° 41 und 2° 42, Streifen loslösen lassen und mit sehr vielen andern zusammen herausgegeben.[3] Dieser letzte Fund ist deshalb besonders beachtenswert, weil die Zerschneidung der hs. sich dadurch lokalisieren und datieren läßt, daher auch die obigen von der bisher geltenden Annahme abweichenden Angaben. Die beiden hss. sind nämlich Kolleghefte des 1508 verstorbenen Ingolstädter Professors Georg Zingel. Da der Buchbinder also Anfang des 16. Jh.s in Ingolstadt arbeitete, erscheint es mehr als wahrscheinlich, daß er dort auch beheimatet war, also auch die Walthariushs., die er zerschnitt, sich dort befand und ebenfalls zum Binden anderer Bücher verwandt wurde, die dann nach Neustift usw. wanderten. Es wäre deshalb richtiger von Ingolstädter statt von Innsbrucker Fragmenten zu reden, jedenfalls trifft es sich gut, daß wir bei der Sigle I bleiben können. Mit dieser Heimat nördlich der Alpen vereinigt es sich gut, daß die hs. Berührungen mit der Salzburger, jetzt Wiener hs. V aufweist, s. unten. Das Gedicht nahm in dieser hs. drei Lagen in Anspruch, außerdem noch etwa fünf Seiten einer vierten, von der aber vorläufig nichts erhalten ist. Von besonderem Interesse ist es, daß auch in I der Geraldusprolog dem Gedicht vorausging, wie aus den Fragmenten zu errechnen war, neuerdings durch den Fund von P. Lehmann dokumentarisch bewiesen wird. Der erhaltene 18. Vers hat die Form

Nomine waltharius p̄ plia multa resectus,

---

[1] K. Strecker in Zf. f. d. A. 69, 1932, S. 117ff.
[2] K. Strecker in Zf. f. d. A. 73, 1936, S. 261ff.
[3] Mittelalterliche Handschriftenbruchstücke der Universitätsbibliothek und des Georgianum zu München, bearbeitet von Paul Lehmann u. Otto Glauning, 1940, Zentralbl. f. Bibliotheksw. Beiheft 72 S. 91ff.

also wie die Hff. PT. Durch diese Streifen ist etwa ein Drittel
des Gedichtes erhalten worden. P. Lehmann gibt 97 f. ein Ver=
zeichnis der sämtlichen erhaltenen Verse, das in der Ausgabe
wohl nicht wiederholt zu werden braucht, da im Apparat ja
doch alle Stellen notiert werden müssen, die I bewahrt hat. Die
sämtlichen Fragmente hat die Handschriftenabteilung der Ber=
liner Staatsbibliothek zusammenstellen und in Originalgröße
photographieren lassen, so daß man eine deutliche Vorstellung
von I erhält. Ein Exemplar dieser Aufnahme ist auch in Inns=
bruck UB. und München UB.

Ν ist das Chronicon Novaliciense, Cod. Taurin. arch. reg.
Novalic. mazzo 2 Ν. 20. Das zweite Buch dieser Chronik, das
vor 1027 entstand, enthält viele Verse aus dem ersten Drittel
des Gedichtes, von V. 93—577, zum großen Teil wörtlich, oft
aber auch mit starken Abweichungen, so daß es schwer ist, die
Überlieferung im Apparat auszuwerten, daher hat R. Peiper
im Anhang seiner Ausgabe S. 99—115 den ganzen in Betracht
kommenden Text nach Bethmann abgedruckt, nachdem schon
San Marte[1]) ihn aus Muratori[2]) entnommen hatte. Er fügt
auch die von Wolf auf seinen Waltharius christianus bezogenen
Teile hinzu. Ich muß aus Raumgründen darauf verzichten diesen
ganzen Abdruck zu wiederholen, werde aber im Apparat alles,
was textkritisch in Betracht kommen kann, aus Cipollas Aus=
gabe[3]) notieren.

Über die andern Hff. V = Vindobonensis 289, V[1] = Vindo=
bonensis 228, aus V abgeschrieben, L = zwei Pergamentblätter
der Leipziger Universitätsbibliothek Nr. 1589, die von einem im
Anfang des 13. Jh.s aus V oder wahrscheinlicher[4]) einem auf
dieselbe Quelle zurückgehenden Exemplar abgeschriebenen Kodex
stammen, ist hier nichts Neues mitzuteilen, ebensowenig über
die verlorenen Pergamentblätter in Engelberg, die Pertz noch
gesehen hat, der sie ins 11. Jh. setzte. Dagegen muß ich über

---

[1]) Walther von Aquitanien, Heldengedicht aus dem Lateinischen des
zehnten Jahrhunderts, übersetzt und erläutert von San=Marte 1853.

[2]) Muratori, Rerum Italicarum Scriptores Tom. II P. II S. 706 ff.

[3]) Fonti per la storia d'Italia 32, 1901, S. 139 ff.

[4]) Vgl. v. Winterfeld in NA. 22 S. 561.

die Grundſätze, die für die Auswertung dieſer hſſ. in der Aus=
gabe maßgebend ſind, einige Worte ſagen.

2. Über die Herſtellung des Walthariustextes iſt viel geſtritten
worden, die Polemik nahm teilweiſe eine etwas unerquickliche
Form an, doch hat der Sturm ſich gelegt, und wenn man auch
über einzelne Lesarten ſtreiten kann und manches vielleicht
immer kontrovers bleiben wird, ſo iſt doch ſchwerlich zu befürchten,
daß dies Schauſpiel ſich wiederholen wird. Ich lege daher nur
kurz dar, nach welchen Prinzipien ich den Text und die ganze
Anlage der Ausgabe zu geſtalten gedenke. In der Hauptſache
kann ich den Standpunkt beibehalten, den ich in meiner kleinen
Ausgabe (2. Aufl. 1924) vertreten habe, namentlich auch das
Verfahren, an Stellen, wo die Entſcheidung ſchwer iſt und
zweifelhaft ſein kann, die betreffende Lesart des Apparats
geſperrt zu drucken. Etwas ausführlicher werde ich über die
I=Bruchſtücke ſein müſſen.

Wenn wir den Grundſatz befolgen, der ja ſelbſtverſtändlich iſt,
aber vielfach bei der Kritik der Walthariushſſ. überſehen wurde,
bis v. Winterfeld mit Nachdruck darauf hinwies, daß man nicht
nach guten bzw. anziehenden Lesarten, ſondern nach gemein=
ſamen Fehlern oder Interpolationen das Verhältnis der hſſ.
zueinander feſtſtellen muß, ſo ergibt ſich folgender Tatbeſtand:
aus der Zahl der erhaltenen hſſ. hebt ſich zunächſt eine Gruppe
von dreien heraus, BPT. In ihnen geht der Prolog des Geraldus
dem Gedicht voraus, und man nennt ſie daher die Geraldusklaſſe γ;
wenn es ſich nun auch nachträglich herausgeſtellt hat, daß dieſer
Prolog nicht auf dieſe Klaſſe beſchränkt iſt, mag doch der ein=
gebürgerte Name auch weiter bleiben. Daß dieſe drei hſſ. zu=
ſammengehören (und auch das Hamburger Fragment dazu ge=
rechnet werden muß), braucht hier nicht weiter erörtert zu
werden, vgl. die Lesarten V. 319. 331 uſw. Wenn dieſe drei hſſ.
nicht übereinſtimmen, ſo gehen gewöhnlich P und T zuſammen,
wie etwa V. 147. Doch iſt T eine ſehr junge hſ. und zeigt Spuren
von Überarbeitung, während dann BP den Text γ bewahrt haben
wie V. 300. 327. Aber auch bei B und P ſteht der Text nicht
überall feſt. Die alte hſ. P iſt ja ſehr gut, an einigen Stellen kann
man m. E. aber doch zweifelhaft ſein, ob nicht bewußte Änderung
vorliegt, z. B. V. 683, wo pede compresso den Erklärern Schwie=

rigkeiten macht, während comprenso P guten Sinn ergibt. Auch
die berufene Stelle 1343 fluxerat undam möchte ich erwähnen,
die ja unerklärt ist, wo es aber doch am nächsten liegt, undam
als durch das vorhergehende fluxerat veranlaßt aufzufassen. Ge=
legentlich hat P aber auch ganz unerklärliche Lesarten wie 1236
diminutione für deditionem, und so können auch BT den Text γ
repräsentieren, wobei zu beachten ist, daß B an mehr als einer
Stelle eine Lesart hat, die recht bestechend ist, so daß Wilh. Meyer
in seinem berühmten Aufsatz erklärte[1]), der Text des Waltharius
müsse in erster Linie nach der Brüsseler hs. festgestellt werden.
Dies Verfahren ist aber nach dem Verhältnis der hss. zueinander
nicht möglich, und er hat dies selbst als methodischen Fehler be=
zeichnet[2]), während h. Althof diesen Standpunkt, den er von
W. Meyer übernommen hatte, bis zu seinem Tode krampfhaft,
aber erfolglos verteidigte. Daß der Text γ im allgemeinen der
bessere ist, wird jetzt mit Recht allgemein anerkannt.

Daneben haben wir die Klasse α, die vertreten wird durch die
hss. K und S. Sie gehen mehr oder weniger direkt auf einen
gemeinsamen Archetypus zurück, wie zahlreiche gemeinsame
Fehler beweisen. Besonders beachtenswert ist das Fehlen der
Verse 99. 204. 257. 661, von denen wenigstens 99 nicht gut zu
entbehren ist, auch die übrigen einen besseren Text ergeben. Nun
kommt es vor, daß K und S auseinandergehen, in solchen Fällen
ist es wichtig, daß eine dritte hs. hinzutritt, die Salzburger hs. V;
die Lesart V zeigt in solchen zweifelhaften Fällen, was in α
gestanden hat wie 808 ipse SV, ipsi K. 872 matri quid KV,
matri quod S zuerst. Daß V zu dieser Klasse gehört, zeigen
häufige Übereinstimmungen in offenbaren Fehlern wie 1315
tutum, 1332 trepidusque, namentlich auch das Fehlen der er=
wähnten vier Verse. Doch ist V ziemlich stark umgearbeitet und
auch direkt interpoliert, z. B. 1086, wo für suspecti γ oder
subiecti α vielmehr plati gesetzt ist, 186 miscebat : miscent̄ V,
227 intendit: c̄spex V. Man hat in dieser starken Umarbei=
tung die erwähnte Neuausgabe Ekkeharts IV. sehen wollen,

---

[1]) Wilhelm Meyer, Philologische Bemerkungen zum Waltharius,
Münchner SB. 1873 S. 384.
[2]) W. Meyer in Zf. f. d. Altert. 43, 1899, S. 131 f.

doch ist dies ziemlich allgemein und mit Recht abgelehnt worden,
denn diese Bearbeitung würde, auch wenn sie wirklich den Wal=
tharius gentilis beträfe, in keiner Weise den Worten desselben
entsprechen, der aus einer mangelhaften Jugendarbeit ein
fehlerfreies Opus geschaffen haben will. V ist also ein selb=
ständiger Vertreter der α=Klasse, so ist es gar nicht überraschend,
daß diese Hs. zuweilen gegen KS zu γ stimmt, z. B. 324 Tandem
γV, Inde α, 682, 1020, das ist dann ein Beweis dafür, daß die
γ=Lesart richtig ist. Andererseits muß man gute Lesarten in V
mit einem gewissen Mißtrauen betrachten, denn zuweilen scheint
es doch sehr stark so, als ob V durch B oder eine B nahestehende
Hs. beeinflußt ist vgl. 486 sternere, 509 est. Wie ist dieser Zu=
sammenhang mit einer nordwestlichen Hs. zu erklären? W. Meyer[1])
sagt, die Rezensionen in V und E (Engelberger Hs.) stützten sich
auf einen guten, BPT mindestens ebenso sehr als K ähnlichen
Text. Mir leuchtet das nicht recht ein, jedenfalls gehört V zur
α=Klasse. Wegen der starken Umarbeitung von V hat man diese
Hs. sehr beiseite geschoben[2]), für den Text war ja auch nicht viel
daraus zu gewinnen. Wenn ich näher auf sie eingegangen bin,
so geschah das wegen der Stellung der Innsbrucker Fragmente I.

Der Herausgeber Schönbach hatte I zur Geraldusklasse ge=
rechnet, und das war allgemein akzeptiert worden, auch noch
von P. v. Winterfeld.[3]) Ich habe dagegen ausgeführt[4]), daß
I vielmehr der Klasse α nahesteht, wenn also Iγ gegen α stimmen,
wie etwa 468 f., 824, dies gerade ein Beweis für die Güte von γ
ist. Mittlerweile sind nun ja die vielen neuen Fragmente von I
aufgetaucht und bestätigen mein Urteil; es hat sich heraus=
gestellt, daß I speziell mit V zusammengeht, wobei man nicht
vergessen darf, daß V stark bearbeitet ist und von I nur etwa
der dritte Teil vorliegt. 1311 bieten I V falsum für vassum.
83 ist die immerhin nicht ganz gewöhnliche Form domatas
ersetzt durch domitas, dabei aber der Text in beiden Hss. ge=
ändert: V hat Hic postquam domitas gentes has comperit esse,
I⟨Hic ubi cognou⟩it gentes has domitas esse; vielleicht ist in I

---

1) W. Meyer in Philol. Bemerk. S. 385.
2) Ich besitze eine Photographie von V.
3) P. v. Winterfeld in NA. 22 S. 560.
4) K. Strecker in GGA. 1907 S. 847 ff.

domitas aus domatas korrigiert. 337 pannoniorum I V. 523
coirent I V. 562 rediens nullus I V, in V freilich verbeſſert.
637 sim: sum I V. 750 albos: ambos I V. 946 si sic I V. 1031
ſtimmt I mit αV, 1020 mit S, wo V mit γ geht. Namentlich iſt
zu beachten, daß I V mehrfach ganz ſinguläre Namensformen
aufweiſen: 756 lieſt V ſtatt ekiurid vielmehr ekerich, 770. 778
ekirih; in I haben wir 778 ekrich, 756 müßte man nach Schön=
bachs Angabe ekeurid leſen, tatſächlich ſind nur die oberſten
Spitzen der Buchſtaben erhalten, aber man kann mit Sicherheit
feſtſtellen, daß das Wort nicht mit d endete, mir erſcheint es
zweifellos, daß es ch war. Ganz ähnlich iſt es bei patraurid
846—912: V hat paterih, I 912 ebenfalls paterich. Anders
freilich ſteht es 1021, wo I mit α den Namen trogunt bietet,
während V die richtige Namensform bewahrt oder wohl her=
geſtellt hat, die ja 1031, 1054 in allen hſſ. erhalten iſt. Der Name
des Gebirges lautet in V wasagus 490, 769, 823, 946. So auch
I 946, dagegen wasegus 823. Unwichtiger, aber doch zu er=
wähnen iſt, daß Hiltgundens Vater in I V herericus heißt. Eine
merkwürdige Sonderſtellung nimmt nun aber 935 Walthers
ſiebenter Gegner ein, der mit der Namensform kermuntus in I
an die in B gerwintus erinnert. Doch iſt dies eine Kleinigkeit,
am Geſamtergebnis, daß I zu der ſüddeutſchen Handſchriften=
klaſſe gehört und zwar zu der etwas abweichenden hſ. V in
näherem Verhältnis ſteht, wird dadurch nichts geändert. Da=
gegen erhebt ſich durch die zuletzt aufgetauchten Bruchſtücke eine
neue Schwierigkeit. Früher[1]) habe ich über das vierte Blatt der
zweiten Lage gehandelt und ein Bedenken fortgeſchafft, dafür
leider, wie ich jetzt ſehe, ein neues, ſchwereres an ſeine Stelle
geſetzt. Das Blatt beginnt auf der Verſoſeite (VIII) mit V. 645
Vertice fulua, die folgende Seite (IX) mit 673 Et simul, mithin
hatte S. VIII ſcheinbar 28 Verſe, während ſonſt jede deren 27
zählt.[2]) Das iſt aber ein Irrtum, denn der in unſern Ausgaben

---

[1]) K. Strecker a. a. O. S. 849.
[2]) Mit der Zahl 27 müſſen wir rechnen, doch kommt das nicht überall
aus. Die vorhergehende Seite (VII) beginnt mit V. 616, die folgende (VIII)
mit 645, alſo müßte VII 29 Zeilen haben (nicht 28, wie ich damals falſch
gezählt habe). Nun war aber offenbar V. 635 ausgefallen, denn die zweite
Hälfte q̊ uultis dimic& ōis iſt am Rande von der Gloſſenhand nach=

mitgezählte Vers 652 ist ja ein Eindringling aus S (vgl. oben
S. 27), also hatte die Seite ebenfalls 27 Zeilen, wie es sich
gehört, V. 661 fehlte nicht in I wie in αV. Ich hatte daraus
den an und für sich berechtigten Schluß gezogen, daß I von der
αV-Klasse abgezweigt worden sei, bevor 661 und wahrscheinlich
auch 99, 204, 257 verloren gingen. Nun hat sich aber durch die
neuen Funde herausgestellt, daß I mit V näher verwandt ist
und beide eine Sonderstellung neben α einnehmen, darum ist
es unmöglich, daß V ebenso wie α die vier Verse verloren hat,
während I sie bewahrte, ein Versuch das graphisch darzustellen
wird sofort von der Unmöglichkeit überzeugen. Darum können
wir I nicht einfach in das bisher geltende Schema entweder α
oder γ einordnen, I ist bis zu einem gewissen Grade selbständig
neben α und γ, hat aber nähere Beziehungen zu α als zu γ.
Wie die Überarbeitung vor sich ging, durch welche die nahe
Verwandtschaft von I und V hervorgerufen wurde, wissen wir
nicht, es sind sicherlich manche Zwischenglieder verloren ge=
gangen.

Diese Aufklärung beweist uns, daß I in der Gegend der hs. V,
die ja in Salzburg war, gehört, das stimmt mit dem Nachweis,
daß die Fragmente aus einer in Ingolstadt zerschnittenen hs.
stammen, also nördlich der Alpen zu hause sind. Auch diese Ge=
meinsamkeit der Heimat zeigt uns, daß I mit γ (Nordwesten) nichts
zu tun hat, ein Zusammengehen mit γ also ein gewichtiger Be=
weis für die γ-Lesart ist wie 958 decernere γI, andrerseits
das Gegenteil für die Güte einer α-Lesart wie 938 Exitiumque
dolens αIV. Sehr interessant ist 911, wo die Lesart I Dilectam
durch die in K Amatam für Hamatam erklärt wird.

N, die Überlieferung in der Chronik von Novalese, hat man
neben I gestellt und behauptet, beide wären nahe verwandt und
gehörten zur Geraldusklasse. Der Hauptgrund für die Annahme
naher Verwandtschaft war wohl der, daß beide südlich der Alpen
zu hause zu sein schienen. Nachdem das für I als irrtümlich
nachgewiesen ist, muß man fragen, wie es mit N steht. Als ein
ernsthafter Grund für die Zugehörigkeit zur Geraldusklasse wurde

getragen, die erste wahrscheinlich weggeschnitten. So bleiben 28, also wird
noch ein Vers ausgefallen sein. Etwas anderes ist es mit dem eingelegten
Blatt 3a, das hat mit 59—86 wirklich 28 Verse.

angeführt, daß im Kapitelverzeichnis des zweiten Buches der
Chronik sich die Worte finden De quodam sene monachum
nomine Geraldum. Freilich stehen sie nicht gleich nachdem von
Waltharius die Rede war, wie Althof angibt, sondern nachdem
aufgeführt ist XV De obitu Vualtharii ac de sepultura eius.
XVI De revelatione ipsius sepulturę. XVII De quandam
cellam ipsius Novaliciensi subiecta, ubi dicitur Plebe martyrum.
De duobus hominibus. Die Worte beweisen also an und für
sich schon nichts, noch viel weniger aber, wenn der Geraldus=
prolog nicht auf γ beschränkt war, wie ja jetzt aus dem Vor=
handensein desselben in I zu schließen ist. Die Zuweisung von
N zu γ scheitert eigentlich schon an der richtigen Überlieferung
von 319; wenn N zu γ gehörte, müßte es hier auch lesen redire
videres. Aber auch zu αV kann man die Überlieferung nicht
stellen, denn V. 99 ist in N erhalten, während er in αV fehlt.
Wie N geographisch isoliert ist, so kann es wohl weder zu αV
noch zu γ gerechnet werden, es repräsentiert eine Klasse für sich,
nur schade, daß bei der äußerst freien Behandlung des Textes
für die Kritik aus dieser veränderten Beurteilung nicht viel zu
gewinnen ist.

Was nun die Ausnutzung der hss. angeht, so behalte ich auch
jetzt den früher von mir vertretenen Standpunkt bei, der m. W.
auch nicht mehr angefochten worden ist, daß die Klassen α und γ
im Prinzip gleichberechtigt nebeneinander stehen und wo sie
auseinandergehen, eine Entscheidung nach der innern Güte
getroffen werden muß, wobei sich zeigt, daß im allgemeinen γ
die Konkurrenzklasse wesentlich überragt. So hatte zuletzt auch
v. Winterfeld geurteilt. Was die früher so hoch gepriesene
hs. B angeht, so ist mir nicht zweifelhaft, daß deren an=
sprechende Lesarten gute Besserungen sind, die neben vielen
verfehlten stehen.[1] Ob sie das Richtige treffen, ist eine Frage
für sich.

3. Über die Anlage der Ausgabe noch einige Bemerkungen. Eine
Ausgabe in den Monumenta Germaniae muß anders aussehen
als eine Schulausgabe, ich habe daher sämtliche Handschriften
herangezogen (außer L und V¹, was neben V überflüssig wäre)

---

[1] Vgl. K. Strecker a. a. O. S. 835 ff.

und die Lesarten registriert. Natürlich sind sie von neuem ver=
glichen, womöglich auch Photos derselben beschafft. Das war
besonders erwünscht bei der hs. P, über deren Lesarten immer
wieder schwankende Angaben auftauchten; ich habe eine voll=
ständige Photographie. Wie gesagt, halte ich mit v. Winter=
feld daran fest, daß man nicht eine hs. hervorheben darf, sondern
die Klassen gegeneinander abwägen muß. Meistens wird es ja
klar sein, ob die eine oder andere Lesart zu bevorzugen ist, zu=
weilen aber kann man zweifelhaft sein. In einem solchen Falle
habe ich, wie schon oben gesagt, die in den Apparat verwiesene
Lesart gesperrt gedruckt. Da die Zahl solcher zweifelhaften Les=
arten nicht gering ist, habe ich dies Verfahren in noch weiterem
Umfange angewandt, als in der Schulausgabe geschehen ist.
Besonders aufmerksam mache ich auf die Gliederung des Textes
in größere und kleinere Abschnitte, die auch in der Ausgabe durch
eine größere Initiale angedeutet werden sollen. Über sie handelt
W. Tavernier[1]) etwas merkwürdig. Unter den mannigfachen
Übereinstimmungen zwischen Waltharius und Rolandslied (Rld.),
die er entdeckt hat, hebt er auch die Form hervor. Rld. ist das
erste bekannte französische Dichtwerk, das nicht in Strophen,
sondern in freien Laissen abgefaßt ist. „Nun ist aber der Wal=
tharius in ähnlichen Abschnitten geschrieben, die in den hss. (wie
in Streckers Druck) durch größere Initialen sehr deutlich von=
einander abgehoben sind. Vergleichen wir die Länge der Laissen,
so hat die erste im Waltharius 10, im Rld. 10 oder 9 Verse usw.
Schwer denkbar ist es, daß die Laissen so gleicher Ausdehnung
im Rld. ganz unbeeinflußt gewesen sind von der Praxis des Wal=
tharius, die Annahme drängt sich auf, daß, wenn nicht die
Laissenform der altfranzösischen Epik überhaupt, so doch die
Umgrenzung der Laissen im Rld. auf Ekkehard zurückgeht." Das
ist ein großes Mißverständnis Taverniers. Der Text des Wal=
tharius ist in α wie in γ in Abschnitte zerlegt, doch sind diese in
α meist kleiner und häufiger als in γ. Da die ersten Ausgaben
ja auf α fußten, so hat sich die Gewohnheit eingeschlichen, die
Einteilung aus α zu übernehmen, auch wenn sie eigentlich un=
berechtigt war wie bei Althof und Strecker, die nicht α zugrunde

---

[1]) W. Tavernier in Zs. f. franz. Sprache u. Litt. 42, 1914, S. 79 f.

legen, immerhin konnte man vorausſetzen, daß die von Peiper[1])
gegebene Überſicht über die Einteilung in den einzelnen hſſ.
bekannt wäre. Trotzdem mache ich mir Vorwürfe, daß ich nicht
noch ausdrücklich auf Peipers Ausgabe hingewieſen habe. Dieſe
„Laiſſen" ſollen auch jetzt im allgemeinen aus α beibehalten
werden, weil ſie nun einmal eingebürgert ſind, aber im Apparat
wird überall vermerkt, wenn in einer oder mehreren hand=
ſchriften keine größere Initiale ſteht, ſo daß man ohne weiteres
feſtſtellen kann, wie die Einteilung in den einzelnen hſſ. iſt.
hervorgehoben ſei noch, daß I viel weniger Abſchnitte hat als α.
Die von Althof und auch ſonſt vorgenommene Zerlegung des
Gedichtes in zwölf Abenteuer, die nicht auf den hſſ. beruht,
fällt natürlich fort. — Konjekturen, die als ſolche ohne weiteres
erkennbar ſind, werden in den Text nicht aufgenommen, die
meiſten modernen auch im Apparat gar nicht erwähnt, wenn
es nicht honoris cauſa erwünſcht erſchien. Man hat mir dies
Verfahren gelegentlich zum Vorwurf gemacht, ich glaube, nicht
mit Recht. Welchen Sinn hat es, jeden Einfall zu verewigen?
    Schwierig iſt die Frage zu beantworten, wie die Erklärung
geſtaltet werden ſoll. Zunächſt iſt es klar, daß die Quellen, vor
allem die Entlehnungen aus Vergilius und Prudentius, Vul=
gata uſw. möglichſt erſchöpfend und im Wortlaut angeführt
werden mußten. Vielfach kann es ja zweifelhaft ſein, ob die
Anführung einer Stelle berechtigt iſt oder nicht, ob der hinweis
auf eine Vergilſtelle, die nicht wörtlich imitiert iſt, aber vielleicht
doch vorgeſchwebt hat, angebracht iſt oder etwa ſogar noch er=
weitert werden muß. Die Anſichten der Kritiker gehen da ſehr
weit auseinander. Ich nehme auf, was ich für nötig und nützlich
halte, kann mich aber nicht mit jedem Wunſch auseinander=
ſetzen. Sehr ausführlich handelt über dieſe Frage der Quellen=
benutzung hans Wagner[2]). Natürlich kann ich auch darauf nicht
näher eingehen, doch möchte ich, zu S. 7 und 41, bitten den
homer beim Waltharius lieber aus dem Spiel zu laſſen, es führt
zu leicht zu Mißverſtändniſſen. Schon v. Winterfeld[3]) empfand
Althofs Bemerkung über einzelne Wendungen und Bilder, die

---

[1]) Peipers Ausgabe S. XXVIII f.
[2]) hans Wagner, Ekkehard und Vergil. heidelberg 1939.
[3]) P. v. Winterfeld in Anz. f. d. Altert. 45, 1901, S. 18.

an Homer erinnern[1]) als vorsintflutlich, aber auch heute noch
ist es durchaus nicht ausgeschlossen, daß man dem Dichter ein
Studium des Homer zutraut.[2]) Zum Vergilstudium des Dichters
vgl. übrigens noch neben anderen Herm. Lohmeyer.[3])

Noch eine Frage ist nicht leicht zu entscheiden, und man wird
es schwerlich allen recht machen können: wie weit soll man mit
sachlichen Erklärungen gehen? Die Aufgabe der Monumenta ist
es in erster Linie einen zuverlässigen Text zu liefern. Auch gilt
es einzelne schwierige Stellen zu erklären, doch ist der Heraus=
geber der ersten beiden Poetaebände darin ziemlich zurückhaltend
gewesen. Auch L. Traube war verhältnismäßig sparsam mit
Erklärungen; v. Winterfeld ging darin etwas weiter, und
diesem habe ich mich im ganzen angeschlossen. Wie aber soll
man im Waltharius verfahren, dessen Text so mannigfach und
nach den verschiedensten Richtungen behandelt worden ist? Zu=
nächst ist es wichtig, sich ein Bild davon machen zu können, wo
eine Nachwirkung des Gedichtes bei Späteren festzustellen ist,
und ich habe die Entlehnungen oder scheinbaren Entlehnungen
mitgeteilt. Sachliche Erklärungen sind hier und da wohl auch
nötig, ich habe sie aber notgedrungen sehr beschränkt und meist
möglichst kurz gefaßt, auch wohl auf die Literatur verwiesen.
Für ein paar Stellen, die mir einer etwas eingehenderen Be=
handlung zu bedürfen scheinen, habe ich die Gelegenheit benutzt
und sie im folgenden besprochen. Das Wenige, was über Metrik,
Prosodie, Grammatik zu sagen ist, bleibe der Ausgabe selbst
vorbehalten.

4. In dem Aufsatz Ekkehard und Vergil[4]) hatte ich bei Be=
sprechung der Entlehnungen aus Vergilius gesagt, wenn man aus
einem Kunstwerke einzelne Teile herausreißt und zu einem neuen
zusammensetzt, so könne es nicht ausbleiben, daß die Teile sich

---

[1]) Althof, Ausgabe 1 S. 49.

[2]) H. Grégoire in Byzantion 10, 1935, S. 229 sagt: „l'auteur du
Waltharius, qui sait du Grec". Während man im allgemeinen V. 1421
Hagano spinosus und 1351 o paliure als Hinweis auf die deutsche Na=
tionalität des Dichters zu betrachten pflegt, leitet er den Namen von
dem mittelgriechischen ἀγκάθιν (pour ἀκάνθιον) ab!

[3]) Herm. Lohmeyer, Vergil im deutschen Geistesleben bis auf Not=
ker III, Berlin 1930, S. 146—159.

[4]) Strecker in Zs. f. d. Altert. 42, 1898, S. 350.

nicht immer glatt ineinander fügen laſſen und zuweilen die
Spuren der früheren Verwendung zeigen. Unſer Dichter habe
es gelegentlich ſogar ziemlich ſorglos unterlaſſen, dieſe Spuren
zu verwiſchen. Althof ſah darin einen Angriff auf die Ehre des
Dichters (!) und fühlte ſich berufen, in ſeinem Kommentar dieſe
zu retten und zu zeigen, daß der Dichter „gern entlehnten Aus=
drücken einen neuen Sinn gibt". Dieſe Erkenntnis wird ja auch
mir nicht ganz neu geweſen ſein, es handelt ſich aber darum,
daß die Spuren der Entlehnung nicht verwiſcht ſeien, und dieſe
Tatſache bleibt trotz Althof beſtehen; V. 750 3. B. teilt der Dichter
dem jugendlichen Kämpfer Werinhart crines albos zu, die bei
Vergil das Attribut eines Greiſes ſind. Althof ſagt gegen mich,
„der Virgiliſche Ausdruck iſt in ſeiner Bedeutung variiert und
ſoll ſicherlich hellblond bedeuten". Als ob ich das jemals be=
zweifelt hätte! Man wird nicht erwarten, daß ich in der Aus=
gabe auf dieſe Dinge eingehe, wer ſich die Mühe macht die
Stellen genauer anzuſehen, wird eine Beſprechung auch nicht
vermiſſen, ſondern ſelbſt erkennen, wie Althof um den Kern
der Sache herumredet.[1) Vgl. Althof zu 813. 831f. 841—43.
981 uaa. Beſonders merkwürdig Althof zu 869: „Strecker β 348
weiſt darauf hin, daß Hagens Klagen ganz aus dem Zuſammen=
hang fallen ... Auch ich habe anfangs an dieſem Widerſpruch
Anſtoß genommen, allein er iſt l e i c h t (von mir geſperrt) aus=
zugleichen", und dann folgt eine Erklärung, die ich bis heute
noch nicht begriffen habe. Ebenſo geht es mir übrigens mit den
Ausführungen H. Wagners S. 35, der auch „den vermeintlichen
Widerſpruch ‚leicht', (allerdings ganz anders), aufklären kann".
Auch deſſen Auseinanderſetzung über die albi crines iſt für mich
nicht überzeugend. Dieſe Dinge laſſe ich, wie geſagt, auf ſich
beruhen, obwohl ich natürlich an einem Aufſatz, der vor mehr
als 40 Jahren geſchrieben wurde, jetzt mancherlei zu ändern
hätte, doch möchte ich die Gelegenheit benutzen ein paar Stellen,
bei denen es erwünſcht erſcheint, zu behandeln.

V. 1266. Für die in allen Hſſ. überlieferte Form Walthāri
ſchlägt Edw. Schröder, Deutſche Namenkunde 36 u. 46 o Wal-

---

1) Lohmeyer S. 190 N. 548 ſagt: „Althof ſucht ſie (ſc. Streckers Fälle)
in dem Kommentar zu den einzelnen Verſen in mehr oder weniger ge=
wundenen Deutungen zu entkräften."

there vor und tadelt mich leicht, daß ich mich nicht entschließen kann, diesen Vorschlag in den Text aufzunehmen. Es ist ja merk=würdig, daß neben dem 72mal richtig skandierten -härius ein -härius steht, immerhin gibt es Parallelen dazu. Sedulius Scottus hat Gunthärius neben Gunthärius, speziell auch die Form Gun-thäri vgl. Poetae 3, 222 LXIX 9. 226 LXXV 7. 231 LXXXII 13. 239, 23. 25. 40. Derselbe hat häufig Lothärius 3. B. 173, 51. 189 XXIII 3. 13 und öfter, während in demselben Poetaebande mehrfach Lothärius steht 3. B. 692, 4 uaa. S. 676 steht I 2 Lo-thärius, II 1, III 1, IV 2 Lothärius. So auch in den andern Poetaebänden: 1, 404 XIV 1. 579, LXXVIII 12 Hlothärius, 306, 13 Hlothärius, Poetae 4, 1004, 2 Hlothärius, 1005, 23 Hlothärius. 5, 473, 7, 3 Lothäri. Walther von Speyer nennt sich selbst Walthērus Poetae 5, 63, 266. 78, 32. 79, 4. So auch die Karlsruher Walthariushs. 1102. 1360. So möchte ich doch auch hier bei Walthäri bleiben, wenn ich auch das Zahlen=verhältnis 1 : 72 nicht übersehe.

V. 900 ff. W. Meyer, Phil. Bem. S. 370: „Patavrid, von dem nicht angegeben ist, wann er vom Pferd gestiegen." Tatsächlich ist er gar nicht abgestiegen, nach V. 880 (equestrem) ist auch keine Zeit mehr dazu, sondern er sitzt zu Pferde und fällt, als er von oben ins Leere haut, nach vorn herunter. Ein Fußkämpfer fällt nicht bei einem solchen Fehlhiebe, der doch immerhin den nicht ganz kleinen Schild Walthers treffen müßte. Althof hätte das eigentlich erkennen müssen, denn er zitiert zwei Vergil=stellen, 5, 147. 10, 586, wo von den Kämpfern gesagt ist proni in verbera pendent; sie stehen dort nämlich auf Kampfwagen.

V. 340 ff. J. Grimm sagt S. 80: „Walthari legte ihm (dem Pferde) beide Schreine über und schwang sich, vollgerüstet, mit der Jungfrau auf dessen Rücken." Ja, er läßt ihn so verwachsen mit seinem Pferde sein, daß er glaubt, Walther habe die 40 Tage — bei Grimm sind es freilich nur 14 — „keinen andern Schlaf gekostet als zu Pferde über den Schild gelehnt". S. 81. Wilh. Meyer[1]) protestiert dagegen: „Welch häßliches Bild! Im Wal=

---

[1]) Wilh. Meyer in Philol. Bem. S. 364f.

tharius steht von dem allen nichts." Und Althoff[1]) führt das
weiter aus. So gilt denn auch ziemlich allgemein die Auffassung,
daß die Flucht zu Fuß stattfindet, die schon F. Molter 1782 in
seiner Übersetzung vertrat. Neuerdings will Herm. Schneider[2])
die Grimmsche Auffassung wieder zu Ehren bringen. Er hat sicher
recht, daß ästhetische Gründe hier kaum den Ausschlag geben
können, zwei und mehr Reiter auf einem Pferde finden sich
häufiger in der Sage, und auch Walther und Hildegunde treffen
wir in dieser Situation in der Thidrekssage und in der Chronik
des Boguphalus, freilich ohne die scrinia. Auch das ist mit
ihm abzulehnen, daß der Dichter das Reiten des Mädchens be=
seitigt habe, weil es unweiblich sei, wie Neckel annahm, denn
sobald Pferde genug da sind, reitet sie ja (D. 1195f.) Aber andre
Einwendungen Schneiders scheinen mir doch weniger das Rich=
tige zu treffen. Walther ist schwer gewaffnet, denn er muß jeden
Augenblick auf harten Kampf gefaßt sein. Wie soll er aber
kämpfen, wenn er auf einem bepackten Pferde sitzt, die Jung=
frau mit der Angelrute in der Hand vor ihm? Da ist nur ein
Kampf zu Fuß möglich, und er kann nicht erst gemächlich von
dem Gaul herunterklettern. Wollte er aber versuchen, durch
Schnelligkeit zu entkommen, so hätte ihn wohl nichts gehindert
samt dem Schatz auch noch zwei Pferde zu entführen, eins für
Hiltgunde, eins für den Hort, dann stand der treue Löwe als
Streitroß zur Verfügung. Er hat das nicht getan. „Vermutlich",
sagt Schneider, „hat Ekkeharts Vorlage die beiden auf einem
Roß gezeigt." Warum ist er davon abgewichen? Das wissen wir
freilich nicht. Mir ist es noch immer nicht unwahrscheinlich, daß
der Dichter unter dem Eindruck der Schilderung von Aeneas'
Flucht aus Troja steht vgl. Aeneis 2, 725ff. Ferner: W. Meyer
hat schon darauf hingewiesen, daß Hildegunde für jeden vier
Paar Schuhe anfertigen soll, ausdrücklich vier Paar für ihn, vier
Paar für sich D. 268f., da kommt doch Schneiders Ausweg „viel=
leicht waren die Hunnen berühmte Schuhmacher"[3]) nicht in Frage.
Entscheidend ist m. E. die Erzählung des Fergen D. 450ff.

---

[1]) Althof, Germania 37, 1892, S. 29. Kommentar zu D. 340.

[2]) Herm. Schneider, Das riesig starke Roß (Zs. f. d. Altert. 62, 1925, S. 107ff.).

[3]) Vgl. schon Geyder in Zs. f. d. Altert. 9, 1853, S. 145f.

Schneiders Kommentar dazu verstehe ich, offen gestanden, nicht: „die beiden nähern sich der Fähre. Natürlich reiten sie nicht auf ihrem Rosse bis hart an den Strand, sondern steigen ab, bewegen sich in der angegebenen natürlichen Gruppierung, der gewaffnete Held voran, auf den Fergen zu, den sie am Ufer haben sitzen sehen." Warum es „natürlich" sein soll, daß sie nicht bis an den Fluß reiten, sehe ich nicht, mir würde das Gegenteil natürlicher erscheinen. Und wenn Schneider Recht haben sollte, warum steigen sie nicht wenigstens nach dem Übersetzen wieder auf, denn sie haben es doch eilig, sondern gehen zu Fuß weiter, so schnell sie können vgl. V. 435 Et mox transpositus graditur properanter anhelus? Der König setzt ihnen an der Spitze der zwölf aus= erwählten Recken nach, und als er die Spur der Fliehenden er= blickt, jubelt er: „jetzt werdet ihr ihn bald haben, denn er geht ja zu Fuß", 516 iam nunc capietis euntem. So hat die Hss.=Klasse, die man als die bessere anzusehen pflegt, die weniger gute bietet eundem = eum, was an und für sich auch möglich wäre. Woher weiß der König, daß sie zu Fuß sind? V. 513 Guntharius vestigia pulvere vidit!

27f. Nobilis ... Hagano ... veniens de germine Troiae.

Über die Verse ist viel geschrieben worden, Literatur bei E. Faral.[1]) In jüngster Zeit haben die phantastischen Kom= binationen von H. Grégoire[2]) Aufsehen erregt. Die Fürsten der Avaren, Hunnen und anderer Steppenvölker, so führt er aus, heißen Khagan, Chacanus, Chaganus, Χαγάνος. Goar, der Khagan der Alanen, war 411 mit Gunther in Tongers = Hagen de Tronege. Sein Vater ist Aetius, Agetius, Agathius.[3]) Damit wäre ja Edw. Schröders „metrischer Widerporst"[4]) erledigt, ich zweifle aber, ob er an dieser Lösung Freude hat. Ganz schlimm ist auch die Erklärung von 1351 o paliure, 1421 Hagano spinosus vgl. oben S. 38, 2. Gegen Grégoires Ausführungen wandte sich

---

[1]) E. Faral, Les légendes arthuriennes 1, 1929, S. 262—293.
[2]) H. Grégoire, La patrie des Nibelungen (Byzantion 9, 1934, S. 1 ff.). Ders., Où en est la question des Nibelungen? (Byzantion 10, 1935, S. 215 ff.).
[3]) Byzantion 10 S. 227 ff.
[4]) Edw. Schröder, Deutsche Namenkunde S. 44.

als Germanist A. Heusler[1]), als Historiker F. Ganshof[2]); im
ganzen zustimmend äußert sich E. Hempel.[3]) Die Franci nebulones, worin man seit Jac. Grimm „Nibelungen" sah, während
andere es als Schimpfwort verstanden, sind für Grégoire die
Franken von Nivelles. Eine neue Deutung hat kürzlich Edw.
Schröder vorgetragen[4]): „... möcht ich auf die Möglichkeit eines
anderen höhnischen Wortspieles hinweisen. Wenn sich seit den
Tagen der Karolinger die Rheinfranken im Unterschied zu den
Westfranken und Ostfranken Franci nobiles nannten[5]) und da=
mit gewiß den gelegentlichen Spott der Nachbarstämme weckten,
so lag es nahe, dem mit der Umwandlung in Franci nebulones
Ausdruck zu geben. Ob Ekkehard diese Wortverdrehung selbst
geschaffen hat, lasse ich dahingestellt." Mit dieser Auffassung
ließe es sich vereinigen, wenn mit nebulones auf V. 505 nebu-
lam und V. 533 pulvere sublato angespielt würde.

V. 182—195. Wilh. Meyer sagt zu diesen Versen[6]): „Diese
lebendige Schilderung eines Reitertreffens ist, soviel ich sehe,
von denen, welche die Geschichte des deutschen Kriegswesens
schrieben, noch nicht beachtet, vielleicht weil sie meistens miß=
verstanden wurde." Folgt die Erklärung. Ich hatte dazu be=
merkt[7]), W. Meyer habe übersehen, daß der Abschnitt zu einem
großen Teil Nachbildung von Aeneis 11, 597ff. und anderen
Stellen sei, wodurch natürlich der Wert desselben für die Ge=
schichte des deutschen Kriegswesens wesentlich verringert wird.
W. Meyer gesteht zu: „Offenbar ist der Hauptinhalt des Wal=
tharius mit dem des virgilischen Stückes nahe verwandt; dennoch
sind wesentliche Stücke des Kampfes abweichend gestaltet"[8]), was
ich ja auch schon bemerkt hatte. S. 127 fährt er fort: „die Ver=
gleichung der Reiterschlacht bei Virgil und bei Ekkehard lehrt
also: Ekkehards Quelle berichtete nichts von einer besonderen

---

[1]) A. Heusler in Anz. f. d. Altert. 53, 1934, S. 220.
[2]) F. Ganshof in Rev. belge de philologie 14, 1935, S. 195ff. 697. 701.
[3]) E. Hempel in Zs. f. d. Phil. 62, 1937, S. 186.
[4]) E. Schröder in Zs. f. d. Altert. 74, 1937, S. 80.
[5]) E. Schröder in Zs. f. d. Altert. 73, 1936, S. 104.
[6]) Wilh. Meyer in Philol. Bemerk. S. 386.
[7]) K. Strecker in Zs. f. d. Altert. 42 S. 341.
[8]) W. Meyer in Zs. f. d. Altert. 43 S. 120.

Schlacht, aber Ekkehard fand es für notwendig der Darstellung
all der Einzelkämpfe am Felsen die breite Schilderung einer
großen Schlacht vorangehen zu lassen. Da seine Zeitgenossen,
die Ungarn, ja die Erben der Hunnen waren, so wählte er
naturgemäß die Kampfesweise der Ungarn als Modell für sein
Gemälde einer Hunnenschlacht. In Virgils 11. Buche fand er
die Schilderung einer ähnlichen Schlacht, also holte er sich von
dort größere und kleine Bausteine für seinen eigenen Bau, das
waren aber nur Wörter, keine Sachen." Ebenda S. 126: „Einen
Reiterkampf der Hunnen wollte er schildern. Von diesen wußte
er zwar nichts usw." Ich bin nicht dieser Meinung, denn wo
haben wir hier einen Hunnenkampf? Wie unterscheidet sich der
Kampf der hunnischen Truppen Walthers von dem seiner
Gegner? W. Meyer macht auch gar nicht den Versuch die Kampfes=
art der beiden Heere auseinanderzuhalten, sie kämpfen beide in
vergilischer Weise. V. 196 beginnt dann die Aristie des Wal=
tharius.

Ich hatte bemerkt[1]), daß meiner Ansicht nach die Schlacht
schon in des Dichters Vorlage vorhanden gewesen sein müsse,
denn sie sei nötig als Motivierung des Siegesfestes und seiner
Folgen usw. Darauf erwidert W. Meyer[2]): „Mit dem ‚Sieges=
fest' steht es schlecht. Ekkehard sagt kein Wort davon . . . zumal
Walther, der als armer General (dux) von seinem Degen, d. h.
von dem, was Attila ihm schenkt, leben muß und der einen Korb
riskiert usw. Deshalb begründet der Dichter nicht weiter das
Festmahl" usw. Das ist schon richtig, aber ich möchte wohl wissen,
welcher Leser das nicht als Siegesfest auffaßt. Der „arme Ge=
neral" veranstaltet acht Tage nach dem glorreichen Siege ein
prunkvolles Fest (290 Luxuria in media residebat denique
mensa), bei dem schließlich sämtliche Gäste berauscht unter den
Tischen liegen; muß da nicht jeder fragen, wie der Mann dazu
kommt? W. Meyer hat sich leider darüber nicht weiter geäußert.

Zu V. 296 dieser Festschilderung notiert Althof im Kommentar
am Schluß einer Auseinandersetzung von zwei Seiten: „nach
meiner Auffassung hatte Waltharius also nicht 400 (wie W. Meyer

---

[1]) K. Strecker in Zs. f. d. Altert. 42 S. 343.
[2]) W. Meyer in Zs. f. d. Altert. 43 S. 123.

in 3ſ. f. d. Altert. 43 S. 136 berechnet hatte), ſondern nur 100
Gäſte geladen." Dazu ſei auf S. Kuntzes zu wenig beachtete Be=
ſprechung von Althofs Ausgabe[1]) hingewieſen, der S. 127 richtig
bemerkt, daß die Dichter die allzugenaue Kontrolle ihrer Zeit=
angaben und ſonſtigen Motive nicht gut vertragen. Walthers
Abſicht iſt, daß alle, die irgendwie die Flucht gefährden könnten,
betrunken gemacht werden, vgl. V. 281, er muß alſo eine große
Zahl einladen, centenos in dem aus Prudentius entnommenen
Verſe wäre im wörtlichen Sinne viel zu wenig geweſen. Wir
dürfen aus dem von Prudentius gebrauchten Zahlwort nicht
ſolche Schlüſſe ziehen.

V. 1326 Ut iam perculso sub cuspide genua labarent.
Althof überſetzt:
    Daß dem wanken die Kniee, als wär' er getroffen vom Speere.

Ich hatte eingewendet, daß dieſe Überſetzung unmöglich ſei, ein
Wort wie veluti, quasi wäre unentbehrlich, denn es müßte
ſonſt jeder verſtehen „daß er vom Speer durchbohrt zu Boden
ſank", ut iſt ja hier doch = „ſo daß", nicht = „wie". Althof
iſt auch hier unbelehrbar und doziert: „auch im Deutſchen bleibt
‚gleichſam' öfters fort, ſo daß der Vergleich zur Metapher wird
vgl. Siebelis zu Met. 5, 150". Dafür brauchen wir ja nun nicht
erſt Siebelis anzurufen, das können wir näher haben: Walth. 815
glutine fixos heißt ja wohl nicht, daß die Hände tatſächlich an
den Schild angeleimt ſind, ſondern es bedeutet „ſo feſt, als ob
ſie angeleimt wären", das ändert aber nichts daran, daß an
unſerer Stelle jeder, der ein bißchen lateiniſches Sprachgefühl
hat, verſtehen müßte, wie oben angegeben, ein velut iſt für
Althofs Überſetzung wirklich nicht zu entbehren. Seine Be=
gründung, es wäre doch gar zu jämmerlich, wenn der von Walther
angeſchrieene König vor Schreck hinfalle, will wohl nicht all=
zuviel beſagen; außerdem ſtellt er den Hergang nicht ganz richtig
dar, denn Waltharius tritt auf die Lanze, deren Ende der König
ſich bückend ergriffen und ſicherlich ſchon etwas gehoben hat,
und ſchreit ihn gleichzeitig an. Da iſt dieſe Wirkung bei dem
nichts weniger als heldenhaften König doch nicht überraſchend.

---

[1]) S. Kuntze in 3ſ. f. Gymnaſialweſen 60, 1906, S. 116ff.

Wenn ich gesagt habe, der König falle zu Boden, so war der
Ausdruck nicht ganz glücklich, er sinkt in die Knie. Bei dieser
Auffassung erhält auch resurgit D. 1331 den richtigen Sinn.
    D. 1365 ff. Bei der Behandlung der Walthersage in der letzten
Zeit kann man die Beobachtung machen, daß aus der Zusammen=
stellung der verschiedenen Walthergedichte (Waldere, Wal=
tharius, Stellen des Nibelungenliedes usw.) durch Kombination
die Urform der Sage gefunden werden soll. Dabei gerät man
aber in Gefahr den Boden unter den Füßen zu verlieren. Das
möchte ich an D. 1365 ff. zeigen. Walther hat mit einem furcht=
baren Hiebe Gunther ein Bein abgehauen und holt aus, ihm
den Todesstreich zu versetzen. Hagen sieht es voll Schrecken (1366
palluit exanguis), aber er pariert den Hieb, indem er sich zwischen
die Kämpfer wirft und mit seinem helmbewehrten Haupt den
Streich auffängt, so daß Walthers Schwert zerspringt. Warum
pariert er den Hieb nicht mit dem Schilde oder dem Schwerte,
wie es doch natürlich gewesen wäre? Neckel[1]) hat eine interessante
Erklärung dafür gegeben: „Diese packende Szene sieht nach Alter
aus, nicht bloß weil sie so packend und bildhaft ist, sondern auch,
weil sie in Ekkeharts Zusammenhang schlecht paßt, nach welchem
Gunther und Hagen nach gemeinsamem Plan Walther über=
fallen. Demnach hat Hagen doch natürlich das Schwert in der
Rechten und den Schild in der Linken, und eins von beiden wäre
das gegebene Mittel zur Abwehr Walthers gewesen, er müßte
entweder diesem die Klinge aus der Hand schlagen oder sie auf
den eignen Schild prallen lassen.[2]) Die Abwehr mit dem Helm
weist auf einen andern Zusammenhang, eben den mit Hilfe des
Waldere zu erschließenden älteren: Hagen ist nicht Walthers
Kampfgegner, sondern neutral, den Schild hat er liegen lassen[3]),
sein Schwert steckt in der Scheide (NB. im Waldere!), und er

---

[1]) G. Neckel, Das Gedicht von Waltharius manufortis (Germ. rom.
Monatsschrift 9 S. 211.)
[2]) Dazu ist zu sagen, daß das zu Waltharius, um den es sich doch han=
delt, nicht stimmt. Hagen hat nach Neckel, aber nicht nach dem Text des
Gedichtes noch gar nicht am Kampfe teilgenommen, die Lanze nicht
verschossen, hält diese also in der Hand.
[3]) Neckel S. 220. Der Schild, auf dem der wartende Hagen sitzt (NB.
im Nibelungenliede!), ist einer jener bildhaften, fast symbolischen Züge,
die für die germanische Heldendichtung so bezeichnend sind usw.

will es auch gar nicht führen, sondern nur seinen Herrn schützen,
was er tut durch Vorwerfen seines Leibes. Daß dieser Auftritt
älter ist als die Fassung des Waltharius, dafür spricht auch die
Verdoppelung des Grundmotivs: schon D. 1327 rettet Hagen
dem bedrohten König das Leben. Diese schwächere Szene ist
Nachahmung der starken älteren ... Auf das Zerspringen von
Walthers Klinge wird auch im Angelsächsischen vorgedeutet" usw.
H. Bork¹) folgt Neckel und erschließt „mit Notwendigkeit folgende
Situation: Gunther hat Walther zuletzt allein angegriffen, Hagen
sitzt in der Nähe auf seinem Schild und schaut auch diesem Kampfe
untätig zu. Erst als sein Herr in unmittelbare Lebensgefahr
gerät ... springt er auf und wirft sich, die eigne Gefahr nicht
achtend, über den verwundeten Gunther. Denn den Schild zu
ergreifen und ihn als Schutz zu gebrauchen blieb ihm keine Zeit
mehr." Ich glaube an diese ganzen Deduktionen nicht und halte
mich an das, was der Walthariusdichter berichtet. Zunächst die
von Neckel angenommene Situation: Walther und Gunther
tauschen Speerwürfe und Schwertschläge aus, und Hagen sitzt so
nahe dabei, daß er mit einem Sprunge zwischen den beiden
Kämpfern ist. Man male sich das nur einmal aus! Möglich war
es wohl nur, wenn die heldenhaften Kämpfer Bleisoldaten waren,
die regungslos auf ihrem Platze standen. Bork fährt fort:
„Ekkehard hat dies alte Motiv verwässert." Dazu wäre zu be=
merken, daß dies „alte Motiv", das der ungeschickte Dichter ver=
wässert hat, bis auf weiteres nirgends überliefert und lediglich
Kombination ist. Aus den Worten Hildebrands im Nibelungen=
liede kann diese Situation nicht erschlossen werden; danach sitzt
Hagen vor dem Wasgensteine, während Walther im Felsspalt
oder in der Nähe desselben so vil der mâge erschlägt, also wie
im Waltharius, nicht während des Endkampfes. Vor allem aber
wüßte ich gerne, warum die Szene in den Zusammenhang des
Waltharius schlecht paßt und eine Verwässerung ist. Meiner An=
sicht nach ist die Schilderung ganz vortrefflich. Ich betone das
um so lieber, als ich früher die Stelle auch nicht verstanden und
beanstandet habe, bis ich durch Althof die richtige Erklärung
erhielt. Wie ist denn der Hergang? Walther schleudert seine

---

¹) H. Bork in Germ. roman. Monatsschrift 15, 1927, S. 403.

Lanze mit so furchtbarem Schwunge 1356 ff., daß sie Hagens Schild durchschlägt, ein gutes Stück von seinem Panzer mitfortreißt und Hagen selbst leicht verwundet. Sie ist also meinetwegen bis zur Hälfte des Schaftes in den Schild eingedrungen, hängt darin und belastet ihn (onerat), daß er vorläufig unbrauchbar und der Träger desselben wehrlos ist wie Teja am Vesuv[1]); er muß sich bemühen den Schild wieder gebrauchsfähig zu machen, und als in diesem Augenblick Walther zum zweiten Hiebe ausholt, ist er tatsächlich praktisch waffenlos und kampfunfähig, und es bleibt ihm in dieser höchsten Not nichts übrig als mit seinem helmgeschützten Haupte zu parieren. Das ist alles ganz folgerichtig gedacht, ich wüßte nicht, was da schlecht in den Zusammenhang paßt, und von Verwässerung zu reden ist etwas unvorsichtig. Nun wird ja gesagt, die doppelte Rettung des Königs durch Hagen sei eben eine Verdopplung, eine Szene Nachahmung der andern. Mag man das für möglich oder auch für nicht unwahrscheinlich halten, jedenfalls handelt es sich hier nicht um den Zusammenhang in einem erschlossenen Waltherliede, sondern im Waltharius, und hier ist der Zusammenhang tadellos.

Und noch eins. Neckel und andere[2]) operieren damit, daß Walthers Schwert zum Schluß zerspringt. Im Waltharius wird dies Mißgeschick durch die Härte von Hagens Helm veranlaßt, das wird aaO. kurzerhand mit Hilfe der Walderebruchstücke umgedichtet in die Fassung, daß Walthers Schwert Miming — der Schwerter bestes — an Hagens Schwert zerspringe, dies werde in den Worten des Waldere vorgedeutet. Da muß man doch fragen, was das für ein Wunderschwert war, an dem der Miming zerbarst, wovon freilich in keinem Texte die Rede ist. Bei der Besprechung dieser Stelle ist nun aber unbeachtet geblieben, daß V. 1370—1380 eine genaue, teilweise wörtliche Nachbildung von

[1]) Sehr hübsch wird die Situation veranschaulicht durch die Darstellung eines Zweikampfes, die in einen Helm eingeprägt ist, mitgeteilt von H. Ronge, Walthari. Ein deutsches Helden- und Liebeslied der Völkerwanderungszeit, München 1934 hinter S. 88. Die Kämpfer haben die Speere verschossen, und einer hat den Schild des Gegners durchschlagen und macht diesen unbrauchbar. — Der Helm stammt aus Schweden, 7.—10. Jh.

[2]) Vgl. L. Wolff, Zu den Walderebruchstücken in Zs. f. d. Altert. 62, 1925, S. 81 ff.

Prudentius, Pſych. 137 ff. ſind. War der Hergang in des Dichters
Vorlage derart ähnlich, daß er den Wortlaut des Prudentius
bequem wie ein Hemde darüber ſtreifen konnte? Das wird man
doch wohl nicht annehmen wollen. Schon vor vielen Jahren
habe ich Neckel darauf hingewieſen, es hat aber wohl wenig
Eindruck auf ihn gemacht. Erſt L. Wolff hat das beachtet: „Man
darf nicht aus dem Auge laſſen, daß Ekkehard hier unter antikem
Vorbild ſteht, das genügt, wie ich glaube, um die Umbildung
zu erklären. Die Tatſache, daß Walthers Schwert durch das Da=
zwiſchentreten Hagens geſprungen iſt, hat Ekkehard vorgefunden,
das hat er wie ſo vieles umgebildet und ausgeführt nach dem
Vorbild, das ihm aus der lateiniſchen Dichtung geläufig war."
Alſo die eine Hälfte der Szene hätte der Dichter in ſeiner Quelle
vorgefunden, die andere erſonnen. Dies ſonderbare Verfahren
iſt aber nur durch die Interpretation des Waldere erſchloſſen,
nach der das Zerſpringen von Walthers Klinge im Angelſächſiſchen
vorgedeutet werde. Man mache ſich den Hergang einmal deut=
lich. Bei Prudentius, Pſych. 137 ff. greift die Ira zum Schwert
und läßt es mit furchtbarer Kraft auf das Haupt ihrer Gegnerin
herniederſauſen. Aber der vortreffliche Helm derſelben hält den
Schlag ab, und das Schwert zerſpringt in kleine Stücke. Die
Beſitzerin desſelben hat plötzlich nur noch den koſtbaren Griff in
der Hand, und außer ſich vor Zorn, — es iſt ja die Ira — wirft
ſie dieſen traurigen Reſt der ſtolzen Waffe von ſich. So weit
ſtimmt der Dichter genau, teilweiſe wörtlich mit Prudentius, und
man wird ja wohl nicht behaupten wollen, daß er dies auch in
ſeiner Vorlage oder Quelle gefunden habe. Aber das Zerſpringen
des Schwertes ſoll in dieſer angenommenen Quelle erzählt worden
ſein! Und wie iſt es mit dem weiteren Hergang? Der ausgeſtreckte
rechte Arm ſtammt aus Prudentius, ſoll nun das Abſchlagen der
Hand der Quelle zugeſchrieben werden? Oder iſt das nicht auch
Erfindung des Dichters im Anſchluß an Prudentius? Mit welchem
Recht wird dann das Zerſpringen der Klinge für alt erklärt? Man
hat oft darauf aufmerkſam gemacht, daß die grauenhaften Wunden
des Schluſſes ſich nirgends finden und mit dem, was wir ſonſt von
der Sage wiſſen, nicht ſtimmen, alſo wohl Erfindungen des Dichters
ſind. Woraus dürfen wir ſchließen, daß die vorhergehende Partie,
die ſich an Prudentius anlehnt, es nicht iſt?

V. 1059. Zu dem Verse sagt Lenz[1] „daß nur sprachlicher Gleichklang keine Entlehnung beweist, läßt sich z. B. an V. 1059 zeigen: His dictis torquem collo circumdedit aureum stellt Strecker zusammen mit Dan. 5, 29 Circumdata est torques aurea collo eius. Es ist ganz klar, daß nur die Worte aus der Vulgata stammen können, denn die biblische goldne Kette ist ein Zier= stück, das äußere Zeichen für Davids (?) neue Würde, die Bel= sazar ihm verliehen hat." Ja, das ist sogar so klar, daß es gar nicht erst gesagt zu werden brauchte, Dan. 5, 29 wird jemand durch Umlegen einer goldenen Kette geehrt und hier, Walth. 1059, wie es scheint, des Lebens beraubt, das wird man ja wohl leicht auseinanderhalten können. Bei unsern Ausgaben mittellateinischer Texte haben wir die löbliche Sitte, die Benutzung oder scheinbare Benutzung von Vorbildern unten anzugeben; wenn man auf eine sprachliche Übereinstimmung aufmerksam macht, soll natür= lich nicht jedesmal auch eine sachliche Entlehnung damit ange= deutet werden, das ist doch selbstverständlich. Es gibt auch Fälle, wo man zweifeln kann, ob der Hinweis auf eine anklingende Stelle richtig ist, immerhin wird man ihn für erwünscht halten dürfen. So würde ich mir auch troß Lenz den Hinweis auf Aen. 2, 480 zu V. 1051 als Verdienst anrechnen, wenn ich ihn nicht P. v. Winterfeld verdankte. Besonders wünschenswert sind solche Hinweise wohl bei einer Stelle, deren Erklärung wie hier erst gefunden werden soll. Lenz gibt keine. Auch J. Schwietering hat daran Anstoß genommen, daß ich die Vulgatastelle anführe — was ich natürlich trotzdem in der neuen Ausgabe wieder tun werde —, aber er bietet doch wenigstens eine Deutung, die mir freilich wenig plausibel ist.[2] Der Dichter ist nach ihm auch hier durch Prudentius beeinflußt. Freilich stimmt er nicht allzusehr mit letzterem, denn bei diesem erdrosselt die Operatio ihre Gegnerin mit den Händen, weil sie waffenlos ist:

Psych. 589 Invadit trepidam virtus fortissima duris
Ulnarum nodis, obliso et gutture frangit
Exanguem siccamque gulam usw.,

---

[1] W. Lenz, Der Ausgang der Dichtung von Walther und Hildegunde, 1939, S. 12, 1.
[2] J. Schwietering in Zs. f. histor. Waffenkunde 7, 1915—1917, S. 307 ff.

während im Waltharius der Held das Schwert in der Hand hat
und das Mordinstrument eine goldene Kette ist. Doch nimmt
er an, der Dichter sei durch Prudentiusillustrationen beeinflußt
worden, die er in seiner Heimat St. Gallen gesehen habe. Das
St. Galler Original dieses illustrierten Prudentius ist ja freilich
nicht mehr vorhanden, aber aus anderen Exemplaren zu er=
schließen. Dort findet man die Darstellung, wie die Tugend der
Gegnerin einen Strick um den Hals gelegt hat und sie damit
erdrosselt. Ein Strick ist ja freilich etwas anderes als eine goldne
Halskette. Dem Dichter war nun aber, nach Schwietering, auch
die Sage von der goldenen Halskette bekannt, die, einmal um=
gelegt, unerbittlich ihr Opfer fordert. Mit einer solchen Kette
trachtete bekanntlich nach der Sage Erzbischof Hatto von Mainz
dem Herzog Heinrich von Sachsen nach dem Leben.[1]) Mit dieser
Kette hat schon Jac. Grimm S. 72 die Stelle zu erklären ver=
sucht: „eine dritte Art der Tödtung war die mit der Goldspange
zu erdrosseln, was an Hattos berühmte Kette erinnert.“ Meiner
Ansicht nach hat diese sagenhafte Kette unbedingt auszuscheiden.
Man stelle sich nur die Situation vor, ich bitte die Stelle nach=
zulesen V. 1044—1061. In dieser Lage, wo jede Sekunde kostbar
ist, weiß der Held nichts Besseres zu tun als das Schwert in die
Scheide zu stecken, die Zauberkette aus der Tasche zu ziehen und
sie dem sich sträubenden Gegner um den Hals zu legen, damit er
dadurch langsam erdrosselt wird! Ein Schwerthieb hätte schneller
zum Ziele geführt. Da ist doch die wohl meistens geltende Er=
klärung bei weitem vorzuziehen, daß der Held eine dem Trogus
als Schmuck um den Hals hängende Goldkette packte und zu=
sammenzog, so daß er erdrosselt wurde. Doch glaube ich an diese
Erdrosselung seit langer Zeit nicht mehr, ich weiß nicht, ob ich
jemals daran geglaubt habe, darum war es mir lieb bei Wolf[2])
ungefähr dieselben Gründe zusammengestellt zu finden, die auch
für mein Urteil maßgebend sind. Wie paßt denn dies Erdrosseln
in die Situation? Waltharius hat den Trogus durch einen Hieb
in die Waden zu Boden gezwungen und ihm mit einem zweiten
Schlage die rechte Hand abgehauen. Als er ihm den Todesstreich

---

[1]) Widukind 1, 22. Thietmar 1, 7. W. Grimm, Deutsche Sagen Nr. 469.
[2]) A. Wolf in Studia neophilologica 13, 1940, S. 81 ff.

verſetzen will (1046f.), eilt Tanaſtus zum Schutze herbei, der
ſchnell beſeitigt werden muß. Als das geſchehen iſt, wendet er
ſich dem erſten Gegner wieder zu, der waffenlos — er iſt ja
nicht in der Lage wie Waltharius unter ähnlichen Verhältniſſen
ein an der rechten Seite hängendes Kurzſchwert zu ziehen —
wenigſtens grimmige Schmähungen gegen ihn ausſtößt. Wir
erwarten, daß er den V. 1046 angekündigten Hieb jetzt ausführt.
Statt deſſen ſteckt er das Schwert gelaſſen in die Scheide oder
legt es beiſeite, um den Trogus auf dieſe merkwürdige Weiſe
ums Leben zu bringen. Man fragt doch unwillkürlich „warum
das?" Eine Motivierung dieſes unverſtändlichen Verhaltens
bleibt uns der Dichter ſchuldig. Man vergleiche einmal das von
Schwietering herangezogene Bild aus der Prudentiusilluſtration:
die Virtus, die auf ihrer Gegnerin kniet und den Strick zuſammen=
zieht, iſt gegen einen anderen Gegner augenblicklich wehrlos,
aber ſie hat keine andern Waffen und greift zum Strick. Warum
verfährt Walther ähnlich? Er würde, nachdem er das Schwert
fortgelegt hat, ebenfalls wehrlos ſein, während der König wie
Tanaſtus ſeine Waffen wiederaufgenommen hat V. 1048; er
würde einem Schwerthieb des Gegners deckungslos preisgegeben
ſein, und wenn er auch nicht allzuviel Reſpekt vor Gunther
haben mochte, eine ſolche unſinnige und zwecklose Handlungs=
weiſe wird der Dichter ihm nicht zuſchreiben wollen. Da=
durch, daß man annimmt, ihm wäre der Gedanke gekommen,
die Erdroſſelungsſzene bei Prudentius — ſehr oberflächlich —
zu imitieren, kann man die Schwierigkeit wohl nicht aus der
Welt ſchaffen. Und dann vergleiche man V. 1066 ecce simul
caesi volvuntur: einer iſt mit dem Schwert erſchlagen, einer
erdroſſelt, freilich nachdem er mehrere, aber nicht tödliche
Wunden erhalten hat. Kann man die beiden Todesarten mit
dem Worte caesi zuſammenfaſſen? Und ſchließlich fragt Wolf
nicht ganz mit Unrecht, ſeit wonn torquem collo circumdare
erdroſſeln heiße. Da war es vielleicht doch gar nicht einmal ſo
überflüſſig, ſich an die Vulgataſtelle zu erinnern, von der wir
ausgingen?

Wie iſt denn nun aber die Stelle zu erklären? Wolf führt einen
ganz neuen intereſſanten Gedanken ein: torques braucht nicht
unbedingt eine gewundene, gedrehte Halskette zu ſein, ſondern

kann auch einen Ring, ringförmigen Streifen bedeuten; golden
und rot wird oft durcheinandergeworfen, also: er legte ihm
einen blutig roten Streifen um den Hals, d. h. hieb ihm mit
dem Schwerte den Kopf ab. Da haben wir die Deutung, die wir
brauchen, sie schafft alle Schwierigkeit aus der Welt — wenn
wir sie akzeptieren können. Aber kann man sich diese bildhafte
Ausdrucksweise bei dem Walthariusdichter vorstellen? Man
könnte ja sagen, diese ganze Partie macht einen auffallenden
Eindruck, sie sticht, wie man natürlich schon längst bemerkt hat,
in eigentümlicher Weise von der sonstigen Art des Dichters ab,
und man könnte das vielleicht mit in Rechnung ziehen. Aber es
scheint mir doch auch aus andern Gründen fraglich, ob man
diese Kenning hier wirklich annehmen darf, das hier voraus=
gesetzte Bild ist, worauf Schumann mich mit Nachdruck hinwies,
hier doch wohl unmöglich: kann man sagen, er legt ihm eine
Kette, einen blutigen Ring um den Hals, der doch eben durch
diese Prozedur verschwindet, da der Kopf herabfällt? Der Ein=
spruch erscheint mir so schwerwiegend, daß ich an die Deutung
nicht recht glauben kann. Und das muß man doch auch sagen:
diese bildhafte Ausdrucksweise würde stark aus dem Stil des
Waltharius herausfallen. Wie ist die Stelle denn nun zu er=
klären? Ich weiß es nicht[1]), muß aber darauf zurückkommen,
daß die ganze Episode höchst fremdartig wirkt. Und wenn wirklich
die Namen Tanastus und Trogus auf irischen Ursprung deuten[2]),
dann mag man vielleicht hoffen, daß auch von da noch Licht zu
erwarten ist. Ich erlaube mir darüber kein Urteil. Nur auf eins
möchte ich aufmerksam machen. Lenz S. 19 weist für die An=
nahme irischen Ursprunges einzelner Teile des Waltharius
darauf hin, daß noch zu Ekkeharts IV. Zeiten irische Mönche
in St. Gallen lebten. Das ist ja unwichtig, wenn, wie ich an=
nehme, der Waltharius mit St. Gallen gar nichts zu tun hat,
wir brauchen diese Heimat nicht, denn Iren kann man im neunten
Jahrhundert überall finden. Wenn wir uns z. B. daran er=
innern, daß in Lüttich eine rege irische Kolonie war, die uns

---

[1]) Man scheint schon früh an dem Verse Anstoß genommen zu haben,
in der Trierer Hf. ist er ausgelassen.
[2]) Lenz S. 17f.

besonders durch Sedulius Scottus bekannt ist[1]), so könnte man ebensogut an Lüttich als an St. Gallen denken, und das würde uns in die Heimat der Handschriftenklasse γ führen. Ja, wenn man daran denkt, daß Bischof Adventius von Metz im Verkehr mit Sedulius Scottus stand, so könnte man es womöglich damit in Beziehung bringen, daß ich zwei Fälle von Bekanntschaft des Waltharius in Metz bzw. St. Avold anführen konnte. — Diese Bemerkungen nur, um zu zeigen, daß wir durch die Annahme irischen Einflusses, wenn er nachgewiesen wird, durchaus nicht an St. Gallen gefesselt werden.

----

[1]) Vgl. L. Traube, O Roma nobilis 42ff. (Abh. d. bayer. Akad. d. W. 19, 1891, S. 338ff.).

Nachtrag

Unmittelbar, nachdem vorstehender Aufsatz imprimiert war, erhielt ich von A. Wolf=Uppsala das Konzept eines Vortrages zugesandt, den er am 5. Februar 1932 im Wiener Neophilologischen Verein gehalten hat mit dem Titel: „War der Verfasser des Waltharius ein Germane"? Ergebnis: Der Text des Waltharius muß durch ein irisches Medium durch=gegangen sein. Es wäre sehr erwünscht, wenn A. Wolf sich entschließen könnte, die Ergebnisse seiner eindringenden Forschung zu veröffentlichen und auch Professor Weyhe seine bei Lenz angekündigte Arbeit bald erscheinen ließe.

Aus: Deutsches Archiv für Geschichte des Mittelalters. 5 (1942)

Der mittellateinische Waltharius und Ekkehard I. von St. Gallen

von Alfred Wolf

Vorbemerkung. Die im Eingang der vorliegenden Arbeit versuchte Deutung von *torques aureus* wurde von mir zuerst im Herbst 1932 in einem im Wiener Neuphilologischen Verein gehaltenen Vortrag über den Waltharius vorgebracht. Den Gedankengang des Hauptstückes führte ebendort der erste Teil eines weiter ausholenden Vortrages vom April 1934 aus: eine — allerdings äusserst knapp gehaltene — Zusammenfassung desselben brachten 1934 *Die neueren Sprachen*, Bd. 42, S. 509 f. Später konnte ich, im März 1935 in Uppsala und im Dezember 1938 in Berlin und München, die Frage in dem hier gegebenen Umfange in weiteren Vorträgen erörtern, an deren anregende Diskussionen ich mich noch dankbar erinnere. — Die obigen Daten deuten schon an, dass die Arbeit an dem Gegenstande mir immer nur zeitweise und mit langen Unterbrechungen möglich war; seit dem letztgenannten Datum hat sie so gut wie ganz ruhen müssen. Wenn ich die Arbeit nun in allem Wesentlichen in der damals dargebotenen Gestalt veröffentliche, so geschieht dies keineswegs, weil ich sie auf dieser Stufe für abgeschlossen halte: doch da meine Auffassungen jetzt interessierten Kreisen, darunter zuständigsten Beurteilern, schon bekannt geworden sind und diese darauf Bezug zu nehmen wünschen, halte ich es für richtig und an der Zeit, ihre wichtigsten Punkte zur Erörterung zu stellen, auch wenn leider eine neue Durcharbeitung der Fragen aus Zeitmangel nicht vorgenommen werden kann. — Ich bin mir durchaus bewusst, dass einzelne, in einer bestimmten Richtung vorstossende Einfälle, selbst wenn sie das Richtige treffen sollten, niemals die Ruhe und Sicherheit des Urteiles ersetzen können, die, vor allem auf einem so schwierigen, — weil fast uferlosen — Gebiete wie dem mittellateinischen, nur die stetige und möglichst allseitige Beschäftigung mit seinen Problemen gewährt; ich bedaure auch, dass bei so ruckweisem Arbeiten all die kleinen und für die Atmosphäre des Ganzen doch so wichtigen Unwägbarkeiten einem immer wieder verloren gehen — es ist ja fast unmöglich, fallen gelassene Fäden nach längerer Zeit alle wieder aufzunehmen. Da aber die Musse für ruhig reifende Werkstattarbeit so bald nicht zu erhoffen ist, mag die Veröffentlichung in der gegebenen Form entschuldigt sein.

A

Vom *Torques aureus,* als Einleitung.

Es handelt sich zunächst, als Ausgangspunkt für Weiteres, um V. 1059 des Waltharius: *His dictis torquem collo circumdedit aureum.*

Der blutige Tag am Wasgenstein geht seinem Ende zu: schon sind acht der fränkischen Recken von der Hand des unnahbaren Aquitaniers gefallen, da versuchen, nach einer Pause des Zauderns und Zagens, die vier übrig gebliebenen — Gunther eingerechnet, Hagen, der fünfte, hält sich ja grollend abseits — einen letzten, einen gemeinsamen Angriff. Ein schwerer Dreizack, geschleudert von Helmnod, dem Führer der kleinen Schar, bohrt sich in den Schild Walthers: an dem dreiteiligen Seile, das an der Waffe befestigt ist, ziehen nun die vier Franken, um Walther zu Falle zu bringen oder ihm doch seinen Schild zu entreissen. Walther steht fest wie eine Eiche, deren Stamm unbewegt bleibt, auch wenn im Wipfel der Sturm wühlt. Plötzlich lässt er den Schild los und stürmt auf die zurücktaumelnden Gegner ein. Ihr vorderster, Helmnod, ist rasch durch einen Schwertschlag erledigt. Der zweite, Trogus, hat die Flucht ergriffen, um die Waffen zu holen, die er während des Ziehens abgelegt: Walther holt ihn ein, ein Hieb in die Wade hemmt die Flucht, Trogus muss trotz erbittertster Gegenwehr bald ins Knie gehen, doch auch jetzt noch schlägt er, höhnend und wütend, mit seinem Schwerte um sich. Ein Hieb Walthers nimmt ihm Waffe wie Hand. Schon holt Walther mit dem Schwerte zum zweiten Schlage aus, der ein Ende machen soll, — „der aufbruchbereiten Seele die Flügeltür aufmachen", *pergenti animae valvas aperire* (V. 1047) — da wirft sich der dritte der Gegner, Tanastus, er hat unterdessen Zeit gehabt, die Waffen zu holen, dazwischen und deckt mit Schild und Leib den Gefährten. Der ganze Ingrimm Walthers kehrt sich nun gegen den neuen Feind, ein Stich in die Seite bringt auch hier schnell das Ende, und Tanastus sinkt mit einem letzten „Lebewohl" zu Füssen des Waffenbruders nieder. Walther kann sich jetzt wieder diesem letzten Gegner zuwenden,

der nicht abgelassen hat, mit wildesten Worten ihn zu schmähen.
Nun heisst es im Texte (V. 1056 ff.):

Exin
Alpharides: 'morere' inquit 'et haec sub Tartara transfer
Enarrans sociis, quod tu sis ultus eosdem'.

Dann folgt der oben herausgehobene Vers 1059:

His dictis torquem collo circumdedit aureum.

„Phrasis admodum obscura" heisst es von dem Vers in der
Editio princeps Fischers vom Jahre 1780[1], die den Waltharius
jahrhundertelanger Vergessenheit entriss: die gleichen Bedenk-
lichkeiten, das gleiche Kopfschütteln noch 150 Jahre später.
Trotzdem hat sich — und je später, umso weniger beschwert
von Zweifeln, einfach getragen von Masse und Gewicht der
Tradition — eine ganz einheitliche Deutung der Stelle[2] durch-
gesetzt, die auch auf eine Notiz Fischers zurückgeht: 'torque
suffocavit' „er erwürgte ihn mit dem Halsringe", das ist von
Fischer über Grimm und Scheffel bis Althof und Winterfeld
und zu den Neuesten die Opinio communis aller Ausgaben und
Kommentare.[3]

---

[1] Zur älteren Waltharius-Literatur und den im folgenden angeführten
Namen vgl. etwa die Ausgabe von Hermann Althof, *Waltharii Poesis*, 2
Bde., 1899, 1905, I, S. 57 ff., II, S. VII ff.; Weiteres bei Manitius und
Ehrismann.

[2] Eine zweite Deutung, zuerst heraustretend in Fr. Molters Übersetzung
von 1782 (S. 62), aufgenommen und variiert von Fischer 1784 (*Sitten und
Gebräuche der Europäer*, S. 149) und 1792 (*Carminis epici continuatio*, S.
32), wieder ausgegraben von G. Klemm (seine Übersetzung, 1827, S. 99)
spielt in der weiteren Diskussion der Stelle seit Grimm (*Lat. Ged. des X.
Jh.s*, 1838, S. 72) keine Rolle mehr: mit Recht; denn wenn die Worte nur
sagen sollen: „Walther legte den *torques aureus* (als Siegeszeichen) um
den Hals", [sich selbst, im Ernste: so Molter („Hier legt eine Kette von
Gold der Sieger um den Hals"), Fischer 1784, Klemm; dem Trogus, zum
Hohne: so Fischer 1792], so fehlt völlig der doch unbedingt nötige Ausdruck der Tötung des Gegners. Doch enthält der Vorschlag ein Moment
des Richtigen, das in einer abschliessenden Deutung zu seinem Rechte
kommen muss: der *torques aureus* wird von Walter tatsächlich auch —
aber eben nur: a u c h — als Siegeszeichen aufgefasst; s. übrigens S. 88, 3.

[3] Dabei spukt, wiederum schon durch eine Bemerkung Fischers her-
aufbeschworen, überall auch die Erinnerung an die berühmte goldene Halskette herein, mit der der böse Erzbischof Hatto von Mainz den jungen Sach-
senherzog Heinrich erdrosseln wollte (Widukind, I, 22; Thietmar v. M., I, 4).
Diese Halskette Hattos können wir gleich anfangs, und endgültig, aus der
Erörterung verschwinden lassen: sie gehört offenbar, wie schon die ganze
Stimmung der Sage zeigt, zu jenen zauberhaften Halsketten des Märchens,

Wie steht es nun mit der vorgeschlagenen Auffassung? Ich glaube, trotz dieser Einhelligkeit, trotz dieses Alters, — sie lässt sich nicht halten.

Wir wollen hier noch nicht fragen, wie der *torques aureus* in den Wasgenwald geraten ist — fürs erste wenigstens möchte man sich den goldenen Halsschmuck ja eher am Festkleide einer Frau denken als an der Rüstung fränkischer Krieger, die zu blutiger Kriegsarbeit in den Tann reiten — wohl aber darf man fragen, wie er ins Gedicht kommt. Denn solche plötzlich hereingeschneite Unmotiviertheiten sind nicht die Art des sorgfältigst vorbereitenden Dichters. Für diese hier vor allem ein Beispiel — es gibt ihrer mehrere[1]: das einschneidige Schwert, mit dem Walthers Linke V. 1391 Hagen das Auge ausstösst, wird bereits 1000 Verse vorher, V. 337, eingeführt, und jetzt greift der Verfasser — mehr pedantisch gelehrtenhaft als dichterisch — ausdrücklich auf diese erste Erwähnung zurück. Hier aber soll die Goldkette, wie in jenem Grimmschen Märchen, dem armen Trogus wirklich wie aus der Luft „just

die sich um den Hals ihres Opfers unwiderstehlich zusammenziehen: in der deutschen Volkssage gibt es die unheimlichen Stachelhalsbänder, mit denen heimtückische Gegner dem Abt Johannes von Walkenried und dem Reinbote, Ratsherrn zu Erfurt, an den Kragen wollen (Leibnitz, *Annales imperii* = Werke, hg. G. H. Pertz, 1845, II, 262 ff.; Stolles *Erfurter Chronik*, hg. R. Thiele, 1900, S. 453 ff.). Auf ursprünglicherer Schicht, der Magie der Rechtspflege, spricht der irische Mythus vom Halsband des Königssohns Morann Mac Main, das sich um den Hals jedes Schuldigen zusammenschnürt oder ein ungerechtes Urteil des Richters „in der Kehle erstickt" (Windisch-Stokes, *Irische Texte*, III/1, S. 206 ff.; *Ancient Laws of Ireland*, I/24). In der blutigen Realistik der Walthariusstelle ist weder für das Wunder des Gottesurteils noch für den boshaften Schneewittchenschmuck des Märchens Raum.

Eher würde sich, der Stimmung nach, die Tötung des Königs Agne mittels seines Goldschmucks vergleichen lassen (Snorres *Ynglingasaga*, c. 19 in Jónssons Textausgabe von 1911, Frá Agna), wenigstens wenn man der Auffassung B. Nermans beitritt (*Fornvännen*, 14, 1919, S. 142/169; *Det forntida Stockholm*, 1922, S. 18 ff.), der den Hergang des Ereignisses im wesentlichen als geschichtlich auffassen will: doch handelt es sich hier ja sachlich um das Aufhängen — nicht Erdrosseln — eines schlafenden, schwer trunkenen Mannes an seinem Goldringe, in einem von langer Hand vorbereiteten und durch mehrere Männer ausgeführten Überfall.

[1] V. 1026, 1031, 1048 die genaue Evidenzhaltung der Waffen, V. 890 ff. der Speer, der bis zu den Füssen Hildgunts fliegt und nur den Zweck hat, während der laufenden Kämpfe nicht zu vergessen zu lassen, die Vordeutung auf Hagens Treubruch (V. 885: 1270 ff.), auf Walthers Verwundung (V. 1320: 1376 ff.), auf seinen letzten Kampf gegen zwei Gegner (V. 571 f.: 1213 ff.) u. a. m.

um den Hals fallen, so recht hier herüm, dat se recht so schoon passd"!

Wichtiger aber und wesentlicher: angenommen und zugegeben, eine so aparte Todesart wie das Erwürgtwerden durch einen goldenen Halsring sei bei einem bewaffneten Krieger überhaupt denkbar, — schon Althof wollte den Halsring wenigstens durch eine Halskette ersetzen und die Frage des Halsschutzes durch die Brünne wäre doch auch aufzuwerfen! — angenommen also, ein solches Sterben in Schönheit wäre möglich, so ist jedenfalls unter allem, was Walther in diesem Augenblicke tun kann, das Erdrosseln das Zeitraubendste und Ungeschickteste, ja Gefährlichste. Er muss, das setzt der Text mit *circumdedit* voraus, um die Halskette dem Trogus umzugeben, sie vorher sich selbst oder einem der Gefallenen abnehmen: dazu muss er das Schwert — seine einzige Waffe! vor ein paar Augenblicken hat er eine bessere Verwendung dafür gewusst! — wenn nicht geradezu aus der Hand legen, so ganz ausschalten und eben nur noch halten. Trogus liegt, allerdings schwer verwundet, aber zum Äussersten entschlossen am Boden: er wird sich den ihm zugedachten Halsschmuck kaum gefallen lassen wie ein Lamm sein blaues Bändchen und kann sich dagegen und das, was darauf folgen soll, einfach durch Vorstrecken der Arme aufs Wirksamste wehren, ja, gelingt es ihm, mit der Linken das Schwert zu ertasten, so wird die Lage des über ihn gebeugten Walthers kritisch. Und dies alles, während Gunther unverwundet und voll gerüstet (s. V. 1048, 1062 ff.) in unmittelbarer Nähe steht!

Weiter: seit wann heisst *torquem collo circumdedit* „er erwürgte ihn mit dem Halsringe"? Das ist doch einfach und zugestandenermassen hineingetragen. Und gesetzt, der Zusammenhang liesse keinen anderen Ausweg, so hätte sich der Dichter mehr als sonderbar und ungeschickt ausgedrückt: er brächte statt der Hauptsache eine nichtssagende Vorbereitung, die auf das Eigentliche nicht einmal hindeutet; und doch muss der Vers als klare Entsprechung (*his dictis*) zum vorangehenden *morere* offenbar schon die Ausführung der Drohung, also die Tötung selbst enthalten haben.

Aber: „Geht es denn an, den Dichter eines Heldenliedes so

realistisch beim Worte zu nehmen?" Nun glaube ich allerdings, dass es angeht, — denn der Walthariusdichter, der scharf und kühl sieht bis zur Karikatur, verträgt es überall, beim Worte genommen zu werden; doch selbst für eine wirklichkeitsfernere und idealere Stilhaltung — und gerade für sie — gälte der letzte und schwerste Einwand: das Erwürgen war für die Germanen immer eine knechtische und schimpfliche Todesart, eine *mors mala*, wie Widukind von den gefangenen Ungarn sagt, die König Otto nach der Schlacht am Lechfeld aufknüpfen lässt: der Edle hat, selbst als überführter Verbrecher, das Recht auf Enthauptung durchs Schwert.[1] Was hat der Dichter, was hat Waltharius für einen Anlass, seinen kühnsten Gegner, den einzigen, der mit seiner Härte und Todesverachtung dem Helden die Stange halten kann und dessen Gestalt gerade in ihrem aussichtslosen Trotze Tiefe bekommt, mit einem so schmählichen Tode, einer solchen *mors mala* abzutun?

Das sind, glaube ich, genug Ungereimtheiten. Lässt sich auf die Stelle noch ein Reim finden?

Ich glaube ja, und eigentlich ein ganz reiner und ungesuchter. Man darf nur den Torques aureus nicht so massiv und materiell, nicht so vierzehnkarätig schwer nehmen, sondern leichter, luftiger, geistiger; nicht als wirklichen Goldring, sondern als das Bild eines solchen, das um den Hals des todgeweihten Trogus nur gespiegelt wird: dann wird aus dem Torques aureus mit eins der goldig-blutrote Streifen, den der Schwerthieb Walthers um die Kehle des am Boden liegenden Gegners legt, und das Ganze ist nicht als eine „Kenning", eine blutig-ironische Kenning für: „Er hieb ihm mit dem Schwerte den Kopf ab".

Der Text gibt uns ein Recht, die Worte so aufzufassen. *Torques* kann — ganz abgesehen von dem Spielraum, den wir der individuellen Bildkraft des einzelnen Dichters einräumen müssen — auch schon im klassischen Latein den flächenhaften Streifen, nicht den körperlichen Ring bedeuten[2] und „das Gold ist in der alten Sprache bei uns wie bei anderen Völkern rot,

---

[1] Darüber J. Grimm, *DRA⁴*, II, 265; K. v. Amira, *Germ. Todesstrafen*, Abh. bayr. Ak., XXXI, 1922, S. 182 f.

[2] Plinius, n. h. 10, 58,1, (vom Grünspecht?): *avis viridis toto corpore torque tantum miniato in cervice distincta.*

wie umgekehrt Wahrzeichen von roter Farbe golden genannt
werden" (Herbert Meyer, *Nachr. d. Göttinger Ges. d. Wss., ph.
h. Kl.*, 1930, 97 ff.). Zwei schlagende Beispiele (*a. a. O.*, S.
79 f., bezw. 97): *Helgakv. Hundingsbana*, II, 19 (= Neckels *Edda*,
I, S. 151, Heusler-Genzmer I, 148) „Wer ist der Fürst, der die
Flotte lenkt und golden am Steven die Streitflagge führt? Nicht
Frieden birgt der Bug der Schiffe: Walröte[1] weht um die Wi-
kinge". Und die Oriflamme, das alte französische Königsbanner,
ist ja schon ihrem Namen nach eine *flamma aurea* (Guilelmus
Brito, Meyer, *a. a. O.*, S. 97), dabei aber doch ein *vexillum
splendoris rubei*, und diese rote Farbe *sitit sanguinem*, ist „Farbe
des Blutes, des Todes oder des heiligen Lebens" (*a. a. O.*, S.
99, auch Anm. 1): also wie in unserem Falle die Gleichung
„golden = rot = blutig"!

Die bildhafte Ausdrucksweise bedarf auch weiter keiner Erklärung: man kennt sie, aus allen Zeiten und Völkern, als Eu-
phemismus gerade bei verhüllenden Andeutungen von, Todesstrafen. In der *Ilias*, Γ 56 f., nennt Hektor nicht das Wort
„steinigen", sondern nur — eigentlich ist es ja viel mehr — den
„steinernen Rock", den λάϊνον χιτῶνα, den die Trojaner dem
Kleidergecken Paris wegen seines Leichtsinnes schon längst
hätten anziehen sollen. Im Deutschen spricht das Volk von
„des Seilers Krawatte", „er muss ein Halstuch vom Seiler tragen" und meint damit „aufgehängt werden", der Dichter, Goethe
im Helenadrama (*Faust*, II, V. 8967), von dem „schlechtesten
Geschmeide", den „garstigen Schlingen", die den Hälsen der
Sklavinnen drohen. Und um den Halsschmuck, den Mephisto
dem armen Gretchen schaffen soll und will, wittert zuletzt mit
der roten Farbe die Ahnung von Blut und Henkerbeil: „Wie
sonderbar muss diesen schönen Hals Ein einzig rotes Schnür-
chen schmücken, Nicht breiter als ein Messerrücken"[2].

---

[1] Dabei fasst Meyer, anders und wohl überzeugender als Heusler
(*a. a. O.*) und Neckel (II, 195), die bei „Walröte" an ein als Kampfvor-
zeichen geltendes himmlisches Lichtphänomen denken, *verpr vigroda* einfach als das Flattern der golden-roten Kampffahne, als Variation von *lætr
gunnfana gullin*.

[2] Goethe hat dabei volkstümliche Symbolik bewusst vertieft: wenn
Gretchen sich vor dem Spiegel den Goldschmuck umnimmt „Wie sollte
mir die Kette stehen" (V. 646 des Urfausts), so waren die Worte, wenn
auch deswegen nicht weniger bedeutungsvoll, in ihrem tragischen Bezuge

Am nächsten an unseren Ausdruck, wenn auch nicht im Ort,
so doch in Zeit und Form, kulturellem Hintergrund und see-
lischer Haltung, führt eine Stelle der *Heimskringla, Óláfs s.
Tryggvasonar,* c. 49, *Dauði Erlendz,* (F. Jónssons Textausgabe,
1911, S. 142): eine nächtliche Szene voll starker, ja unheim-
licher Spannungen, ein Gespräch in einem unterirdischen Ver-
steck zwischen dem geächteten, verfolgten Hákon jarl, auf dessen Kopf ein Preis steht, und seinem Knechte Karki, der seinen
Herrn an König Olaf noch nicht verraten will, aber — man
fühlt es — zum Schlusse doch verraten wird. Der Jarl warnt:
„Wir sind in einer Nacht geboren und wenig Zeit wird zwischen
unser beider Toden vergehen". Der Knecht schläft ein und
träumt und erzählt: „ek var nú á Hlǫðum ok lagði Óláfr Trygg-
vason gullmen á háls mér". Der Jarl deutet: „þar mun Óláfr
láta hring blóðrauðan um háls þér, ef þú finnr hann". Der
Knecht ermordet seinen Herrn im Schlafe, doch die Deutung
des Jarls geht in Erfüllung: „Síðan lét Óláfr konungr leiða hann
í brot ok hǫggva hǫfuð af". Das ist ganz offenbar dasselbe
Bild, und wenn auch die Kenning durch das *blóðrauðan* und
das spätere *hǫggva af* ungleich mehr analysiert und dem Ver-
stande verdeutlicht wird und das Ganze mit seiner schreckhaften
Traumsymbolik eher an die Stimmung des Volksaberglaubens
gemahnt[1] als an die kühle Sachlichkeit der Walthariusstelle, so
liegt ja doch einfach derselbe Ausdruck vor: *lagði gullmen á
háls* könnte lateinisch kaum anders wiedergegeben werden als
collo torquem circumdedit aureum.[2]

---

dem jungen Dichter vielleicht noch ebenso wenig bewusst wie Gretchen
selbst. Die Verse 3673 f. des Fausts von 1808, mit denen Mephisto den
ungeduldig drängenden Faust wegen des Geschenkes für Gretchen beruhigen soll: „Ich sah dabei wohl so ein Ding Als wie eine Art von Perlen-
schnüren" sind dagegen ein später eingeschobenes Verbindungsstück
und zweckvollste Vorbereitung: der Hohn Mephistos soll, als Gegensatz zu
der blinden Verliebtheit Faustens, dem Zuhörer einen Wink geben, welchen Lauf die Dinge nehmen werden. Und schliesslich wird in den zitierten Worten der Walpurgisnacht, V. 4203 ff., Fausten selbst das Schicksal
der Geliebten zu qualvoll deutlichem Bewusstsein gebracht.
[1] In dem etwa ein Streifen um den Hals eines neugeborenen Kindes
Tod durch das Schwert, Enthauptung, bedeutet, (*HbdA*, III, Sp. 1362 f.,
s. v. *Hals*).
[2] Die Frage, was etwa — oder ob etwas — aus dieser Ausdrucksweise
über die Art einer eventuellen „Vorlage" gewonnen werden kann, kann
hier gerade nur gestellt, nicht aufgenommen werden. — Der oben mehrfach gebrauchte Ausdruck „Kenning" will natürlich nicht im Sinne der

Die neue Auffassung beseitigt, scheint mir, alle Schwierigkeiten: der *torques aureus* ist weder ein Problem der Altertums-
kunde¹ noch der dichterischen Komposition, weil er ja gar nicht
in der Ebene des Realistischen liegt. Walther tut mit dem
Schwerthiebe das, was er schon V. 1046 hatte tun wollen, was
schon vorher nicht weniger als sechsmal von ihm berichtet wird
und was in der augenblicklichen Lage des Kampfes rascheste
Entscheidung und das Nächstliegende ist, und wahrt dabei für
sich wie für seinen Gegner Würde und Heldenart. Schliesslich
ist der Vers direkte Antwort auf das *morere* des vorangehenden
und auch in den folgenden VV. 1061 f. *Ecce simul caesi vol-
vuntur pulvere amici | Crebris foedatum ferientes calcibus arvum*
behalten *simul caesi* und *foedatum*, die bei der Annahme eines
Erstickungstodes nur vag und ungenau zu interpretieren wären,
ihren ursprünglichen Sinn — den blutigen: die beiden Freunde,
auf deren Treue der Dichter hier helles Licht fallen lässt, bleiben
wie im Kampfe so auch im Schwerttode miteinander vereint.

Noch eine Betrachtung aus der Psychologie des dichterischen
Schaffens, die unsere Erklärung stützt: als Walther zum ersten
Mal den tödlichen Hieb gegen den Gegner führen will, da stellt

---

letzten Festlegungen dieses Begriffes verstanden sein (dazu etwa H. Mar-
quardt, *Die altenglischen Kenningar*, Schr. d. Königsberger Gel. Ges., 1938,
S. 110): die Verwendung des germanischen Terminus wollte nur die Frage
nach dem Heimatsbereich und den Zusammenhängen des eigenartigen
Ausdruckes auftun. — Die Einschränkung des Begriffes der Kenning auf
substantivische Begriffe hat natürlich in der altgermanischen Stilkunde ihre
gewichtigsten Gründe, verbaut aber vielleicht doch allzu stark den Zusammenhang mit ähnlichen Erscheinungen, die gerade bei verbalen Umschrei-
bungen seit je und auch heute noch recht lebendig sind. — Ausser der an.
Stelle, die ich Grimms *DRA*⁴, II, 268, verdanke, habe ich weitere Belege,
die das Vorkommen des Ausdruckes auf isländischem und kontinentalem
Boden etwa überbrücken könnten, in den vorliegenden Sammlungen zur
germanischen Stilkunde bisher noch nicht finden können.
³ Als solches wurde er aufgenommen von J. Schwietering, *Zeitschr. f.
hist. Waffenkunde*, 7, S. 307/310: doch kann der dankenswerte Hinweis
auf Bilder in Prudentiushandschriften nur für andere Kämpfe gelten;
wesentlicher für unseren archäologischen Zusammenhang wäre, was B. Ner-
man in den oben zitierten Schriften dazu beibringt: denn mit dem Gesagten
soll natürlich in keiner Weise geleugnet werden, dass der Torques aureus,
wenn auch nur als Bild, auf den Hintergrund einer Wirklichkeit hinweist —
die Verwendung goldener Halsringe als Kriegerschmuck —, ohne die die
Schlagkraft und Ironie des Ausdruckes nicht hätte gewürdigt, ja nicht einmal sein Sinn verstanden werden können. Aus diesen hier nicht weiter zu
berührenden Zusammenhängen könnte sich vielleicht dann auch die Erklärung für das *ultus* von V. 1058 ergeben.

sich im sprachlichen Ausdruck der Darstellung — im Stil des Waltharius nicht gerade etwas Gewöhnliches — ein Bild von eigenartiger Prägung ein: *pergenti animae valvas aperire*. Wenn wir auch hier, wo die Situation von V. 1047 gesteigert wiederkehrt, zu bildlicher Deutung gedrängt wurden, so bestätigt die Auffassung des dichterischen Prozesses als eines Einheitlichen und organisch Werdenden unsere Annahme: das Motiv der Tötung dieses hartnäckigsten Gegners war vom Dichter offenbar so intensiv erlebt, so auch in sein Gefühl versenkt worden, dass, wo es aufkommt, sein Wort von dem Boden realistischer Darstellung zu bildhaftem Ausdruck sich aufhebt. Dabei tragen die beiden Bilder, ein Kennzeichen gemeinsamen Ursprunges, auch deutlich denselben Gefühlston: nach aussen respektvoll, innerlich voll blutigen Hohnes — der Pförtner, der ergeben die Türe vor dem scheidenden Gaste aufzumachen scheint, in Wirklichkeit ihn hinausstösst, — nur dass im zweiten Falle, entsprechend der gesteigerten Situation, auch die furchtbare Spannung der Ironie zwischen Auszeichnung und kalter Vernichtung noch weiter gesteigert erscheint.

Selten auch — und wie mir scheint, für unseren Dichter nach Art und Intensität seines Schaffens bezeichnend — dass in dem fremdsprachlichen Latein, in dem so oft bewusstestes Nachahmen, ja Ausschreiben die Feder führt, uns eine Gestaltung des Wortes entgegentritt, deren Wurzeln doch eigentlich schon unter die Ebene des Rationalen hinabreichen. Kein Zufall auch — und ein Beleg für die wohl abgewogene äussere wie innere Ökonomie der Dichtung —, dass mit der Breite und Bewegtheit des äusseren Kampfbildes auch Ernst und innere Grösse der Gegner Walthers wachsen, ja schon an dessen eigenes Mass heranrücken und so am Schluss des ersten Kampftages auf den Helden hingedeutet wird, der ihm allein gewachsen ist, — auf Hagen. Und andererseits ist wohl die todesbereite Freundschaft der beiden letzten Kämpen als eine Art negativer Folie gemeint, das Bild des Verrates herauszuheben, den Hagen an seinem Bluts- und Waffenbruder begehen wird.

I.

Der Torques aureus war, wie ich darzutun versuchte, als ein Spiel mit Worten gemeint, als Bild, in dem eine andere, ernstere Wirklichkeit sich versteckt und spiegelt: auch hier möchte die Erörterung der Stelle nur als eine Art Vorspiel betrachtet werden, das an die wirklichen Fragen erst heranführt, und zugleich als ein Bild, in dem das Wesen des Verfassers aufscheint: die Schlagkraft und Prägnanz seines Wortes, die Anschaulichkeit und dramatische Bewegtheit seiner Schilderung, die kluge Überlegtheit seiner durchdachten Komposition, die selbst ein verwickeltes Gebilde sicher meistert, und, bei allem Kunstverstand, doch ein unmittelbares Mitleben mit den Gestalten seines Werkes, das auch aus unbewussten Schichten seines Gemütes gespeist wird: im Gehalt aber eine so mitleidlose Kälte des Blickes, dass das Pathos des Heldentums hinter der Freude am grausigen Handwerk des Kampfes zurücktritt: „Deines Geistes hab' ich einen Hauch verspürt!", so kann der Leser der Trogus-Episode dem Dichter vielleicht mit mehr Recht sagen als bei irgendeinem anderen gleich langen Abschnitt des Werkes.

Ein solches Mitteilen der Atmosphäre der Dichtung, das Anschlagen der Tonart des ganzen Werkes, schien mir wichtig — auch methodisch wichtig, darum manche Ausführlichkeiten der obigen Darstellung — für die Erörterung der Hauptfrage, der wir uns jetzt zuwenden wollen: der Frage nach dem Verfasser des Waltharius.

Eine solche Frage, etwa vor einem Kreise gebildeter deutscher Laien ausgesprochen oder gar in eine Runde sattelfester Germanisten hineingeworfen, scheint geeignet, verwundertes Erstaunen, abweisendes Kopfschütteln, ja wohl auch einen Sturm gelehrter Entrüstung hervorzurufen — und ich muss fürchten, in allen Graden der zwölfteiligen Skala: „Hier gibt es doch gar keine Frage! Hier gibt es doch höchstens eine Antwort!" Und die Antwort ist die, die man auf dem Gymnasium gelernt hat, die jeder Deutsche aus seinem Scheffel kennt, die jedes Konversationslexikon gibt[1], die auf den Titelblättern all der unge-

---

[1] Und nicht nur deutsche, sondern so gut wie alle europäischen!

zählten Schul- und wissenschaftlichen Ausgaben steht und die man augenblicklich bereit ist, durch Aufschlagen wissenschaftlicher Handbücher[1] wirksamst zu verteidigen: „Verfasser des Waltharius ist Ekkehard I. von St. Gallen, der das Gedicht in seiner Jugend, um 920/30, geschrieben hat".

Es liegt mir durchaus ferne, die Motive für eine solche Verteidigung eines nun über ein Jahrhundert alten, plausibeln und lieb gewordenen Standpunktes und ihre relative Berechtigung in zusammenfassenden fachlichen Darstellungen zu verkennen. Allein dort, wo man in der Frage „vor Ort" arbeitet, wo man das Gestein der Gegebenheiten erst aufzubrechen und der Schichtung der wissenshaltigen Tatsachen nachzugehen hat, da weiss man es anders: da weiss man, dass tatsächlich eine Verfassersfrage existiert.

Man weiss zunächst, dass es auch eine „französische" Ansicht der Dinge gibt, bei der alles in einem anderen Lichte erscheint. Diese französische Auffassung geht in letzter Linie wohl auf eine von einer jungen Hand (schon in französischer Sprache) eingetragene Vermutung[2] in der Pariser Handschrift des Waltharius zurück, die auf alle Fälle von der historischen Forschung der Benediktinerschule von St. Maur aufgegriffen wurde (etwa *Hist. Litt. de France,* VI, 438, VII 183 f., 1742 und 1746), ohne aber, wie das Gedicht selbst, weitere Beachtung zu finden. Durch den nach der Entdeckung der rechtsrheinischen Handschriften einsetzenden Aufschwung der deutschen Walthariusforschung, durch das Gewicht der aufblühenden deutschen Germanistik überhaupt, vor allem aber wohl durch die Stellungnahme J. Grimms in der Frage wurde diese französische Auffassung eigentlich auch in Frankreich für das ganze 19. Jahrhundert zurückgedrängt und spielt keine entscheidende Rolle; immerhin wagte sie sich 1846 bei Fauriel (*Hist. de la Poésie*

---

[1] Neben allen älteren und neueren Literaturgeschichten, wissenschaftlichen wie volkstümlichen, etwa Manitius, Goedeke, Ehrismann, Verfasserlexikon des deutschen Mittelalters, Eppelsheimers Handbuch der Weltliteratur usw., usw.

[2] Grimm, S. 60: *comme il semble, ut videtur* in Handschrift und Katalog: also eine recht vorsichtige Formulierung, aber bei solchen Dingen langer Tradition haben derartige Vorbehalte die Neigung, immer mehr zu verschwinden (s. o. S. 82); wollte man Flach, s. u., S. 309, Glauben schenken, so wäre allerdings diese Notiz jetzt auf eine etwas geheimnisvolle Weise verschwunden!

Provenc., I, 381 ff.) und bei Grellet-Balguerie (1890, *Acad. des Inscript. et Belles-lettres,* Comptes rendus, S. 378) hervor: beides Mal ist wohl im tiefsten Herzen das *Aquitania* im Namen des Helden das eigentliche Motiv, nicht nur diesen, sondern auch den Dichter der geliebten Gascogne zuzuschreiben und das Gedicht, wenn schon nicht am Ufer der Garonne, so doch wenigstens der Loire entstehen zu lassen. Ein theoretisch ernster zu nehmender Umschwung der Einstellung bereitet sich allmählich nach der Jahrhundertwende vor, an dem wohl die veränderte Beurteilung der Ursprünge der französischen Epik ihren Anteil hat, und in und nach dem Weltkriege hat diese französische — jetzt auch französisch-belgische — Auffassung ihre Stimme laut — allzu laut[1] — erhoben: nicht Ekkehard von St. Gallen

---

[1] Jacques Flach, *Revue des Études Historiques,* 82, 1916, S. 297: Revendication contre l'Allemagne du poème de Gauthier d'Aquitaine (Waltharius). «Le problème que soulève le poème de Waltharius ... est loin d'être purement littéraire ou historique. Il est au premier chef, à mes yeux, un problème national»: der Titel und diese ersten Worte des Aufsatzes sagen genug; die Vorwürfe, die Strecker gegen den hier nicht weiter zu beschwörenden Geist dieser Argumentationen erhebt und die man in seiner Ausgabe 1924, S. XII nachlesen möge, sind durchaus berechtigt. — Die oben verwendeten Anführungszeichen wollen sagen, dass die Scheidung der Geister nach den nationalen Lagern doch keine unbedingte ist, so natürlich eine solche Aufteilung sich auch zunächst einstellen mag: so haben einerseits Léon Gautier, *Les Épopées françaises,* 1865, S. 47 f., 104 f., und Gaston Paris, *Histoire poét. de Charlemagne,* 1865, S. 50 f. den deutschen Standpunkt angenommen und verteidigt, andererseits hat die französische Auffassung nicht nur in R. Reeh, *ZfdPh.,* 51, 413 ff. einen Verfechter gefunden, sondern, was wichtiger ist, auch J. Grimm hat den französischen Standpunkt schon sehr früh gekannt und erwogen, ja zeitweise sich ihm auch weitgehend genähert (s. im 2. Teil). — Auf die wissenschaftsgeschichtliche Seite der Frage kann hier nicht weiter eingegangen werden, ein so verlockendes Thema sie bei der langen Dauer der Kontroverse und dem Hineinspielen so vieler geistesgeschichtlicher und politischer Strömungen auch zweifellos wäre (Titelangaben dazu bei Charles Schweitzer, *De Poemate Latino Walthario,* Diss., Paris 1889 und bei Althof, die aber wenigstens für die erste Zeit der deutschen Forschungen mehrfach zu ergänzen wären). — Zu meiner eigenen Arbeit bemerke ich nur, dass sie ganz unabhängig von den eben geschilderten Auffassungen entstanden ist und nicht nur andere Ausgangspunkte hat, die im Gedichte selbst, in seiner äusseren und inneren Welt, gelegen waren, sondern, wie bald zu sehen sein wird, auch andere Richtung und Ziele. Ich habe die genannte französische „Kriegsliteratur" erst nach Abschluss und Vorbringung meiner Überlegungen hier in Schweden einsehen können: in Wien (vgl. die Vorbemerkung) waren die Kriegsjahrgänge der betreffenden Zeitschriften den Bibliotheken nicht zugekommen (leider ist mir auch jetzt noch L. Simons, *Waltharius en de Walthersage,* 1914, unbekannt geblieben, das auch hier nicht zugänglich ist). Ich muss und kann also für meine Auffassung und Darstellung der Zusammenhänge im Negativen wie im Positiven allein die Verantwortung übernehmen: trotzdem ergibt es

ist der Verfasser des Waltharius, so ruft es jetzt in allen Ton-
stärken vom linken Ufer des Rheins in die Schweiz und nach
Deutschland herüber, sondern ein Gerald von Fleury, ein Mönch
von Saint-Benoît-sur-Loire, der um 960 gelebt hat. (So wenigstens die „klassische" Linie dieser französischen Anschauung,
von der *Hist. litt.* bis Flach: es vermehrt nicht gerade die Wucht
der französischen Argumente, wenn M. Wilmotte, *Revue Hist.*,
T. 127, 1918, S. 1 ff., La Patrie du Waltharius, unter Gerald
einen lothringischen Mönch des 10. Jahrhunderts, vielleicht aus
Toul um 930, verstanden wissen will, S. 21 f., 29).

Wie steht es nun mit diesem Gerald und seinen Rechten auf
den Waltharius? Sie gründen sich auf einen in der besten
Handschriftengruppe dem Gedichte vorangestellten Prolog, den
sog. Geraldusprolog, in dem ein Geraldus einem Bischof oder
Erzbischof Erchamboldus offenbar ein Exemplar des Gedichtes
zum Geschenk macht: *Praesul sancte dei, nunc accipe munera
servi, / Quae tibi decrevit de larga promere cura / Peccator fragilis Geraldus nomine vilis.*

Ich darf gestehen, dass ich mir diese Worte ernstlich und
ganz unvoreingenommen durch den Kopf habe gehen lassen und
dass ich anfangs längere Zeit der Meinung war, mit ihnen sei
die Verfasserfrage einfach entschieden. Im Laufe der Arbeit,
die ursprünglich nur das Gegenständliche des Gedichtes selbst
zum Ziele hatte und die Frage nach dem Verfasser zunächst
links liegen liess, bin ich aber immer mehr zu der Überzeugung
gekommen, dass der Verfasser des Prologes und der Dichter
des Waltharius zwei verschiedene Personen sind.

Man gerät jedenfalls in eine ganz andere Luft, wenn man,
vom Waltharius herkommend, in den Bereich dieses Prologes
tritt. Und wenn wir die von jenem oben gegebene Charakteristik vielleicht in die Schlagworte einer kühlen, klaren Lebendigkeit, Lebendigkeit der Anschauung wie des Intellekts, zu-

---

sich von selbst, dass meine Auffassungen hie und da auf eine Strecke mit
einer oder der anderen der genannten parallel laufen, auch wenn Ziel und
Endpunkt des Weges verschieden sind. Da aber die Gesamtauffassung
der Zusammenhänge mir doch ganz auf eigenem Boden erwachsen ist,
glaubte ich mich darauf beschränken zu dürfen, hier im allgemeinen auf
solche Übereinstimmungen hinzuweisen, und ich habe nur dort ausdrücklich
darauf Bezug genommen, wo ich durch sie nachträglich auf etwas Neues
aufmerksam gemacht wurde.

sammenfassen können, so zeigt uns diese Widmung — für mich
trotz aller Anlehnungen des Ausdruckes durchaus ein einheit-
liches und persönlich empfundenes Stück von deutlich nachfühl-
barer Eigenart — einen Dichter, dessen Wesen man gerade
durch die Gegenteile der genannten Prädikate recht treffend
charakterisieren könnte. Eigentlich ist es ja aber keine Widmung, sondern einfach ein Gebet, ein schlichtes, aufrichtiges
Gebet für das irdische und ewige Heil des seinem Herzen so
nahe stehenden Bischofs, das mit einer Vertiefung in das Dogma
der Dreieinigkeit anhebt, die einer genaueren theologischen Nachprüfung wohl Stand halten könnte.[1] Und diese durch das Gedicht immer wieder durchschlagende, nichts weniger als be-
schwingte, eher gebundene, aber ehrliche Frömmigkeit scheint
mir eigentlich die Grundstimmung seines Autors zu sein: und
— auch wenn man vom Unterschiede eines persönlichen Prologes
und einer epischen Darstellung recht wohl weiss — dieser Mann
sollte wirklich den Antrieb gefühlt haben, den Waltharius zu
schreiben, der doch nach Wilmottes Urteil (*a. a. O.,* S. 4)
„respire le plus violent souffle du paganisme, ou du moins
échappe entièrement à l'empreinte clerico-théologique" und dessen
Verfasser, wie er jedenfalls richtig bemerkt, im Gegensatz zum Dichter des Rolandliedes jedes Eingreifen der Gottheit in die mensch-
lichen Dinge vermeidet? Ihm ist doch offenbar die *,alma' Musa,*
die heilige Dichtung, die Hauptsache und die weltliche, die, wie
er sehr gut und eindringlich sagt, nur aesthetisches Staunen,
,mira', aber keine Erbauung vermittelt, die nur unterhält und
spielt, ist ihm doch eigentlich nur dazu gut, die sicher auch

---

[1] *Iure pari, amborum:* wann war, nach der Aachener Synode von 809,
die westliche Theologie des *filioque* soweit auf dem Wege lebendiger Frömmigkeit gekommen, dass man sie in einem solchen Prologe erwarten kann?
In die Messe wurde sie erst Anfang des 11. Jh.s aufgenommen (Harnack,
Dogmengeschichte[4], III, S. 302 f.). Jedenfalls fällt auf, wie stark in den Prologen des 9. und 10. Jh.s Christus, der Weltherrscher, als die zum Schutz
des Gönners angerufene Gottheit vorherrscht (die Anrufung der Dreieinigkeit bei Heiric von Auxerre steht ja in einer wirklichen „Invocatio" seines
Geistes und davon hat sie Dudo von St. Quentin auch in seinen Prolog
aufgenommen, Hrabans *Epistola ad Baturicum* nennt die Dreieinigkeit ja
erst am Schluss und in einer von der Genauigkeit der theologischen Doxolo-
gie ungleich weniger beschwerten Weise). (Nachtr.: Strecker vergleicht
ietzt Hraban, *Poetae,* 2, 171: mit Recht; doch ist selbst in dieser „*Oratio*"
die dogmatische Formulierung keineswegs so genau wie in unserer Widmung).

seinem Gemüte nicht unbekannte *Acedia* des Mönches, die
Tristitia des allzu langen Tages, der ‚*inampla diei*‘, zu vertreiben
und zu verkürzen.[1] Und wie denkt dieser Dichter, abgesehen
von den eben besprochenen Aufgaben der Poesie für die Diä-
tetik der Seele, sonst von seinem Werke und dessen Helden?
Für sein Gedicht hat er ganze 4 oder eigentlich nur 3 Zeilen
übrig (von 22!) und den von ihm besungenen Helden nennt er
Waltharius per multa proelia resectus, „mutilé dans plusieurs
combats"[2] — das ist, wie immer man über das *per* denken mag,
doch ein recht ungeschickter und ungenauer, ja eigentlich recht
auffälliger Ausdruck im Munde eines Dichters, der es sich so
sehr angelegen sein liess, die eigentlich magische Unverwund-
barkeit seines Helden in allen Kämpfen zu zeigen (V. 196 ff.,
407 ff., 520 ff., 793 f., auch 1235, 1383 ff.) und der ausdrücklich
darauf hinweist, dass ihm nur ein mal ein einziger Gegner eine
Wunde beibringen konnte (V. 1320). Schimmert hier nicht eine
recht bedeutsame Unstimmigkeit der Auffassung hindurch? Zum
mindesten zeigt der doch mehr als flaue Ausdruck von keinerlei
Anteil an seinem Helden, wie wir ihn von dem Dichter des
Waltharius (s. o. S. 89 f.) eigentlich unbedingt hätten erwarten
können. Will man ein weiteres Zeugnis für sein Interesse an
dem Gedicht? Als er schon im Begriffe ist, von seinem Werke
zu sprechen, V. 9 ff., kommt er wieder von diesem Thema ab
— man zeige mir den Dichter, der so etwas tut oder je getan
hat! — und fällt wieder auf das Gebet für das Heil seines
Bischofs zurück, das sich damit als der eigentliche und innere

---

[1] Streckers glückliche Deutung, *ZfdA.*, 69, 115, hat ja alle Schwierigkeiten des Verses mit einem Schlage und wirklich glänzend gelöst, so dass
jetzt Sinn und Lesung der so lange umstrittenen Worte wohl endgültig
feststehen; zu der auch rein sprachlich interessanten Erscheinung, dass in
dem „logischen" Latein — es handelt sich allerdings um Spät- und Mittellatein! — es neben dem *in* privativum auch ein *in* intensivum gab, hätte
auch auf die gleiche Entwicklung eines deutschen *un* intensivum (*Unmasse*
u. dgl.) und des ά ἐπιτατικόν hingewiesen werden können, vgl. *DWB*,
XI: 3, Sp. 27 und die dort angegebene Literatur sowie J. Svennung, *Untersuchungen zu Palladius*, 1936, S. 574 ff.
    [2] Dies die Übersetzung Fauriels; die Lesung steht durch die Hss. fest
(Meyers Besserungsvorschlag zeigt nur den Anstoss, der hier vorliegt); und
wenn auch im klassischen Latein *resecare* immer ein Glied oder einen Teil
als Objekt verlangt, nicht die ganze betroffene Person, so kann der Ausdruck doch nichts bedeuten als *virhouwen* (so dafür Dieffenbach 1857 aus
einem spätmittelalterlichen Glossar).

Kern des sicherlich gut und ehrlich gemeinten Gedichtes erweist.[1]

Und wenn ich oben sagte, dass man in eine andere Luft zu
geraten scheint, wenn man vom Waltharius zum Prologe kommt,
so gilt das nämliche, wenn man von einer vergleichenden Betrachtung anderer solcher Widmungen zu unserem Geraldus kommt.[2]
All diese Bemerkungen über die Entstehungsgeschichte, über
die besonderen Zwecke des Werkes, die so oft vorgebrachte
Bitte um Korrektur der Arbeit[3] (in der sich in der geforderten
Form der Demut ja nur die natürlichste Vatersorge um die Aufnahme des in die Welt geschickten Kindes ausdrückt), die Aufzählung der Schwierigkeiten oder der gemachten Fehler (ein so
demütig sich an die Brust schlagender Dichter, wäre er wirklich ein Autor wie seine anderen Brüder in Apoll, hätte V. 11 f.
wohl sicher nicht bloss von seiner moralischen Minderwertigkeit,
sondern vor allem doch auch von seinen künstlerischen Sünden
und Unzulänglichkeiten gesprochen), auch die Hoffnung auf Beifall, ja wirkliche Freude am gelungenen Werke, die Angst vor
dem *livor edax* der *obtrectatores* — so nennt der noch unobjek-
tive oder noch nicht abgebrühte mittelalterliche Mensch in seiner
Naivität die Erwartung der Fachkritik der Kollegenschaft — all
diese Züge, die in vielfach anderer Mischung, aber oft recht
überzeugend und persönlich und mitunter mit Bildern aus dem
organischen Leben[4], uns doch immer irgendwie die Ursprünglich-
keit und Naturhaftigkeit dieses Verhältnisses zwischen einem
geistigen Erzeuger und seinem Erzeugten malen — sie fehlen
hier völlig, und man sagt sicher nicht zu viel, wenn man gegen-

---

[1] Winterfelds Umstellungsvorschlag weist wieder nur auf den Anstoss,
die Auffälligkeit, hin: seine Änderung würde das Charakteristische verwischen.

[2] Eine Formgeschichte des Prologes würde uns vielleicht eine erschöpfen-
dere Beurteilung und auch eine genauere Festlegung des Stückes, vor allem
in zeitlicher Beziehung, ermöglichen; bis dahin konnte eine schmale Schneise,
die ich durch den Urwald der mittellateinischen Dichtung nach dieser Richtung hin zu legen versuchte und bei der die Werke von über 20 Autoren,
von Sedulius bis Dudo von St. Quentin angeschlagen wurden, wenigstens
eine allererste Orientierung bringen, so lückenhaft sie selbstverständlich,
und leider gerade für das 10. Jh., wohl ist.

[3] Bei Jonas' Vita Columbani, bei Naso, Ermenrich von Ellwangen,
Milo von St. Amand, Abbo von Paris, Hucbald von St. Amand, Hroswith,
Walther von Speier, Dudo von St. Quentin.

[4] *Nardus* bei Milo, *uva* bei Abbo, *obstetrix* bei Walther.

über all den anderen Lebendigkeiten die Beziehung dieses Prolog-
dichters zu dem übersandten Werk eigentlich tot nennt.[1] (Und
da das Gefühl für den Bischof zeigt, dass es ihm sicher nicht
an Wärme fehlt, so führt das eben auf den Gedanken, dass es
sich hier nicht um sein eigenes Werk handelt, sondern um ein
fremdes). Jedenfalls bleibt, auch wenn man den Wert dieser
Schlüsse ex silentio keineswegs übertreiben will, die Tatsache
bestehen, dass der Walthariusdichter in seiner frischen Ange-
regtheit in dieser Widmung nicht wiederzuerkennen ist.

Es kommen dazu Seltsamkeiten, ja Eigenbröteleien in der
Wortwahl (*omnitonans, infictus* = echt, *inamplus* = allzulang, *resectus,* in 22 Versen!)[2], Plumpheiten und Ungeschicklichkeiten
des Satzbaues (V. 11 ff., 19), die das Verständnis stark er-
schweren, weiter der abweichende Versbau (fast durchgehends
Leoniner und, damit oft verbunden, ein Auseinanderklappen des
Verses in zwei Hälften), «léonins des plus plats et à demi barbares» nennt sie Fauriel S. 399; dagegen sagt Flach S. 313:
«La latinité est relativement claire et élégante, la construction
est logique, ... La façon d'écrire décèle un auteur qui pense
en *roman,* et dont le *roman* devait être la langue naturelle.
Il n'y a du reste ... pas même de vers léonins, mais emploi
constant de l'hexamètre classique», im grossen ganzen, mit Ausnahme der romanischen Muttersprache, sicher eine treffende
Charakteristik, aber leider, leider — sie meint den Autor des
Waltharius, nicht den des Prologs. Und wenn man sich die
allgemeinen Kategorien zu eigen macht, nach denen Flach —
es fällt einem schwer, den Namen nicht deutsch auszusprechen
und *omen non accipere* — den Unterschied zwischen *l'esprit germanique* und *l'esprit français* auseinandersetzt (S. 300 f., 310 ff.),

---

[1] Eine Jugendsünde aber wäre als solche entschuldigt worden!
[2] *Longaevus* wird ja wenigstens in Glossarien des 8. und 9. wie des
15. Jh.s durch *longus, langwirig, lanck van tijt* wiedergegeben. (Nachtr.:
Strecker verweist jetzt auch auf Belege aus Autoren des 7.—9. Jh.s); Sievers, s. u., will der Schallform wegen die Wortform *omnitonantem* unbedingt beibehalten sehen, und auch der Überlieferung nach wäre es wohl
schwer vorzustellen, wie man von dem so gebräuchlichen *omnitenens* zu
dem seltsamen *omnitonans* hätte kommen sollen; *infictus* ist wahrscheinlich
eine etwas eigenwillige Bildung unter Anlehnung an das biblische *non
fictus* (1. Tim., 1, 5 u. a.) und stammt vielleicht aus Glossaren, wo es wenigstens als Übersetzung des neutestamentlichen ἀνυπόκριτος zu finden ist;
(über *resectus* und *inamplus* s. o.).

um daraus Beweise für die französische Herkunft des Walthariusdichters zu holen, und nach denen der Franzose selbstverständlich — man kennt die Melodie — der Elegante, von Logik Blitzende, Gefühlsklare und Gefühlsreine, Formbeherrschende und Sprachgewandte ist, und der arme Deutsche von all dem nur das Gegenteil[1], dann ist keine Frage, dass dieser theologisch grübelnde, gefühlsselige und gefühlstrübe, ungeschickt disponierende und mit dem lateinischen Ausdruck ringende[2] Dichter ein Deutscher ist, ein typischester Deutscher, Poeta communis germanicus, und da ja nach der französischen Ansicht sich Geraldus hier ausdrücklich als den Verfasser des Waltharius bekennt, so ergibt sich, wenn man dem Geiste klarer Logizität weiter huldigen will, die ebenso unerwartete wie unwillkommene Schlussfolgerung, dass demnach der Dichter des Waltharius ein Deutscher gewesen sein muss.[3] So weit und so rasch wird man auf französischer Seite das Spiel nicht mitmachen wollen, und vielleicht könnte man sich, fürs erste wenigstens, darauf einigen, dass demnach Verfasser des Prologs und des Waltharius nicht ein und dieselbe Person sein können.

Denjenigen aber, denen die Höhen solcher völkerpsychologischen Logik — sie ist aber gar nichts anderes als die Anwendung von Flachs Methode — vielleicht zu luftig und windig erscheinen, seien vom zähen Ackerboden der Philologie noch folgende schwerfällig-deutsche Argumente angeboten: die nur durch zwei Verse getrennten gleichlautenden Versschlüsse *in aevum*, V. 5 und 8, zeigen eine „Reimnot" — so könnte man es nennen —, die dem Waltharius fremd ist; in V. 5 wird nach
$$\overset{5}{}$$
dem Wortschluss in der 5. Hebung *(nunc)*[4] die Senkung durch

---

[1] S. 300 f. «Netteté, élégance de l'exposition, enchaînement parfait des scènes, unité logique de la composition, balancement heureux des épisodes avec une préoccupation d'art évidente», und die «défauts contraires» der deutschen Dichtung!

[2] Auch Wilmotte zitiert mit ähnlicher Spitze die Unterscheidung Gerberts zwischen den *Latini* und den *Barbari*, d. h. den Franzosen und den Deutschen, von denen die ersteren das Verständnis für die Romanitas mit ihrer gallischen Muttermilch einsaugen.

[3] Die französische Forschung hat die oben und weiter unten berührten Unterschiede zwischen Prolog und Dichtung entweder gar nicht gesehen oder ist darüber leicht und willig hinweggehüpft.

[4] Wortschluss nach der 5. Hebung wird von der klassischen Metrik nicht gebilligt, kommt aber im Waltharius häufig genug vor, offenbar nach dem Vorbilde des Prudentius, bei dem sich die Erscheinung recht gewöhnlich zeigt.

zwei einsilbige Worte gebildet *(nunc et in aevum)*, eine metrische Härte, die sich im Waltharius nicht findet: dort wird die Senkung in diesem Falle von einem wenigstens zweisilbigen Worte gebildet, wenn nicht überhaupt der Versschluss von einem drei- oder viersilbigen Worte ausgefüllt ist; ferner klappt V. 20 — dessen Text nach Streckers Entdeckung doch wohl nicht mehr zu ändern ist, und wie sollte er dann anders zu lesen sein? — durch eine in der klassischen Metrik unerhörte und durch den Reim noch verstärkte Diärese nach dem 3. Fuss in einer Weise auseinander, für die es im Waltharius selbst kein Beispiel gibt[1]; schliesslich wird *tiro* in V. 27 des Waltharius richtig mit Länge gemessen, dagegen in V. 17 des Prologes unrichtig mit Kürze gebraucht: all diese Ungeschicklichkeiten und Schnitzer soll nun der wegen seiner formalen Gewandtheit von den Franzosen mit Recht so hoch gestellte Verfasser des Waltharius sich ausgerechnet in dem Schmuck- und Schaustück eines Prologs geleistet haben? Ich glaube, er wäre imstande gewesen, eine zierlicher gezeichnete und besser komponierte Visitkarte vor sein Werk zu stecken!

All diese Verschiedenheiten in der Kunstübung verbunden mit der Andersartigkeit der seelischen Grundstimmung[2] geben

---

[1] V. 1338 ist wohl mit „verdunkelter" Cäsur und Tmesis nach *circum* zu lesen (Vollmer, *Einl. i. d. Altertumswissensch*[5]., I, 8, 13 und seine *Horazausgabe*, 1912, S. 343).

[2] Auf anderen Wegen, von der Schallanalyse her, hat Sievers, *PBB.*, 51, 222 ff., in Polemik gegen Reeh die Verschiedenheit der Personalkurven und der Stimmart bei Geraldus und dem Walthariusdichter behauptet und damit ihre Nichtidentität zu beweisen versucht: ich verzeichne das Ergebnis natürlich gern, wenn mir auch jede Voraussetzung fehlt, es zu beurteilen (so sehr ich auch überzeugt bin, dass Stimme und Stimmung, Grundstimmung eines Menschen, irgendwo und irgendwie mit einander in Zusammenhang stehen). Von meinen Möglichkeiten aus möchte ich nur feststellen, dass die Unterschiede der Stimmart, die Sievers hört (hell-harte Umlegstimme, Formel: U 3 kalt bei Waltharius, dunkel vibrierende Normalstimme bei Geraldus) sich mir recht gut mit der oben versuchten seelischen Charakteristik der beiden zu vertragen scheinen, dass ich Walthariusverse, etwa auch in gleich gestimmten Partien wie in Walthers Gebet V. 1161 ff., mit höherer und rascherer Stimme lese als den Prolog und dass die Anzahl der Spondeen der ersten vier Füsse in den Prologversen relativ grösser ist als im Waltharius. Der positiven Folgerung, die Sievers aus der Identität der Personalkurve von Waltharius und der anderen bezeugten Dichtungen Ekkehards I. zieht — sind diese letzteren überdies wirklich so gesichert? — braucht man ja nicht das gleiche Gewicht beizulegen, denn es kann doch wohl nur die negative Instanz „mit fast mathematisch zu nennender

uns alles Recht, die beiden Verfasser als verschieden anzusehen;
und darin kann der eingangs dieser Betrachtung angeführte
Vers *munera,* / *Quae tibi decrevit de larga promere cura* kein
Hindernis bieten: wir können ihn wörtlich, und ohne der Stelle
den geringsten Zwang anzutun, übersetzen „das Geschenk, das
ich für Dich aus dem weiten Bereich der meiner Sorge anvertrauten Dinge", „aus dem zahlreichen meiner Obhut unterstellten
Bestand" (etwa an Büchern), eventuell "aus der grossen Zahl
meiner Schützlinge, meiner Lieblinge[1] hervorsuchen will" und
wir können uns unter diesem Geraldus wohl etwa einen Bibliothekar vorstellen, einen frommen Librarius — seine Stimmungen,
seine Vorliebe für seltene Worte, sein Interesse für dichterische
Unterhaltung, das Mass seiner poetischen Begabung fielen jedenfalls aus diesem Bilde nicht heraus —, der dem verehrten Erzbischof mit einer unterhaltenden — und wohl schön geschriebenen —
Seltenheit aus den Schätzen seiner Bücherei aufwarten will.[2]

Um zusammenzufassen: nach meiner Ansicht hat Geraldus

Sicherheit" als beweisend angesehen werden, nicht aber die positive Übereinstimmung, die doch wohl höchstens die Zugehörigkeit zu demselben
Typus erhärten könnte; sonst gäbe es ja nicht so und so viele Typen,
sondern so viel abertausend Millionen Individuen von Stimmarten als es
Menschen gibt und gab.

[1] Der dingliche Gebrauch von *cura* ist ja schon im klassischen Latein
gut bezeugt; man beachte: Gerald hat *larga* geschrieben, nicht das metrisch
ebensogut mögliche *longa*; *largus* geht aber doch auf Mengenhaftes,
später auch auf Räumliches, vgl. Maigne D'Arnis *largitudo* = „latitudo" usw.
sowie das franz. *large*; bezeichnend, dass Flach, eigentlich ungenau, übersetzt (S. 306): *de sa longue application.*

[2] Nachträglich: Erst während der Drucklegung sehe ich, dass in dem
neu herausgekommenen Faszikel der Poetae (V, Fasz. II) der Geraldusprolog von Strecker auf S. 407 ff. wieder herausgegeben worden ist. Dazu
in aller Kürze nur das Folgende: Ich freue mich, dass ich in der Auffassung
von *omnitonans* (gegenüber dem *omnitenens* der Walthariusausgabe von
1924) auf dem gleichen Wege gewesen bin wie der Altmeister der deutschen
mittellateinischen Philologie (das Wort wird von ihm jetzt auch anderswoher belegt) und dass die erwähnten Änderungsvorschläge Winterfelds
wie Meyers nach wie vor keine Aufnahme in den Text gefunden haben.
Die vielen neu beigebrachten „Anlehnungen" — die interessantesten sind zweifellos die an Theodulf — ändern für mich nicht die Auffassung, dass das Gedicht aus einem einheitlichen und echten, wenn auch schwerfälligen Gefühl
entsprungen ist: es liessen sich Parallelen aus neuzeitlicher geistlicher Lyrik
beibringen, und die zweiten, sicher immer noch vermehrbaren Fussnoten
der mlat. Editionen, etwa auch des Waltharius, zeigen ja deutlich, dass wir
es hier mit einem allgemeinen Problem zu tun haben. Der jedenfalls sehr
erwägenswerte Vorschlag, *ludendum est* als Vordersatz eines indikativischen
Bedingungssatzes ohne *si* aufzufassen, würde, scheint mir, einen neuen Stil-
unterschied gegen Waltharius ergeben: bei einem Vergleiche mit V. 811

nichts mit dem Zustandekommen des Werkes zu schaffen — nach den starken Verschiedenheiten der metrischen Form, vielleicht auch nach dem doxologischen Eingange liesse es sich ohne weiteres denken, dass sogar eine geraume Zeitspanne zwischen beiden liegt[1] — wohl aber etwas und vielleicht recht viel mit der Verbreitung desselben, d.h. mit der Abfassung einer Hs., auf die sehr wohl alle uns erhaltenen Hss. zurückgehen können (vgl. Streckers Waltharius, S. XIX). Wir werden also mit der Frage nach dem Autor wieder auf das Werk selbst zurückgewiesen. Und dieser Weg scheint mir doch auch methodisch der richtigere: es ist doch wohl natürlicher, das Werk selbst mit seinen 1500 Versen nach seinem Verfasser zu fragen und aus seinen Eigenschaften wenigstens etwas Beiläufiges über Zeit und Heimat des Dichters herauszubekommen zu versuchen, als diesen Prolog von 22 Versen, von dem man doch theoretisch jedenfalls annehmen kann — und bei der eben gemachten Annahme ja auch tatsächlich annehmen müsste — dass es eine Zeit gegeben habe, wo er noch n i c h t zum Werke gehörte. Und was nützt es, mit Wilmotte seitenlang nach passenden Erchambolden für den Prolog zu suchen[2], die alle gleich gut oder gleich schlecht sein können, solange man sich über die ungefähre geschichtliche Einreihung des Werkes selbst noch nicht im Klaren ist?

tritt durch den dort gegebenen Konjunktiv wie durch die Satzstellung die Ungewöhnlichkeit und der wohl stärkere Vulgarismus der Konstruktion erst recht hervor (J. Svennung, *Glotta*, 22, 163/9, 191 ff., belegt jedenfalls nur die konjunktivische Fügung aus spätlat. Dichtern, die indikativische nur aus „vulgärer" Fachliteratur.) Über die Abfassungszeit des Prologes wissen wir nichts Sicheres: kann da das Abhängigkeitsverhältnis zwischen Gerald u. Walther v. Sp. seiner Richtung nach bestimmt festgelegt werden? (*Impar, Christoph.* II, 6, bezeugt das *in* intensivum eher als waltherisch).

[1] Aus den später folgenden Versuchen, das Werk wenigstens ungefähr festzulegen, werden sich noch mehrere Gründe ergeben, die stärker als gegen jede andere Annahme gegen einen Gerald von Fleury oder Toul um 960 oder 930 sprechen.

[2] Deswegen wäre es natürlich doch sehr glücklich, wenn ich über Erchambold und Geraldus etwas Plausibles vorbringen könnte, und mit dem oben Gesagten soll selbstverständlich Bedeutung und Richtung dieser Nachforschung nur unterstrichen werden. Doch scheint sie mir, augenblicklich und für meine Aufgabe, nur eine Frage zweiten Ranges zu sein, die ich schon wegen Zeitmangels gar nicht erst anschneide. (Ob es gelingen könnte, aus den so oft durchforschten Tatsachen noch etwas Positives herauszuholen, will ich natürlich noch viel weniger behaupten).

Damit stehen wir also, nach der Abweisung der Vaterschaft Geralds, mit dem Werke wieder allein da und suchen dafür nach einem Verfasser.

Ist es deswegen wirklich verwaist?

Unser Blick wendet sich nun zurück auf den, der in Deutschland und Europa so lange als sein Urheber gegolten hat und immer noch gilt: auf Ekkehard I. von St. Gallen.

Aus: Studia Neophilologica 13 (1940/41)

Der Walthariusdichter

Von
Karl Strecker

Vor mehr als hundert Jahren wurde ein heftiger Kampf um
die Frage geführt, ob der Waltharius in die „Monumenta Ger=
maniae historica" aufzunehmen sei oder nicht.[1]) Doch blieb sie
zunächst unerledigt, und als dann die Serie der „Poetae latini
m. ae." entstand, wurde dem einzigartigen Gedicht im fünften
Bande derselben (Ottonenzeit) ein Platz reserviert, und Paul von
Winterfeld begann eine Neubearbeitung des Textes dafür,
worüber er 1896 berichtete.[2]) Sie ist verloren; wie weit sie
vorgeschritten war, ist unbekannt.[3]) Als ich nach seinem frühen
Tode die Fortführung seiner Arbeiten für die MG. übernommen
hatte und an den Druck der ottonischen Dichter kam, hatten sich
die Zeiten geändert und der Wissenschaft recht erhebliche Schwie=
rigkeiten gebracht; ich entschloß mich daher, eine Auswahl zu
treffen und umfangreichere Stücke, soweit sie entbehrlich erschie=
nen, fortzulassen, darunter auch den Waltharius, zumal auf
meine kleine Ausgabe verwiesen werden konnte.[4]) Dies geschah
unter der Voraussetzung, daß das Gedicht der Ottonenzeit an=
gehört. Wie aber, wenn dies ein Irrtum ist? Wenn es in die
Karolingerzeit hinaufgerückt werden muß, für welche möglichste

---

[1]) Archiv d. Ges. f. ä. d. Geschichtsk. 1, 1820, 37. 367 ff.; 2, 1820, 39 ff.
92 ff.; 3, 1821, 373 f.

[2]) P. von Winterfeld, Zur Beurtheilung der hss. des Waltharius
(NA. 22, 1896, 554 ff.).

[3]) Auf ihr beruhte seine Übersetzung ins Deutsche (in Stabreimen):
Walther und Hildegund. Innsbruck 1897. Wiederholt in: Deutsche Dichter
des lateinischen Mittelalters in deutschen Versen von P. von Winter=
feld, hg. v. H. Reich 1913, 236 ff.

[4]) Ekkehards Waltharius hg. v. K. Strecker, 2. Aufl. 1924.

Vollſtändigkeit der Sammlung erſtrebt wurde? Bekanntlich iſt
alles, was man über Ort, Zeit, Verfaſſer des Waltharius lehrt
und lieſt, mehr oder weniger Kombination. Vor 40 Jahren folgte
ich, freilich nicht ohne Bedenken, der Aufforderung Joh. Ilbergs,
über den Stand der Walthariusforſchung zu berichten; da wußte
ich den Aufſatz nicht treffender zu überſchreiben als „Probleme
in der Walthariusforſchung"[1]), und die Zweifel, die ich durch
dieſe Formulierung ausdrückte, bin ich niemals losgeworden[2]),
wenn ich mich auch notgedrungen mit der Situation abgefunden
hatte; im Grunde muß man zugeſtehen, daß wir in dieſen Fragen,
namentlich der Frage nach dem Dichter, nicht viel weiter ge=
kommen ſind und alles oder vieles noch geradeſo problematiſch
iſt.[3]) Doch gilt bei uns ziemlich allgemein die Meinung, Ekke=
hart I. von St. Gallen iſt der Dichter des Waltharius, und der
Geraldus, der ſich im Prolog nennt, iſt ſein alter Lehrer, der das
Gedicht nach dem Tode des früheren Schülers dem Biſchof
Erchanbold von Straßburg (965—991) ſchickte.[4]) Dieſe friedliche
Stille iſt kürzlich empfindlich geſtört worden durch einen Vortrag
von Alfred Wolf, der, gebürtiger Sudetendeutſcher, die deutſche
Wiſſenſchaft in Schweden (Uppſala) erfolgreich vertritt. Er legte
im Dezember 1938 im Berliner germaniſchen Seminar die Auf=
faſſung dar, die Nachrichten Ekkeharts IV. über die literariſche
Tätigkeit ſeines Namensvetters Ekkehart I. ſeien bisher falſch

---

[1]) Neue Jahrbücher für das klaſſiſche Altertum, Geſchichte und deutſche
Litteratur 2, 1899, 573ff. 629ff.

[2]) Zſ. f. d. A. 57, 1920, 188; 2. Ausgabe des Waltharius 1924 S. IVf.;
NA. 47, 381, 390.

[3]) Über die Waltherſage iſt in der letzten Zeit viel gearbeitet worden,
dabei ſpielt natürlich der Waltharius eine Hauptrolle, vgl. vor allem
G. Neckel, Das Gedicht von Waltharius manu fortis (Germ. roman. Mo=
natſchrift 9, 1921, 139ff. 209ff. 277ff.); H. Schneider, Germaniſche
Heldenſage 1, 1928, 337ff.; H. Schneider, Das Epos von Walther u.
Hildegunde (Germ. roman. Monatſchr. 13, 1925, 14ff. 119ff.); L. Wolff,
Zu den Waldere=Bruchſtücken (Zſ. f. d. A. 62, 1925, 81ff.); A. Heusler,
Die Sage von Walther und Hildegund (Zſ. f. deutſche Bildung 11, 1935,
69ff.); W. Lenz, Der Ausgang der Dichtung von Walther und Hilde=
gunde 1939; G. Baeſecke, Vor= und Frühgeſchichte des deutſchen Schrift=
tums 1, 1940, 407—455.

[4]) Vgl. die Literaturgeſchichten von Kögel 1, 2, 275ff., Ehrismann 1,
384ff., Manitius 1, 611ff., Wattenbach GQ. 1⁷, 442 uaa.

aufgefaßt worden; dieſer komme als Dichter des bekannten Hel=
denepos Waltharius überhaupt nicht in Betracht[1]), es ſei viel=
mehr 100 Jahre früher anzuſetzen, und das von Ekkehart IV.
erwähnte Gedicht ſei etwas ganz anderes und handle über den
im Chronicon von Novaleſe auftretenden Mönch Waltharius.
Angeſichts der Tatſache, daß die Möglichkeit zur Debatte geſtellt
wird, das Gedicht ſei den Poetae aevi Carolini zuzurechnen und
gehöre demnach in die Ausgabe derſelben, habe ich mich
veranlaßt geſehen, noch einmal zu der Frage Stellung zu
nehmen, und mich auf Grund erneuter Prüfung entſchloſſen, den
Waltharius in den Nachträgen zu den Karolingern zu drucken,
zumal von mehr als einer Seite dringend betont wurde und
wird, man könne das Gedicht in unſerer monumentalen Samm=
lung nicht miſſen, und ich ſelbſt im Grunde die Berechtigung
dieſes Wunſches nicht beſtreiten kann. Die Ausgabe liegt druck=
fertig vor; doch möchte ich zur Entlaſtung das Thema hier noch
einmal behandeln und vor dem endgültigen Druck Gelegenheit
geben, Bedenken zu äußern. Leider liegt Wolfs Vortrag noch
nicht gedruckt vor, und aus techniſchen Gründen iſt es mir nicht
möglich, das Erſcheinen abzuwarten, ich bitte aber die Leſer ihn
ſpäter ſelbſt einzuſehen.[2]) Ich habe nur ein Stenogramm des
Vortrages, in dem natürlich manches gekürzt ſein kann oder
auch ſonſt nicht recht zur Geltung kommt.[3])

---

[1]) Die Gerechtigkeit erfordert darauf aufmerkſam zu machen, daß manche
der von Wolf vertretenen Gedanken ſchon von J. Flach: Revue des
études hiſtoriques 82, 1916, 297 ff. ausgeſprochen worden ſind: Revendi=
cation contre l'Allemägne du poème de Gauthier d'Aquitaine (Waltha=
rius). Der Aufſatz iſt in einer ſo widerwärtigen Form abgefaßt, daß man
ihn nur mit Widerwillen lieſt; ſo iſt es wohl gekommen, daß man das Gute,
das immerhin auch darin enthalten iſt, nicht hinreichend beachtet hat,
wenigſtens iſt es mir ſo ergangen. In Deutſchland hat R. Reeh, Zur
Frage nach dem Vf. des Walthariliedes (Zſ. f. d. Ph. 51, 1926, 413 ff.)
ſeine Stimme erhoben, aber ſich dadurch um die Wirkung ſeiner Aus=
führungen gebracht, daß er ſich nicht hinreichend in der ſonſtigen latei=
niſchen Literatur der Zeit umgeſehen hat. Wenn H. Schneider, Germ.
Heldenſage 1, 1928, 59 Reehs Bedenken ganz kurz abtut, ſo iſt das doch
wohl nicht berechtigt.
[2]) Er erſcheint in den Studia Neophilologica 13, Uppſala.
[3]) Kurz vor dem Beginn des Druckes geht mir durch die Güte des Vf.
der erſte Teil deſſelben zu: Der mittellateiniſche Waltharius und Ekkehard I.

Die Lehre, daß Effehart I. von St. Gallen († 973) der Dichter
unseres Waltharius sei, ist, wie bekannt, nicht aus den Hand=
schriften geschöpft, er wird in keiner derselben als solcher genannt;
im Gegenteil, in mehreren Hss. geht dem Gedicht ein Prolog
eines gewissen Geraldus voraus, den man, wenn nicht andere
Gründe dagegen sprächen oder zu sprechen schienen, als Dichter
in Anspruch nehmen müßte. Effehart I. das Gedicht zuzuweisen,
ist man durch eine merkwürdige Stelle in den Casus sancti Galli
des Effehart IV.¹) veranlaßt worden. Sie ist ja sehr bekannt, muß
aber auch hier abgedruckt werden, um ein klares Urteil zu er=
möglichen:

> Multa de eo (sc. Ekkehardo I) post dicenda sunt; sed prius a quo
> spiritu ductus sit, ex verbis ipsius nosci licet. Scripsit enim doctus
> ille sequentias 'Prompta mente canamus', 'Summum praeconem
> Christi', 'Qui benedici cupitis', 'A solis occasu'. De St. Afra antiphonas,
> ut reliquias eius mereretur, Liutoldo episcopo et sequentiam dictavit.
> Ymnum 'O martyr aeterni patris', 'Ambulans Hiesus', 'Adoremus
> gloriossisimum' scripsit et in scholis metrice magistro, vacillanter
> quidem, quia in affectione²), non in habitu erat, puer vitam Waltharii
> manu fortis, quam Magontiae positi Aribone archiepiscopo³) iubente
> pro posse et nosse nostro correximus; barbaries enim et idiomata
> eius Teutonem adhuc affectantem repente Latinum fieri non pa-
> tiuntur. Unde male docere solent discipulos semimagistri dicentes:
> 'Videte, quomodo disertissime coram Teutone aliquo proloqui deceat,
> et eadem serie in Latinum verba vertite'. Quae deceptio Ekkehardum
> in opere illo adhuc puerum fefellit, sed postea non sic, ut in lidio
> Charromannico 'Mole ut vincendi ipse quoque oppeteret'.

Auf Grund dieser Stelle sieht man, wie gesagt, in Deutschland
meist Effehart I. als den Dichter des Waltharius an. Freilich
hat man Mühe genug gehabt, diese Angaben Effeharts IV. mit
den Tatsachen in Einklang zu bringen. Beispielsweise ist die
Kritik, die Effehart IV. an dem Stil des Gedichtes übt, eigentlich

---

von St. Gallen (Studia Neophilologica 13, Uppsala, 1940, 80—102), so daß
ich ihn noch gerade heranziehen kann. Er behandelt als Einleitung D. 1059
und den torques aureus, dann im ersten Abschnitt den Geraldusprolog.

¹) MG. SS. 2, 117f., ed. Meyer von Knonau S. 282ff.

²) affectio vorübergehende, habitus dauernde Eigenschaft, also hier
unvollständige und vollkommene Kenntnis, ebenso unten affectans; vgl.
Jellinek: Zs. f. d. A. 48, 1906, 310ff.

³) Erzbischof von Mainz 1026—1031.

völlig unverständlich, denn diese steht in keiner Weise dem anderer
lateinischer Gedichte des neunten und zehnten Jahrhunderts
nach; von barbaries und idiomata kann kaum oder doch nur in
geringem Maße die Rede sein. Grammatische, prosodische Ver=
stöße finden sich ja gelegentlich, aber das ist etwas anderes. Den
Ausweg, daß wir nur den von Ekkehart IV. verbesserten Text
hätten, verbaut schon der Umstand, daß dieser — wir kennen ihn
ja recht gut — schwerlich imstande gewesen wäre, die lateinische
Form des Gedichtes zu verbessern; und da ihm der Klingklang
des lateinischen Reims sehr am Herzen lag, müßte man wohl
erwarten, daß in der Hinsicht Spuren seiner Korrektorentätigkeit
hervorträten. Und wie soll er die vielen stark durch Vergil beein=
flußten Partien des Gedichtes verbessert haben? Müßte man
da nicht Unterschiede, Spuren der Korrektur erkennen? Ent=
scheidend aber ist es, daß der Vf. der Chronik von Novalese im
zweiten Buch, das um 1027 zu setzen ist, schon denselben Text
gehabt hat, den die uns vorliegenden Handschriften bieten; den
angeblich durch Ekkehart IV. verbesserten Text haben wir nicht.
Der Hinweis auf die Hss. V, I, E vermag daran nichts zu ändern,
diese Texte sind ja etwas bearbeitet und weisen einige verhält=
nismäßig unwesentliche Abweichungen auf, aber nicht solche,
mit denen Ekkehart IV. die idiomata et barbaries des jungen
Deutschen bekämpft haben könnte. Und dann: unsere Hss.
enthalten alle einen Text, der aus der Hs. stammt, welche ein
Geraldus an einen pontifex summus Erchamboldus schickte.
Dieser Geraldus hat sich zweifellos irgendwie, gleichgültig wie,
mit dem Text beschäftigt, müßte man nicht erwarten, daß
Ekkehart IV. das wenigstens, wenn auch noch so kurz, erwähnt
hätte?

Starke Bedenken hat seit jeher auch die große Literaturkenntnis
des Dichters erregt, die für einen puer, der den Waltharius
vacillanter geschrieben hätte, doch kaum begreiflich sei. Mag man
dies Lebensalter noch so hoch hinaufrücken, das nützt nichts, denn
was gemeint ist, zeigt der Wortlaut magistro vacillanter puer.
Dieser puer ist ein gelehrter Mann, dessen Vulgatakenntnis,
Belesenheit in Vergilius und Prudentius, aber auch Fortunatus,
Juvencus, Sedulius und Arator, von andern zu schweigen wie
Horatius (?), Ovidius, Lucanus (?), Boethius Consolatio, Sym=

phofius, Paulus diaconus[1]), Valerius Flaccus[2]) und wohl noch
anderen Dichtern und auch Grammatikern (Priszian), und deffen
Fähigkeit, die Früchte diefer Belefenheit in feinem Sinne zu
verwenden, in Erftaunen verfetzt. Diefe Bedenken könnte man ja
zur Not durch den Hinweis auf frühreife Köpfe wie Walahfrid
Strabo oder Walther von Speyer befchwichtigen. Wenn F. No=
vati[3]), Flach[4]), M. Wilmotte[5]) es für abfurd erklären, daß
ein etwa zwanzigjähriger Schüler ein folches Meifterwerk ge=
fchaffen haben folle, fo haben fie nicht die Jugendarbeiten der
Genannten gekannt oder beachtet. Doch fpricht — Wolf führt
das näher aus — aus dem ganzen Gedicht eine folche Reife, ein
folches Kunftverftändnis, daß man an den puer als Dichter nicht
gut glauben kann, und wenn H. Schneider[6]) den Ausdruck „Schul=
junge" gebraucht, fo erweckt das ficherlich eine falfche Vorftellung.
Auch in Deutfchland hat man das natürlich empfunden, was
Novati als „cofa femplicemente affurda" bezeichnet, aber doch
eigentlich nicht die nötigen Folgerungen aus diefem Gefühl ge=
zogen. J. Schwietering[7]) fagt: „daß der Waltharius aller Wahr=
fcheinlichkeit nach als Werk eines reifen Mannes zu gelten hat,
ift nicht unwefentlich ... der Waltharius ift weit mehr als bis=
lang gefchehen ift als Eigenfchöpfung des genialen St. Galler
Dichters aus dem Geift der Ottonenzeit zu deuten. — Der Wal=
tharius ift keine Primanerarbeit, nicht Schulexerzitium oder
dictamen eines Jugendlichen." Ganz richtig. Dann ift der Bericht
des Ekkehart IV. alfo falfch. Mit welchem Recht hält man dann
aber an Ekkehart I. als Dichter und St. Gallen als Heimat des
Gedichtes feft? A. Heusler[8]) bekennt: „nicht ohne ernfte Gründe
hat man die Anficht verfochten, diefe „Schulübung" haben wir
gar nicht, unfer Waltharius ftammt nicht von Ekkehart aus
St. Gallen, fondern von Gerald aus Straßburg" ufw. Wenn die

---

[1]) ? Hift. Lang. 1, 23 ne ritum gentis infringeret vgl. Walth. 1429.
[2]) ? 3, 604 densa silentia montis vgl. Walth. 1136.
[3]) F. Novati in Pubbl. d. R. accad. fcient. litt. Milano 1913, 207.
[4]) J. Flach, a. a. O. 300.
[5]) M. Wilmotte, Le français a la tête épique 1917, 146.
[6]) H. Schneider in Zf. f. d. A. 62, 111.
[7]) J. Schwietering in Anz. f. d. A. 46, 1927, 36.
[8]) A. Heusler, a. a. O. 69.

Sachen so liegen, muß man entweder an der Richtigkeit von
Ekkehart IV. Bericht zweifeln, oder aber an der Richtigkeit unserer
Auffassung desselben. Ist diese falsch, so ist es um Ekkehart I. als
Dichter des W. geschehen. Hätten wir die Notiz in den Casus s. G.
nicht, so würde kein Mensch auf den Gedanken kommen, das
Gedicht um 920—925 in St. Gallen entstehen zu lassen; man
würde es erheblich früher, in karolingische Zeit setzen und als
Heimat etwa den Mittelrhein vermuten. Man würde sich auch
ernsthafter mit dem Geraldusprolog auseinandersetzen müssen,
denn daß Geraldus, der St. Galler Lehrer des Dichters, es nach
dem Tode seines hochbetagten Schülers nach Straßburg geschickt
habe, ist doch eine Annahme, die wirklich schwer Zustimmung
beanspruchen kann. Freilich was Althof¹) dafür gesetzt hat,
konnte auch nicht viel Freunde gewinnen.

Auch daran hat man schon mit Recht Anstoß genommen, und
Wolf hob das Bedenken gebührend hervor, daß in der angeblichen
Heimat des Gedichtes, St. Gallen mit seiner reichhaltigen und
wenigstens in der Hauptsache erhaltenen Bibliothek, keine hs. des
Waltharius und keine Spur vom Nachleben desselben erhalten
ist. Es ist vielleicht nicht einmal sehr wahrscheinlich, daß es in
St. Gallen entstand. Ich verweise auf Edw. Schröders Unter=
suchung der deutschen Personennamen im W.²), der zu dem Er=
gebnis kommt, daß der Dichter der schriftlichen Quelle — und
das könne nur ein stabreimendes Gedicht gewesen sein — am
ehesten am fränkischen Mittelrhein zu suchen sei. Wenn er dabei
die Konzession macht: „mag auch die Handschrift, welche Ekke=
hart vorlag, am Bodensee geschrieben sein", so kann diese fort=
fallen, sobald man nicht mehr an Ekkehart als Dichter festhält.
Zugleich sei noch auf ein anderes Ergebnis Schröders hingewiesen
(S. 42): „man darf mit Bestimmtheit sagen, daß die Zusammen=
stellung der (Namen=)Liste reichlich ein Jahrhundert älter ist als
der lateinische Dichter." Das würde uns also ungefähr in die Zeit
Karls des Großen oder seines Sohnes führen. Freilich betrifft
diese Zeitbestimmung zunächst nur die Vorlage des lateinischen
Dichters.

¹) H. Althof, Gerald und Erchambold (Jahrb. d. Königl. Akad. ge=
meinnütziger Wissenschaften 3. Erfurt N. F. 30, 1904, 631 ff.).
²) E. Schröder, Deutsche Namenkunde 1938, 45 f.

Eine weitere Schwierigkeit, die man natürlich auch schon längst
beobachtet hat, ist die, daß zu allem, was wir von Ekkehart I.
wissen, der Waltharius nun einmal nicht passen will. Und es
wird verhältnismäßig viel von ihm berichtet, außer den oben
angeführten Hymnen und Sequenzen kannte man auch ein me=
trisches Heiligenleben von ihm, die Vita der Klausnerin Rachildis,
aus der Poetae 5, 530, 53 zwei Verse, die beiden einzigen, die
sich erhalten haben, gedruckt sind.[1]) Außerdem plante er auch
eine Vita der hl. Wiborada[2]), von der wir weiter nichts wissen.
Wie soll man sich denselben als Verfasser eines Heldenepos vor=
stellen, das widerhallt von Kampfgetöse? Die Berufung auf die
Bezeichnung puer hilft uns da wohl nicht weiter. Wenn man den
Umfang des Ausdruckes so weit ausdehnen will, daß der Träger
dieser Bezeichnung ein Gelehrter war, so darf man ihn andrer=
seits nicht so einengen, daß man annimmt, er hätte Freude an
jungenhaften Prügeleien gehabt.

Diese und ähnliche Bedenken hat ja, wie betont, schon mancher
gehabt, sich aber doch wohl oder übel mit der herrschenden Mei=
nung abgefunden. Wolfs großes Verdienst ist es, noch einmal
eindrucksvoll betont zu haben, daß man diese Meinung nicht
aufrecht halten kann, aber auch einen andern Weg gewiesen zu
haben, der gangbar erscheint. Er wird das ja hoffentlich bald selbst
ausführlich darlegen; ich bringe möglichst kurz die Hauptpunkte.
Man muß fragen, wie kommt Ekkehart IV. dazu, unsern Wal=
tharius dem Ekkehart I. zuzuschreiben? Nun, er tut es ja gar
nicht, sondern legt ihm eine Vita Waltharii manufortis bei, wäh=
rend der Prolog V. 18 den Inhalt des Gedichtes als Mira tironis
nomine Waltharius per proelia multa resectus bezeichnet. Kann
man wirklich den Waltharius, den Kampf am Wasgenstein, eine
Vita[3]) nennen, sich bei der Angabe Ekkeharts IV. beruhigen?

---

[1]) Vgl. Cas. s. G. ed. Meyer v. Kn. S. 301. SS. 2, 119.
[2]) SS. 4, 456, 42 ff.
[3]) Im Katalog der Kirchenbibliothek von Stablo vom J. 1105 steht
unter Nr. 116 Vita Waltarii. In meiner Ausgabe sage ich dazu: „wohl
mit Recht von Manitius auf unser Gedicht bezogen.“ Heute halte ich
das nicht mehr für so sicher. Vorher gehen 10 Heiligenviten und =passionen,
auf die Vita Waltharii folgt die Vita Alexandri magni. Also die V. Wal=
tharii steht gerade auf der Grenze zwischen Heiligenleben und profanen
Viten.

Dielleicht kann man mit Hilfe der Chronik von Novalese[1]) weiter kommen. Diese hat ja im zweiten Buch Kap. 8—9 außerordent= lich reiche Auszüge aus dem erſten Teil des Waltharius, ſo reich, daß man geradezu mit dem Text als mit einer Handſchrift (N) rechnet. Dorher und nachher berichtet der Df. ebenfalls von einem Waltharius, der ein kühner Ritter geweſen iſt, am Ende ſeiner Lauf= bahn aber in ein Kloſter geht, wo er jedoch durch weitere Taten zeigt, daß Rittergeiſt und Ritterkraft in ihm noch nicht erloſchen iſt. Der Df. der Chronik glaubt, er ſei derſelbe wie der Held unſeres Epos, in der Tat aber handelt es ſich um zwei verſchiedene Ge= ſtalten, den W. unſers Epos und einen zweiten W., den Typus des Helden, der im Dienſte der Kirche und des Chriſtentums gekämpft hat und am Ende ſeines Lebens ſich ein Kloſter ſucht, das ſeinen Anſprüchen genügt, um dort in Ruhe den Reſt ſeiner Tage zu verbringen. Das iſt der Held des romaniſchen Helden= epos (vgl. le moniage de Guillaume). Chronik 2 Kap. 12 wird auf einen Bericht über ihn verwieſen (sed in actis vitae suae cognoscitur), und 2, 3 findet ſich der wichtige Satz scimus ergo in veritate nonnullas fuisse quondam vitas in illo loco (ſc. No- valese) conscriptas de illorum abbatum seu monachorum ... sicut legimus de Asinario et Vualtario ac de Arnulfo et Fro- doino, de Aldrado quoque atque de aliis pluribus. Es lag alſo ein ſchriftlicher Bericht über das Leben dieſes Waltharius vor, und da nun in Kap. 7 ein epitaphartiges kleines, faſt ganz leoniniſch gereimtes, Gedicht erhalten iſt[2]), ſo nahm Bethmann[3]) an, daß dies aus den Acta vitae suae entnommen ſei, dieſe alſo poetiſch abgefaßt geweſen wären, eine „Peregrinatio Waltharii". Dieſe Anſicht iſt ja vielfach in Zweifel gezogen worden[4]), und ſie läßt ſich auch wohl nicht beweiſen, aber das geht doch aus 2, 3 deutlich

---

[1]) Ausg. v. Bethmann, SS. 7, 73ff. C. Cipolla, Fonti per la ſtoria d'Italia 32.

[2]) (Sicut de eo quidam sapiens versicanorus scripsit) — ſehr oft abgedruckt, zuletzt Poetae 5, 561 Nr. 83, Inc. Waltarius fortis vgl. Ekke= hart IV. vitam Waltharii manufortis; dort D. 3 Vicerat hic totum du- plici certamine mundum.

[3]) Bethmann a. a. O. 86, 25.

[4]) Dgl. Cipolla a. a. O. 135ff.; Ph. A. Becker, Die altfranzöſ. Wilhelmſage 1896, 117. Poetae 5, 561, 83 habe ich ſchon auf dieſe Dinge hingewieſen.

hervor, daß eine schriftliche Quelle über den christlichen Ritter W. berichtete. Damit haben wir nach Wolf die Lösung des Rät= sels: der Waltharius manufortis Effeharts I. ist gar nicht Wal= tharius von Aquitanien, sondern der christliche Ritter Waltarius fortis; dessen Vita behandelte Effehart I. in seinem metrischen Gedicht! Und nun vergleiche man den Katalog der Bibliothet von Tull, die schon immer durch den Besitz von drei Waltharius= handschriften aufgefallen ist. Diese drei Hss. werden in einer mert= würdigen, bisher nicht recht beachteten Weise vorgeführt. Zu= nächst haben wir in dem Katalog unter der Rubrit Libri divi- norum poetarum Nr. 180 Waltarius Vol. I; dann unter Libri gentilium poetarum 201 Avianus cum Esopo et Hincmarus et Waltarius Vol. I. 209 Item Waltharius per se. Woher denn diese sonderbare Einordnung unter divini und gentiles poetae, fragt Wolf, wenn es sich um dasselbe Gedicht handelt? Muß man nicht annehmen, daß es in Tull zwei Walthariusepen gab, einen W. christianus und einen W. gentilis? Und der Dichter des W. christianus war dann doch wohl Effehart I. bzw. sein Korrettor Effehart IV.

Nimmt man an, das, was Effehart IV. berichtet scripsit puer ... vitam Waltharii manufortis beziehe sich gar nicht auf den Waltharius gentilis, sondern den von Wolf angenommenen W. christianus, so fallen die Schwierigkeiten fort: die Kämpfe am Wasgenstein sind eben keine Vita. Und zu dem Waltharius christianus paßt sehr gut, wie Wolf hübsch bemerkt, die Be= zeichnung manufortis. Dem germanischen Helden der Völker= wanderung ist ja nicht so sehr Körperkraft, als vielmehr sittliche Kraft eigen, während erstere für den ins Kloster aufgenommenen Helden charakteristisch ist, und dies trifft für unsern Fall zu, wo nach dem Chronicon[1]) der alte Recke eine Marmorsäule, die am Wege stand, aus reinem Übermut mit seinem Dolch, Schwert (pugione, oder ist pugno Faust gemeint?) zerschlug (percussio vel ferita Waltari), von der bekannten Hosengeschichte[2]) ganz zu schweigen.

Für Wolfs Annahme, daß Effehart I. bzw. IV. eine Vita des Waltharius christianus verfaßt haben, spricht auch die Notiz des

---

[1]) 2, 11, Cipolla 155, 23ff.
[2]) Cipolla 154, 23ff.

ausgesprochen klerikal eingestellten Anonymus Mellicensis[1]): Ekkehardus ... gesta Waltharii metro conscripsit heroico tertio regnante Heinrico. Wenn der Prüfeninger Mönch den uns bekannten Waltharius gentilis damit meinte, wie doch gewöhnlich verstanden wird, woher hatte er dann den Namen des Dichters Ekkehart I., der doch in keiner Hs. genannt wird und wohl auch in keiner genannt wurde, von denen auch keine Beziehungen zu St. Gallen hat, wenn man das nicht von der in Pfävers erwähnten annehmen will? Und was bedeutet denn die merkwürdige Datierung tercio regnante Heinrico? Man hat sich etwas zu leicht mit der Annahme beholfen, daß es eine Verwechslung von Ekkehart I. und Ekkehart IV. sei; andererseits stimmt man doch ziemlich allgemein darin überein, daß die von Ekkehart IV. angeblich vorgenommene Überarbeitung der Jugenddichtung Ekkeharts I., wenn dies unser W. gentilis war, unmöglich so weitgehend gewesen sein könne, daß das Gedicht unter dem Namen Ekkeharts IV. verbreitet war und als sein Werk dem Anonymus bekannt wurde. Wenn er dagegen eine stümperhafte Schülerarbeit Ekkeharts I., die den Waltharius christianus behandelte, in lesbare Form gebracht hat, wie er behauptet, so ist es wohl denkbar, daß diese Bearbeitung unter seinem Namen ging und er als Dichter von dem Anonymus M. in seine Übersicht aufgenommen wurde. Und schließlich muß man doch fragen: wie erklärt sich bei dem so kirchlich gesinnten Anonymus ein solches Interesse für das Heldengedicht, während der ausgesprochen christlichen Dichtungen Ekkeharts I., wie der Vita Rachildis, Wiboradae, seiner Sequenzen mit keinem Worte gedacht wird? Man lese, was der Anonymus sonst berichtet: ein Waltharius gentilis ist da ziemlich schlecht am Platze, ein W. christianus paßt vortrefflich in die Umgebung und stimmt auch zu der Datierung. Erwähnt sei auch noch das Kuriosum, daß im Text des Anonymus zwei Handschriften, die junge und sehr schlechte Wiener und der von Ettlinger nicht benutzte Amplonianus fol. 173 Bl. 163^2 des 14. Jh.s die Lesart gesta sancti Walthari (Waltheri) haben. Woher dieser merkwürdige sanctus Waltharius?

---

[1]) Liber de scriptoribus ecclesiasticis (ed. Ettlinger) Kap. 70.

Schließlich kann man noch betonen, daß dann, wenn wir die
Äußerung Ekkeharts IV. auf einen Waltharius christianus beziehen, auch seine Kritik an der unlateinischen Wortstellung in
dem Gedichte Ekkeharts I. vielleicht einen Sinn bekommt. Man
hat oft bemerkt, daß sie im Hinblick auf den W. gentilis nicht
zutrifft; denn es ist doch nicht zu leugnen, daß das Gedicht mit
verhältnismäßig bedeutender Kenntnis der lateinischen Sprache
und des lateinischen Versbaues abgefaßt ist und zu einer solchen
Kritik wenig Anlaß bietet. Sehen wir uns die beiden einzigen
aus der Vita Rachildis des Ekkehart I. erhaltenen Verse an[1]) so
muß man sagen, daß sie mit ihrem Zerfall in je zwei durch Reim
gebundene Halbzeilen einen ganz anderen, jüngeren Eindruck
machen, als die Verse des Waltharius gentilis, und man darf
vielleicht mit der Möglichkeit rechnen, daß die Kritik, die auf
den W. gentilis nicht passen will, auf den W. christianus paßte.

Im ganzen kann man sagen, die Frage nach dem Dichter des
Waltharius ist durch die Ausführungen von Wolf auf ein anderes Geleise geschoben, und wir müssen die Möglichkeit ins
Auge fassen, das Gedicht in karolingische Zeit zu versetzen, wohin
es auch seinem ganzen Charakter nach gehört. Schon aus for-
mellen Gründen. In St. Gallen wurde verhältnismäßig früh der
leoninische Reim eingeführt und gepflegt, man kann verfolgen,
wie er sich allmählich ausbreitet und zur Regel wird[2]).Instruktiv
ist der Bericht Ekkeharts IV. über die Schulvisitation Bischof
Salomos[3]); er zeigt uns, wie schon von den kleinen Schulknaben
Verse mit Reimen verlangt werden, wie der junge Purchart,
der spätere Abt P. II., mit solchen schulgerechten Versen vor der
Herzogin von Schwaben glänzt.[4]) Diese Schule hat der junge
Ekkehart durchgemacht; das zeigen auch die beiden schon erwähnten Verse aus seinem Rachildenepos, einsilbig leoninisch
gereimt, das Reimwort im dritten Versfuß: ist es glaublich, daß
derselbe Mann den Waltharius gedichtet hat? Es ist ja wahr,
es kommen im Waltharius verhältnismäßig viele Leoniner vor,

---

[1]) Poetae 5, 530, 53.
[2]) Vgl. Poetae 2, 474ff.; 4, 297ff. 336ff.; Strecker in NA. 44, 243ff.
[3]) Casus s. G. Kap. 26 ed. Meyer v. Knonau S. 105f., SS. 2, 91,
auch Poetae 5, 529.
[4]) Meyer v. Kn. Kap. 94 S. 344, SS. 2, 125, Poetae 5, 529.

mehr als bei karolingischen Dichtern im allgemeinen üblich ist,
doch läßt er sich in der Hinsicht treffend mit dem Carmen de
Carolo rege et Leone papa, Poetae 1, 366ff. vergleichen: etwa
der dritte oder vierte Teil der Verse im Waltharius hat Reim,
ebenso wie in dem Carmen, doch tragen sie vielfach nicht den
Charakter, den man bei einem ausgesprochen leoninischen Ge=
dicht erwartet, vor allem fehlt der für den ausgebildeten Leoniner
so bezeichnende Zerfall des Verses in zwei fast gleiche Hälften,
wie ihn die zwei Verse aus dem Rachildenepos zeigen, oft steht
der Reim nicht im dritten Versfuße, sondern im vierten wie
gleich zu Anfang 18. 19. 20. 24 usw. oder im zweiten wie 562.
1370. 1391, wie ja allerdings auch oft bei Hrotsvit. Viele Verse
unterscheiden sich im Bau nicht von den wörtlich aus Vergilius
entlehnten. In karolingische Zeit führt uns auch ein Vers wie
1273 Unice enim carum rutilum blandum pretiosum.[1]) Man
kann sagen, der Versbau des Waltharius ist eher karolingisch als
ottonisch; doch muß man m. E. zugestehen, daß aus dem Vers=
bau kaum die Zeit eines Gedichtes erschlossen werden kann.
Natürlich, ein rein leoninisches Gedicht kann man nicht um 800
setzen, dahingegen ein nicht leoninisches kann ebensogut um 800
wie um 1000 entstanden sein. Man sehe einmal im fünften Bande
der Poetae die Vita s. Clementis (S. 112ff.) und die Vita s. Lan=
delini (S. 211ff.) auf den Reim hin an. Ein zwingender Schluß
auf die Entstehungszeit des Waltharius kann aus dem Versbau
nicht gezogen werden.

Alles in allem genommen muß ich zugestehen, daß Wolfs
Hypothese auf mich Eindruck gemacht hat, weil sie die Haupt=
rätsel, die die Notiz Ekkeharts IV. aufgibt, löst: das stümperhafte
Heiligenleben, das Ekkehart I. verfaßte, ist verloren[2]), ebenso die
korrigierte Fassung Ekkeharts IV.; erhalten und in vielen Hss.
verbreitet ist ein Gedicht vom Heldenkampf am Wasgenstein,
das mit dem der Ekkeharte von St. Gallen nicht das geringste

---

[1]) Vgl. Poetae 1, 196, 1236. 266, 8. Poetae 3, 47, 68. 48, 82, namentlich
bei Milo 573, 178. 576, 354 u. a. m.

[2]) Daß das Gedicht der beiden Ekkeharte verloren ist, nahm schon
Du Méril, Poésies populaires latines antérieures au 12. siècle (1843)
316 an, ebenso seine Landsleute Flach und Wilmotte. Vgl. auch San
Marte, Walther von Aquitanien (1853) 9.

zu tun hat. Doch dieser Hypothese unbedingt zuzustimmen ist
nicht ganz leicht, denn manche Schwierigkeit bleibt ungelöst. Wer
kennt denn z. B. den hl. Waltharius manufortis, dessen Vita
metrisch behandelt worden wäre? Es kann sich doch wohl nur
um eine Wandersage[1]) oder eine Novaleser Lokalgröße (H. Schnei=
der) handeln. Wie kommt der junge Ekkehart in St. Gallen dazu,
die Vita dieses Mannes zum Thema einer epischen Bearbeitung
zu machen, oder sein Lehrer dazu, dies Thema zu stellen? Und
wenn das noch zugestanden wird, welches Interesse hatte der
Erzbischof Aribo von Mainz hundert Jahre später an diesem
Schülergedicht, daß er es noch einmal umdichten ließ? Und an=
genommen, es existierten zwei ganz verschiedene Waltharius=
gedichte: in Katalogen erscheinen sie verhältnismäßig oft, aber
stets nur als Waltharius, Waltarius, niemals mit einem kenn=
zeichnenden Zusatz, wenn man nicht das Wort manu fortis als
solchen ansehen will; aber auch das ist nicht ganz sicher, man
könnte das Wort immerhin mit Walth. 1383 in Zusammenhang
bringen in medio iactus recidebat dextera fortis.

Auch ein anderes Argument von Wolf ist nicht recht durch=
schlagend. Er führt aus, daß die im allgemeinen als die beste
angesehene Handschriftenklasse im Westen oder Nordwesten zu=
hause ist. Wir haben eine Hs. aus Gembloux, Mettlach, vorhanden
war eine in Egmond, St. Bertin, Metz, Tull (Stablo?); unsicherer
Herkunft die Pariser Hs. P und die Hamburger Fragmente, jeden=
falls gehören sie auch nach dem Westen oder Nordwesten. Sie
gruppieren sich also gewissermaßen um Aachen als Mittelpunkt;
so liegt es nahe, das Gedicht mit Karl dem Großen in Beziehung
zu bringen, der ja nach der bekannten Einhartstelle antiqua et
barbara carmina sammeln ließ, in denen von veterum regum
facta die Rede war. Ein Stoff wie der Waltharius sei eher am
Hofe als in einem Kloster denkbar. Demgegenüber muß man doch
auf die Anrede fratres V. 1 aufmerksam machen; für ein Kloster
paßt auch eher der oft hervorgehobene christliche Einschlag als
für ein Heldengedicht, wo er doch stark befremdet wie V. 225.
564f. 855—75. 1160f. Auch aus der Heimat der Handschriften
kann man wohl nicht allzuviel schließen, denn neben der nord=

---

[1]) Vgl. Ph. A. Becker, Die altfranzös. Wilhelmsage 1896, 116ff.

weſtlichen Klaſſe γ ſteht eine ſüdliche α; wenn γ einige beſſere
Lesarten hat, ſo beweiſt das hier nichts.

Zugeſtanden, der von Effehart IV. erwähnte Waltharius iſt
Wolfs Waltharius christianus, und der uns erhaltene Waltharius iſt der gentilis und hat mit dem christianus nichts zu
tun, ſtammt aus der Karolingerzeit, wie iſt es dann mit dem
Geraldusprolog, dem Schmerzenskind der Forſchung? Wie be=
kannt, iſt der Waltharius in den γ-Hſſ. mit einem Prolog ver=
ſehen, und höchſtwahrſcheinlich war dies urſprünglich in der
α-Überlieferung auch der Fall; wenigſtens konnte man dies
für die ſüddeutſche Hſ. I (Innsbruck) aus den Fragmenten er=
rechnen und iſt jetzt durch einen der vielen glücklichen Funde
Paul Lehmanns direkt bewieſen worden.[1] Nach dieſem Prolog
ſchickt ein Geraldus das Gedicht an einen Erchamboldus pontifex summus. Da ja nach dem Bericht des Effehart IV. nur
Effehart I. als Dichter in Frage kam, ſo hat man ſich auf die
Autorität von Jac. Grimm S. 60ff. hin zumeiſt dahin geeinigt,
daß dieſer Geraldus wohl der scolarum magister von St. Gallen
war, für den der junge Effehart das Gedicht machte, und der
das Produkt ſeines Schülers, das er unter andern Schülerarbeiten
aufbewahrt und womöglich durchkorrigiert hatte, nach deſſen
Tode dem Biſchof Erchanbold von Straßburg (965—991) ſchickte.
Dieſe bis heute in Deutſchland meiſt geltende, freilich durchaus
nicht unbeſtrittene Annahme — und es ſpricht mancherlei da=
gegen, z. B. daß Effehart IV. von dieſer Tätigkeit des Geraldus
nichts weiß, — iſt Poetae 5, 405ff. vorausgeſetzt, wo dieſer Pro=
log gedruckt iſt, allerdings nicht ohne auf die verſchiedenen
Schwierigkeiten aufmerkſam zu machen. Ich habe dort geſagt,
falls wir die Notiz Effeharts IV. nicht hätten, würde man mit
Geraldus als Dichter rechnen müſſen, wenn auch nicht zu über=
ſehen ſei, daß das ziemlich hilfloſe Geſtammel des Prologs zu
dem friſchen Ton des Waltharius wenig ſtimmen wolle. Mit
beſonderer Eindringlichkeit hat neuerdings Wolf[2] die Unmöglich=
keit dargelegt, beide Gedichte, Prolog und Waltharius, demſelben

---

[1] Mittelalterliche Handſchriftenbruchſtücke der Univerſitätsbibliothek und
des Georgianum zu München bearbeitet von P. Lehmann und O. Glau=
ning 1940, 100ff.
[2] Wolf a. a. O. 90—102.

Df. zuzuschreiben, wobei er auch die formalen Unterschiede mit
Recht stark hervorhebt. Für mich überzeugend, wenn mir auch
zuweilen der Gedanke etwas überspitzt zu sein scheint. Die Ver=
teidiger der bekämpften Auffassung werden freilich sagen,
daß D. 16 ne despice verba libelli doch kaum von einem andern
als dem Dichter selbst stammen können. Und wer ist denn der
pontifex summus Erchamboldus? Auf Grund der Annahme,
daß Ekkehart der Dichter, Geraldus der Übersender sei, sah man
in diesem ziemlich allgemein Bischof Erchanbald von Straßburg
(965—991), während freilich R. Peiper an den Erzbischof von
Mainz (1011—1021) dachte. Letzterer kommt wohl kaum in
Frage, zumal D. 20 des Prologs schon dem Walther von Speyer
bekannt gewesen zu sein scheint.[1]) Aber wie steht es mit Erchan=
bald von Straßburg? Gibt man Ekkehart als Dichter auf, so wird
man kaum zögern dürfen, das Gedicht in frühere, karolingische
Zeit zu versetzen, der Bischof ist also viel jünger als der Dichter,
Geraldus kann nicht der Dichter sein. Ist er aber lediglich der
Übersender, so versteht man nicht recht, weswegen er ein so
altes Gedicht dem Bischof so warm ans Herz legt, als handelte
es sich um die neueste Erscheinung auf dem Büchermarkte. Kurz,
zur Klarheit kommen wir hier nicht. Man kann nur sagen, daß
Erchanbald von Straßburg der Adressat ist, wird durch nichts
bewiesen, Bischof Erchanbald von Eichstädt (884—916) hat den=
selben ebenso unsicheren Anspruch wie jener. Von den seitens
der Franzosen ins Feld geführten Praelaten ist selbstverständlich
ganz abzusehen.

Schwer zu beurteilen sind auch die Schlußverse des Waltharius.
Man hat die Angabe, daß unser Gedicht von einem ganz jungen
Mönche, fast einem Knaben gemacht sei, sich meist gefallen lassen,
weil sie vortrefflich zu den Schlußversen 1453 ff. paßte, in denen
der Dichter in der im Mittelalter üblichen Weise um milde Be=
urteilung bittet, weil er noch nicht flügge sei:

> raucellam nec adhuc vocem perpende, sed aevum,
> utpote quae nidis nondum petit alta relictis,

---

[1]) Dgl. Poetae 5, S. 58 zu D. 83; 408 zu D. 20. Wolf a. a. O. 101, 2
macht auf die Möglichkeit aufmerksam, daß der Prolog jünger wäre als
Walther v. Sp. Aber dann wären die vielen Anklänge an karolingische
Dichter, namentlich Theodulf und Hraban, doch sehr auffällig.

wenn man sich anderseits auch gesagt hat, daß diese Bitte start deplaziert ist, rechnet man doch den Dichter zu den besten, die wir haben, also lediglich als Phrase, Bescheidenheitsfloskel zu bewerten ist. Nun ist es merkwürdig, diese letzten Verse, 1450 bis 1456, tragen in der Handschriftenklasse γ einen eigenartigen Charakter. In T fehlen sie ganz, in B schließt der in einer Kolumne geschriebene Text Bl. 116ᵛ mit V. 1449, auf 116ᵛ sind die restlichen Verse von derselben Hand, aber mit kleineren Buchstaben und in einer linken Kolumne geschrieben, während in der rechten Einharts Vita Caroli beginnt. In P schließlich endet Bl. 34 mit V. 1449, ein weiteres Blatt 35 ist angeheftet, das enthält die letzten sieben Verse und dann den Anfang von Institutio Servii Honorati, die mit 35ᵛ abbricht. Diese sieben Verse und Servius sind mit derselben Tinte eingetragen, doch macht die Schrift der Walthariusverse einen etwas anderen Eindruck als die der vorhergehenden Blätter, breiter gezogen, auch die Linien etwas breiter und ein wenig steilerer Duktus, und man hat bisher angenommen, daß es eine andere, wohl gleichzeitige Hand sei. Doch kommt O. Schumann, nach privater Mitteilung, auf Grund minutiösester Untersuchung der Schrift zu dem Ergebnis, daß die Hand, welche Blatt 35 schrieb, auch schon auf den vorhergehenden Blättern gelegentlich auftaucht. Merkwürdig bleibt es immerhin, daß das Blatt auf den ersten Blick anders aussieht als die vorhergehenden, merkwürdig auch, daß in allen drei erhaltenen Hss. der γ-Klasse die letzten sieben Verse den Anfang eines neuen Blattes machen bzw. ganz fehlen. So hatte ich früher angenommen, daß der Archetypus γ mit V. 1449 endete, doch ohne weitere Schlüsse daraus zu ziehen, wie ich auch jetzt darauf verzichten muß. Wolf geht darin weiter, ich begnüge mich auf seine künftigen Darlegungen zu verweisen, zumal mein Stenogramm hier versagt.

Die Romanen, um noch kurz davon zu sprechen, haben alle Veranlassung die Autorschaft Ekkeharts I. zu bestreiten, denn wenn diese zugegeben wird, ist die von einigen[1] mit Fanatismus verfochtene These, daß das Gedicht einen Franzosen zum Dichter habe, erledigt. Diese Ansicht wurde zuerst vertreten von M. Sau=

[1] Von denen, die den in Deutschland geltenden Standpunkt vertreten, nenne ich vor allem Gaston Paris.

riel[1]), energiſch, aber in ruhiger Form, ſpäter namentlich von
Flach[2]) und Wilmotte[3]), die ſich beide nicht zu ihrem Vorteil im
Ton von dem zuerſt genannten unterſcheiden. Wenn wir nun
zugeſtehen, daß die Behauptung, Ekkehart I. ſei der Dichter,
ſchwer zu halten iſt, geben wir dann nicht den franzöſiſchen Ge=
lehrten Recht, die das Gedicht dem erwähnten Geraldus zu=
ſchreiben wollen und dafür einen Landsmann als Kandidaten
präſentieren, Geraldus[4]), Mönch in Fleury? Davon kann na=
türlich keine Rede ſein, denn die Gründe, die von ihnen vorge=
bracht werden, ſind oft ſo kindlich, daß man am beſten darüber
ſchweigt. Ich habe früher öfter davon geſprochen. Intereſſant iſt
es, daß eine ganz knappe, eine Druckſeite umfaſſende Äußerung
dagegen, die in franzöſiſcher Sprache geſchrieben iſt, hinreicht,
den ganzen Wahn zu zerſtören. M. Prinet[5]) bemerkt mit Recht,
daß kein Romane darauf verfallen ſein würde, die ausgeſprochen
deutſchen Namensformen Walthere, Gunthere, Alphere ein=
zuführen, daß ein Wortſpiel wie Hagano spinosus D. 1421
(vgl. 1351) nur von einem Deutſchen ſtammen kann, alſo das=

---

[1]) M. Fauriel, Hiſt. de la poéſie provencale 1, 1846, 269 bzw. 381
bis 418.

[2]) J. Flach a. a. O.

[3]) M. Wilmotte, Le français a la tête épique 1917, 141ff. und La
patrie du Waltharius (Revue hiſtorique 127, 1918, 1ff.).

[4]) Mit dieſem Geraldus von Fleury iſt es eine eigne Sache. Der Pariſer
Katalog 4 (1744) 532 ſchreibt ihm den Waltharius zu (Floriacenſis ut
videtur monachus), vermutlich auf Grund einer anonymen Notiz auf
dem jüngeren vordern Schutzblatt der Hſ. P, die Grimm S. 60 druckt
S. Gerauld moine de Fleuri comme il semble, vgl. auch Du Méril,
Poéſies populaires latines antérieures au douzième ſiècle (1843), 315.
Du Méril ſcheint ſie noch geleſen zu haben; ſeitdem iſt ſie verſchwunden,
„on ne ſait quand comment et pourquoi" (Flach a. a. O. 309). Welchen
Grund der Vf. der Notiz für ſeine Behauptung hatte, kann auch Flach
uns nicht ſagen. Leider erfährt man auch nirgends, wo die Notiz geſtanden
haben ſoll. In der unteren äußeren Ecke des Schutzblattes iſt ein Streifen
von 2¹⁄₂ cm Breite und 5—6 cm Höhe weggeſchnitten; es erſcheint nicht
gerade glaublich, daß ſie auf dieſem Eckſtreifen geſtanden hat, ſie müßte
dann wohl quer geſchrieben geweſen ſein. Auf dem übrigen Teil des
Blattes fehlt ſie, und ſonſt iſt in der ganzen Hſ. kein Platz dafür. Liegt
hier ein Irrtum vor?

[5]) M. Prinet, Remarques onomaſtiques ſur le Waltharius (Romania
47, 1921, 382f.).

felbe, was Edw. Schröder a. a. O. (S. 35ff.) ausführt. Beachtens=
wert ist auch ein Aufsatz von Corin.[1]) Der Vf. wiegt in aller
Ruhe die Gründe und Gegengründe gegeneinander ab und
kommt zu einem Non liquet, macht aber kein Hehl daraus, daß
er der Annahme deutscher Herkunft zuneigt. Für einen Deutschen
ist diese ja selbstverständlich, nicht etwa aus nationalistischen oder
ähnlichen, sondern aus wissenschaftlichen Gründen, wie es Neckel
in seinem oben angeführten Aufsatz ausdrückt: „Der Waltharius
ist ein Denkmal der deutschen Heldensage." Wenn ich auch so
manches aus diesem Aufsatz nicht annehmen kann, so ist doch
dieser leitende Gedanke völlig überzeugend und selbstverständlich.
Neuerdings werden freilich auch bei uns Gedanken laut, die sich
mit solchen aus Frankreich berühren. Flach[2]) erklärt die Walther=
sage für skandinavisch=gotisch=angelsächsisch oder unter Berufung
auf Charles Andler für keltisch: ... „que la légende de W. et H.
était d'origine celtique ou irlandaise. En tout cas est-il im=
possible de voir en eux des Germains." Das könnte man ja auf
sich beruhen lassen; aber ich muß darauf aufmerksam machen, daß
Lenz[3]) einen Teil des Waltharius, den er als Zwischenschicht be=
zeichnet, das was Neckel spielmännischen Stil nennt, auf Grund
von Forschungen Prof. Weyhes für irisch erklärt.[4]) Die Erörterung
dieser These überlasse ich mit großem Vergnügen den Sagen=
forschern, zumal das in Aussicht gestellte Buch von Weyhe noch
nicht vorliegt, erlaube mir aber zu bemerken, daß diese über=
raschende „Entdeckung", von der Lenz (S. 18f.) spricht, schon bei
Carolus Andler[5]) zu entdecken war. Ich gehe darauf nicht weiter
ein, möchte aber doch sagen, daß die Behandlung, die Lenz

---

[1]) A. L. Corin, Simples réflexions d'un curieux à propos des procès
du Waltharius et du Rudlieb (Le musée belge 34, 1930, 109ff.).

[2]) Flach a. a. O. 303.

[3]) W. Lenz a. a. O. 17ff.

[4]) Ich möchte nicht unterlassen folgenden Satz von S. 138 anzuführen:
„Wie es im einzelnen aussah (nämlich das von Neckel postulierte deutsche
Gedicht), wo es entstand, ob der Vf. ein Geistlicher war oder nicht, ob
das Irische doch durch den französischen Filter floß, diese Fragen werden
noch genau untersucht werden müssen." Dem Schluß dieses Satzes stimme
ich unbedingt bei.

[5]) C. Andler, Quid ad fabulas heroicas Germanorum hiberni con=
tulerint. (These. Sorbonne) Turonibus 1897, 98ff.

(S. 19f.) der Ekkefridepiſode V. 754ff. angedeihen läßt, nicht
ſehr überzeugend wirkt. Wenn er tadelt, die bisherigen Aus=
legungen der Stelle ſeien geſucht und an den Haaren herbei=
gezogen, ſo hat er leider vollkommen Recht, eine wirklich ein=
leuchtende Deutung iſt bisher nicht gefunden. Lenz erklärt, celtica
V. 765 bedeute nichts anderes als eben „keltiſch", Ekkefrid iſt ein
Kelte, ein Jre. „Saxonicis bzw. Saxonibus kann dann nichts
anderes heißen als „Angelſachſen". Fraglich bleibt, wie der Jre
zu einem germaniſchen Namen kam." Jch bitte die Auseinander=
ſetzung ſelbſt anzuſehen, ich verſtehe ſie nicht, denn ſchließlich
waren doch die Jren keine Angelſachſen und ſprachen iriſch, nicht
ſächſiſch oder angelſächſiſch. Die Auslegung erinnert mich etwas
an die von Wilmotte. — Dieſe Annahme iriſcher Herkunft ein=
zelner Stücke iſt übrigens recht bequem für die Erklärung von
Schwierigkeiten. So hatte ich früher[1]) die Unklarheit in der Schil=
derung des Lokals hervorgehoben und Althof dieſe nicht be=
ſtritten: Lenz betont ſie ebenfalls S. 20f. 97. 138, und die Er=
klärung iſt ja auch ganz leicht, es iſt „iriſches Einfuhrgut"!

Jch habe Gründe und Gegengründe dargelegt, wie ſie ſich mir
darſtellen. Wenn ich auch durchaus der Anſicht zuneige, daß
Ekkehart I. auszuſcheiden hat, ſo muß ich doch erklären, daß ich
den Ausdruck „Probleme in der Walthariusforſchung" auch jetzt
noch für durchaus berechtigt halte. Aber noch von einer andern
Seite, die bisher etwas vernachläſſigt iſt, kann man die Frage
nach dem Walthariusdichter betrachten. Das Gedicht war zwei=
fellos ſehr beliebt, die Zahl der erhaltenen oder wenigſtens er=
wähnten bzw. zu erſchließenden Handſchriften beweiſt es. Walther
von Speyer hat aller Wahrſcheinlichkeit nach den Prolog des
Geraldus gekannt, vgl. Poetae 5, 58 zu V. 83. 408, 67 v. 20.
Jn einem Gedicht aus Metz des elften Jahrhunderts wird V. 107
zitiert, vgl. Poetae 5, 384, 25 und 378ff. Vielleicht auf dieſelbe
Metzer Hſ. weiſt es, daß im Cod. Vindobonenſis 7436, Hiſt.
eccleſ. 160 (16. Jh.) eine Vita Arnulfi ſteht, die Kenntnis des
Walthariüs verrät; und am Schluß der Vita ſteht ein Hinweis auf
Metzer Herkunft. P. v. Winterfeld hielt es für wahrſcheinlich,
daß Hrotsvit von Gandersheim den Walthariüs geleſen und ein=

---

[1]) Strecker in Zſ. f. d. A. 42, 1898, 352ff.

zelne Phrasen daraus entlehnt habe; ihm hat sich Althof ange=
schlossen. Ob die Ähnlichkeiten so weit gehen, daß Benutzung
daraus zu erschließen ist, wage ich nicht zu entscheiden. Er hatte
auch angenommen, daß Hrotsvit bei ihrer Schilderung von Adel=
heids Flucht (Gesta Oddonis 514 ff.) die des Waltharius mit
Hildegunde im Auge gehabt habe. L. Simons[1]) lehnt das mit
Recht ab, die Ähnlichkeiten sind allgemeiner Art und werden
durch die ähnliche Situation hervorgerufen.[2]) Ebenso hat Me=
nendez Pidal[3]) die These aufgestellt, daß die Schilderung der
Flucht des Geiseros mit der Melissinda aus der Gewalt der Mau=
ren in einer spanischen Romanze des 16. Jh.[4]) durch die Sage
von dem westgotischen Walther, die sich in Spanien gehalten
habe, beeinflußt sei. Das ist m. E. trotz einiger Ähnlichkeiten, die
überraschen, ganz ausgeschlossen; wenn wirklich ein Zusammen=
hang da wäre, müßte dieser direkt von unserm Walthariusgedicht
ausgehen, denn sagenhaft sind die Ähnlichkeiten nicht, der Wal=
tharius müßte also im 16. Jh. in Spanien bekannt gewesen sein.
Das wahrscheinlich zu machen reichen die wenigen Anhalts=
punkte aber nicht aus. Es steht hier gerade so wie bei der Flucht
der Adelheid. — In der Walthariusliteratur ist die Schrift von
Menendez Pidal bisher nicht beachtet worden. — Deutlicher
als bei Hrotsvit scheint es mir beim Ruodlieb zu sein, daß er
dem Dichter des Waltharius verpflichtet ist (vgl. z. B. V. 131 f.
215 f.). Dies würde nach Süddeutschland weisen, wo ja mehrere
der Hss. beheimatet sind, Hrotsvit könnte das Gedicht aus Re=
gensburg kennen, dort entstand ja die Stuttgarter Hs. Daß der
Dichter des Carmen de bello Saxonico unter dem Einfluß des
Waltharius stehe, behauptete A. Pannenborg[5]), es wurde auch
sonst wohl angenommen, von Holder=Egger[6]) scharf bestritten.

[1]) L. Simons, Hrotsvitha en Waltharius. Koninkl. Vlaamsche Acad.
voor Taal en Letterkunde 1911.

[2]) Vgl. Strecker in NA. 37, 876 Nr. 255.

[3]) Menendez Pidal, L'épopée castellane à travers la littérature
espagnole (1910) 19.

[4]) Primavera y Flor de Romances ... von F. J. Wolf und C. Hof=
mann, Berlin 1856, 2 S. 229.

[5]) A. Pannenborg, Forschungen 13, 413; Ders., Lambert v. Hers=
feld, Der Vf. des Carm. d. b. Saxon. 1889, 70.

[6]) Holder=Egger in NA. 19 (1894), 414 f.

vielleicht nicht mit Recht. G. Roethe[1]) suchte nachzuweisen, daß
es ein lateinisches Nibelungenlied des Meisters Konrad gegeben
habe, eine „Nibelungias", für die dieser sich an dem Muster des
Waltharius vorbereitete, doch hat seine These nicht viel Beifall
gefunden wie etwa bei E. Roemer[2]) und K. Droege.[3]) Letzterer
nimmt auch Zusammenhang zwischen Waltharius und Nibelungen=
lied an, aber anders als Roethe. W. Tavernier[4]) wollte nach=
weisen, daß der Dichter des Carmen de proditione Guenonis im
Aufbau der Handlung im großen wie im kleinen vom Waltharius
abhängig sei, doch hat er mich nicht davon überzeugt. Wenn im
Waltharius 526 und Carmen 333 die Wortverbindung Hostibus
invisus auftritt, so ist das wohl Zufall, zumal die Bedeutung eine
andere ist. Einleuchtender ist es schon, wenn der Dichter des
Rolandsliedes ihn gekannt haben soll, zumal unter den letzten
drei Kämpfern ein Gualtier del Hum erscheint.[5])

Wichtiger ist das Verhältnis des Waltharius zu den karolingi=
schen Dichtungen. Wenn man annimmt, daß das Gedicht in die
Zeit und womöglich die Umgebung Karls d. Gr. gehört, so darf
man es nicht, wie üblich, isoliert betrachten, sondern muß es mit
denen der Zeitgenossen zusammenstellen und fragen, ob es nicht
gewisse Berührungen mit diesen aufweist. Hennig Brinkmann[6])
hat eingehend darüber gehandelt, wie der Waltharius als Epos
im Rahmen der andern geschichtlichen Epen vom neunten bis
zum zehnten Jahrhundert zu verstehen sei; doch ist daraus für
unsere Frage nichts zu gewinnen. Übrigens verstehe ich da Brink=
mann nicht ganz. Er sagt S. 632: „Die bisherige Quellenforschung
... war zu einseitig auf das Aufspüren der stilistischen Vorbilder
bei Vergil und Prudentius gerichtet. Manches, was sonst auf diese
Originalquellen zurückgeführt wird, ist mittelbar aus der Zeit

---

[1]) G. Roethe in SB. Berl. Akad. 1909, 649 ff.

[2]) E. Roemer, Waltharius und Nibelungenlied (Diss. Münster 1912).

[3]) K. Droege, Die Vorstufe unseres Nibelungenliedes (Zs. f. d. A. 51,
1909) 209.

[4]) W. Tavernier in Zs. f. franz. Sprache u. Lit. 42 (1914), 46 ff.

[5]) W. Tavernier in Zs. f. franz. Spr. u. Lit. 42 (1914), 60 m. Anm. 57.

[6]) H. Brinkmann, Ekkehards Waltharius als Kunstwerk (Zs. f. deutsche
Bildung 1928, 625—36). Auch Wolf hat schon in dieser Richtung ge=
arbeitet, doch sind seine Forschungen darüber noch unveröffentlicht, vgl.
Die neueren Sprachen 42 (1934), 509 f.

Ekkehart zugekommen. Wie will man sonst erklären, daß Wal=
tharius und Gesta Berengarii an zahlreichen Stellen zusammen=
gehen? Viele Wendungen wie parma picta, cuneus, squamosus,
munimen clipei, callis usw. sind gemeinsames Gut." Was diese
ganz geläufigen Vokabeln beweisen sollen, sehe ich nicht, wenn
man lateinisch dichten wollte, mußte man natürlich einen ge=
wissen Vokabelschatz, gemeinsames Gut, besitzen. Höchstens
könnte man auf parma picta Wert legen wollen, aber das wäre
doch in erster Linie eine sachliche Übereinstimmung. Etwas
anders müßte die Frage wohl gestellt werden: angenommen, das
Gedicht stammt aus der Zeit Karls d. Gr., finden sich da An=
klänge und Wendungen, die als Beweis für diese Datierung ver=
wertet werden können? Mit callis, cuneus usw. ist da nichts ge=
schafft; aber es gibt wirklich einige Stellen, die bei dieser Frage
in Betracht kommen könnten. Ich bitte zu vergleichen Walahfrid
Strabo, Vita Mammae XXVI 39, Poetae 2, 295

       Clauditur ignicremis flamma fervente caminis
und W. 322

       Et licet ignicremis vellet dare moenia flammis.

Das auffallende Adjektivum ignicremus ist unsern Lexicis un=
bekannt und im Material des Thesaurus nicht vorhanden; erst
im Mittelalter findet man es bei Osbern (Mai, Class. auct. 8,
1835, 289), im Vocabularius Basel 1480, vgl. auch Du Cange;
wie erklärt es sich, daß es in diesen beiden Gedichten, dazu an
derselben Versstelle und mit demselben Reim vorkommt?[1]) Mit
Walth. 1098 Quo me, domne, vocas? quo te sequar, inclite
princeps? vergleiche man Walahfrid, V. Mammae III 2, Poetae
2, 278 Et pergens: Quo, Christe, vocas, quo te sequar? inquit.
Beide Stellen doch recht auffällig in ihren Übereinstimmungen.
Weniger wohl W. 595 und Walahfr. V. Blaithmaic 151, Poetae
2, 301 Ignoro penitus quid (quod). W. 17 Fama volans pavidi
regis transverberat aures und Walahfr., Visio W. 43, P. 2, 305
Tanti fama viri regales verberat aures. W. 1431 si quando ea
cura subintrat vgl. Walahfr. Visio 712, P. 2, 326 cui cura subintrat. Hier könnte die Ähnlichkeit durch eine gemeinsame Quelle

---

   [1]) Woher Gradenwitz, Laterculi das Wort genommen hat, habe ich
auch bei den Herrn vom Thesaurus nicht erfahren können. Es steht üb=
rigens auch in der Vita Liudgeri, Poetae 5, 255, 59.

erklärt werden[1]), animam si cura subintrat, aber find beide Dichter zufällig auf diese entlegene Stelle gestoßen? Difio W. 944, p. 2, 333 und Walth. 392 beginnen Decidit in lectum ... Die Phrafe findet fich ja im erften Makkabäerbuch 1, 6. Zufall? An Zufall möchte man eher denken, wenn W. 924 und Ermoldus Nigellus 2, 251, Poetae 2, 31 beginnen Sermo quidem nullus. Man kann tagelang in den Poetae aevi Carolini fuchen, ohne auf folche Parallelen zu stoßen wie die bei Walahfrid aufge= zeigten. Es handelt fich da nicht um formelhafte Versfchlüffe wie etwa susceptus honore — vgl. Walth. 1447. Petrus diaconus, Poetae 1, 50 XIII 4. Carm. de Karolo M. et Leone p. Poetae 1, 375, 374. 379, 535. Dgl. auch Hrotsvit, Gefta O. 702. 1481 —, fondern um charakteriftifche, einmalige Ausdrucksweifen wie auch einmal bei Alchvine XLVII 13, Poetae 1, 260 circumspice cautus vgl. W. 504 circumspice caute. Immerhin find diefe beiden Wörter circumspice c. doch inhaltsverwandt, und es erfcheint nicht als ganz ausgefchloffen, daß fie an zwei Stellen, die in keiner Beziehung zueinander ftehen, fich durch Zufall zufammengefunden haben — fonft habe ich bei Alchvine nichts Entfprechendes ent= deckt. Ähnlich ift es wohl mit dem Versanfang W. 798 Audi consilium vgl. Audradus Modicus, L. d. f. v. 51, Poetae 3, 74, und W. 282 Tu tamen interea = Heiricus, D. f. G. 1, 195, Poetae 3, 444 = Aen. 9, 422. Zu erwähnen wäre noch W. 517 furata talenta relinquet vgl. Milo, De fobr. 1, 115. Poetae 3, 619. W. 318f. Bachica munera vgl. Milo, De fobr. 1, 169, Poetae 3, 620, aber auch Boeth., Conf. 2, 5.

Wenn es im großen und ganzen nur geringfügige Beziehungen find, die zwifchen dem Waltharius und den Poetae aevi Carolini aufzuweifen find, fo ift es, wie gezeigt, bei Walahfrid Strabo doch etwas anderes, dort ift es eine ganze Anzahl von Stellen, wo irgendeine Verwandtfchaft vorzuliegen fcheint. Näheres wage ich nicht zu fagen. Weiter aber führt uns vielleicht der Vergleich mit einem Epos der ausgehenden Karolingerzeit, das, wie mir fcheint, Spuren eines direkten Zufammenhanges mit dem W. nicht verleugnen kann, den Gefta Berengarii (G. B.). Der Dichter des= felben hat fich bekanntlich fehr eng an eine gewiffe Gruppe von

---

[1]) Dgl. Anthol. lat. ed. A. Riefe 2², 493ᵃ, 7.

Dorbildern angeschlossen[1]), vielleicht kann man wahrscheinlich
machen, daß auch der Waltharius dazu gehört, wenn er auch
nicht so ausgiebig benutzt ist wie etwa Statius oder Pindarus
Thebanus. Man vergleiche W. 1204 Postquam cuncta silere
videt und G. B. 3, 42 Verum ubi cuncta silere vident: ich
glaube, die Zusammenstellung der Wörter postquam bzw. ubi,
cuncta, silere, videt bzw. vident (speziell bei silere die Funktion
des Auges, wo man die des Ohres erwartet), ist so ungewöhnlich
und auffallend, sonst wohl nirgends belegt[2]), daß man m. E.
einen Zusammenhang zwischen ihnen annehmen muß, zumal
wenn sich ähnlich geartete Stellen noch mehrere finden. Welche
der beiden Stellen die Priorität hat, ist hier kaum mit Sicherheit
festzustellen. Wenn man mit Recht Aen. 3, 518 als Dorbild her=
anzieht Postquam cuncta videt caelo constare sereno, so würde
sich die Waage zugunsten des Walthariusdichters neigen. Na=
türlich kann man hier Zufall annehmen wollen, aber andere
Stellen warnen davor: W. 514 Cornipedem rapidum saevis calcaribus urget. G. B. 1, 228 Unus adest comitum ac rapidis
calcaribus urgens ... equi latera. Dorbild ist hier Prudentius,
Psych, 253f. rapidum calcaribus urget cornipedem. W. ist direkt
von Prudentius abhängig[3]), G. B. kann die Prudentiusstelle oder
die daraus geflossene Walthariusstelle benutzt haben, an beiden
steht das Wort rapidum, das G. B. dann freilich in anderm Sinne
verwendet, aber ob er die Psychomachie, die ja dem Waltharius=
dichter in Fleisch und Blut übergegangen war, überhaupt ge=
kannt hat, ist mehr als fraglich; benutzt hat er das Gedicht jeden=
falls nicht[4]) und so ist es doch höchst wahrscheinlich, daß die Wal=

---

[1]) Dgl. v. Winterfeld, Poetae 4, 355; Manitius, Gesch. d. lat. Lit.
d. MA. 1, 633.

[2]) Man vergleiche aber Naso 2, 91, Poetae 1, 390 proelia cuncta silent.

[3]) Auffällig ist hier der Anklang an Statius, Theb. 11, 452 saevis calcaribus urgent, sonst hat der Dichter keine Beziehung zu diesem.

[4]) Man könnte Psych. 116 impatiensque morae und GB. 2, 93 iamque
morae imp. vergleichen und schließen, daß er die Psych. kannte, aber die
Phrase ist auch sonst verbreitet (z. B. Alchvine, Poetae 1, 173 D. 182) und
schon die Wortstellung zeigt, daß G. B. direkt auf das Original, Juvenalis
6, 327 (von Winterfeld nicht notiert) zurückgeht. — Daß der Dichter
der G. B. die Apotheosis des Prud. kannte, würde ich nicht mit Winter=

thariusstelle das Vorbild ist. Noch wahrscheinlicher ist es mir,
daß W. 17 Fama volans pavidi regis transverberat aures mit
G. B. 1, 102 Fama volans regis nitidas cum perculit aures zu=
sammenhängt, gemeinsam sind drei bzw. vier von sechs Wörtern,
Fama volans, regis, aures. Der Walthariusdichter hat dann die
Priorität, denn er hat den Vers aus Aen. 9, 473 Interea pavidam volitans pinnata per urbem nuntia fama (11,139 fama
volans) und Juvencus, hist. ev. 4, 375 verberat aures (v. l.
auras; vgl. auch die oben zitierte Walahfridstelle Dis. Wett. 43
regales verberat aures) zurechtgemacht, aus Vergils pavidam
machte er sein pavidi, er hatte also die Vergilstelle vor Augen
oder im Kopfe. Den so entstandenen Vers hat dann m. E. der
Dichter der G. B. etwas geändert. Auf Grund dieses Ergebnisses
darf man noch eine Reihe von Stellen anführen, wo eine Ver=
wandtschaft der beiden Dichtungen zutage zu treten scheint, doch
begnüge ich mich damit, kurz auf einige Verse hinzuweisen.
W. 882f. te conservans melioribus utere fatis. Desine ...
G. B. 1, 235 Discede, precor, melioribus ausis servandus. ser-
vare (conservare) fehlt an der zugrunde liegenden Vergilstelle
Aen. 6, 546. W. 1289 (hastam) ... tanto et stridore volantem:
G. B. 2, 194 volat ingenti stridore per auras cuspis. W. 1263
rutilo umbonem complebo metallo: G. B. 2, 203 rutilo far-
cire metallo. W. 9: G. B. 4, 186. W. 37: G. B. 3, 174. W. 295:
G. B. 3, 106. W. 520: G. B. 1, 233. W. 688: G. B. 1, 33. W. 875:
G. B. 1, 216. W. 947: G. B. 1, 175. 4, 28. W. 968: G. B. 2, 108.
W. 1117: G. B. 1, 69. Auf mich machen die angeführten Stellen
starken Eindruck, wenn natürlich auch die letzten nur der Voll=
ständigkeit halber hier stehen. Wer aber an eine Abhängigkeit
der G. B. vom Waltharius glauben kann, für den kommt Ekke=
hart I. als Dichter desselben nicht mehr in Frage. Die G. B. ent=
standen zwischen 915, dem Jahre der Kaiserkrönung Berengars,
und seinem Todesjahr 924. Sie gipfeln in der Krönung, man
sieht, daß diese in frischer Erinnerung sein muß, und wird Wat=

feld und Manitius daraus schließen, daß er V. 14 den Anfang von
V. 1000 Stirpe recenseta zitiert, ebenso wie der Ecbasisdichter 665, die
Phrase ist wohl wegen der Form recenseta von einem Grammatiker auf=
gestochen worden und so in die G. B. geraten, denen sonst auch die Apo=
theosis fremd ist.

tenbach zuſtimmen, der ſagt[1]) „allem Anſchein nach ſchrieb er
bald nach der Kaiſerkrönung ſeines Helden im November oder
Dezember 915". Daneben halte man die Tatſache, daß Ekkehart I.
973 geſtorben iſt. Mag man eine noch ſo große Frühreife bei
ihm annehmen, ſo wird man es doch für unmöglich halten
müſſen, daß ein Gedicht eines 973 geſtorbenen Mannes ſo früh=
zeitig in St. Gallen entſtand und ſo ſchnell Verbreitung fand,
daß es etwa 916/917 einem Dichter in Oberitalien geläufig ſein
konnte. Umgekehrt iſt es auch nicht gut denkbar, daß der „puer"
Ekkehart I. die etwa 916—918 entſtandenen G. B. kennen konnte.

Um zuſammenzufaſſen: die Frage nach dem Dichter des Wal=
tharius bleibt unbeantwortet. Ich kann mir nicht verhehlen, daß
nirgends ganz durchſchlagende Gründe vorhanden zu ſein ſcheinen,
daß auf alle Fälle, mag man ſo oder ſo urteilen, Schwierigkeiten
bleiben; doch ſcheint mir der Standpunkt, daß der junge Ekke=
hart I. der Dichter iſt, kaum noch haltbar. Gibt man aber dieſen
auf, ſo ſchwindet jeder Anhalt für die Annahme, daß das Ge=
dicht in die ottoniſche Zeit gehört; wir müſſen es ſeinem ganzen
Charakter nach in karolingiſche Zeit ſetzen und ſomit ſoll es in
den Nachträgen zu den Poetae aevi Carolini erſcheinen.

---

[1]) W. Wattenbach, Deutſchlands Geſchichtsquellen 1 [7], 346.

Der Verfasser des „Waltharius"

von Karl Langosch

Im 51. Band dieser Zeitschrift schrieb 1926 Rudolf Reeh „Zur Frage nach dem Verfasser des ‚Waltharius'" (S. 413—431) und wollte nachweisen, „daß nicht Ekkehard I., sondern Gerald, dem man bisher nur den Prolog zugestand, der Verfasser der Dichtung ist". An diesem Versuch, der „endlich mit einem Irrtum" aufräumen sollte, „der sich seit Jacob Grimm durch fast sämtliche deutsche Literaturgeschichten hindurchschleppt", übte Karl Strecker in den Jahresberichten für deutsche Geschichte 2, 213 berechtigte Kritik, die er aber dem Publikationsort entsprechend kurz fassen mußte, indem er zur Hauptsache nur sein Urteil abgab: die Sache sei nicht im geringsten gefördert; Reehs einziges Verdienst sei, „daß noch einmal die zahlreichen Gründe zusammengestellt werden, die es tatsächlich schwer machen, die herrschende Ansicht über die Entstehung des Gedichts für richtig zu halten". Etwa gleichzeitig stellte Eduard Sievers auf Grund der Personalkurve u. a. in Paul und Braunes Beiträgen zur Geschichte der deutschen Sprache 51 (1927) S. 222 ff. fest, daß Gerald nicht den „Waltharius" gedichtet haben könne: jene Kurve sei im Prolog und im Epos verschieden, und das „beweist mit fast mathematisch zu nennender Sicherheit auch die Nicht-Identität ihrer Verfasser"; auch die Stimmart in beiden Dichtungen sei verschieden, während Personalkurve und Stimmformel des „Waltharius" mit denen der Lieder Ekkehards „absolut identisch" sei; schließlich seien bei Gerald die alten lateinischen Diphthonge ae und oe monophthongiert, bei Ekkehard aber im Epos wie in den Liedern hätten sie ihre alte diphthongische Geltung beibehalten. Sievers verwandte also seine bekannten Forschungsmittel, die freilich so persönlicher Art sind, daß sie die Allgemeinheit nicht nachprüfen kann. Da man seitdem unser Verfasserproblem nicht weiter erörterte, war weder der Angriff Reehs wirklich abgewiesen noch der These von Ekkehards Autorschaft die alte Festigkeit wiedergegeben. So ist es nicht verwunderlich, daß Reehs Vorstoß zur Folge hatte, daß man an der Autorschaft Ekkehards mehr als früher zweifelt und zum Teil gar nicht mehr glaubt. Diese Stimmung, der ich auch im mündlichen Gespräch öfter begegnete, fand öffentlichen Niederschlag in der Zeitschrift für deutsche Bildung 11 (1935) S. 69, wo Andreas Heusler erklärte: man habe Gerald „nicht ohne ernste Gründe" zum Verfasser des „Waltharius" gemacht; die beiden

Waagschalen Geralds und Ekkehards schienen ihm „gleich beschwert".

Wer heute nach dem Verfasser des „Waltharius" fragt, sieht sich in eine wieder unklar gewordene Lage versetzt und ist gezwungen, selber für die nötige Klärung zu sorgen. Als ich im Winter 1936/37 das Epos im Kolleg behandelte, mußte ich diese Frage zu lösen versuchen; erst jetzt kam ich dazu, die Unterbauung zu sichern, indem ich das „Wortregister zum Waltharius", das J. W. Beck seiner Ausgabe („Ekkehards Waltharius, ein Kommentar", Groningen 1908) angefügt hat, überprüfte, was sich schon bei der ersten Benutzung als nötig erwiesen hatte[1]), und die übrigen Gedichte Ekkehards I. (die geistliche Lyrik s. Analecta hymnica 50, 1907, S. 272 ff. und ein Distichon der Rachild-Dichtung s. Ekkehards IV. „Casus s. Galli" c. 83) sowie den Geraldusprolog verzettelte.

Hier setze ich mir als Ziel, einmal zu beweisen, daß das Epos nicht von Gerald, dem Dichter des Prologs, verfaßt sein kann, zum andern die alte Ansicht von Ekkehards Autorschaft wieder auf den Schild zu heben und mit neuen Argumenten zu stützen. Daß die Frage, wer den „Waltharius" dichtete, ob Gerald oder Ekkehard I., nicht nebensächlich ist, wird schon deutlich, wenn man die beiden Ansichten äußerlich gegenüberhält: die eine verlegt die Abfassung nach Straßburg, die andere nach St. Gallen, die eine in die zweite und die andere in die erste Hälfte des 10. Jahrhunderts. Von entscheidender Bedeutung aber ist es für die Charakteristik Ekkehards, ob er nur jene Lieder geistlichen Inhalts und durchschnittlicher Art verfaßt hat oder auch eine so individuelle und überragende Dichtung wie jenes Heldenepos. Auch in der Literaturgeschichte kommt es auf die führenden Persönlichkeiten an, zu denen auch der Verfasser des „Waltharius" gehört: in ihnen verkörpert sich am besten der Geist ihrer Zeit, sie bestimmen den Gang der Entwicklung.

Mit einer neuen These kann ich also nicht aufwarten und muß es auch von dem uns heute bekannten Material aus für nicht möglich halten, daß man einen andern Autor als Ekkehard I. nachweist. Freilich darf ich nicht verschweigen, daß ich jüngst, als ich diesen Aufsatz schon abgeschlossen hatte, eine solche neue These hörte. Am 12. Dezember 1938 hielt Herr Dr. Alfred Wolf, Lektor in Upsala, im Germanischen Seminar der Universität Berlin einen Vortrag „Die Verfasserfrage des Waltharius". Er suchte wahrscheinlich zu machen, daß der uns erhaltene „Waltharius" eine karolingische Hofdichtung sei, das Walterepos Ekkehards I. aber nicht auf uns

---

1) In Becks Wortregister fehlen z. B. bei *ac* v. 2, 278; *at* v. 834, 970, 1085, 1360; *atque* v. 398, 1397 (dafür ist v. 834 zu streichen, 148 zu ändern in 152, ebenso 932 in 933) ... Wenn Beck auch v. 1370 *elatum* aus γ in den Text einsetzt, mußte er doch *aeratum*, das in Streckers Text steht, aufnehmen. Man vermißt eine Bemerkung darüber, daß bei *esse, et* nur eine Auswahl aus den Belegen aufgenommen ist ...

gekommen wäre. Ganz abgesehen davon, daß mir die Darstellung
einer deutschen Heldensage in der Form des mittellateinischen Epos
viel eher ins Ottonische als ins Karolingische zu passen scheint,
ist Wolfs Versuch vor allem deswegen nicht geglückt, weil er keinen
einzigen durchschlagenden Beweis zu erbringen vermochte. Hier
darf ich ihm natürlich nicht vorgreifen und ihn schon jetzt im
einzelnen widerlegen, sehe andererseits aber nicht den geringsten
Grund, mit der Veröffentlichung meiner Arbeit etwa so lange zu
warten, bis er seinen Vortrag gedruckt hat.

Wenn ich mich nun im folgenden zumeist mit Reehs Argumenten auseinandersetze, so geschieht das zur Hauptsache deswegen,
weil er zuletzt und am umfassendsten und energischsten gegen
Ekkehards Autorschaft Sturm gelaufen ist. Daher muß sich jeder,
der für Ekkehard eintritt, mit seinem Gegenmaterial auseinandersetzen.

Als direkte Beweise für G e r a l d s   A u t o r s c h a f t glaubte
Reeh folgende verwenden zu können: einmal besage das Widmungsgedicht, daß Gerald den „Waltharius" gedichtet habe [Nr. 9 in
Reehs Beweismaterial], zum andern „die Überschrift in der besten
und ältesten Handschrift" [Nr. 10]. Es geht im ersten um v. 9 ff.,
insbesondere um die Interpretation von *de larga promere cura*.
Nach Reeh (S. 419 Anm. 27 und 421) heißt das wörtlich: „aus oder
nach reichlich langer Arbeit hervorholen, d. h. darbringen, vorlegen"
oder „nach reichlicher Sorgfalt oder Arbeit darbringen". Karl
Strecker gab als die verbreitete Auffassung 1899 für *larga cura*:
„die treue Hut und Pflege, in welcher das Kleinod in St. Gallen
gehalten wurde" und teilte die auf demselben Grund ruhende
Interpretation Paul v. Winterfelds mit, die er dann als „die plau-
sibelste Erklärung" in die Anmerkung seiner Ausgabe aufnahm:
„aus dem reichlich vorhandenen Material von Schülerarbeiten, die
mir im Laufe meines langen Lebens eingereicht worden sind, wähle
ich dies aus" (Neue Jahrbücher 2, 576); auch in MGH. Poetae V 407
stellt er Winterfelds Auffassung als möglich hin und verweist auf
die Verwendung von *cura* im Sinne von Gegenstand der Fürsorge
Eindeutig ist *promere tibi munera* „für dich (Erchenbald) ein Geschenk hervorholen" *Promere de* (oder *ex*) ist antik und ist die
natürliche Verbindung der sinnlichen Grundbedeutung, vgl. „Waltharius" v. 465 in bildlicher Wendung: *Hagano ... in medium*
prompsit de pectore verbum. Von den beiden Interpretationen
schließt sich nur die zweite (Strecker - v. Winterfeld) an die Grund-
verbindung und -bedeutung an, die erste dagegen macht einen für
de an sich wie für *promere de* unmöglichen Sprung von lokalem

„aus" zu zeitlichem „nach" [2]). Wenn sich *larga cura* auf „die reichlich
lange Arbeit" beziehen soll, müßte es irgendwie mit *munera* verbunden sein, wie z. B. im „Ligurinus" des Gunther von Pairis I 71:
„Dux Friderice ducum, nostrae munuscula curae Suscipe nec parvi
placidus monimenta laboris." Reehs Deutung ist also schon an sich
mindestens gesucht und gezwungen; ja sie ist direkt falsch, wenn
jene Worte allein die Verfasserschaft Geralds bezeugen sollen. Sie
ständen darin wirklich allein, weil die folgenden Verse des Prologs
nicht im geringsten so klingen, „als ob sich Gerald als Verfasser der
Dichtung bekenne" (Reeh S. 421). Ein Autor soll von seinem Werk
und dessen Inhalt ohne jede persönliche Beziehung sprechen, so wie
es Gerald v. 16 ff. tut (*ne despice verba libelli, Non canit alma dei ...*
Perlectus ... stringit ..., scil. *libellus!)?* Es wäre ja überraffiniert,
wenn jemand einen derartigen Prolog zu seiner Dichtung schriebe,
in dem er alles tut, um dem Leser seine Autorschaft zu verbergen.
Nein, der ganze Prolog spricht schon durch seinen Inhalt deutlich
genug dafür, daß Gerald den „Waltharius" nicht verfaßt hat.

Wie steht es mit der „Überschrift in der besten und ältesten
Handschrift"? Gemeint ist, wenn auch nicht ganz richtig charakterisiert die Handschrift B, die vor dem Prolog die Überschrift hat:
„Incipit poesis Geraldi de Gualtario." Darin steht B nicht nur
allen andern Handschriften gegenüber isoliert da, sondern sein
eigenes Explicit weicht davon völlig ab und erwähnt nichts von
Gerald: *„Terminat liber duorum sodalium Waltharii et Haganonis"*
— eine Bezeichnung, die übrigens den Inhalt besser wiedergibt als
Ekkehards Titel *„Waltharii poesis".* Schon dadurch, aber auch sonst
durch seine zahlreichen Konjekturen, die hin und wieder das Richtige treffen, verrät sich der Schreiber von B als einer, der selbständig und eigenmächtig vorgeht; erst er hat also aus dem Prolog
fälschlich Gerald als den Verfasser des Ganzen herausgelesen.

Darüber hinaus läßt sich direkt beweisen, daß Prolog und Epos
nicht von demselben Verfasser stammen können. Reeh glaubt zwar,
die Charakterisierung des Prologs als „unbeholfen und schwer verständlich", „hölzern" usw. ablehnen zu müssen, aber er muß doch
zugeben: „der Prolog (mag) wirklich etwas schwerfälliger sein als
die übrige Dichtung." Er glaubt, darin Gerald in Schutz nehmen
und Reimzwang als Erklärung anführen zu können, dazu die Tatsache, „daß der Verfasser in der eigentlichen Dichtung ein althochdeutsches Lied, mehr oder weniger getreu übersetzte, bei Abfassung
des Prologes aber keine Vorlage hatte und mehr auf sich selbst
angewiesen war". Beide Gründe sind abzulehnen: einmal hat es
sich Gerald mit seinem Reim nicht schwer gemacht, indem er ihn

---

2) Reehs Belege für *de* „aus, nach", welchen Sinn *de* selbst im „Waltharius" trage, haben nur die Bedeutung „aus": 684 *hastam de vulnere traxit,*
475 *omni de plebe viros secum duodenos ... Legerat* und „vor allem" 465
promere de pectore s. o.

nicht in jedem Vers und ihn sonst nicht überall rein durchführte³);
zum andern ist die alte Fabel der Übersetzung aus dem Althochdeutschen längst so widerlegt, daß ich kein Wort darüber zu verlieren brauche.

Jeder unvoreingenommene Leser fühlt sofort, daß zwischen den
Versen des Prologs und des Epos ein so gewaltiger Niveauunterschied besteht, daß sie nicht von ein und demselben Dichter geschrieben sein können. Das Epos liest sich im allgemeinen glatt, wie
übrigens auch die Lieder, beim Prolog aber stockt man immerfort,
und man wird seiner nicht froh, weil sich Gerald so unbeholfen
und auch schwer verständlich ausdrückt. Geralds Ungeschick zeigt
sich im einzelnen besonders daran, daß er eine ganze Reihe von
Wörtern störend häufig gebraucht, d. h. den Ausdruck nicht, wie
es sich für poetische Diktion gehört, zu variieren vermag. Bei der
folgenden Aufstellung muß man sich den Umfang stets vor Augen
halten: Der Prolog umfaßt nur 22 Verse, das Epos dagegen 1456
Verse, d. i. ein Verhältnis von 1 : 66. So begegnet *multus* im Prolog
2mal (v. 8, 18); im Epos 9mal (wenn Ekkehard dies nicht gerade
seltene Wort ebenso oft wie Gerald verwandt hätte, müßten wir
statt der 9 Fälle 132 erwarten) und in der Lyrik 0mal; *promere* im
Prolog 2- (v. 10, 14): im Epos 7- und in der Lyrik 0mal; *almus* 2-
(v. 2, 17): 2- und 0mal; *servus* 2- (v. 9, 16): 1- und 0mal; *aevum* 2mal
(in der Formel *in aevum* und in demselben Satz v. 5 und 8): 3- und
0mal; *nomen* 3- (v. 6, 11, 18): 8- und 2mal (beidemal in der 41 Verse
umfassenden Sequenz Nr. 3); *sanctus* 3- : 0- und 4mal (je einmal in
vier Liedern: I 3a, III 4b, IV 7b, VII 3a); *summus* sogar 4mal
(v. 1, 5, 15, 16) : 5- und 3mal (in 3 verschiedenen Liedern: I 2b, IV 1,
V 7b). Auch nicht in einem einzigen der acht Fälle erreicht Ekkehard nur halbwegs den Häufigkeitsgrad Geralds⁴). Karl Strecker
hat in seinen „Bemerkungen zum Waltharius", Gymnasialprogramm
Dortmund 1899, ausgeführt, wie Ekkehard (im Gegensatz zu Vergil)
die Benennungen seines Helden erstaunlich mannigfach gestaltet:

---

3) Von 22 Versen sind 6, d. i. über ein Viertel, reimlos (4, 10, 19, 22,
wohl auch 4-*ens* : -*is* und 15-*is* : *ans*); assonierend mit übereinstimmendem
Konsonanten v. 13 (-*um* : -*em*) und 21 (-*us* : -*os*) und mit übereinstimmendem Vokal v. 17 (-*i* : -*is*). Reinen Reim haben nur 13 Verse, also etwas über
die Hälfte, und zwar 12 einsilbigen und 1 zweisilbigen (v. 11). Zur Beurteilung vgl. die späteren Zusammenstellungen über den leoninischen
Reim im 10. Jahrhundert.

4) Auch in den oben nicht erwähnten übrigen Fällen, in denen Wörter
im Prolog mehr als einmal begegnen, kommt das Epos nie auf den
gleichen Häufigkeitsgrad; weder bei *nunc* (2- : 18- und 4mal, davon 2 in
einem Lied, V 3b und 12a) noch bei *sed* (2- : 56- und 3mal, diese 3mal
in IV 3b, 4a, 9a), auch nicht bei *dominus* (2- : 19- und 6mal, davon je 2
in II und V) und bei *deus* (3- : 3- und 11mal, darunter 4 in Lied III und
2 in Lied IV). Das sind Wörter, bei denen der häufige Gebrauch sich nicht
vermeiden ließ, bzw. nicht als störend empfunden zu werden brauchte,
ähnlich wie bei *esse* (5mal im Prolog), *et* 2-, *per* 2-, -*que* 3-, *qui* ... 5-,
tu ... 4-, *ut* 2mal und *Geraldus* 2mal.

Walter heißt *heros, iuvenis, adolescens, homo, ductor, minister, belliger* ... Ja, für Hagen braucht er, wenn wir die drei Fälle mitrechnen, wo die Umschreibung im Plural steht und Gunther oder Walter mitumfaßt, 6 verschiedene Bezeichnungen in 10 Fällen oder, wenn man jene drei Fälle nicht mitrechnet, sogar 5 in nur 7 (siehe unten). Gerade die Variation ist ein Hauptmittel in Ekkehards Stil, während sie Gerald nicht einmal im gewöhnlichen Umfang zu gebrauchen versteht.

Reeh aber fragt weiter S. 422: „Verrät ... der Umstand, daß der Dichter oft den Gedanken eines Verses in dem folgenden Verse variiert, nicht eine gewisse Geschicklichkeit im Ausdruck des Verfassers?" Ich bin außerstande, auch nur einen derartigen Fall, geschweige denn eine Anzahl davon, ausfindig zu machen. Höchstens v. 7 f. *(salva ... Erchanboldum ..., Crescat ut interius sancto spiramine plenus, Multis infictum quo sit medicamen in aevum)* könnte man hierzu rechnen. Aber ist das wirklich derselbe Gedanke, der in den beiden Versen nur in zwei Variationen begegnet? [5]). Zum mindesten kommt das nicht richtig zum Ausdruck. Ich jedoch vermag aus v. 7 nicht den Wunsch herauszulesen, daß Erchenbald andern helfen soll; für mich sind es zwei verschiedene Gedanken in den beiden Versen. Sonst läßt sich an Variation, die in demselben Vers begegnet, nur v. 20 anführen: *inampla diei longaevi,* „die Weite des langen Tages". Abgesehen von der abgezogenen, unpoetisch anmutenden Verwendung von *longaevus* im Sinne von *longus* ist hier die „Variation", wenn man die Redefigur überhaupt so bezeichnen darf, nicht geschickt und bildet mehr eine Tautologie.

An jener Stelle fragt Reeh weiter: „Spielt die Figur der Antithese in unserem Prologe nicht eine große Rolle, und ist das etwas so Ungeschicktes?" Der Antithese v. 17 *alma dei: mira tyronis* kann man Geschicklichkeit nicht absprechen, vielleicht auch ihrer Wiederholung v. 19 *dominum rogitandum: ludendum.* Die beiden andern Antithesen sind aber nicht ganz geglückt. Am besten ist noch v. 3 *Personis trinus, vera deitate sed unus.* Es fehlt jedoch die rechte Verbindung zum Vorhergehenden, man muß sich das Beziehungswort aus dem Sinn ergänzen. Anders Ekkehard I. in seiner ersten Sequenz: „*Trinitati canamus ...: Patri summo ... Eiusque ... filio Deo ... Spirituique ... Histribus est par et simplex unaque deitas.*" Oder Hraban in seinem Gedicht an Baturich, auf dessen Ähnlichkeit mit dem Prolog Paul v. Winterfeld aufmerksam machte: „*O pater alme poli ..., nate dei spiritus atque dei, Qui triplex simplex ... gubernas.*" Mißlungen ist v. 14 „*Ut nanciscaris factis, quae promo*

---

5) Man vergleiche den Waltharius, der so viele eindeutige und glückliche Fälle der Variation enthält, z. B. v. 367 f. *Hactenus in somno tentum recubare quietum Occultumque locum sibi delegisse sopori,* zweifache Variation in je einem Hexameter oder dasselbe dreifach: *Ebrietas fervens tota dominatur in aula, Balbuttit madido facundia fusa palato, Heroas validos plantis titubare videres* (315 ff.).

loquelis". Sein Sinn ist: „daß du das, was ich dir wünsche, auch
wirklich erfüllt bekommst." Der Gegensatz *factis : loquelis* ist also
sehr geschwächt, fast aufgehoben; *factis* bedeutet nicht „durch deine
Taten", sondern hat nur den allgemeinen Sinn des Adverbs „in der
Tat, wirklich". Wie anders Ekkehard im „Waltharius": v. 92 *dictum
compleverat actis;* 135 *Quod volo plus factis te quam cognoscere
dictis;* siehe auch 1081 und 1038/39.

Außer dem mannigfachen Mangel an Variation, der immer wieder
das Ungeschick Geralds offenbart und das gerade Gegenteil zum
Stil Ekkehards bildet [6]), beweisen Eigenheiten in Geralds Sprache,
die in der Ekkehards fehlen, daß das Epos nicht von Gerald verfaßt sein kann. Reeh behauptet freilich das Gegenteil, es fänden sich
im Prolog „dieselben Ausdrücke und Wendungen wie in der übrigen
Dichtung" (S. 422 und f.). Strecker hat bereits in den Jahresberichten für deutsche Geschichte 2, 213 eine Anzahl davon als nicht beweiskräftig aufgeführt, weil sie nicht, wie Reeh meint, selten sind,
sondern allgemein verbreitet; so *amator* mit abstraktem Genetiv,
resonare, salvare, sine fine. Dazu gehört auch folgendes: *munera*
mit singularischem Sinn, was sich aus metrischen Gründen erklären
läßt; *per proelia,* was noch nicht einmal an derselben Versstelle
im Prolog und Epos vorkommt; *vilis* in abfälliger Bedeutung, *fragilis* als „schwach, schwächlich", *ludere* „Kurzweil, Scherz treiben" u. ä.
und die Verbindung von *promere* mit *de* — alles Verwendungen, die
schon das antike Latein kennt; *almus* „hehr, heilig" ist im Mittellatein verbreitet, siehe Diefenbach, Glossarium, 1857, 25 b (*almus*
selig, heilig) oder *almus* bei Hrotsvit in v. Winterfelds Ausgabe
S. 257.

Eine andere Gruppe jener von Reeh aufgeführten Ausdrücke
zeigt, daß Gerald und Ekkehard die gleichen Wörter verschieden
gebrauchen. Beide bringen den Gegensatz zwischen Wort und Tat
mit deutlichem Unterschied (siehe oben). Im Prolog bezieht sich
fidelis alumnus v. 12, wie *serve dei* 16 und *carus adelphus* 22, nicht
auf ein wirkliches Verhältnis von Schüler zu Lehrer, sondern nur
auf die Untergebenheit, die einem Bischof gegenüber ein nied-
riger stehender Geistlicher erfüllt, wenn er mit ihm in Berührung
kommt; dagegen gehen sowohl *alumna* „Waltharius" v. 379 wie
alumnus 98 (*veluti proprios nutrire alumnos* — in den Liedern fehlt
beides) auf die wirkliche Erziehung, die die Geiseln an Etzels Hof
erhielten. — Gerald nennt den einen Helden des Epos, Walter,

---

6) Reeh will v. 4 und 15 des Prologs (*Qui vita vivens cuncta et sine fine
fenebis,* ... *pater ex summis caelum terramque gubernans)* in v. 1161 ff.
des Epos anklingen hören: „... *omnia facta regenti, Nil sine permissu
cuius vel denique iussu Constat".* Daß der Inhalt sich berührt, versteht sich
von selbst; aber seine Gestaltung — und darauf kommt es an — ist ganz
verschieden und beleuchtet den künstlerischen Charakter der beiden Verfasser: Gerald hält sich mehr an die üblichen Wendungen (*vita vivere,*
ex summis, caelum et terram biblisch; *caelorum sceptra gubernas.* Hraban
im Baturich-Gedicht, Poetae 2, 173), Ekkehard mehr ans Eigne.

einen *tyro (v. 17)*, Ekkehard dagegen nur Hagen einmal so und zwar ganz zu Anfang, als Hagen in jungen Jahren in die Verbannung geschickt wird (in den Liedern hat er das Wort nicht). Zur selben Zeit spricht er von ihm und Walter als *adolescentes* v. 100. Später aber heißt Hagen *vir* (1127, 1369 und mit Gunther *viros* 1211), *heros* (632 und mit Walther *heroes* 1399), *athleta* (1411) und *satelles* (1228, 1366). Ekkehard verwendet *tiro* also im antiken Sinn für den jungen Krieger, Gerald aber im allgemeinen Sinn des Mittelalters für „Krieger, Ritter, Held" (vgl. Diefenbach 585 *tiro i. miles* ritter; Ruodlieb V 401, XIII 52).

Gewiß enden v. 14 des Prologs und v. 1074 des Epos mit *loquelis*. Aber einmal ist es für Ekkehard bezeichnend, daß er das Substantiv nur vor direkter Rede verwendet, und zwar die übrigen vier Male (256, 739, 856, 1347) in spürbarer Anlehnung an Vergil Aeneis V 842 (in den Liedern fehlt es); beim Gegensatz von Wort zu Tat dagegen gebraucht er an keiner der vier Stellen *loquela*, sondern *dictum, -a* (92, 135), *verba* (1081) und *os* (1039) [7]. Ferner ist die Verbindung wichtig, in der *loquelis* im Prolog begegnet *(quae promo loquelis)*: Ekkehard hat zwar auch *promere* für „aussprechen, ausstoßen, sagen", aber stets das Wort nur im Akkusativ dabei, bzw. seinen Inhalt s. *nullum sermonem promere* 388, *sonum muliebrem prompsit* 892, *preces pr.* 1054, *promere (scil. causas viantis) 596. V. 465 in medium prompsit de pectore verbum* steht der Grundbedeutung näher und vergleicht sich mit *promere de larga cura* im Prolog. Sonst gebraucht Ekkehard *promere* noch für das Ziehen des Schwertes v. 709, 1054); in den Liedern hat er es nicht.

Gerald nennt den Walter *(per proelia multa) resectus*, d. h. *resecare* hat hier den Sinn von „verwunden". Ekkehard aber gebraucht die ursprüngliche Bedeutung „auf-, zerschneiden", stets in der Form des Part.Praes. und auf Rüstung oder Körperteil bezogen (*resecans loricam* 911, *cervicem* 1019, *timpus* 1394), ebenso auch das Simplex *secare* für „abschlagen, abhauen" (545 *colla secentur*, 753 *cervice secta*); in den Liedern hat er beides nicht. — Auch im Gebrauch von *stringere* unterscheiden sich Gerald und Ekkehard: im Prolog *(stringit inampla diei* v. 20) hat es die eine Bedeutung von „zusammenziehen, verkürzen" und ist übertragen verwandt, im Epos aber ist die andere „abstreifen, abschneiden" (*modicum de corpore stringit* 1358) und vom Schwert dann „ziehen, zücken" (*stricto mucrone* 414, *stringunt acies* 1300) stets eigentlich, sinnlich verwandt. (In den Liedern fehlt das Verb.)

Schließlich ist auch Reehs Hinweis auf *precibus dominum*, das v. 13 des Prologs und ebenso (nicht umgekehrt, wie Reeh meint)

7) *Verbum* hat Ekkehard im Waltharius vor oder nach direkter Rede, zweimal im Gegensatz zu *facta* (1070, 1081) und ähnlich 631, wo es mit 1070 zu vergleichen ist. *Dictum* bezieht sich ebenfalls zumeist (8mal) auf direkte Rede, einmal steht es im Gegensatz zu *factum* (135). In den Liedern findet sich nur *verbum*: I 2 b von Gott, *cuncta condidit verbo*, und IV 6 b *verbis et exemplis*.

v. 942 des Epos vorkommt, ohne Beweiskraft. Abgesehen davon, daß sich die Stelle im Vers nicht entspricht, daß mit *dominum* hier Gott, dort Gunther gemeint ist, ist das zugehörige Verbum im Prolog *precor,* im Epos *deposcunt.* Ekkehard verbindet *precari* auch an den übrigen sechs Stellen nie mit einem Akkusativus personae (125, 149, 159 mit abhängigem Nebensatz im Konjunktiv mit und ohne *ut* oder mit Imperativ; 1160 folgt ein Gebet in direkter Rede, 981 *precantis* absolut im Sinne von „des ums Leben Bettelnden"; nur 22 mit Akk. rei: *foedus precari*); *deprecari* aber einmal mit Akk. pers. (*deprecor dominum* 1165), zweimal mit Imperativ bzw. Konjunktiv (1075, 1260); *precari, deprecari* fehlen in den Liedern. Das kann man eventuell auf Zufall zurückführen, nicht aber den Umstand, daß Ekkehard niemals die Figur *precibus precari* hat, obwohl er *preces* und *precari* öfter (je siebenmal) gebraucht, ebenso niemals wie Gerald v. 4 *vitā vivens* (biblisch), obwohl *vita* 12- und *vivere* 3mal erscheinen. Wir treffen hier also auf einen merklichen Stilunterschied: Gerald liebt das rhetorische Spiel mit dem Stamm eines Worts, Ekkehard aber nicht.

Zu diesen Eigenheiten im Ausdruck des Prologs gegenüber dem Epos, die sich bei den von Reeh angeführten Wörtern finden, kommen noch weitere hinzu [8]). *Plenus* verbindet Gerald mit dem Ablativ (v. 7), Ekkehard aber mit dem Genetiv (330) und hier wie auch sonst (206, 313 — in den Liedern fehlt es) nicht wie Gerald vom Menschen. — Bei Gerald erscheint *aevum* die beiden Male (v. 5, 8) nur in der Formel *in aevum,* d. h. im Sinne von „Ewigkeit", bei Ekkehard aber die drei Male nur als „Lebensalter" (29, 103, 1454 — in den Liedern fehlt es). — Gerald stellt *-que* in v. 2 an den Ort, wo für gewöhnlich *et* steht (*genitor, natusque spiritus*); v. 15 dagegen bringt ers in der üblichen Weise, v. 12 wohl auch. Ekkehard hat nur den gewöhnlichen Gebrauch: die 181mal im Epos und 9mal in den Liedern [9]). — Gerald setzt nach dem Relativum *qui* in v. 12 *nam,* Ekkehard nie trotz der 17 *nam* (mit v. 875 *Quis tibi nam furor est,* wo das *nam* anders aufzufassen ist) und der 12 *namque* im „Waltharius" (in den Liedern fehlt beides). — Das *tyro* des Prologs zeigt gegenüber dem Epos nicht nur eine andere Bedeutung, sondern auch eine andere Messung: bei Gerald die erste Silbe kurz, bei Ekkehard aber lang, wie es dem antiken Brauch entspricht [10]).

---

8) Nicht viel Gewicht ist wohl auf die verschiedene Verwendung von *certus* zu legen: Prolog v. 12 synonym mit dem daneben stehenden *fidelis; Waltharius* 451 ebenfalls auf einen Mann bezogen, aber mit abhängigem Genetiv *certum pugnae* „entschlossen zum Kampf", sonst aber als „fest, sicher, bestimmt": *certo libramine* 796, *certum triumphum* 988, *certissima fama* 170, *-spes* 1122; auch Lied II 3 a *certissimam semitam.*

9) Auch *Waltharius* v. 493 *bini montesque propinqui* steht *-que* nicht an der Stelle des *et,* wie es auf den ersten Blick vielleicht scheint. Lied V 8 b ist *-que* falsch ergänzt, es muß *et* dafür eingesetzt werden.

10) Vgl. *iūgiter* Prolog v. 13 gegen die antike Übung, ihr entsprechend aber das zum andern Stamm gehörige *iŭgali* im „Waltharius" v. 159!

Der Wortschatz Geralds im Prolog enthält folgende Vokabeln, die Ekkehard weder im „Waltharius" noch in den Liedern verwendet: *adelphus* v. 22, *despicere* 16, *inamplus* 20, *infictus* 8, *interius* 7, *iugiter* 13, *largus* 13, *libellus* 16, *longaevus* 20, *medicamen* 8, *mirus* 17, *nancisci* 14, *omnipotens* 1, *omnitenens* 13, *peccator* 11 (aber *peccans* Walth., *peccata* Lied), *perlectus* 20, *persona* 3, *pontifex* 5, *praesul* 9, *sacerdos* 21, *spiramen* 7, *trinus* 3. Wenn man das Moment des Zufalls weitgehend berücksichtigt, das Ekkehard hinderte, eine ganze Řeihe dieser Wörter zu gebrauchen, so sind mindestens drei von ihnen als Eigenheiten Geralds anzusehen, die Ekkehard auch bei passender Gelegenheit nicht verwandt hätte: *inamplus* = *valde amplus, infictus* „unverfälscht, echt", auf *Erchan* von *Erchanboldus* anspielend, *longaevus* = *longus*, Bildungen und Verwendungen, die dem antiken Latein fremd und Ekkehard nicht zuzutrauen sind.

Demnach ergibt sich: Der Prolog besitzt dem Epos gegenüber solche sprachlichen Eigenheiten und steht stilistisch auf so viel niedrigerem Niveau, daß sein Dichter Gerald auf keinen Fall auch das Epos verfaßt haben kann.

Für die Autorschaft Ekkehards I. sind uns zwei Zeugnisse erhalten, außer den Angaben Ekkehards IV. in den „Casus s. Galli", die allbekannt sind, die des Wolfger von Prüfening, in dem wir nach H. v. Fichtenau MIÖG. 51 (1937) S. 341 ff. den früher so genannten „Anonymus Mellicensis" zu sehen haben. Wolfger teilt in c. 70 folgendes mit: *Ekkehardus, monachus monasterii s. Galli, acuti satis ingenii, gesta Waltharii metro conscripsit heroico tercio regnante Heinrico."* Leider ist diese Notiz nicht ohne Fehler: nach der Zeitbestimmung könnte nur Ekkehard IV. gemeint sein; der aber kommt als Verfasser nicht in Betracht. Vermutlich ist dem Wolfger, der nach Fichtenau a. a. O. S. 351 gegen 1170, also in weitem zeitlichen Abstand von den Ekkeharden schrieb und seine Literaturgeschichte zum größten Teil aus eignen Kenntnissen schöpfte, bzw. seiner Tradition zweierlei durcheinandergegangen, daß ein Ekkehard den „Waltharius" dichtete und daß ein Ekkehard, der noch zur Zeit Heinrichs III. lebte, ihn „umarbeitete", dies freilich v o r dem Regierungsantritt Heinrichs III. Auf jeden Fall bestätigt der Anonymus, daß ein Ekkehard der Verfasser ist. Das ist wichtig; Wolfger kann seine Kenntnis nicht aus den „Casus s. Galli" haben, die zu jenem Zeitirrtum keinen Anlaß boten, auch nicht aus den Handschriften, die keinen Ekkehard nennen, sondern aus einer anderen, uns unbekannten Tradition.

Demgegenüber gibt es nun mehrere Stellen, an denen man sich wundern kann, daß Ekkehard nicht als Verfasser des „Waltharius" genannt wird. Das ist nach Reeh einmal in der Grabschrift Ekkehards IV. auf Ekkehard I. der Fall [Nr. 12]. Weil hier der „Waltharius" nicht erwähnt und nicht einmal „auf Ekkehards dichterisches Vermögen angespielt" werde, könne die Dichtung nicht Ekkehards Werk sein. Im „*Epitaphium Ekkehardo monacho, presbitero, maiori decano*" (Liber benedictionum S. 401 in Eglis Ausgabe) wird allerdings Ekkehard nur als Mönch, Priester und Dekan des hl. Gallus gefeiert (Str. 3) und nur als der beste Lehrer, der je in St. Gallen seine Mitbrüder durch Bitt- und Scheltworte leitete (Str. 5: „*Gallo doctorem num dat deus hinc potiorem, Qui increpitet fratres obsecret atque patres?*"). In den holprigen, wenig Substanz enthaltenden Versen gedenkt also Ekkehard IV. nur der Haupttätigkeit des Toten als St. Galler Geistlicher und Lehrer. Von dessen *doctrina* spricht er auch in den „Casus s. Galli". Kap. 48 heißt es: „*Ekkehardus post doctrinas decanus*", was Meyer von Knonau in den Geschichtschreibern der deutschen Vorzeit 38 (1925) S. 128 übersetzt: „nach seinen Leistungen als Lehrer"; damit wäre zu vergleichen c. 109, wo Palzo Ekkehard seinen „*magister*" nennt. An andrer Stelle erzählt er von dessen Gelehrsamkeit, deretwegen ihn der Papst eine Zeitlang in Rom festgehalten habe (*propter doctrinam* c. 80). Im weiteren Verlauf dieses Kapitels ist von ihm als „*doctus ille*" die Rede, als die geistlichen Lieder, die er dichtete, aufgezählt werden. So sehr man auch daran Anstoß nehmen kann, daß Ekkehard IV. im Epitaph nicht des Dichters gedenkt, dessen Glanz bis heute strahlt, während der des Dekans blaß ist, so läßt es sich doch aus der Einstellung Ekkehards IV. erklären. Wenn er in der Grabschrift den Beruf angeben und herausheben wollte, den sein Namensvetter im Kloster jahrzehntelang und segensreich ausgeübt hatte, so konnte er nur dessen Wirken als Dekan und Lehrer (und, was damit zusammenhängt, als Gelehrter) erwähnen; das Dichten mußte ihm demgegenüber als nebensächlich und des Mitteilens entbehrlich erscheinen. Nicht viel anders verhält er sich ja auch in den „Casus": er zitiert zwar Verse Ekkehards I. auf die Inclusa Rachilda (c. 83), erzählt, daß jener dem Notker Pfefferkorn beim Dichten geholfen habe (c. 123) und nennt vor allem in c. 80 seine geistlichen Lieder, meistens mit ihrem Anfang, und spricht dann über den „Waltharius". Aber damit füllt er, um beim Letzten zu bleiben, nicht etwa das ganze 80. Kapitel, nicht einmal dessen Hälfte, sondern erzählt mehr über Ekkehards Wirken als Dekan, seine Wallfahrt nach Rom, seine vier Neffen und seinen Tod. Seinen Dichtungen zollt er kein solches Wort der Anerkennung wie etwa den Werken Tutilos (c. 34: „*in structuris et ceteris artibus suis efficax ... versus et melodias facere praepotens...*" oder c. 46: „*que autem Tuotilo dictaverat, singularis et agnoscibilis melodie sunt...*"); im Gegenteil, den „Waltharius" sucht er möglichst herabzusetzen. Außerdem führt er uns Ekkehard I. an den späteren Stellen vorherrschend in seiner Tätigkeit als Dekan vor, siehe c. 97, 104, 105 oder besonders 138—142. Auf keinen Fall ist man also berechtigt,

daraus, daß Ekkehard IV. in der Grabschrift den „Waltharius"
nicht erwähnt, mit Reeh zu schließen, daß Ekkehard I. das Epos
nicht gedichtet haben kann. Auch müßte man ihm dann konsequenterweise die Sequenzen absprechen; das hat aber selbst Reeh
nicht getan [11]).

Reeh findet es des weiteren [Nr. 8] befremdlich, daß weder der
Prolog noch die Handschriften an einer einzigen Stelle Ekkehard
als Verfasser nennen. Unleugbar wäre es schöner, wenn der Prolog
nicht nur vom „libellus" und seinem Inhalt, den „mira tyronis
nomine Waltharius" (v. 16 ff.) spräche, sondern auch den Namen
des Verfassers brächte (s. u.). Ob nun der Dichter des Prologs den
Namen nicht wußte oder ihn verschweigen wollte und was für
Gründe ihn dazu bewogen haben, wissen wir leider nicht. Deshalb
haben wir aber keineswegs ein Recht dazu, das Werk dem Ekkehard abzusprechen: das liefe ja darauf hinaus, daß wir die Dichtung keinem Menschen (mit Namen) zuschreiben dürften. Auch
daß die Handschriften weder im Incipit noch im Explicit den Ekkehard erwähnen, ist kein Grund gegen seine Verfasserschaft. Nur
eine Handschrift nennt einen Verfasser und irrt damit (s. u.). Wie
viele Dichtungen werden aber im Mittellatein anonym weitergetragen! Ja, Ekkehards I. Lieder sind alle überliefert, ohne ihn
oder einen andern als Autor namhaft zu machen.

Dem Vorhergehenden schließt sich ein weiterer Einwand Reehs
[Nr. 6] an: keine der erhaltenen Handschriften des „Waltharius"
stammt aus St. Gallen. Das ist gewiß merkwürdig, zumal sich Ekkehards Lieder zur Hälfte in St. Galler Codices finden; das muß
erklärt werden. Wie Karl Strecker (in seiner Ausgabe, 1924,
S. XVIII f.) plausibel machte, besitzt die uns bekannte Überlieferung
bereits insgesamt den Prolog des Gerald und geht auf das Exemplar
zurück, das Gerald an Erchenbald schickte. Nach der wahrscheinlichsten Erklärung, der sich auch Reeh anschließt (S. 424 f.), ist
Erchenbald der 965—993 amtierende Bischof von Straßburg, der
sich selber literarisch betätigte (s. Reeh ebenda und Meyer von
Knonau in der Ausgabe der „Casus s. Galli" S. 274 Anm. 932) und
Beziehungen zu St. Gallen hatte (so berief er aus St. Gallen zur Zeit
des Abtes Burchard, 958—971, den gelehrten Mönch Victor nach
Straßburg, wo er als Lehrer mit Erfolg tätig gewesen sein soll,
s. „Casus s. Galli" c. 78). Übrigens suchen auch die andern Hypothesen Erchenbald außerhalb und weit von St. Gallen weg, in
Mainz, Toul, Tours, Bordeaux. Das Exemplar des „Waltharius",
das Erchenbald von Gerald erhielt, kann an sich das Original gewesen sein, dessen Übersendung Gerald eben nur mit dem Prolog
begleitete, oder eine Abschrift davon. Nun ist aber zu bedenken, daß

---

11) Wendungen. in denen „Waltharius" und die Lieder übereinstimmen,
sind: collectis viribus v. 1287 = Lied V 6 b; post conflictus longos v. 624 =
V 10 a p. l. c.; vir inclitus 217 = II 3a; relinquere terram v. 401 = terram
reliquit III 5a; flore primaevo (Vergil!) = a primo flore II 4a.

der Archetypus des Handschriftenstemmas mit dem Exemplar identisch sein kann, das Gerald übersandte: das Epos weist im Archetypus (allen Handschriften gemeinsame) Fehler auf (s. v. 299 und
588, Strecker in der Ausgabe S. XVIII), der Prolog aber nicht[12]).
Es ist also sehr wohl möglich, daß Gerald nicht das Original
schickte, sondern nur eine (fehlerhafte) Abschrift.

Auf keinen Fall darf man aus dieser Tatsache folgern, daß
Gerald auch das Epos verfaßte [s. Reeh zu Nr. 10]. Man muß annehmen, daß das Original in St. Gallen blieb und dort umkam, ohne
Verbreitung zu finden. Mit Paul von Winterfeld „Die Dichterschule
St. Gallens und der Reichenau" („Deutsche Dichter des lateinischen
Mittelalters" 1913, S. 421) lassen sich Gründe auftreiben, die sehr
wohl dazu führen konnten, daß das Original im Heimatkloster nicht
ordentlich behütet oder abgeschrieben wurde: die literarischen
Interessen des Klosters lagen im 10. Jahrhundert auf anderem Gebiet, dem der geistlichen Lyrik und der „durch Notker den Deutschen angeregten Übersetzertätigkeit"; im 11. Jahrhundert wurden
sie von den cluniacensischen Reformbestrebungen ganz erstickt.
Wie dem sein mag, in St. Gallen achtete man das Werk nicht recht;
dafür spricht auch die abfällige Kritik Ekkehards IV. (s. auch u.).

Durch Gerald und Erchenbald kam das Gedicht aus den Mauern
St. Gallens nach Straßburg und wurde dadurch gerettet. Das spiegelt sich auch in der Überlieferung wieder, von der wir dreizehn
erhaltene Handschriften und -fragmente sowie mindestens zwölf
verlorene Handschriften kennen: danach ist das Epos etwa zur
Hälfte in einem Gebiet verbreitet, das sich westlich und nordwestlich von Straßburg bis nach Nordfrankreich und Belgien hin erstreckt und sich im Gegensatz zum südlichen (E, I, N und die verlorenen Nrn. 4—6 in der Schweiz und Italien) und östlichen Kreis
(K, V mit V₁ und L, S und die verlorenen Nrn. 11 und 12 in Salzburg, Passau, Regensburg, Hirschau; hierzu auch H?) an Straßburg
enger anschließt[13]). Neben dem Auszug im „Chronicon Novaliciense" (N, erste Hälfte des 11. Jahrhunderts) und den Innsbrucker
Bruckstücken (I, 11. Jahrhundert, wahrscheinlich aus dem Kloster
Neustift bei Brixen stammend) finden sich in jenem Westgebiet die
ältesten Handschriften: die vier verlorenen aus Toul (bei Strecker
Nr. 1—3, 1084 bezeugt) und Stablo bei Lüttich (Nr. 8, 1105 bezeugt),

---

12) Karl Strecker hat zwar in den beiden Auflagen seiner „Waltharius"-
Ausgabe die beiden Konjekturen Wilhelm Meyers für *omnitonantem* (v. 13)
und für *sit* (v. 19) aufgenommen, aber nicht mehr in Poetae V 407 f. und
hat das auch in den Anmerkungen durch überzeugende Parallelen begründet. Damit ist der Archetypus des Prologs fehlerfrei.

13) Edward Schröder verwies zwar im Anz. f. deutsches Altertum 44, 71
auf „die Möglichkeit, daß die eigentliche Verbreitung des Werks von Lothringen ausging"; er zog aber später diese Vermutung wieder zurück, weil
die Handschriften das anlautende H der Eigennamen zum größten Teil
festgehalten haben, s. Studien zur lat. Dichtung des Mittelalters, Ehrengabe für K. Strecker, 1931, S. 151 f.

die beiden erhaltenen B und P, die ins 11.—12. Jahrhundert datiert werden, B aus der Abtei Gemblours im Lütticher Sprengel und P vielleicht aus Fleury. Dazu kommt wohl noch die Handschrift, die Ekkehard IV. in Mainz zwischen 1022—31 gehabt haben muß (s. u.). Auch die ältesten Zitate des „Waltharius" begegnen in diesem großen Westkreis: Walter von Speyer spielt in seiner „Passio s. Christophori" (c. 983) VI 83 auf v. 20 des Geraldusprologs an, s. Karl Strecker in der Zs. f. deutsches Altertum 69 (1932) 115 ff. und 144, sowie Poetae V, S. 58 zu v. 83; in einem Gedicht, das in der aus St. Avold stammenden Metzer Handschrift 377 steht, ist v. 74 des Epos parodistisch verwandt, s. Karl Strecker in der Zs. f. deutsches Altertum 69, 113 ff. Die drei erhaltenen Handschriften jenes Westkreises, außer B und P noch T, die wohl aus dem nahen Mettlach nach Trier gekommen ist, gehören bezeichnenderweise alle zu einer Handschriftenklasse (γ).

Viel gewichtiger sind die Probleme, die uns das Zeugnis Ekkehards IV. über unsern Ekkehard aufgibt. Da empfiehlt es sich, zunächst einmal zu klären, wie es um die Glaubwürdigkeit Ekkehards IV. im allgemeinen steht. Die „Casus s. Galli" sind keine wirkliche Geschichtsquelle, die die historischen Geschehnisse ungetrübt wiedergibt. Wie der Verfasser selber im Vorwort sagt, hat er sich nur vorgenommen, die mündliche Klosterüberlieferung aufzuzeichnen *(quaedam cenobii tradere... ea, quae a patribus audivimus)*, d. h. keine eigentliche Geschichte zu schreiben. Daraus erklärt sich der anekdotische Charakter: bis zum Schluß überwiegen die biographischen Schilderungen hervorragender Klosterinsassen. Mitbrüder regten Ekkehard IV. zum Schreiben an; den wahren Anlaß aber bildete die auch ihn erfüllende Proteststimmung gegen die cluniacensische Reform, die nach dem Willen Konrads II. der 1034 eingesetzte Abt Norpert in St. Gallen einzuführen bestrebt war. Im Vorwort schrieb er ja: Wir leben jetzt „unter Norperts Leitung nicht, wie er selbst und wie wir, wie man sagt, es wollen, sondern (nur), wie wir können". Wie den alten St. Gallern, so erschien auch Ekkehard IV. die Gegenwart düster, die Vergangenheit aber um so heller. Seine „Casus" beherrscht die Tendenz, die Vergangenheit zu verteidigen und Norperts Bestrebungen abzulehnen, ja von vornherein alle, auch die früheren, Reformversuche und Einmischungen als unnötig und schädlich hinzustellen. Zu diesem Zweck muß er die Wahrheit verschleiern, historische Persönlichkeiten und Ereignisse ungerecht verzeichnen, überhaupt den Stoff daraufhin auswählen und gestalten. Weil er außerdem bei der Abfassung zu eilfertig vorging und das reiche Urkundenmaterial des Klosterarchivs nicht benutzte, sind ihm viele Irrtümer unterlaufen, Verstöße in Zeit- und Ortsangaben, Verwechslungen von Personen und Verhältnissen; z. T. ist er freilich dadurch entschuldigt, daß er den Ereignissen schon recht fern stand. Daher urteilte Meyer von Knonau (Geschichtschreiber 38, 1925, S. XXXVI), „daß man sehr unrecht täte,

diese Dinge, weil sie hier stehen, oder so, wie sie hier stehen, zu
glauben, sondern daß es überall der genauesten Nachprüfung bedarf". Das soll nicht heißen, daß alles ungenau und falsch ist, was
Ekkehard IV. berichtet, oder daß er gar alles erfunden hat. Man
hat namentlich darauf zu achten, ob die Einzelheiten stichhaltig
sind, ob sich in der Darstellung und Beurteilung eine gewisse Freiheit und besonders jene Tendenz abheben lassen.

Im Bericht der „Casus" über den „Waltharius" erregt einmal die
Bezeichnung des Epos als *„vitam Waltharii manu fortis"* Anstoß:
das Epos ist alles andere als eine Lebensbeschreibung. Auffällt aber
außerdem das Attribut *„manu fortis"*. In der Dichtung begegnen
zwar *fortis* und *manus* häufig (14- und 16mal), aber niemals beide
zusammen in der Verbindung *manu fortis*. Walter wird nur *fortis
vir* (454, 895), *fortissimus heros* (649) genannt oder *fortior* (1028,
1419). Wohl aber findet sich in den „Casus" c. 136, wie schon Rudolf
Peiper in seiner Walthariusausgabe 1873, S. LIV Anm. 11 bemerkte[14]), dies Epitheton in gewöhnlicher Erzählung; dort heißt es
von einem sonst unbekannten Bernhard: *„raucosus ludibunde vocis
erat et morum, manu fortis quidem."* Jenes *manu fortis* bei *Waltharii* ist also deutlich ein Ausdruck und Zusatz Ekkehards IV. und
läßt es nicht als verwunderlich erscheinen, wenn bei der Titelangabe
noch eine Besonderheit auftritt. Da sich auch sonst Ekkehard IV.
in Einzelheiten nicht korrekt verhält, so ist es schon an sich am
wahrscheinlichsten, daß er den Inhalt ungenau oder falsch mit *Vita*
umschrieben hat. Nicht viel Gewicht will ich darauf legen, daß
auch im Katalog der Stabloer Kirchenbibliothek von 1105 das Epos
„vita Waltarii" genannt wird, mehr jedoch darauf, daß Ekkehard IV. unsere Heldendichtung gekannt und daher auch hier gemeint haben muß. Karl Strecker hat in den Neuen Jahrbüchern
2, 575 Anm. 1 nachgewiesen, daß die Stelle in den „Casus" c. 40
„silvam latronibus aptam" dem v. 496 des „Waltharius" *(„apta
statio latronibus")* nachgebildet ist: im „Waltharius" ist das Attribut
durchaus am Platz, in den „Casus" aber ist der gleichlautende Ausdruck seltsam und wird erst im folgenden Text motiviert.

Reeh (S. 416) will aber aus dem Titel bei Ekkehard IV. folgern,
daß Ekkehard I. nicht das Heldenepos, sondern eine wirkliche
„Vita" verfaßte, die „so ungefähr alles gebracht hat, was man von
Held Walther wußte", in der aber „vorwiegend die Heldentaten
Walthers besungen wurden". Er setzt zwei Walthariusdichtungen
in Hexametern an, unser Epos in der zweiten Hälfte des 10. Jahrhunderts von Gerald und daneben bzw. davor die nicht erhaltene,
nur nach Ekkehard IV. angesetzte „Vita" in der ersten Hälfte des
10. Jahrhunderts, von Ekkehard I. verfaßt. Das ist reichlich unwahrscheinlich und wird unmöglich, wenn man folgendes bedenkt.
Ekkehard IV. müßte nach dieser Hypothese zwei Walthariusepen

---

14) Einen weiteren Beleg habe ich nicht hinzugefunden.

gekannt haben, ohne von dieser Doppelheit etwas zu erwähnen. Vor allem aber: von einer „Vita" wissen wir sonst nichts; denn die Notiz des Wolfger von Prüfening (s. o.) auf die „Vita" und nicht auf unser Heldenepos zu beziehen (und danach anzunehmen, daß auch die „Vita" in Hexametern abgefaßt war), ist bare Willkür. Ekkehard IV. behauptet, er habe in Mainz auf Befehl des Erzbischofs Aribo den „Waltharius" entsprechend seinem Können und Wissen verbessert; denn Ekkehards I. deutsches Blut und die Eigenheiten seiner Heimatsprache hätten nicht den Deutschen, der noch ein Anfänger im Latein war (*Teutonem adhuc affectantem*, so von Reeh wohl richtig umschrieben), plötzlich zum Lateiner werden lassen. Reeh wendet ein [Nr. 3], Ekkehard IV. sei zu solcher Korrektur nicht fähig gewesen, „da sich seine eignen Dichtungen, soweit sie uns erhalten sind, in bezug auf stilistische Kunst mit dem ‚Waltharius' auch nicht im entferntesten messen können".

Ekkehard IV. hat ein Gedicht an seinen Bruder Ymmo verfaßt „*De lege dictamen orandi*". Darin fordert er vom Dichter, poetische Worte zu wählen, die aber zueinander passen müssen, den Ausdruck abzuwechseln, Metaphern zu gebrauchen; dabei warnt er übrigens auch vor einer Sitte, die man in der deutschen Sprache befolge: „*Teutonicos mores caveas nova nullaque ponas*" (herausgegeben und besprochen von K. Simons in: Verslagen en mededeelingen der kon. Vlaamsche Academie voor Taal- en Letterkunde 1907, S. 563 f.). Wie er selbst an eigenen Versen feilt, läßt sich am Galluslied beobachten: Ratperts althochdeutschen Hymnus übersetzte er ins Mittellatein und stellte drei Fassungen her, die in Einzelheiten abweichen. Bei der Lektüre der Kirchenväter schrieb er mancherlei Bemerkungen an den Rand und trieb Textkritik, dabei ging er behutsam und vorsichtig vor. Überhaupt wird man einem so langjährigen Lehrer und produktiven Schriftsteller, wie er einer war, ein gewisses Geschick oder wenigstens eine gewisse Übung im Verbessern zugestehen müssen. Freilich kann er sich als Dichter keineswegs mit Ekkehard I. messen; man wird ihm auch nicht zutrauen, daß er eine fertige Dichtung vollständig umarbeitet und dann ein so vorzügliches Kunstwerk zustande bringt, wie es der Text unsres Epos ist. Wohl aber ist er durchaus imstande, einige Verbesserungen anzubringen; mehr anzunehmen fordert ja auch die zitierte Stelle der „Casus" nicht. Sie mit Reeh zu verdächtigen, geht zu weit.

Im Anschluß daran fragt Reeh [Nr. 4], wo der von Ekkehard IV. verbesserte Text geblieben sei; man habe ihn bislang nicht gefunden und daher annehmen müssen, daß er verloren sei: „ein nicht gerade überzeugender Ausweg aus schlimmer Verlegenheit". Gewiß läßt sich nicht erweisen, daß die Bearbeitungen des Textes, die sich erhalten haben, in der Wiener Handschrift und in den Engelberger Bruchstücken, oder die Gestalt des Archetypus unserer Überlieferung von Ekkehard IV. herrührt. Aber reicht das allein

etwa aus, um die Angabe Ekkehards IV. für falsch zu erklären? Der
weitere Text der „Casus" bringt den Vorwurf, Ekkehard I. sei beim
„Waltharius" einer falschen Schulmeinung von Halblehrern gefolgt,
indem er den Text erst deutsch entwarf und ihn dann in der
gleichen Reihenfolge ins Latein übersetzte. Diese Charakteristik
paßt in Wirklichkeit ganz und gar nicht zum „Waltharius"; denn
sein Latein enthält nicht mehr Vulgarismen oder Germanismen als
das andrer Dichtungen und unterscheidet sich in dieser allgemeinen
Tendenz selbst nicht von Ekkehards IV. Sprache in den „Casus".
Mit Karl Strecker (Neue Jahrbücher 2, 577) läßt sich das ab-
sprechende Urteil Ekkehards IV. dahin erklären, daß er übertrieb
und sich als Schulmeister gegenüber der Arbeit eines „Schülers"
aufspielte.

Mit Recht ist etwas anderes in jener Charakteristik Ekkehards IV.
viel mehr aufgefallen: er schildert Ekkehard I. als *„puer"*, der erst
anfing, Latein zu schreiben, und noch nicht die Fremdsprache voll
beherrschte. Der „Waltharius" ist aber keine mangelhafte Schülerarbeit, sondern ein vollendetes Meisterwerk. Außerdem will die
große Belesenheit, die man ihm nachgewiesen hat (s. K. Strecker in
der Ausgabe 1924, S. IV f.), zu einem *„puer"* nicht recht passen. Diese
beiden schweren Einwände bringt Reeh gleich im Anfang vor
[Nr. 1, 2]; er gibt aber zu, daß sich der Dichter selber in den Schlußversen des Epos 1453 ff.) als jungen Menschen bezeichnet, der den
Leser für sein Alter und seinen Erstling um Nachsicht bittet, „der
vielleicht schon 25 oder gar 30 Jahre alt war"[15]). Durch die Untersuchung Adolf Hofmeisters („Puer, Juvenis, Senex. Zum Verständnis der mittelalterlichen Altersbezeichnungen": Papsttum und
Kaisertum, Festschrift für P. Kehr, 1926, S. 287 ff.) wissen wir, daß
die Bezeichnung *puer* im Mittellatein bis zum Alter von 28 Jahren
ausgedehnt werden kann. Diesem Gebrauch hat sich Ekkehard IV.
offenbar angeschlossen. Er gebraucht *puer* einmal für den Knaben,
der noch klein und unmündig ist, s. c. 31 *puer* von einem armen
kleinen Blinden, den er *pauperculum quendam ceculum* und *tantil-
luli* nennt, c. 51 *senes cum pueris*, die vor den Ungarn in Sicherheit
gebracht werden. Daneben hat er für diese Knaben besondere Bezeichnungen: *pueruli* (c. 16 gibt König Konrad bei seinem Besuch in
St. Gallen den *puerolis* drei Tage frei zum Spielen, c. 31 träumt
einer Schwangeren, sie habe einen Igel geboren, und es eilten, um
ihm die Stacheln auszureißen, herbei *puerulos plures)* und *parvuli*
c. 26. Hier ist von den Klosterschülern die Rede, die *pueri* und
scolares genannt werden: *parvuli Latine pro nosse, medii rithmice,
caeteri vero metrice... illum affantur. Puer* hat bei Ekkehard IV.

---

15) Julius Schwietering hat im Anz. für deutsches Altertum 46, 1927,
S. 36 den Schluß als reine Bescheidenheitsformel ansprechen wollen; gewiß
darf man daraus nicht die falsche Vorstellung eines Schulexerzitiums
schöpfen, das Ekkehard in unreifen Knabenjahren anfertigte, wohl aber
entnehmen, daß das Werk sein Erstling war und er noch jung an Jahren.

also noch einen zweiten, viel weiteren Sinn, der sich bis in die zwanziger Jahre hinein erstreckt; vgl. auch c. 2: *scolae claustri cum Notkero postea cognomine Balbulo et caeteris monachici habitus pueris.* Dem mittelalterlichen Brauch entsprechend werden ferner *adolescens* und *iuvenis* durcheinander gebraucht, *iuvenis* für *adolescens,* d. h. für die Altersstufe von 14—28 Jahren, s. c. 128, wo Ekkehard IV., den Abt Notker als sehr jung darstellt: *illum delicatum iuvenem, iuvenem puellae similem;* im Gegensatz zu den „Alten" c. 67 *(senibus, qui tunc iuvenes aderant),* 136 *(iuvenes et senes);* vgl. auch c. 92 *fratrum pars, maxime iuvenum.* C. 103 wird der Metzer Bischof Dietrich *adolescens* und *iuvenis* nebeneinander genannt. — Danach wird man also mit der Annahme, daß Ekkehard I. bei der Abfassung seines Epos Mitte der Zwanziger war, sicher der Wahrheit am nächsten kommen und so auch die Angaben der beiden Ekkeharde in Einklang miteinander bringen. Bei der Bemängelung des „Waltharius" als schlechter Anfängerarbeit dürfte Ekkehard IV. wie im Vorigen, das ja damit zusammenhängt, nur den Schulmeister herausgekehrt haben.

Und noch ein letztes Bedenken! Wie kommt es, „daß gerade eine so weiche und friedliche Natur wie Ekkehard I., der ... sonst fast ausschließlich geistliche Dichtungen verfaßte, ein Werk von solcher Kampfesfreude wie das uns erhaltene Waltharilied gedichtet haben sollte" [Reeh Nr. 7]? Geralds Prolog betont ja auch, daß der Stoff nicht geistlich, sondern weltlich ist (v. 17, 19). Was wir von Ekkehard I. sonst noch an Dichtungen erhalten haben, sind sechs Sequenzen auf die Trinität, St. Afra, die Heiligen Benedikt, Kolumban, Johannes den Täufer und Paulus sowie ein Hymnus auf einen Märtyrer, schließlich ein Distichon eines Rachildgedichtes. Ekkehard IV. nennt noch „*antiphonas de S. Afra*" sowie zwei Hymnen wohl auf den hl. Andreas, die alle verloren sind. Schließlich ist uns noch überliefert, daß er eine „Vita s. Wiboradae" begann, aber durch den Tod an der Vollendung gehindert wurde, vgl. Hartmann von St. Gallen „Vita s. Wiboradae" c. 45 und Hepidannus im Vorwort zur Bearbeitung dieser „Vita" (MGH. SS. 4, 456 und Anm. 28).

Zwischen dem „Waltharius" und den späteren Werken Ekkehards besteht allerdings ein großer Unterschied, scheinbar schon im Reim, sicher aber im Stoff und in der künstlerischen Qualität. Leoninischer Reim in der strengen Form, in der die dritte Hebung mit dem Versschluß gebunden wird, begegnet im „Waltharius" zu etwa 25 Prozent. Er ist über das ganze Gedicht hin fast gleichmäßig verteilt: v. 1—400 29 Prozent, v. 401—900 19 Prozent, dann 26 Prozent. Schon bei diesen Zahlen lehrt ein Vergleich mit antiken und nicht reimenden mittellateinischen Dichtern, daß man bei Ekkehard nicht mehr von Meiden des Reims reden darf: Vergil etwas über 6 Prozent, Ovid 10—11 Prozent und Walter von Châtillon 7,8 Prozent, s. H. Christensen, Das Alexanderlied Walters v. Chât. 1905, S. 68 und Anm. 2. In Wirklichkeit ist der Prozentsatz viel höher anzusetzen, weil die Reimtechnik des 10. Jahrhunderts noch nicht forderte, die strenge Form rein durchzuführen, sondern auch gestattete, daß die 2. oder 4. Hebung mit der Kadenz reimte und daß assonierende Reime verwandt wurden. Fürs Erste bedarf es keiner Belege, fürs Zweite s. etwa Hrotsvit in den „Primordia" *ergo: Oda* v. 21, *trepides: pavescas* 53, *matris: faciendi* 91 und vor allem Ekkehard I. selber im „Hymnus in Natale unius Martyris", wo er von acht Reimpaaren nur fünf einsilbig rein reimt, zwei assonierend (*-is: -i* und *o: a*) und einen wohl gar nicht (freilich paßt das eine Versende *-i* zu dem *-i* des folgenden Reimpaars). Nehmen wir also im „Waltharius" noch hinzu, was wir danach zum leoninischen Reim hinzurechnen müssen! In v. 1—100 reimt die 3. Hebung mit dem Versschluß 20mal rein und die 4. Hebung 17mal ebenso rein; zu diesen 37 kommen etwa 42 assonierende Fälle wie v. 2 *linguis: gentes,* 15 *orta: narro* oder 36 *tantum: Hiltgunt.* Von 100 Versen sind also 79 leoninisch gereimt; die versus caudati spielen demgegenüber keine Rolle (in v. 1—100 nur fünf mit einsilbig reinem Reim). Mag man auch im einzelnen zweifeln, ob dieser oder jener Fall noch als assonierend und nicht schon als reimlos anzusehen ist, auf jeden Fall ergibt sich, daß Ekkehard schon im „Waltharius" den Reim kräftig angestrebt hat.

Man darf behaupten, daß er sich darin dem Brauch seiner Zeit angeschlossen hat, muß das aber noch erläutern oder beweisen. Wenn man die Aufstellungen Karl Streckers „Leoninischer Hexameter und Pentameter im 9. Jahrhundert" (NA. 44, 1922, S. 213 ff.) durchsieht, kann man leicht auf den Gedanken kommen, daß Ekkehards Reimpraxis fürs 10. Jahrhundert nicht fortgeschritten genug sei: der leoninische Reim übersteigt zwar bei Walahfrid keine 20 Prozent, aber Ende des 9. Jahrhunderts war er in St. Gallen „sehr beliebt", wenn auch „noch nicht unbedingt gefordert"; Notker Balbulus hat schon Gedichte „streng" oder „fast ganz gereimt", Salomo III. schreitet von 50 zu 100 Prozent Reim fort. Etwa gleichzeitig mit dem „Waltharius" entstand die „Ecbasis cuiusdam captivi", deren Hexameter alle mit nur geringen Ausnahmen leoninischen Reimschmuck tragen, etwa ein Menschenalter später die Dichtungen der Hrotsvit, die noch exakter gereimt sind. Trotzdem ist es nicht erlaubt, fürs 10. Jahrhundert etwa die Regel aufzustellen, daß es den leoninischen Reim ganz und streng durchführt. Schauen wir nur in den ersten Teil von „Poetae" V! Dessen zwölf datierbare Dichter fallen ins letzte Drittel des 10. und in den Anfang des 11. Jahrhunderts. Sogar bei einem Walter von Speyer ist „der einsilbige Reim durchaus nicht immer rein", ja „eine ganze Reihe von Versen" entbehrt des Reims (Strecker S. 8 f.). In der „Vita s. Clementis" sind die leoninischen Verse „nicht allzu häufig" (S. 111), die „Vita s. Ursmari" hat viele Verse ohne Reim (S. 176), die Distichen der „Vita s. Erluini" sind mit Reim „selten ausgestattet" (S. 249), die Reimtechnik der „Vita s. Cyriaci" ist „wenig entwickelt", sie hat

„auch ganz reimlose Verse" (S. 257). Auch die „Vita s. Bavonis" und „Vita s. Liudgeri" haben nicht nur assonierenden Reim, sondern beide mitunter gar keinen Reim. In den rhythmischen Versen der „Vita s. Liudtrudis" fehlt der Reim sogar „fast vollständig" (S. 154). Also zwei Drittel der ins 10.—11. Jahrhundert gehörenden Autoren haben den leoninischen Reim nicht rein und streng durchgeführt. Um auch ins Einzelne zu gehen: in der ganzen „Vita s. Clementis" ist die 3. Hebung mit der Kadenz zu 23 Prozent rein gereimt. V. 1 bis 100 haben außer den 23 reinen und strengen Fällen zwei, wo die vierte, und einen, wo die zweite Hebung mit dem Versschluß rein reimt, und außer diesen 26 noch 33 assonierende — das sind Zahlen, die sogar noch unter denen des früher entstandenen „Waltharius" liegen! Die Caudati kommen etwas häufiger vor als in unserm Epos, in v. 1—100 z. B. 10mal.

Ekkehards Reimtechnik im „Waltharius" paßt nicht nur in den Rahmen des 10. Jahrhunderts, sie braucht auch keineswegs seinem späteren Verfahren in der religiösen Dichtung zu widersprechen. Das eine Distichon, das uns allein vom Rachildgedicht überliefert ist, hat zwar denselben einsilbigen Reim in Zäsur und Kadenz ganz und rein durchgeführt (aaaa, sogenannte „Versus unisoni"). Aber einmal kann man aus dem einen Beispiel noch nicht schließen, daß das ganze Gedicht so durchgereimt war: im „Waltharius" haben öfter zwei Verse — und das sind nur Hexameter, keine Distichen! — denselben Reim, s. 105/6, 158/9, 267/8, 279/80, 384/5, 386/7 ... Zum andern ist die Reimtechnik in Ekkehards (später verfaßtem) „Hymnus" noch recht unvollkommen (s. o.). Während die Lieder geistlichen Inhalts sind (sie behandeln die üblichen Themen der liturgischen Dichtung und waren für den Gesang im Gottesdienst bestimmt), ebenso auch das Rachildgedicht und die nicht erhaltenen Schriften, gibt der „Waltharius" eine deutsche Heldensage wieder; es fehlt ihm aber keineswegs die geistliche Färbung, die zum Teil erst Ekkehard I. hinzufügte: man denke nur an den ersten Vers, in dem er sich an seine *„fratres"* wendet, und an den letzten: *„... vos salvet Jesus!"* Doch reicht solcher Gegensatz nicht aus, um beides einem Verfasser abzusprechen. Es gibt eine Menge mittellateinischer Schriftsteller, die weltliche und geistliche Themen nebeneinander bearbeiteten. So dichtete z. B. der Kanoniker, Lehrer und Notar Walter von Châtillon Ende des 12. Jahrhunderts neben kirchlichen Liedern besonders auf das Weihnachtsfest, Bußliedern, Satiren gegen die Verderbtheit der Welt und speziell der Geistlichkeit auch Gedichte auf Zeitereignisse, Frühlings- und Liebeslieder, Gedichte persönlichen Inhalts und das weltliche Epos über Leben und Taten Alexanders d. Gr.

Ekkehard I. wird in den „Casus" als frommer, mildtätiger, weicher Mensch geschildert. Er zeigt sich dem nachts ins Kloster eingeschlichenen Abt Ruodmann gegenüber versöhnlich (*animi piissimi*

c. 92); er wird als *eleemosinarius* von einem Bettler, der sich als Lahmer verstellt, genarrt und schilt noch obendrein den Knecht, der jenem die verdiente Strafe zuerteilte (c. 88). Im 80. Kapitel, das für seine Charakterisierung am wichtigsten ist, wird gleich zu Beginn seine *caritas* gepriesen, die er noch bewußt gesteigert habe: *Ekkehardo natura et studio caritatis dulcedine pleno.* Als dort Ekkehard IV. von dessen Aufenthalt in Rom und seinem Verkehr mit dem Papst berichtet hat, schwenkt er ab: *„multa de eo post dicenda sunt; sed prius, a quo spiritu ductus sit, ex verbis ipsius nosci licet.* In der anschließenden Aufzählung der Dichtungen bringt er zuerst die Sequenzen, Antiphonen und Hymnen, spricht dann abschätzig vom nicht geistlichen „Waltharius" als Jugendarbeit, die jener als Schüler für seinen Lehrer in schlechtem Latein und mit falscher Methode anfertigte, und streicht demgegenüber die Paulussequenz heraus. So wird deutlich genug, daß er unter *„spiritus"* die fromm-kirchliche Einstellung versteht, auf deren Hervorkehrung es ihm ja bei seinen „Casus" hauptsächlich ankam und zu der der weltlich-kriegerische „Waltharius" nicht paßt. Die Herabsetzung des Epos ist also nicht nur auf den Schulmeister in Ekkehard IV. zurückzuführen, sondern auch auf den alten St. Galler, der für die frühere Klosterzucht und -zeit eifert. Das wird noch dadurch unterstrichen, daß er im Anschluß daran Ekkehard I. rühmt, weil er dem Kloster vier Neffen zugeführt habe. deren jeden man *„speculum aecclesiae"* nennen müsse; solche Schößlinge habe dieser Weinstock getragen.

Demnach ist sicher die Charakteristik Ekkehards I. in den „Casus" durch die dort vorherrschende mönchische Tendenz einseitig und übertrieben; außerdem berücksichtigt Ekkehard IV. nur den Dekan (c. 74 wird er zum ersten Mal genannt, bereits als Dekan), d. h. nur den älteren Ekkehard I. und sagt selber, daß sein Namensvetter seine menschenfreundliche und barmherzige Gesinnung noch besonders gepflegt habe. Mit dieser Schilderung läßt sich daher sehr wohl die Tatsache vereinbaren, daß Ekkehard I. auch für Weltliches Interesse hatte, noch dazu in der Zeit vor dem Dekanat, in seiner Jugend, die die „Casus" gar nicht berühren.

Der „Waltharius" ist die überragende Leistung eines dichterischen Genius vor allem durch die meisterhafte epische Darstellung. Die geistlichen Lieder Ekkehards I. dagegen sind zwar weit besser als die Verse, die Ekkehard IV. zimmert, aber sie stehen nicht auf derselben Höhe wie das Epos: ihre Kunst liegt im guten Durchschnitt, ihr Inhalt und ihre Darstellung im Üblichen und Konventionellen, in dem kein Raum fürs Persönliche ist, wohl aber für Gelehrsamkeit wie griechische Wörter. Hierzu stimmt es auch, daß Ekkehard nur den Text schuf, die Melodien aber übernahm: sie lassen sich bei fünf von den sechs Sequenzen auf bereits vorhandene zurückführen.

Aus Ekkehards IV. Bericht geht hervor, daß das Epos und die Lieder nicht zur selben Zeit entstanden sind, jenes in der Jugend, diese später. Der junge Klosterbruder, der sich mit der lateinischen Sprache völlig vertraut gemacht und die lateinische Literatur eingehend studiert hatte, der besonders Vergil, Prudenz und die Bibel im Kopf hatte, kam etwa im Alter von 25 Jahren durch Anregung eines älteren Klosterbruders, der vielleicht sein Lehrer war, es aber damals nicht mehr gewesen zu sein braucht, auf den heimischen Stoff der Waltersage und brachte ihn in die Form eines Epos. Wie wir noch heute nachfühlen können, begeisterte ihn die menschlich und völkisch anziehende Sage und riß ihn zu höchstem Schwung hin. Später wuchs er ganz in die geistliche Atmosphäre und seinen Mönchsberuf hinein und spannte seine Muse nur noch in den Dienst der Kirche ein. Das ist eine Entwicklung, die sich durchaus begreifen läßt; man vergleiche nur die häufig überlieferte Umkehr vom weltlich-heidnischen Studium zum geistlich-kirchlichen, der durch eine Vision, eine schwere Erkrankung o. ä. herbeigeführt wird; das wird sogar zu einem typischen Motiv, so daß man nur bei wenigen aus der großen Zahl derer, von denen etwas derartiges berichtet wird, an wirkliches, eigenes Erleben glauben kann. Möglicherweise hat sich Ekkehard I. später als frommer Dekan nicht mehr gern zu seiner weltlichen Jugendarbeit bekannt. Jedenfalls hat die Heldensage seinen Dichtergenius entfaltet, die geistlichen Themen aber nicht. So läßt sich jener Gegensatz sehr wohl überbrücken, dessen Größe nicht unterschätzt werden soll, aber auch nicht überschätzt werden darf.

Zusammenfassend ist folgendes festzustellen. Wenn wir auch infolge der dürftigen Überlieferung die Brücken zwischen den großen Gegensätzen von kriegerischem Heldensang und frommer Schriftstellerei, von des Lateins noch nicht mächtigem Schüler und reifem, belesenem Meister auf völlig gefestigtem Grunde schlagen können, so sind doch diese Gegensätze nicht so stark, daß sie sich nicht an sich und in unserm speziellen Fall verbinden und auf e i n e Person beziehen lassen. Damit wird Ekkehard I. wieder als Verfasser des „Waltharius" eingesetzt und zugleich auch jenem Bericht in den „Casus" so viel Glaubwürdigkeit zugemessen, wie ihm nach dem allgemeinen Maß zusteht: die Grundzüge des Inhalts sind richtig, viele Einzelheiten dagegen bedürfen der Korrektur, auch muß die Tendenz berücksichtigt werden. Dabei will noch eins beachtet sein: Ekkehard IV. bringt der Musik viel Interesse entgegen. Er achtet bei den wichtigeren Persönlichkeiten stets auf ihre musikalischen Verdienste und würdigt sie kritisch und mit feinem Verständnis. Von Tutilos Tondichtungen stellt er einige heraus, damit der Leser seine Eigenart erkenne. Bei Waltram führt er eine Sequenz an, weil sie ohne seinen Namen aufgezeichnet sei. In Kap. 47 schildert er ausführlich die Bestrebungen Karls d. Gr. um Hebung des Gesangs nördlich der Alpen und zeigt hier auch tiefere Kenntnis von der musikalischen Tätigkeit Notkers des Stammlers. Er rühmt der Musik

nach: sie sei naturgemäßer als die andern Artes liberales und, wenn
auch schwieriger zu lernen, so doch im Gebrauch viel lieblicher (c. 33).
Daher verdienen seine musikalischen Notizen Vertrauen, wenn man
natürlich auch hier auf kleinere Irrtümer gefaßt sein muß; so soll an
unserer Stelle Ekkehard I. für Bischof Liutold von Augsburg gedichtet haben, der sein Amt erst 16 Jahre nach Ekkehards Tod an-
trat. Damit wird die Glaubwürdigkeit der Angaben über Ekkehards I. geistliche Lyrik sehr gestärkt, sie dehnt sich von dort auch
auf den „Waltharius" aus: man darf bei Ekkehard IV. ein besonderes
Interesse und eine gewisse besondere Sorgfalt in den Angaben über
seinen Namensvetter und dessen literarische Tätigkeit voraussetzen.
Überdies sieht es doch ganz so aus, als ob er ihm den „Waltharius"
am liebsten abgesprochen hätte, so schlecht macht er ihn, weil er
ihm nicht in sein Konzept paßt.

Wer aber bestreitet, daß man aus dem Bericht Ekkehards IV.
nicht einmal so viel herauslesen darf, daß Ekkehard I. den „Waltharius" verfaßte, der muß sich über die Folgerungen klar sein,
die sich daraus ergeben: er würde damit die ganzen „Casus" für erfunden und erlogen erklären — und hätte das zu beweisen. Außerdem darf nicht vergessen werden, daß der Name Ekkehard für den
Dichter des „Waltharius" auch durch Wolfger überliefert ist!

Aus der Wiedereinsetzung Ekkehards als Verfasser des „Waltharius" folgt, daß das Epos in St. Gallen verfaßt ist, und zwar
gegen 930. Ekkehard wurde in der Nähe von St. Gallen geboren,
trat dort ins Kloster ein und wirkte hier die längste Zeit seines
Lebens namentlich als Dekan. Daß er sich längere Zeit an einem
anderen Ort aufgehalten hat, ist uns nicht überliefert und ist nicht
wahrscheinlich. Durch die Annales Sangallenses maiores, Ekkehards IV. „Casus s. Galli" c. 80 u. a. ist das Datum vom Tod Ekkehards I. festgelegt: 14. Januar 973. In biblischem Bilde spricht Ekkehard IV. an jener Stelle von der guten Reife des Weinstocks *(vitis
bene matura)*; demnach ist Ekkehard I. Anfang des 10. Jahrhunderts
geboren. Da er das Epos in jungen Jahren, vermutlich nicht mehr
als Klosterschüler verfaßte, so kämen wir schon damit in die Zeit
gegen 930.

Den ältesten Nachweis einer Waltghariushandschrift gibt uns
der Geraldusprolog: er ist ja zur Übersendung einer Handschrift
gedichtet und fällt in die Zeit von 965—970, da der Empfänger
Erchenbald erst 965 Bischof von Straßburg wurde und der Absender
Gerald gegen 970 (sie unten) gestorben ist [16]. Von Rudolf Peiper

---

16) Das älteste Zitat wohl in der „Passio s. Christophori" des Walter
von Speyer, siehe oben.

(Walthariusausgabe 1873, S. LXVII) rührt eine ansprechende Vermutung her, die recht wahrscheinlich ist und sich stützen läßt. Am 1. Mai 926 fielen die Ungarn in St. Gallen ein und plünderten, was die Mönche bei ihrer eiligen Flucht nicht hatten mitnehmen können, vgl. den anschaulichen Bericht in den „Casus s. Galli" c. 51 bis 56. Damals wurde die bei St. Gallen hausende Klausnerin Wiborada von den Ungarn erschlagen, dieselbe, deren Leben Ekkehard I. kurz vor seinem Tod zu schreiben begann. Es läßt sich sehr wohl denken, daß im Zusammenhang damit das Interesse an den Zügen der Hunnen, die man damals mit den Ungarn zu identifizieren pflegte, erwachte und so Ekkehard I. auf die Waltersage aufmerksam gemacht wurde. Wenn auch die wilden Ungarn von 926 nicht auf den Hunnenkönig Etzel des „Waltharius" abgefärbt haben, der ja so human und milde gesinnt ist, so spricht das nicht gegen jene Vermutung; das liegt vielmehr in der Waltersage begründet. Sie sieht Attila mit den Augen der Gotendichtung, die seit 600 Jahren in Bayern beheimatet war. Ebenso stammt der milde Etzel des Nibelungenepos wie des Hildebrandlieds aus der gotischen Dietrichdichtung, die darin im Gegensatz steht zur fränkischen Burgundendichtung. Die Goten aber gehören zur Hunnenpartei und feiern daher in ihren Liedern Attila als Wohltäter Dietrichs von Bern [17]).

Wilhelm Meyer (Zs. f. deutsches Altertum 43, 126 f.) machte es wahrscheinlich, daß der Reiterkampf der Hunnen (v. 170 ff.) nicht in Ekkehards Vorlage enthalten war, sondern daß ihn Ekkehard aus künstlerischen Motiven gänzlich erfand und dabei die Ungarn seiner Zeit kopierte: „Da seine Zeitgenossen, die Ungarn, ja die Erben der Hunnen waren, so wählte er naturgemäß die Kampfesweise der Ungarn als Modell für sein Gemälde einer Hunnenschlacht." Er hat „die Entwicklung der Schlacht in so wesentlichen Stücken geändert", er hat nicht die schweren Waffen der Karolingerzeit übernommen, sondern gab seinen Reitern eine Menge leichter Wurfspieße, die er zuerst verschießen läßt, und nahm sich darin die Kampfesart der Ungarn zum Vorbild, jener Ungarn, mit denen das Mittelalter ja die Hunnen, die er in seiner Dichtung zu schildern hatte, zu identifizieren pflegte. Was er sich dazu aus dem 9. Buch der Aeneis an kleineren und größeren Bausteinen holte, waren nur Wörter, keine Sachen. Nun hat Julius Schwietering noch aus einer Einzelheit das ungarische Vorbild erschlossen (Zs. f. deutsches Altertum 57, 95). Walter gürtet sich v. 337 ein einschneidiges Kurzschwert um, und zwar an der rechten Seite *pro ritu Pannoniarum.* Diese Schwertart muß damals in Ungarn üblich gewesen sein, denn der fränkische und alemannische Krieger trug damals nur das zweischneidige Langschwert. — Möglich ist schließlich, daß sich ein Ereignis von 926 im „Waltharius" widerspiegelt. Nach K. Strecker

---

17) Vgl. Andreas Heusler, Die Sage von Walther und Hildegunde, Zs. f. deutsche Bildung 11 (1935), S. 69 ff.

(Neue Jahrbücher 2, 581) kann v. 765, wo Walter das Platt Ekifrids verspottet, mit folgendem Ereignis zusammenhängen. Der neue Abt Engilbert von St. Gallen begab sich 926 nach Worms, um Heinrich I. den Treueid zu leisten. Der Kaiser sprach nur Platt; davon mag man sich damals im Kloster manches erzählt haben.

Wir werden also von mehr als einer Seite aus darauf hingeführt, daß der „Waltharius" gegen 930 abgefaßt ist.

Zu erörtern bleibt noch, wer mit Gerald gemeint ist. *De larga promere cura* (Prolog v. 10, siehe oben) besagt zum mindesten, daß Gerald Ekkehards Dichtung noch zu dessen Lebzeiten in der Hand hatte, d. h. mit andern Worten, daß er sie vom Dichter selber erhalten, also mit ihm in Beziehung gestanden hat. Diese Beziehung wird am besten dahin verstanden, daß Gerald Ekkehard zum Epos anregte; dieser hat sie ihm dann zum Dank überreicht. Gerald wird also älter gewesen sein als Ekkehard und ebenfalls in St. Gallen gewirkt haben. Nun hat man schon früh auf den bekannten *magister Geraldus* hingewiesen, der seit jungen Jahren, seit dem Beginn des Subdiakonats, bis ins Greisenalter Lehrer in St. Gallen war („Casus s. Galli" c. 74 und 124). Als er starb, verlangte er nach dem Arzt Notker Pfefferkorn (siehe ebenda c. 125), der aber war gerade am königlichen Hof. Notker starb nach den Annales Sangallenses maiores im Jahr 975, er wird beim Besuch Ottos I. im August 972 *„senio caecus"* genannt („Casus" c. 147). Danach ist Geralds Todesjahr bestimmt vor 972 anzusetzen, vermutlich noch vor 970. Er stand in sehr hohem Alter, vgl. „Casus" c. 125: *„in hiis et aliis mille virtutibus animo et corpore diu attritus longoque senio fessus, sed non defessus."* Seine Geburt muß also noch vor 900 fallen. Wenn Ekkehard IV. Recht hat (s. „Casus" c. 125), daß Notker Balbulus (912 †), neben dem er begraben wurde, sein Lehrer und Freund war, so kämen wir auch damit auf die Jahre um 890. Dazu stimmt vermutlich auch, daß Ekkehard IV. den Gerald als Mitschüler Bischofs Ulrich von Augsburg nennt (s. c. 74): Der ist 890 geboren und bereits einige Jahre vor 910 aus St. Gallen zum Bischof Adalbero von Augsburg (887—910) geschickt worden, s. Gerhards „Vita s. Udalrici" c. 27 und 1, vgl. Meyer von Knonau in der Ausgabe der „Casus" Ekkehards IV. Anm. 730 [18]). Gerald ist danach etwa ein Jahrzehnt älter als Ekkehard I. Darauf führt ja auch, was uns Ekkehard IV. u. a.

---

18) In c. 74 der „Casus s. Galli" werden weiter als Mitschüler des hl. Ulrich genannt: Notker Pfefferkorn und der spätere Abt Burchard (975 †). Jene vier waren nicht gleichaltrig: Gerald war älter und Burchard jünger als Notker Pfefferkorn und Ekkehard I., s. Meyer v. Knonau in Anm. 903. Nicht anders steht es mit dem Kleeblatt Notker Balbulus, Ratpert, Tutilo, von dem Ekkehard IV. c. 33 zusammen erzählen will, *quoniam quidem cor et anima una erant, mixtim, qualia tres unus fecerint,* das er c. 5 nennt und dem er c. 1 noch Hartmann zugesellt und dort von den vier als *commonachi* spricht: Ratpert ist eine Generation älter und Hartmann eine Generation jünger als Notker und Tutilo.

über ihren Tod berichten: Gerald starb gegen 970 in sehr hohem Alter, Ekkehard 973 zwar auch als Greis, aber nicht so alt wie Gerald [19]).

Reehs einer Einwand gegen diese alte Hypothese hält also nicht stich: „Der Gerald von St. Gallen war ... ein Zeitgenosse Ekkehards I. oder gar jünger als dieser"; ebensowenig der andere Einwand, der schon oben entkräftet ist, „daß der Bischof Erchambald von Straßburg, was man doch nach dem Prologe *(alumnus!)* annehmen müßte, der Lehrer des Gerald von St. Gallen gewesen ist, da er offenbar wieder jünger war als dieser". Nach Wilhelm Meyers treffenden Worten von 1873 ist jene alte Ansicht „an und für sich natürlich und wird auch Ekkehards des IV. Worten am meisten gerecht" [20]).

Waltharius - Probleme

von Otto Schumann

[Dieser Aufsatz beruht auf einem Vortrag, den der verstorbene Forscher Otto Schumann am 28.6.1946 vor der Frankfurter Universität hielt,
dazu kamen wichtige Ergebnisse seiner Forschungen aus den letzten Jahren,
so aus einem (nicht abgeschlossenen) Aufsatz « Über die Zeit und den
mutmasslichen Ort der Entstehung des Waltharius», und aus zwei Vorträgen
vor der Heidelberger Akademie der Wissenschaften (gehalten am 17.6.44
und am 25.6.49), deren Konzepte sich im Nachlass fanden. W. Lipphardt.]

I. - Zeit der Abfassung.

Bis vor kurzen hat man, jedenfalls in Deutschland, fast allgemein
festgehalten an der zuerst von Jakob Grimm aufgestellten Ansicht, dass der Verfasser des *Waltharius-Epos* der St. Galler Mönch
Ekkehard I. sei und dass das Epos etwa um 925 oder 930 gedichtet worden sei, natürlich in St. Gallen (1). Erfolglos hat Rech.
in *ZfdPh.*, 51 (1926) 413-431 gegen diese Meinung Sturm gelaufen.
Erst durch Adolf Wolf (Vortrag im Berliner Seminar 1938) ist
die Frage erneut aufgeworfen worden. Er vertrat die Meinung,
das Epos sei karolingisch. Und er hat Strecker soweit überzeugt,
dass dieser sowohl für die grosse Ausgabe in den MG wie für die

---

(1) Auf Grund der *Casus S. Galli* Ekkehards IV. c. 80: « Multa de eo (scil. Ekkehardo I.)
post dicenda sunt; sed prius, a quo spiritu ductus sit, ex verbis ipsius nosci licet. Scripsit
enim doctus ille sequentias *Prompta mente canamus, Summum praeconem Christi, Qui
benedici cupitis, A solis occasu.* De S. Afra antiphonas, ut reliquias eius mere-
retur, Liutoldo episcopo et sequentiam dictavit. Ymnum *O martyr aeterni patris, Am-
bulans Hiesus, Adoremus gloriosissimum* scripsit et in scholis metrice magistro, vacillanter quidem, quia in affectione, non in habitu
erat puer, vitam Waltharii manu fortis, quam Magontiae positi
Aribone archiepiscopo iubente, pro posse et nosse nostro cor-
reximus; barbaries enim et idiomata eius Teutonem adhuc affectantem repente Latinum fieri non patiuntur. Unde male docere
solent discipulos semimagistri dicentes: ' Videte, quomodo disertissime coram Teutone
aliquo proloqui deceat, et eadem serie in Latinum verba vertite! '. Quae deceptio
Ekkehardum in opere illo adhuc puerum fefellit, sed postea non sic, ut in lidio Charro-
mannico: *Mole ut vincendi ipse quoque oppeteret* ».

bei Weidmann mittlerweile erschienene, von N. Fickermann besorgte Neauflage seiner kleinen Textausgabe den Namen Ekkehards aus dem Titel strich; und in den *Monumenta* eröffnet der *Waltharius* den 6.Bd., ˉder Nachträge aus der Karolingerzeit bringt. Andere haben versucht, an Ekkehard I. festzuhalten (Langosch, *ZfdPh.* 66 (1941), 117-142 und Sievers, *Beitr.*, 51 (1927), 222-232). Stach, *Hist. Zs.*, 168 (1940) 57-81 verlegte das Epos im Gegenteil in noch spätere Zeit, in die 2. Hälfte des 10. Jh. (1).

Wenn wir wirklich Klarheit in dieser sehr wichtigen Frage gewinnen wollen, so müssen wir versuchen einen *Terminus a quo* und einen *Terminus ad quem* zu gewinnen. Das kann nur dadurch geschehen, dass wir datierbare andere, ungefähr zeitgenössische Werke nachweisen, einerseits solche, die im Waltharius benutzt sind, andererseits solche, die den Waltharius benutzt haben. Solche Nachweise sind aber sehr schwierig. Nur solche Anklänge dürfen verwertet werden, die sich nachweislich anderswo nicht finden. Und das bedeutet, dass das ganze lateinische Schrifttum, jedenfalls die Dichtung, von Anfang an bis auf die Zeit, in der das Epos etwa entstanden sein muss — also praktisch das 9.und 10. Jh. — durchgesehen werden muss, und zwar sorgfältig. Diese Arbeit habe ich unternommen. Sie hat sich lange hingezogen. Aber sie hat reiche Ergebnisse gezeitigt, nicht bloss für den Zweck der Datierung, für den sie zunächst unternommen wurde. Ein Hauptergebnis ist die Erkenntnis, dass der Waltharius in noch viel stärkerem Grade, als man bisher schon wusste, Cento-Charakter trägt. Der Dichter ist von einer ganz erstaunlichen Belesenheit gewesen. Er hat von den älteren Dichtern nicht bloss den Vergil, Statius und Prudenz gekannt, die freilich nach wie vor als seine Hauptquellen sowohl für Inhaltliches wie Sprachliches anzusehen sind; (über das Verhältnis des Waltharius-Dichters zu Statius siehe Panzer, *Der Kampf am Wasichenstein*, Speyer, 1948, Schumann, *Statius und Waltharius*, Panzerfestschrift, Heidelberg, 1950), seine Belesenheit erstreckt sich nicht nur auf Ovid, Juvencus, Venantius Fortunatus, sondern selbst auf Dichter, von deren Nachleben wir bisher so gut wie gar nichts wussten, wie Valerius Flaccus, Silius und Coripp. (2).

(1) Über die umfangreiche Waltharius-Literatur seit 1926 wird in Kurze ein ausführlicher kritischer Bericht aus der Feder Schumanns erscheinen.
(2) Der Nachweis hierfür wird an anderer Stelle aus dem Nachlass Schumanns veröffentlich werden.

Er hat aber auch fast die sämtlichen Dichter der Karolingerzeit
bis in die 2.Hälfte des 9.Jh. gekannt. In seinem Aufsatz *Der Waltharius-Dichter, Dt. Arch. f. Gesch. des MA.* 4 (1941), 355-381, hat
Strecker bereits eine ganze Anzahl von solchen Entlehnungen
zusammengestellt. Es gibt aber viel mehr.

Ich glaube nun auf Grund meiner Untersuchungen, unser
Epos einigermassen chronologisch festlegen zu können, und zwar
um 880.

Ich glaube nachweisen zu können: 1.) der Waltharius-Dichter
hat die *Vita S. Germani* des Heiric von Auxerre benutzt, eines
der bedeutensten Dichter der späteren Karolingerzeit (abgeschlossen 873). Es lassen sich eine Anzahl sprachlicher und auch
sachlicher Parallelen nachweisen, darunter einige, aus denen sich
schliessen lässt, dass Heiric die Priorität zukommt (s. u. S. 191).
Eine noch grössere Anzahl von Parallelen ergibt der Vergleich mit
der *Vita S. Amandi* und dem *Carmen de sobrietate* des spätkarolingischen Dichters Milo von St. Amand.

2.) In seiner erwähnten Abhandlung bringt Strecker, S. 378 ff.,
eine Zusammenstellung von Berührungen zwischen dem W und
den wahrscheinlich 915, jedenfalls aber spätestens 924 entstandenen *Gesta Berengarii*; er schliesst daraus, dass vermutlich der
Dichter der *Gesta* den W gekannt habe. Aber der W ist schon viel
früher benutzt worden, so z. B. in Poeta Saxo, jenem Versifikator
der karolingischen Reichsannalen, der sein Werk in den ersten
Jahren der Regierung König Arnulfs, (887-899) verfasste. Folgende Übereinstimmungen bestehen:

Waltharius und *Poeta Saxo.*

(HA = Hexameteranfang, HS = Hexameterschluss)

W 24   *Obsidibusque datis* censum persolvere iussum.
PSaxo 1, 448 *Obsidibusque datis* sacramentisque coegit.
  3, 240 f ...iuramentis quoque firmant
              Obsidibusque datis haec foedera *deditionis*.
              (Nb! dedition- als HS auch PSaxo sonst mehrfach wie W 1236)
  1, 311   (promissa recepit) *Obsidibus* firmata *datis*
  2, 269 ff Beneventanus ...
              Dedere se populus non distulit *obsidibusque*
              Undenis pro pace *datis* hoc *deditionis* (s. o.)
              Confirmans foedus per sacramenta spopondit

W 208   Et tandem ductor recavo *vocat agmina* cornu
PSaxo 1, 277 Strenua quam celeri raptim *vocat agmina* iussu.

W 437 HS   venit in urbem
PSaxo 4, 148 HS venit ad urbem
        2, 150 Victor et ad patrem iam dicta *venit in urbe.*

W 687 HA   Filius ipsius = PSaxo 3, 230, ebenfalls HA
und vor allem:

W 215   Ecce *palatini* decurrunt arce *ministri*
PSaxo 1, 390 Namque *palatini* quidam cecidere *ministri*

(bei W liegt zugrunde Prud. *Apoth.* 481 *Ecce palatinus* pateram retinere
minister.

Gerade aus der letzten Stelle geht mit grosser Wahrscheinlichkeit hervor, dass *PSaxo* der Nehmende war (1).

Ich glaube nun aber noch eine Dichtung nachweisen zu können,
für die sich der Beweis der Abhängigkeit vom W viel einleuchtender
führen lässt, als in den schon genannten Beispielen: Abbos *Gesta*

(1) [In einem Nachtrag macht Schumann noch auf folgende Parallelen zwischen Poeta
und Waltharius aufmerksam:]

W 1113   *Promissam fidei* normam corrumpere nollem.
PS 1, 416   *Promissam* firmare *fidem*
PS 2, 295   *Promissae* dudum *fidei* si rumpere foedus (Temptarent)
    1, 310   Servandeque iterum *fidei promissa* recepit

W 485 f.   Exibant portis, te Waltharius *cupientes*
              Cernere (v. l. *Sternere*)
PS 2, 56 f.   Ob hoc iter coeptum flectunt primo *cupientes*
              Saxones, numero freti, pros*ternere* bello
    2, 169 f. (Cuncta ... flammis ...)
              Miscuerat, *cupiens* animos, quos saepe rebelles
              Expertus fuerat, tali *prosternere* clade.

W 1236   Idcircoque fugam temnis *seu* de*ditionem*
PS 2, 330   Perpetuam spondere fidem *seu* subd*itionem*

W 437   Portitor exsurgens praefatam *venit in urbem*
PS 1, 113   Quod secum ducens, Genuam per*venit in urbem*
    3, 584   Tramite tum coepto properans per*venit ad urbem*   (Turonicam)

W 583   Praefectum, qui dona ferens *devenerat illo*
PS 5, 517   Et tamen ipse quater tantum per*venerat illo*
    1,353   Tunc Sarracenus quidam per*venerat illuc*
    3, 313   Cum quo iam dictus Tudun quoque *venerat illuc*

Ein Lieblingswort des W ist *regio*, bes. *region*-, als HS: 7. 25. 62. 510. 524. 1250. Auch
beim PS ist es häufig: 1, 173. 451; 2, 18. 48. 136. 233. 299. 427; 3, 294. 364. 540.

W schliesst gern mit *omn*-, bes. 3. Sg. Ind. Plqpf. Act. + *omn*-: 207, 373. 625. 1364.;
desgl. PS: 2, 262; 3, 336. 504. 546. 613; 4, 5. 34. 73. 133; 5, 31. 367.

Parisiacae urbis, herausgegeben etwa 897, aber in ihren früheren
Teilen vermutlich schon bald nach den dort behandelten Ereignissen
der Jahre 886-887, der Kämpfe mit den damals Paris belagernden
Normannen, entstanden; die massgebliche Ausgabe ist die von
Winterfeld in den *Poetae* Bd. 4, 72 ff.

Ich stelle die Berührungen mit dem W nach dem Grade ihrer
Beweiskraft zusammen.

1) W 1130 f.   Interea *occiduas vergebat Phoebus* in *oras,*
                Ultima per notam signans vestigia *Thylen;*
   A 1, 76 f.   Iam *occiduis vergebat* ad *ultima Thile*
                Climatis australis quoque *Apollo* secutus Olympo

2) W 430   Ipso quippe die, *numerum qui clauserat* ist*um*
   A 1, 279   Adveniens autem, *numerum qui clauderet* alm*um* (= trini-
                                                                      [tatem)

3) W 1047   (cum ...) Pergenti ... animae *valvas aperire* studeret;
   A 2, 297   Linquitur arcs dextris, *valvas*que iubent *aperire*

4) W 375   ... iste dies, quem nos *superare nequimus;*
   A 1, 556   Sed quia conflictus talis *superare nequibat*

5) W 798   ... *parmam* deponito *pictam;*
   A 1, 119   ... saxa fremunt *parmas* quatientia *pictas*

6) W 425   Atque *famis pestem* pepulit...
   A 1, 59   (... tibi tela   Nostra ministrabunt castella die veniente,)
                Decedente *famis pestem*

7) W 808   Hostibus iste (clipeus) *se oppo*nere *saepe* solebat;
   A 1, 654   ... Odo ... *oppo*suit *se saep*ius illis (*Aen.* 5, 335 *se*se *oppo*-
                suit Salio; aber dort fehlt *saepe* oder -ius)

8) W 213 f.   ... *propria* se quisque locavit   *Sede;*
   A 1, 616   Ast animas *propria* de *sede* repelleret omnes

9) W 374   Quod *domino regi* iam dudum praescia dixi
   A 1, 50   (... Karolo ... basileo,   Imperio cuius regitur totus prope
                                                                      kosmos)
                Post *domin*um *rege*m dominatoremque potentum

10) W   704   ⎱
    » 1183   ⎰ HA _∪∪ *absque mora*
    A 1, 92   » *Absque mora*

11) W 797   ⎱
    A 1,656   ⎰ HA *Dextra manus*

12) W 1429 } HA *Vah!* (Sonst mir in der daktyl. Dichtung nirgend be-
    A 1,368 }   gegnet)

13) W 72   HS *innumerat*os   (Sonst in der Dichtung immer nur
    A 1,641   » *innumerat*is   *innumerus* und, vereinzelt, der HA
                                   Innumerabilibus;

14) W 551   HS *depone pavorem* (Sonst nur Hilarius Macc. 91 lan-
    A 2, 133 » *depone timores*   guentem *pone timorem*; aber ich
                                   habe sonst keine Belege, dass diese
                                   entlegene Dichtung irgendwo be-
                                   nutzt worden wäre; überdies dort
                                   pone, nicht *depone*)

15) W 394   Et veluti *iaculo* pectus transfix*us acuto*;
    A 1,69   Hic modicum praesul *iaculo* palpat*us acuto*
              (*Aen.* 11, 574 *iaculo* palmas armavit *acuto*; aber die
              Berührung zwischen W und A ist enger; W 394 könnte
              auch beeinflusst sein von Paul. Diac. 17, 19 Qui carum
              ut hostem *iaculi*s con*fixi*t *acuti*s).

Die letzten Belege, etwa von 11) an, sind selbstverständlich,
jeder für sich betrachtet, keineswegs beweisend; 15) z. B. können W
und A sehr wohl unabhängig von einander unmittelbar aus Vergil
bezogen haben; die banale Wendung *Dextra manus* (11) kann
ebenso bei beiden an den Versanfang geraten sein, ohne dass
einer sie vom andern übernommen hätte. Gleichwohl ist es bemerkenswert, dass dies bisher meine einzigen Belege sind; selbst
wenn ich einen oder mehrere andere übersehen haben sollte,
häufig ist dieser VA jedenfalls nicht. Daher musste doch auch
auf diese Berührungen wenigstens hingewiesen werden; ich kann
nicht glauben, dass sie sämtlich zufällig sind. Und dass dies
bei den vorher aufgeführten erst recht nicht der Fall sein
kann, wird schwerlich bestritten werden können, am wenigstens
bei 1).

Heiric hat sein Epos 873 abgeschlossen. Abbos *Gesta* und des
Poeta Saxo *Annales* sind um 890 entstanden, erstere sogar noch
etwas früher. In die Zwischenzeit fällt somit die Entstehung des
Waltharius.

Gestützt wird diese chronologische Einordnung dadurch, dass
sich im Waltharius weitere offensichtliche Entlehnungen aus anderen karolingischen Dichtern, auch spätkarolingischen, finden,
z. B. Walahfrid, aus der 849 entstandenen *Vita S. Galli metrica*,
aus Milo von St. Amand, aus Audradus Modicus.

Dazu passt vortrefflich a) die noch sehr unvollkommene Handhabung des Leoniners im Prolog b) die Form derjenigen Eigennamen, die nicht latinisiert sind z. B. *Gunthere, Agalthien.* usw. Ist dieser zeitliche Ansatz des Waltharius richtig, so kann Ekkehard I. nicht der Dichter sein. Er starb 973, könnte also das Epos, wenn es tatsächlich um 880 entstanden ist, allenfalls als ABC-Schütze gedichtet haben, das ist aber bei der grossen Belesenheit des Waltharius-Dichters wohl unmöglich.

2. - DER GERALDUS-PROLOG.

Aber auch anderes spricht gegen Ekkehard I. als Verfasser. Dass er als solcher nicht in Frage komme, davon war ich schon überzeugt, ehe ich zu der eben dargelegten chronologischen Feststellung kam. (Die von anderen gegen seine Verfasserschaft vorgebrachten Gründe scheinen mir wenig stichhaltig zu sein. Ich kann sie im einzelnen hier nicht erörtern und widerlegen.) Und zwar war ich zu dieser Meinung gekommen durch den *Geraldus - Prolog.* Dieser Prolog, 22 Zeilen umfassend, geht in 3 Hss. dem Epos voraus, und es wird allgemein angenommen, dass alle Handschriften zurückgehen auf ein Exemplar, das diesen Prolog enthielt. Er hat folgenden Wortlaut:

```
      Omnipotens genitor,     summae virtutis amator,
      Iure pari natusque      amborum spiritus almus,
      Personis trinus,        vera deitate sed unus,
      Qui vita vivens cuncta   et sine fine tenebis,
 5    Pontificem summum       tu salva nunc et in aevum
      Claro Erchambaldum      fulgentem nomine dignum,
      Crescat ut interius     sancto spiramine plenus,
      Multis infictum         quo sit medicamen in aevum.
      Praesul sancte Dei,     nunc accipe munera servi.
10    Quae tibi decrevit      de larga promere cura
      Peccator fragilis       Geraldus nomine vilis,
      Qui tibi nam certus     corde estque fidelis alumnus.
      Quod precibus dominum   iugiter precor omnitonantem,
      Ut nanciscaris factus,  quo promo loquelis,
15    Det pater ex summis     caelum terramque gubernans.
      Serve Dei summi,        ne despice verba libelli!
      Non canit alma Dei,     resonat sed mira tironis,
      Nomine Waltharius,      per proelia multa resectus.
      Ludendum magis est      Dominum quam si rogitandum,
```

20   Perlectus longaevi   stringit inampla diei.
      Sis felix sanctus   per tempora plura sacerdos,
      Sit tibi mente tua   Geraldus carus adelphus.

ZUM GERALDUS-PROLOG.

1-4: Hrab. Oratio ad Deum, *Carm.* 9, 1-4, PAC 2, 171:

> Omnipotens genitor, qui rerum es maximus auctor,
> Nate coaequalis, spiritus atque Dei,
> Unus natura, personis trinus et ipse,
> Vivificans cuncta, vita beata Deus.

1: Omnipotens genitor als Hex.-Anf.: *Aeneis* 10, 668; Paulinus Nolanus 4, 1; Aldhelm de Virg. 1; Alc. 114, 4, 2; Hrab. 53, 3; 9, 1 (s. o.); und sonst. virtutis amator als HSchl: Sed C. p. 2, 283; Arator 2, 812; Aldh. Virg. 2018; Walahfr. 71, 1 (almae v. a.; 1. Zeile des Gedichts!); Heir. Vita S. Germani 6, 43; *Vita S. Leudegarii* 1, 63.

2: spiritus almus (auch -e) zuerst wohl. Drac. Laud. Dei 2, 79; dann bes. häufig bei Arator: 1, 221. 232. 435 u. ö.; ferner Cl. Marius Victor; Aldhelm. Virg.; Ven. Fort. *Vita Mart.* 1, 117 (sp. almi); Alcuin; Angilbert; Theodulf; Walahfr.; Audr. Modicus; Milo, De Sobr.; Hrotsvit; Joh. v. Salisbury; u. sonst. — Mit vorhergehender Nennung des Vaters und des Sohnes Ven. F. aaO. (Rem patris ac geniti aequalem vel sp. almi); Aldh. Virg. 36 Sic patris et prolis dignetur sp. almus; Alc. 65, 4ᵃ, 16 Hoc pater et natus, hoc est et spir. almus; ua.

3: Audradus Modicus 3, 2, 338 Gloria personis trino, deitate sed uno; ebd. 314, 195-197 Qui docuit nos huic fidei committere corda. Personisque deum praesens in carne redemptor Semper adorari trinum, deitate sed unum; Vita s. Ursmari 1, 66, Poetae 5, 180 Trinum personis dominum, d. sed unum; ähnl. An. hymn. 43 nr. 56 v. 12 f (Graduale Mindense s. 12) P. trinum dominum, d. s. unum; An. hymn 47, 48 = Dreves-Blume, Hymnendichtung 2, 193, Kyrie-Tropus, weitverbreitet, älteste Quelle St. Gallen saec. 10 Trinus personis Deus, in d. sed unus.

4: vita vivere weist Althoff aus Ezechiel nach, wo sich die Wendung 19, 9 u. sonst findet; vgl. aber auch Hrab. 15, 27 und 23, 23 Vive deo vita felix et vive per aevum. HSchl. sine fine tenebis genau so Arator 1, 402; aber s. f. tenentem schon Metam. 2, 502; Ähnliches auch sonst, z. B. Carmen de S. Lucia 239 s. f. tenebit.

5: HAnf. Pontificem summum (-is -i; -es -i usw.): Inscr. christ. lat. vet. 990, 5; Ven. F. 9, 13, 7; Alc. 1, 1078 u. sonst; Hrab 81,9 Pontificem summum signorum fulmine clarum; auch sonst bei Hrab. u. anderwärts; Summo pontificum Theod. 72, 1, 1; ähnl. bei Hrotsvit. HSchl. nunc et in aevum: Poetae 2, 476 11 19 (St. Gallen); Froumund XLIII 133; Vita S. Maximini 65, Poetae 5, 149; bes. aber Zfd. A. 65, 258 nr. 11, 1 und nr. 24 Vivito (bezw. Christus) tex regum *te salvet* nunc et in aevum (aus St. Florian, s. 14).

6: HSchl. nomine dign-: schon Ov. Trist. 5, 7, 45; dann Alc., Ermenrich v. Ellwangen Audr. Mod. u. a.

7: HSchl sancto spiramine plena: Walahfr. 1, 21, 25; sonst sacro sp. pl. seit Sed. C. p. 2 176: Aldh. Virg. 396; Ermold. In Hlud. 1, 51; u. sonst.

Zu v. 1-7 vergl. noch Hrab. 34, 1-5: Christe ... Tu ... conserva ... semper amicum ... Ut vigeat sospes ... Ut crescat meritis.

7: Theod. ad Aiulfum, c. 71, 43 Et tua continuis *crescat* doctrina diebus; aber dieses *crescat* auch anderwärts.

8: Theod. 71, 48 Omnibus ut specimen sis, decus, ordo, modus.

9: HAnf. ist typisch hrabaniscb: 1, 1, 1, Sancte dei pr.; 11, 8 Pr. honeste dei (worauf schon Althoff — oder bereits Winterfeld? — hinwies); vor allem 27, 8 *Praesul sancte dei.*

11: *peccans* steht bei Hrab. 9, 6 Qui graviter *peccans*; ebd. 36 Hex. Anf. Natura *fragilis*, *frag.* also an gleicher Versstelle. — *peccator* mehrfach auch bei Orientius in Commonitorium, s. u.; doch auch sonst. I. allg. sowohl *peccator* wie *frag.* selten in Prologen.

11: *nomine* an dieser Versstelle mit vorhergehendem Eigenn., ohne dictus u. dergl.: Aldh. Virg. 1257 Hos inter quidam Iulianus *nomine* martyr; ähnl. Alc., Walahfr. u. sonst. vilis häufig, bes. wieder bei Hrab., 1, 6, 12; 8, 3 und sonst. HSchl. *nomine vilis* bisher sonst nirgends belegt.

13: *omnitonantem* ist beizubehalten: W. Heraeus verwies auf Stevenson, Early Scholastic Colloquies (Oxford, 1929) S. 72, 23 Imploremus *Cunctitonantem.*

15: Theod. 71 (s. o.), 91 Det pater altithronus *caelum terramque gubernans.*

16: HAnf. *Serve Dei summi:* Modoin ad Theod. v. 129, Poet. 1, 573.
ne despice häufig seit Dist. Cat. 3, 10, 1; *ne despice verba* an derselben Versstelle: De lupo bei Voigt, Kl. Denkmäler der Tiersage v. 45·S. 60. HSchl. *verba libelli* bisher nur Orient. Comm. 2, 11.

17: *alma dei* u. a. Theod. 17, 50; aber auch bei Alc. und Hrab.

18: *Nomine* am Verseing. mit nachfolgenden Eigennamen (wie Walth. 79. 432) zuerst wohl Ven. Fort. 5, 3, 10 Nomine Gregorius; dann Alc., Hrab. u. a.

19: Zur Konstruktion vgl. ua. Modoin ad Theod. 17 inmodicus dicendum est rite libellus.

19 f.: Orient. Comm. 2, 409 f. Et quotiens *dominum perlecto* carmine Christum *Orabis,* simus semper in ore tuo.

20: Longaevos dies: Coripp Joh. 5 (4) 485.
inampla dierum als Schl. bei Walther v. Speyer 6, 83 Hec series mecum vigilet per inampla dierum (Strecker, *ZfdA.* 69, 115 ff.).

21: Theod. ad Aiulfum 97 Vive deo *felix per tempora* langa *sacerdos.* (Ebenfalls vorletzter Vers!) Vgl. auch Theod. 41, 3 Vive deo felix per plurima tempora, lector, Theodulfi nec sis immemor, oro, tui.

22: Hrab. 11, 54 Sum *tibi mente* pius ...
adelphus findet sich fast nur in den Carmina Centulensia, Poet. 3. Dorther könnte der Dichter auch das Wort *glaucomate* v. 537 haben: 18, 14 Hactenus exspectabam oculis glaucomate fusis; also dieselbe Form an ders. Versstelle. Auch die Form *homonem* am Versschluss fand ich bisher nur (außer Ennius 93, 1 — bei Priscian überliefert —) Carm. Cent. 151, 3 und Walth. 578. 933.

Mit diesem Prolog überreicht ein Mann namens Geraldus einem Kirchenfürsten — er bezeichnet ihn als *summus pontifex* — namens *Erkambald* oder *Erkambold* das Epos. Diesen Geraldus halte ich für den Verfasser des Epos und kann dafür vier Gründe anführen:

1) Wie gesagt gehen nach allgemeiner Annahme alle Hss. zurück auf das Widmungsexemplar dieses Geraldus. Wäre er nicht der Verfasser des Epos, sondern nur der Herausgeber, dann müsste angenommen werden — und man hat es bisher angenommen —, das Epos habe mehr oder minder lange Jahre ir-

gendwo vergessen geruht, bis dann jener Geraldus es aufgefunden,
jedenfalls es ans Licht gezogen habe. Das ist bei einem Werk, das
im MA so viel Anklang gefunden hat, also dessem Geschmack
offenbar entsprach, das diese Wertschätzung ja auch wahrlich
verdient, wenig wahrscheinlich.

2) So wie dieser Geraldus hier spricht, kann nur der Dichter
sprechen:

9 ff.   *Praesul sancte Dei,   nunc accipe munera servi,*
        Quae tibi decrevit   de larga promere cura
        Peccator fragilis   Geraldus nomine vilis usw.

Es kommt hier an auf die Deutung der Wendung *de larga cura*.
So lange man an Ekkehard I. als den Dichter glaubte, sah man
gewöhnlich in Geraldus einen anderen St. Galler Mönch und
Lehrer, von dem wir wissen; der soll dem Bischof Erchambald
von Strassburg (965-993) das Epos übersandt haben, wahrscheinlich
aus Anlass des Todes Ekkehards I. (973). Das ist eine völlig willkürliche Annahme J Grimms, die aber immer wieder nachgesprochen
worden ist. *de larga cura* wurde dann etwa von Winterfeld gedeutet
als « aus der grossen Menge von Schülerarbeiten, Korrekturen ».
Das ist aber ganz unmöglich; denn das heisst *cura* nicht. Ebensowenig kann *de larga cura* mit Alfred Wolf übersetzt werden: « aus
dem weiten Bereich der meiner Sorge anvertrauten Dinge, aus dem
zahlreichen meiner Obhut anvertrauten Bestand » oder « aus der
grossen Zahl meiner Schützlinge, meiner Lieblinge ». Es ist völlig
unzulässig, einen Ausdruck wie *cura*, mag dieses Wort auch an
sich nicht bloss die Sorge und die Beschäftigung bedeuten, sondern
auch den Gegenstand der Sorge, derart zu pressen, wie es von
Winterfeld und Wolf geschieht. Der Ausdruck erklärt sich vielmehr sehr einfach so, dass sich der Verfasser hier seines F l e i s s e s
rühmt. Das durfte man nämlich schon damals. Es ist ein sogenannter
τόπος, ein stehendes Motiv, ein festes Klischee solcher Prologe und
Epiloge. Diese sind voll von solchen τόποι. Meist sind es Demuts-
formeln, man macht sich selbst schlecht und sein Werk, ein Brauch,
der nicht etwa erst aus christlichem Denken und christlicher Tradition stammt, sondern schon in der Antike üblich war. Das
geschieht auch hier: v. 11. *peccator fragilis ... vilis*; nachher heisst
es von dem Epos, es handle zwar nicht von erhabenen theologischen Gegenständen (*non canit alma dei*), nur von wunderbaren
Taten eines Helden (*resonat sed mira tironis*); immerhin sei es als

Zeitvertreib zu brauchen, wenn der Bischof einmal von seinen
geistlichen Verpflichtungen ausruhen dürfe. Rühmen darf man sich
nur, dass man fleissig gewesen sei, sich Mühe gegeben habe. Dieser
Topos ist erheblich seltener als die anderen. Immerhin kann ich
schon jetzt vier weitere Beispiele bringen: den ältesten Beleg finde
ich bei Statius, Thebais Schluss 12, 811 *O mihi bissenos multum*
vigilata per annos Thebai. Ferner findet er sich bei Heiric, Hrotsvit
und dem Ligurinusdichter.

Und wer könnte so sprechen, wie es hier geschieht, ausser dem
Dichter selbst? Wenn dieser Geraldus nur der Herausgeber eines
Werkes wäre, das ein anderer verfasst hätte: wäre es dann nicht
seine einfachste und natürlichste Pflicht, zu sagen, wer der Verfasser ist, und wenn er ihn nicht kennt, wenigstens, wo er das
Werk gefunden hat? Tut er das nicht, so wird jedermann ihn
für den Verfasser halten, und wenn er das nicht ist, so schmückt
er sich wissentlich mit fremden Federn, macht sich literarischen
Diebstahls schuldig. Ich sehe nicht die mindeste Veranlassung, das
hier anzunehmen. Und ich glaube, ohne jene — man muss schon
sagen — vertrackte Notiz Ekkehards IV. in den *Casus S. Galli,*
wonach jener Namensvetter von ihm als *puer* in St. Gallen für
seinen *magister* eine *vita Waltharii manu fortis* in metrischen Versen
gedichtet habe, wäre niemand auf den Gedanken gekommen, der
Dichter des Waltharius könne anders als Geraldus geheissen haben.

3) Eines freilich spricht gegen gemeinsame Verfasserschaft des
Prologs und des Epos. Das ist der Stil-Unterschied. Der ist frei-
lich sehr gross. Das ist ohne weiteres zuzugeben. Wenn man das
Epos liest, nimmt einen immer wieder die flotte frische Art gefangen,
wie da erzählt wird. Es ist auch im ganzen nicht schwer zu lesen.
Demgegenüber ist der Prolog seltsam schwerfällig, tiftelig, der
Ausdruck vielfach so dunkel, dass wir erst in den allerletzten
Jahren dazu gelangt sind, einen wirklich einwandfreien Text
herzustellen und ihn bis ins letzte hinein zu verstehen. Auch der
Versbau ist nicht so gewandt wie der des Epos. Dieser stilistische
Gegensatz hat u. a. auch Wolf, der doch das Epos in die Karolin-
gerzeit versetzt, also Ekkehard I. abspricht, dazu gebracht, ent-
schieden zu bestreiten, dass der Geraldus des Prologs auch der
Verfasser des Epos sei.

Mir scheint sich die Verschiedenheit im Stil sehr einfach zu
erklären aus der Verschiedenheit des literarischen γένος und,
was damit zusammenhängt, der literarischen Vorbilder. Im Epos

war der Dichter in seinem Element. Da konnte er frisch drauf
los erzählen. Und seine Vorbilder waren Dichter von der Eleganz
und Versgewandtheit eines Vergil und Prudentius. Im Prolog
dagegen ist vor allem Hrabanus Maurus (s. o. den Commentar zum
Geraldus'-Prolog) benutzt. Und der gewaltige Abstand zwischen
der Verskunt jener beiden grossen Epiker und der des Versifex
Hrabanus — denn den Titel eines Dichters darf man ihm kaum
geben — dieser Abstand spiegelt sich auch wieder in den Versen
des Epos einerseits, des Prologs andererseits. Es kommt hinzu,
dass sich Geraldus im Prolog bemüht hat, seine Verse mit dem
leoninischen Reim aufzuputzen. Damit hat er sich selbst eine Fessel
angelegt. Im Epos kann er frei ausschreiten; im Prolog geht er
sozusagen auf Stelzen.

Auch darf man über der stilistischen Verschiedenheit die stilistische Gemeinsamkeit nicht vergessen. Vor allem dies: beide
Teile sind eben weitgehend zusammengesetzt aus literarischen
Reminiszenzen. Man kann sowohl den Prolog wie das Epos geradezu bezeichnen als « Halb-Zentonen ». Vielfach liegt einem Vers,
einem Satz, einer Wendung nicht e i n e Vorlage zugrunde, sondern
zwei oder gar mehr, und die Art wie diese Vorbilder zu etwas
Neuem zusammengeschweisst worden sind, die ist im Prolog
genau dieselbe, und zwar in charakteristischer Weise dieselbe
wie im Epos. Entweder haben nämlich die Vorlagen keine Bestand-
teile miteinender gemeinsam und sind einfach aneinander gerückt
oder ineinander verschachtelt. Ein Beispiel:

> W 318 f. Taliter **in seram produxit** *Bacchica* **noctem**
> *Munera* ...
> *a*) Arator: 2, 785 **in seram produxit** tempora **noctem**
> *b*) Boeth. Cons. 2, 5 *Bacchica munera*

Oder aber: die beiden Vorlagen haben ein Wort oder gar zwei
gemeinsam, dieses Wort oder diese Wörter bilden dann gewisser-
massen den Kristallisationspunkt, an den sich dann aus den verschiedenen Vorlagen Verschiedenes anschliesst. Auch hierfür gebe
ich ein Beispiel:

> W 514 C o r n i p e d e m r a p i d u m saevis *calcaribus urget*
> *a*) Prud. Psych. 253   r a p i d u m   *calcaribus urget* c o r n i-
>   p e d e m
> *b*) Statius, Theb. 11, 452   saevis *calcaribus urgent*

Gerade diese zweite Art findet sich im Waltharius sehr häufig.
Gewiss begegnet sie auch sonst, z. B. bei Walahfrid. Aber nirgend
— und ich habe fleissig danach gesucht — entfernt in der Häufigkeit wie im Waltharius. Natürlich meine ich das nicht so, dass
Geraldus nun seine Vorlagen abgegrast hätte nach Stellen, die er
in dieser Weise kombinieren konnte; ich erkläre es vielmehr so,
dass er ein ausgezeichnetes Gedächtnis hatte und dass infolgedessen von selbst in seinem Geiste solche verwandte Stellen sich
zusammenfügten. Und das ist nun, wie ich glaube zeigen zu können,
im Prolog genau so wie im Epos.

[Im Nachlass Schumanns fand sich folgende Beispielsammlung, die den
eigentlichen Beweis für die oben aufgestellte These darstellt und den
Lesern dieses Aufsatzes sicher willkommen ist.]

Beispiele zur Entlehnungstechnik des Waltharius.

(Pr. = Prolog; W = Waltharius-Epos; Qu = Quellen)

a) *Stellen kombiniert, die nichts gemeinsam haben:*

Pr. 16 S e r v e D e i s u m m i, **ne despice** *verba libelli.*
Qu: a) Modoin: S e r v e D e i s u m m i (HAnf)
      b) Dist Cat. **ne despice**
      c) Orientius: *verba libelli*

W 491 Nam nemus est ingens, spatiosum, *lustra ferarum*
        Plurima habens, suetum **canibus resonare** tubisque.
Qu   a) Georg. 2, 471 illic saltus ac *lustra ferarum*
      b) Aen 3, 432 caeruleis **canibus resonantia** saxa

W 461 Atque *superba* cupit *glomerare* **volumina crurum**
Qu   a) Georg. 3, 117 gressus *glomerare* *suberbos*
      b) Georg. 3, 192 alterna **volumina crurum**

W 318 f Taliter in seram (s. oben)

b) *Stellen kombiniert, die ein Wort oder mehr als ein Wort gemeinsam haben:*

Pr. 22 HAnf **Sit** *tibi* *mente* tua
Qu. a) Hrab. 14, 3 **Sit** *tibi* lex Domini dulcis
      b) Hrab. 11, 54 Sum *tibi* *mente* pius

Pr. 15 *Det* *pater* **ex summis** *caelum terramque gubernans*
Qu. a) Theodulf 71, 91 *Det* *pater* altithronus *caelum terramque gubernans.*
      b) Heiric Tum *pater* « **E summis** poscendum sedibus » inquit

W. 14   Quorum rex Gibicho *solio* pollebat in *alto*.
Qu.   a) Aen. 8, 541. 11, 301 *solio* ... ab *alto*
      b) Prud. Psych. 875 residet *solio* pollens

W. 821 Ha*ec ait* et notum *vagina diripit ensem*
Qu: a) Aen. 10, 473 ff. Sic *ait* atque ... (475) *Vagina*que cava fulgentem
         diripit ensem
      b) Aen. 12, 759 notumque efflagitat *ensem*

W 827   Non sic nigra *sonat* percussa *securibus ilex*
Qu.   a) Aen. 6, 180 *sonat* icta *securibus ilex*
      b) »   9, 381 atque *ilice* nigra

W. 1431 si quando *ea cura sub*intrat
Qu   a) Aen. 9, 757 ... victorem *ea cura sub*isset
     b) Walahfrid Vis. Wett. 712 cui *cura sub*intrat

W. 514 Cornipedem usw (s. oben)

4) Im allgemeinen sind, wie gesagt, die literarischen Vorlagen für
den Prolog und das Epos verschieden. Dennoch glaube ich nachweisen oder doch wahrscheinlich machen zu können, dass mindestens
vier Dichter in beiden benutzt sind: Theodulf, Hraban, ferner jener
Heiric, von dem schon die Rede war, und Audradus Modicus,
wie man aus folgenden Belegen ersehen kann:

a) Theodulf ad Aiulfum (und die zugehörige Vers-Epistel Modoins
an Theodulf): Pr. passim: v. 7 f. 15 .16. 17. 21

W 27 f. *Nobilis* hoc Hagano *fuerat* sub tempore *tiro*
         Indolis egregiae
Qu.: a) Theod. ad Aiulf. 3 (PL I 560) *Nobilis* et pulchrae *fueras* puer
         indolis olim
      b) Alc. 1. 1449 (PL I 201) *Indolis egregiae* (HA)

b) Hraban: Prolog passim;

W. 1456 vos salvet Jesus. (Schluss des Epos) vgl. Hrab. I, VI, 17 (PL. II,
162) Christus vos salvet (ebenfalls Schlusszeile; an die fratres von St. Senis)
und ebenso Hraban II, II, 27 f. Christus dux vester, Christus rex, Christus
amator   Semper vos salvet summus in arce deus (ebenfalls Schluss eines
Widmungsgedichtes - an die fratres in Fulda).
   Der Waltharius-Dichter hat eine Vorliebe für *et ipse* besonders am HS:
114. 288. 533. 896. 982. 1018. 1090. Das begegnet natürlich auch sonst, so
bei Heiric, V. s. Germ. 5, 265; aber besonders oft bei Hraban: I, 4, 3; IX, 3;
XVIII, 47; XLV, 9. An anderer Versstelle: W 1345; Hraban VI, 6. 22;
XVI, 27, 28; XVI, 85. 86; XVII, 42; XLI, 13, 4; XLI 14, 2; XLVIII 2, 4.

c) Heiric v. Auxerre (PL III 427 ff)

W. Pr. 2. Jure *pari natusque* amborum spiritus almus
H. 1, 483 f. (Discite spiritui **sed** vos submittere sancto),
. . . . quoniam *natoque* patrique
Maistetate *pari* communicat ...

W. Pr. 14 Ut nanciscaris factis, quae *promo loquelis*
H 1, 417 Sumite rem, modicis liceat quam *promere verbis.*

W. Pr. 19 *Ludendum* magis est dominum quam sit rogitandum
H. Carm. 1, 1, 11 f: His lupus, his Haimo udebant ordine grato,
Cum quid *ludendum* tempus et hora daret.

W. 765 f. Celtica lingua probat te ex illa gente creatum,
Cui natura dedit reliquas ludendo praeire (an den *Sachsen* Ekifrid)
H. V. s. Germani 1, 351 ff.
Urbs quoque provectum meritisque et nomine sumpsit
Augustidunum ' demum concepta vocari,
« Augusti montem » transfert quod *Celtica lingua.*

ferner:

W 2 = H 5, 39 ;— W 60 = H 5, 28; — W 90 = H 4, 24; — W 282 =
= H 1, 195 HA Tu tamen interea (aber auch schon Aen. 9, 422 vgl. Strecker,
DA. 4, 378); — W 273, 654, 1340 coart- als HS in der Bedeutung « zwingen »
mit A.c.i bzw.N.c.i.; ebenso H 1, 210 Esse virum te denique multa *coartant*;
HS *coart-* freilich auch Beda Hymn. 2, Migne PL 94, 607 B.

W 357 = H 5, 223; — W 429 = H 5, 319; — W 481 = H 6, 83;
W 558 = H 3, 471 und 4, 99 (Bei H wird hier beidemale *collega* von dem
Amtsbruder gebraucht, der den Heiligen auf seiner britannischen Missions-
reise begleitet, bei W heisst es: Et meus hic socius Hagano *collega* veternus;
— W 601 = H 3, 113; W 609 ... num manibus tetigit? num *carcere trusit?* =
H 6, 320 Solvi vult animus poenali *carcere trusus.* (HS *carcere trus-* freilich
auch Sed. Scott. 2, 21, 18 und sonst).

W. 636 *Comminus adsta*tis nec iam timor impedit ullum. =
H 3, 474 *Comminus adsta*tur, verum non viribus aequis
(vgl. ferner H 3, 312 HA *Comminus adm*otam, H 5, 111 HA desgl.
H 5, 185 HA *Comminus accedunt* und zu dem letzteren

W. 1342 *Comminus* ac dirae metuunt *accedere* belvae und

W 1309 Armati nequeunt *accedere comminus* illi

W. 943 ff. . . . . . *furit* ille miser *caecus*que profatur:
Quaeso, viri fortes et *pectora* saepe probata,
Ne fors haec cuicumque metum, sed conferat iram.
Quid mihi, si Vosago sic sic inglorius ibo? ...

= H 1 291 ff. (auch hier ruft ein Gefolgsherr seine Leute auf zur Bestrafung eines Mannes, der ihn gekränkt und geschädigt hat):

Absistunt oculis (vgl. W 943 caecus) rectum pietasque pudorque:
Torva *furit* sanctoque (dem Bischof, der ihn beleidigt hat)
                         necem meditatur iniquam
Dirus et « o socii, lectissima *pectora* » dixit
« Praecipitem hunc rapite et meritis sontissima poenis
(295) Membra date Stigiaeque reum demittite morti!
Sentiat esse viros ». Sic fatus, et acrior ira,
Arma parent coeantque animis in proelia totis,
Edicit sociis; ...

W. 1083 Qui solus hodie *caput* infamaverat *orbis* =
H 1,50 Quo *caput* est *orbis* rerum permaxima Roma
      (freilich schon Karolus et Leo; 92 Rex Karolus *caput orbis*); W 1238 f.
= H 4, 494.

W 1287   Primus maligeram *collectis viribus* hastam (Direxit Hagano)
H 1, 366 Occupat ignaram *congestis viribus* urbem.
H 4, 86   Iamque duae genti *consertis viribus* uni (Concurrisse parant)
          (in W geht vorher der Vers: Adversum *solum* conspirant arma *duorum*)
H 5, 365 Legati contra *conixis viribus* instant

d) Audradus Modicus (PL III 73 ff)

W Pr. 3 (vgl. oben)

W 798 HA *Audi consilium* =Audr. Liber de fonte vita: v. 51 (gleichfalls HA)

W 1173   *Ingenti* fumans *leviabat pondere* corpus
A III, 4, 121 Protinus *immenso levigantur pondere* ferri.

5) Ehe wir auf Grund der vorgelegten Untersuchungen das Epos dem Verfasser des Prologs, also Geraldus, zuschreiben, ist noch eines Einwandes zu gedenken, der sich aus dem merkwürdigen *Explicit* der Pariser Waltharius-Hdschr. ergibt (vgl. Schumann, *Über die Pariser Waltharius-Handschrift*, in *Corona quernea* Festschrift Karl Strecker zum 80. Geburtstag dargebracht (Leipzig, 1941) S. 236-246). Es heisst dort: *Explicit liber Tifridi episcopi crassi de Civitate nulla*. Es ergeben sich daraus zwei Möglichkeiten: Entweder war dieser « dicke Bischof Tifrid von Nirgendsstadt » — gemeint ist wohl ein Vagant *vor* der eigentlichen Vagantenzeit — der Besitzer einer W.-Hs., und aus dieser ist ein Besitzervermerk mechanisch (unmittelbar oder mittelbar) in die Hs. P übernommen worden. Oder es soll mit diesem *Explicit* trotz des

Geraldus-Prologs, an dessen Aufzeichnung gerade auch der
Schreiber des *Explicit* beteiligt ist, Tifrid als Verfasser des Epos
bezeichnet werden. Ich neige heute mehr und mehr zu der zweiten
Erklärung. Mir scheint dieses *Explicit* eine Parallele zu bilden zu
jener Nachricht Ekkehards IV., dass Ekkehard I. ein Waltharius-
Epos verfasst habe. Unser W hat sich sehr schnell und weit verbreitet. Er wurde häufig abgeschrieben, auch inhaltlich und stilistisch von anderen benutzt. Letzteres gilt auch vom Prolog. Aber
andererseits verlor man an diesem das Interesse. Wer Geraldus
war und wer Erchambald, wusste man schon bald nicht mehr.
Daher liess ein grosser Teil der Schreiber den Prolog einfach weg.
Andere schrieben ihn mechanisch mit ab, lasen aber über ihn und
sein klares Zeugnis von der Verfasserschaft des Geraldus am Epos
hinweg. Und dann setzte die Legendenbildung ein. Man schrieb
das berühmte Gedicht bald diesem, bald jenem zu: in St. Gallen
dem ersten Ekkehard, anderwärts, vermutlich in Frankreich,
jenem Vagantenhäuptling Tifrid; wer weiss, wem sonst noch. Es
ist ja doch bekannt, dass der Leichtfertigkeit des MA in dergleichen
Dingen schlechthin alles zuzutrauen ist.

Alles in allem, mir scheint einwandfrei festzustehen, dass trotz
der starken Verschiedenheit von Prolog und Epos beide von demselben Verfasser sind, d. h. von Geraldus.

Wer ist nun dieser Geraldus?

Der Name ist an sich sehr häufig. Fragen wir deshalb lieber: wer
war dieser *summus pontifex Erchambald*, dem Geraldus sein Epos
widmet? Und da dürfte, wenn ich das Epos richtig datiere, nur
einer in Frage kommen: Bischof Erchambald von Eichstätt, der von
882 (-4?) bis 916 dieses Bistum verwaltet hat. Sonst weisen die
Bischofslisten bei Gams, *Series episcoporum*, für jene Zeit, etwa
875-890, keinen Kirchenfürsten dieses Namens auf. Dann ist zu
vermuten, dass wir unsern Geraldus entweder in Eichstätt selbst
oder in seiner Nachbarschaft zu suchen haben.

Vielleicht ist es hier möglich, noch ein Stück weiter zu kommen.
Und zwar mit Hilfe der Personennamen des Waltharius, ihrer
sprachlichen Formen und ihrer Ortographie, soweit sie sich — und
das ist bei einem grossen Teil von ihnen der Fall — aus der Überlieferung eindeutig erschliessen lässt.

Die Behandlung der westgerm. b und g, insbesondere die häufige
Verhärtung zu p und k im Anlaut, weist unbedingt nach Oberdeutschland, nach Alemannien oder Baiern. (Diese Feststellung

findet eine Stütze in der Tatsache, dass der Dichter nach seiner
Stellung zu den Franken, die er zwar als die Träger der Imperiums
(*caput orbis*) achtet, die er aber persönlich nicht schätzt, ähnlich
wie die Sachsen, weder den Franken noch den Sachsen, sondern
nur den oberdeutschen Stämmen, Alemannen und Baiern zugerechnet werden kann (1).

Für Baiern würde nach Braune, Ahd. Gram. § 39 b) die Erhaltung des
alten ô in *Ospirin* sprechen. Aber gerade in diesem ziemlich häufigen Namen
haben auch die *Libri Confraternitatum* von St. Gallen und der Reichenau
fast durchweg *o* bewahrt. Ich zähle für die Reichenau nur 2 *Uosprin* und
1 *Vosbirin* (im Index S. 521 fälschlich *Vosbirn*) gegen 10 Formen mit *O-*,
os- in St. Gallen; 8 *os-*, überhaupt kein *uos-*; Formen mit *uas-* fehlen für
diesen Namen sowohl in St G, wie in Reichenau gänzlich. Auch in den andern
mit *ôs-* beginnenden Namen ist nur ganz selten diphtongiert (2).

Entschieden nach Baiern weist hingegen der Name *Wirinhardus*; dass
dies sehr wahrscheinlich die Form ist, die der Dichter gebraucht hat, wird
an anderer Stelle gezeigt (in einem Aufsatz « Über einige Lesarten der
Pariser Handschrift » der demnächst in AzfdA erscheinen soll). Frau Karg-
Gasterstädt hat mich hingewiesen auf den Aufsatz von Virgil Moser « Über
mhd. und nhd. *i* für *e* und *i* in Tonsilben » PBB 41 (1916) S. 437-480. Darin
wird (S. 438-453) ausführlich dargelegt, dass dieser Wandel des Umlauts
-e zu *i* nicht bloss mitteldeutsch, sondern auch ganz spezifisch bairisch
ist, im besonderen nord- und mittelbairisch Im Schwäbischen-Aleman-
nischen fehlt er so gut wie ganz, desgleichen im Ostfränkischen. Jenes
Wirinhardus ist aber nicht bloss für die Lokalisierung, sondern auch für
die Datierung des Waltharius wichtig. Denn der Übergang von Uml. *e*
zu *i* im Bairischen ist sonst erst spätahd. belegt. Das warnt uns davor in
der Datierung des Gedichtes zu weit ins 9. Jhdt. hinaufzugehen. Die Ab-
schwächung der Endsilben in *-here*, *-thien*, sowie die Verhärtung des aus-
lautenden *d > þ* in *-gunt* weisen in dieselbe Richtung (3).

Es müsste einmal versucht werden, fetzustellen, ob etwa Eichstätter Urkunden aus der 2. Hälfte des 9. Jh. erhalten sind, ob
sich in den darin enthaltenen Namen derselbe oder annähernd
derselbe Lautbestand findet, in Vokalen und Konsonanten, wie im
Waltharius, möglich wäre sogar, dass dieselben Namen wie im
Waltharius uns in diesen Urkunden begegnen.

Ich fasse zusammen; was ich schon jetzt mit Sicherheit .glaube
behaupten zu können: Ekkehard I. von St. Gallen ist nicht der

---

(1) vgl. hierzu O. SCHUMANN, *Zum Waltharius*, *ZfdA*, XXXIII, 1951, S. 30-35:
« Die Stellung des Dichters zu den Franken ».
(2) ebda S. 19-25.
(3) ebda S. 25-30: « Vokalismus und Konsonantismus der germanischen Namen im
Waltharius ».

Dichter des Waltharius. Der Dichter heisst Geraldus. Verfasst hat er sein Epos etwa im vorletzten Jahrzehnt des 9. Jh. und es dem Bischof Erchambald von Eichstätt gewidmet. Vermutlich war der Dichter bairischen Stammes.

3. - GERALDUS UND STATIUS.

Mit der Frage nach der Entstehungszeit und der Dichterpersönlichkeit des Geraldus sind aber die Probleme keineswegs erschöpft, die der Waltharius der Forschung unserer Tage stellt. Es ist Friedrich Panzer (s. o.) gelungen, die literarische Hauptquelle für einen besonders wichtigen, ja den wichtigsten Teil des Epos, nämlich die Kämpfe im Wasgenwald nachzuweisen. Panzer, der sich ja auch viel mit französischer Epik beschäftigt — er hat unter anderm nachgewiesen, wie stark diese auf das Nibelungenlied eingewirkt hat —, hatte sich wegen des *Roman de Thèbes* der Quelle desselben zugewendet, der Thebais des Statius, jenem im MA ebenso hochgeschätzten wie heute fast vergessenen Epos aus dem Ende des 1. nachchristlichen Jh. Und da fiel es ihm, als er das 2. Buch las, wie Schuppen von den Augen: hier war die Vorlage für jene Kämpfe im Waltharius.

Folgendes geschieht dort: Die Söhne des Ödipus, Eteokles und Polyneikes, haben unter sich ausgemacht, dass sie abwechselnd je ein Jahr regieren wollen. Eteokles als der Ältere kommt zuerst an die Reihe. Er weigert sich dann aber, zurückzutreten. Polyn. schickt seinen Schwager Tydeus zu ihm. Tydeus, ein Hitzkopf, tritt von vorneherein anmassend und beleidigend auf, wird abgewiesen, gerät darüber in furchtbare Erregung, schilt Eteokles erneut leidenschaftlich aus und macht sich auf den Heimweg. Eteokles, voll Wut und Rachsucht, sendet 50 seiner Mannen hinter ihm her, die ihm den Weg abschneiden und ihn überfallen und umbringen sollen. Tydeus aber wird ihrer aller Herr. Nur einen lässt er entkommen.

Die Parallele ist schlagend. Es ist kein Ruhmestitel für die Latinisten, sowohl die klassischen wie die mittelalterlichen, dass sie ihnen bisher entgangen war. Mir hat sie sofort eingeleuchtet, und ich habe Panzer dann eine ganze Menge von Stellen nachweisen können, aus denen deutlich hervorgeht, dass Geraldus den Statius gekannt hat, und zwar nicht bloss die Thebais, sondern auch die Silvae, nicht dagegen die Achilleis. (Jetzt in dem Aufs. « Statius

und Waltharius » Panzer-Festschrift 1950). Es wäre auch sehr
merkwürdig, wenn ein Mann von der umfassenden Belesenheit
des Geraldus — die bisher aufgestellten Listen der Schriftsteller,
die er gekannt und genutzt hat, habe ich auch sonst noch ganz
erheblich vermehren können — wenn dieser Mann an dem damals
so hochgeschätzten Statius vorübergegangen sein sollte. Auch zu
der Parallele, um die es zunächst ging, habe ich Panzer noch eine
Reihe sehr charakteristischer Einzelzüge nachweisen können.

Vergleicht man die beiden Handlungen miteinander bis in die
Einzelheiten, so wird auf der einen Seite die Parallele ganz unan-
fechtbar. Auf der anderen Seite gewinnt man einen Einblick in
die Werkstatt des Waltharius = Dichters, wie man ihn besser noch
nicht gehabt hat, und eine noch viel grössere Hochachtung vor der
Selbständigkeit und der — man muss schon sagen — Genialität, mit
der er seine Vorlage in sprachlicher sowohl wie in sachlicher Hinsicht
benutzt hat.

Machen wir es uns klar: ein Einzelner, der durch ein fremdes
Land zieht und unter heiligem Schutz steht — Tydeus unter dem
des Gesandtenrechts, Walthari unter dem des Gastrechts —, wird
auf Geheiss des Landesherrn, hier wie dort eines recht unsympa-
thischen Gesellen, von einer vielfachen Überzahl überfallen. Er
tötet sie alle. Nur je einer bleibt übrig: Maeon dort, Hagen hier.
Beide Male ist es derjenige, der einen schlimmen Ausgang vorausgesagt und den rasenden König gewarnt hat. Beide Male werden
in der Mitte der Kämpfe die Angreifer schwach und wollen den
Kampf aufgeben; beide Male werden sie von einem Führer, der
an ihr Ehrgefühl appeliert, in den Kampf zurückgetrieben. Beide
Male steht am Schluss ein Dankgebet an die schirmende Gottheit.

Hier kann gar kein Zufall sein, dass Geraldus in den grossen
Zügen und auch in Einzelheiten dem Statius gefolgt ist. Aber in
den meisten Einzelheiten ist er völlig selbständig. Auch sprachlich
habe ich gerade in diesem Abschnitt bisher keinen einzigen Anklang
gefunden; es scheint fast, als habe der Dichter hier äussere Spuren
der Entlehnung absichtlich verwischt. So hat er z. B. die Zahl
der Überfallenden von 50 auf 12 herabgesetzt; die Zahl 12 könnte
er übrigens aus dem Ovid haben, wo Hercules gegen die 12
Söhne des Neleus kämpft und ebenfalls nur einen, den Nestor
übrig lässt. Aber das ist nebensächlich. Die Einzelkämpfe sind
völlig verschieden gestaltet, nur hier und da mag man Ähnlichkeiten finden. Für die Selbständigkeit des Geraldus ist ganz

besonders bezeichnend der Abschluss dieser Kämpfe. Tydeus schleppt die Helme und Schilde, die Schwerter und Lanzen zusammen und errichtet aus ihnen ein Siegesmal. Über den gehäuften Leibern und Waffen spricht er sein Dankgebet an die schirmende Gottheit, Pallas Athene. Er spricht es mit laut schallender Stimme, so dass die Nacht und die Berge davon widerhallen. Pallas wird angeredet als die furchtbare Schlachtengöttin, *Diva ferox, bellipotens*, die Wangen umschlossen von dem furchtgebietenden Helm, auf der Brust die blutbesprengte Gorgo. Ihr weiht er einstweilen diese Beute und gelobt, ihr einen Tempel zu errichten, in dessen Kuppel er aufhängen will, was er an Waffen erbeutet hat — gewiss ihr zu Ehren, aber doch auch als ein Denkmal s e i n e s Schlachtenruhmes.

Theb. 2, 704 ff.

> Haec ait, et meritae pulchrum tibi Pallas honorem
> Sanguinea de strage parat, praedamque iacentem   705
> Comportat gaudens ingentiaque acta recenset.
> Quercus erat tenerae iam longum oblita iuventae
> Aggere camporum medio, quam plurimus ambit
> Frondibus incurvis et crudo robore cortex.
> Huic leves galeas perfossaque vulnere crebro   710
> Inserit arma ferens, huic truncos ictibus enses
> Subligat et tractas membris spirantibus hastas.
> Corpora tunc atque arma simul cumulata superstans
> Incipit; oranti nox et iuga longa resultant:
> « Diva ferox, magni decus ingeniumque parentis   715
> Bellipotens, cui torva genis horrore decoro
> Cassis et adsperso crudescit sanguine Gorgon,
> Nec magis ardentes Mavors hastataque pugnae
> Impulerit Bellona tubas, huic annue sacro...   719
> Nunc ibi fracta virum spolia informesque dicamus   725
> Exuvias. At si patriis Parthaonis arvis
> Inferar et reduci pateat mihi Martia Pleuron,
> Aurea tunc mediis urbis tibi templa dicabo
> Collibus ...   729
> Hic ego maiorum pugnas vultusque tremendos   732
> Magnanimum effingam regum, figamque superbis
> Arma tholis, quaeque ipse meo quaesita revexi
> Sanguine, quaeque dabis captis, Tritonia, Thebis.
> ... Tu bellis, tu pace feres de more frequentes   741
> Primitias operum, non indigente Diana.

Was hat nun daraus der christliche Dichter gemacht? Er wendet sich, als alles vorbei ist, zunächst mit bitterem Seufzen, *amaro cum gemitu*, den Gefallenen zu und fügt jedem Rumpf das zugehörige Haupt wieder an. Dann wirft er sich zu Boden nieder, *prostrato corpore*, und spricht sein Gebet. Er dankt darin Gott, dass er ihn bewahrt habe vor den Waffen der Feinde und vor der Schande. Und er bittet ihn, er möge ihn dereinst die, welche hier vor ihm liegen, in der himmlischen Heimat wiedersehen lassen.

Walth. 1157 ff:

> ... Quo facto ad truncos sese convertit amaro
> Cum gemitu et cuicumque suum caput applicat atque
> Contra orientalem prostratus corpore partem
> Ac nudum retinens ensem hac voce precatur:
> « Rerum factori, sed et omnia facta regenti,
> Nil sine permisso cuius vel denique iusso
> Constat, ago grates, quod me defendit iniquis
> Hostilis turmae telis nec non quoque probris.
> Deprecor at dominum contrita mente benignum,
> Ut, qui peccantes non vult sed perdere culpas,
> Hos in caelesti praestet mihi sede videri ».

Hier ist besonders bemerkenswert der Zug des Wiederanfügens der Köpfe. Damit hat man bisher nichts anzufangen vermocht. Man hat vergeblich nach einer Parallele gesucht und etwa geglaubt, es handele sich hier um so etwas wie Wiedergängervorstellungen. Aber die Sache wird ganz klar, wenn man Statius heranzieht. Im dritten Buche, am Tage nach dem Blutbad, kommen dort die Angehörigen der Gefallenen aus der Stadt.

Theb. 3, 129 ff:

> ... Hae pressant in tabe comas, hae lumina signant
> Vulneraque alta replent lacrimis, pars psicula dextra
> Nequicquam parcente trahunt, pars molliter aptant
> Bracchia trunca loco et cervicibus ora reponunt.

Sie erheben die Totenklage, sie suchen ihre Lieben, sie fügen die abgehauenen Arme wieder an und setzen die Köpfe wieder auf den Nacken: (III, 130 ff) *cervicibus ora reponunt*. Sie bringen also die Leichen in eine anständige Verfassung. Das tut auch Waltharius. Es ist bezeichnend, dass Geraldus das aus dem Geschehen des folgenden Tages, aus anderem Zusammenhang hier einfügt. Es ist bezeichnend für die Art, wie er die Motive kombiniert, die ihm seine Vorlagen darboten. Er verfährt im Sachlichen genau so wie im Sprachlichen. Aber wichtiger ist ein anderes: den Liebensdienst an den Toten erweisen bei Statius die Angehörigen; beim Geraldus

tut es der Feind, der doch an sich wohl Grund hätte, voll Wut und
Erbitterung zu sein gegenüber den Männern, die ihn so schnöde
überfallen haben. Und dieser völlige Wechsel der Gesinnung tritt
auch in den andern Einzelheiten dieser Szene zu Tage. Nur das
allgemeine Motiv ist geblieben, dass der Sieger der schirmenden
Gottheit dankt. Alles ist sonst anders. Tydeus steht aufrecht, auf
dem Haufen von Leichen und Waffen, laut ruft er sein Gebet in
die Nacht hinaus, von den umgebenden Bergeshöhen kommt der
Widerhall. Walthari wirft sich zu Boden, von einem besonderen
Stimmaufwand ist nicht die Rede. An die Stelle der *diva ferox*,
der blutgierigen und blutbesprengten Kriegsgöttin ist getreten der
Deus benignus der Christen. An die Stelle der wilden Siegesfreude
bitteres Leid, dass so viel Blut hat vergossen werden müssen,
Reue und Zerknirschung (*contrita mente*), und als Zukunfsbild
nicht der Tempel mit den Bildern und Trophäen der eigenen
Siegestaten, sondern der Himmel, in dem dank der verzeihenden
Gnade Gottes aller Gegensatz und alle Feindschaft aufgelöst sind
in Frieden und Versöhnung.

Und nun ist zweierlei zu betonen. Erstens: dass das Bild des
Helden dadurch in keiner Weise unglaubhaft wird. Zu dem Ge-
nialsten, was Geraldus geleistet hat, zähle ich den Charakter des
Helden. Wie vielseitig ist Walthari in diesem doch immerhin nicht
eben langen Epos charakterisiert. Tapferkeit paart sich in ihm
mit Klugheit, Umsicht, Besonnenheit, realistischer Nüchternheit;
zarte Rücksicht und rührende Fürsorge für die Geliebte, die sich
ganz in seine Hände gegeben hat, die scharfe Zunge, der grimmige
Humor, der ihn immer, wo es zu einem Wortstreit kommt, das
letzte Wort behalten lässt, dazu kommt nun dieser Zug einer tief
innerlichen Frömmigkeit. Mir scheint, dass dadurch sein Bild in
gar keiner Weise unglaubhaft wird.

Zweitens aber: das Heldentum Waltharis wird durch diesen Zug
keines wegs abgeschwächt, aufgeweicht, verwässert. So lange der
Kampf dauert, so lange die Feinde ihm nach dem Leben trachten,
so lange kämpft er eben, tapfer und schonungslos bis zum letzten.
Aber er ist kein Raufbold, er sucht den Kampf nicht, bemüht sich
vielmehr aufs äusserste ihn zu vermeiden. Wird er ihm aufge-
zwungen, dann ficht er ihn durch bis zum letzten und mit Aufgebot
aller Kräfte. Dann aber, wenn der Kampf vorbei ist und die Gefahr,
ist alle Kampfeswut, aller Hass vergessen, Liebensdienst wird dem
toten Feinde erwiesen.

Hier handelt es sich nicht nur um den Charakter dieser einen literarischen Gestalt. Hier sind wir auf dem Wege zum christlichen Ritterideal, ja mir scheint, hier können wir, gerade aus dem Vergleich dieser beiden Szenen bei Statius und Geraldus, deutlich hineinschauen in das Werden dessen, was wir abendländische Kultur nennen, unseres kostbarsten und gerade in unseren Tagen mehr denn je gefährdeten Besitzes. Diese abendländische Kultur ist ja erst in MA erwachsen aus den drei Wurzeln: Antike, Christentum und Germanentum. Hier in unserer Szenenfolge, geschieht das scheinbar Unmögliche; die Vermählung dieser Elemente, und zwar eine solche, bei der antikes und zugleich germanisches Heldentum nichts einbüsst von seiner Kraft, sondern ein ganz Neues entsteht. Waltharius ist noch weit entfernt von dem christlichen Ritter, wie er uns im Hochmittelalter gegenübertritt; es würde zu weit führen das hier darzulegen. Aber der Anfang wird hier gemacht. Und ich halte es für sehr gut möglich, ja angesichts der weiten Verbreitung und des Ansehens, dessen sich unser Epos im MA erfreut hat, für höchst wahrscheinlich, dass diese von Geraldus geschaffene Heldengestalt sehr wesentlich mit dazu beigetragen hat, das Ideal des christlichen Ritters zu formen, das ja eine der wichtigsten Schöpfungen der abendländischer Kultur ist.

Das wir das so zeigen können, das scheint mir ein Hauptverdienst jener glänzenden Entdeckung Panzers zu sein.

Aber Panzer brachte in seinem Akademievortrag von 1942 noch mehr (inzwischen des Näheren begründet in der Schrift, « Der Kampf am Wasichenstein » s. o.). Er stellte den Waltharius, das lateinische Gedicht, zusammen mit den anderen Gestaltungen der Sage vor allem in germanischer Dichtung, von dem ags. Waldere bis zur Thidrekssaga, und er kam zu dem Ergebnis: erstens, dass all diese Gestaltungen des Stoffes zurückgehen auf unseren lateinischen Waltharius; zweitens: dass dieser in allem Wesentlichen auf freier Erfindung seines Dichters beruht, ein sogenanntes « Urlied » ist.

Ist dem so, dann ergeben sich daraus die wichtigsten Folgerungen, Folgerungen, die noch erheblich weitergehen als die, die aus meinen eigenen Forschungen sich ergeben. Schon die neue chronologische Festlegung der Entstehung des Epos auf das vorletzte Jahrzehnt des 9. Jh. ist von weitreichender Bedeutung. Ich zitiere W. Stachs Aufsatz über Geralds Waltharius in der Hist. Zs. 168, S. 58· « Es gibt wohl kaum ein zweites Datierungs-

problem, das so folgenreich und aufregend wäre. An den Konsequenzen, die sich daraus ergeben, sind die mittelalterliche Geschichtswissenschaft und die Philologie des deutschen MA glei-
chermassen beteiligt. Denn es geht um mehr als um eine Entscheidung im Bereich der speziellen Walthariusforschung; es geht
um die Verschiebung der Grundlagen, die seit 100 Jahren für
die Geschichte des altdeutschen Geisteslebens gegolten haben.
Weder die karolingische Epoche, noch das ottonische Zeitalter
bleiben in ihrem historischen Wesen das, was sie waren, wenn
man dem geschichtlichen Bilde des einen den Waltharius entzieht
und dem des anderen hinzufügt». Ich kann das nur unterschreiben.
    Nun sind die Folgerungen, die sich aus Panzers Feststellungen
ergeben noch weitreichender. Bisher war es allgemein anerkannte
Tatsache, dass unser Waltharius die Gestaltung einer echten germanischen Sage aus der Völkerwanderungszeit sei. Er galt neben
dem Hildebrandslied als die älteste Gestaltung einer solchen Sage.
Und man hat sich die grösste Mühe gegeben, die germanischen
Gestaltungen des Stoffes, die unserem Epos vorausliegen, wiederherzustellen. Stellt sich nun heraus, dass es keine echte germanische
Walthersage gegeben hat, dann stürzt damit der kunstvolle Bau
an Hypothesen und Zusammenhängen, den die ältere germanische
Literatur-und Sagengeschichte errichtet hat, in sich zusammen und
muss völlig neu errichtet werden.
    Erweisen sich unsere Forschungen als richtig, unsere Ergebnisse,
sowohl die Panzers wie die meinigen, als fest gegründet, dann zwingt
das fernerhin zu einer Prüfung unserer wissenschaftlichen Me-
thoden. Ich will nur zwei Beispiele nennen. Sievers hat auf Grund
seiner berühmten «Personalkurven» nachgewiesen, dass der Geraldus-Prolog und das Epos nicht von demselben Dichter her-
rühren könnten; dagegen seien die Personalkurven des Epos und
der uns von Ekkehard I. überlieferten Lieder «völlig identisch».
Habe ich recht, dass doch Geraldus der Verfasser ist und nicht
Ekkekard, dann ist damit die Sieversche Methode wieder einmal
ad absurdum geführt.
    Das zweite Beispiel bietet der eben zitierte Aufsatz von Stach.
Darin wird dargelegt, dass der Waltharius in die ottonische Zeit
hineingehöre, und zwar in die zweite Hälfte dieser Zeit. Denn die
Geistesgeschichte erweise, dass der Waltharius wohl in ottonischer
Zeit denkbar sei, nicht aber unter den Karolingern. Habe ich recht
mit meiner Datierung, dann ergeben sich daraus mindestens

schwerwiegende Bedenken auch gegen die geistesgeschichtliche Methode, die übersieht, dass das Genie — und Geraldus war ein Genie, das ist mir bei diesen Einzelforschungen immer von neuem und immer deutlicher klar geworden, so sehr ich mir bewusst bleibe, dass der Waltharius nicht zu den ganz grossen Leistungen der Weltliteratur gehört — dass er z. B. den Vergleich mit dem Nibelungenlied, dem Parzival, der Divina Commedia, um nur mittelalterliche Werke zu nennen, nicht entfernt aushält — dass das Genie die Schranken seine Zeit immer wieder überspringt.

Aus: Studi medievali. 1951. N. S. 17 (1951).

DAS WALTHARIUSEPOS DES BRUDERS GERALD
VON EICHSTÄTT*

von Karl Hauck

Zum 23. 7. 53, zum ersten Jahrestag des Todes von Heinrich Mitteis,
dem sich der Verfasser dankbar verbunden weiß.

Im Jahre 1951 erschien zu drei Vierteln als photomechanischer Neudruck
der 1943 im Verlag durch Bomben vernichteten ersten Auflage der 1. Faszikel
des VI. Bandes der Serie Poetae Latini in den Monumenta Germaniae historica. Der verantwortliche Herausgeber ist für den weitaus größten Teil des
Bandes der 1945 verstorbene Altmeister der mittellateinischen Editionsphilo-
logie Karl S t r e c k e r , in dessen beiden älteren Ausgaben man seit Jahrzehnten gewohnt war, das berühmte Waltrariusepos zu studieren. Der VI.
Poetaeband, dessen 1. Faszikel nun vorliegt, ist als neuer Nachtragsband zur
karolingischen Dichtung angelegt. Von dieser Denkmälernachlese soll uns hier,
so wichtig eine Reihe von ihnen auch sein mögen, allein der Waltrarius interessieren, da seine erste, monumentale Edition eine geistesgeschichtliche Entscheidung von größter Tragweite fällt[1]. Diese Entscheidung ist zwar seit mehr
als zehn Jahren angekündigt und diskutiert, aber keineswegs inzwischen zur
herrschenden Meinung geworden[2]. Ist es nun wirklich richtig, das berühmte
Epos dem 10. Jahrhundert abzusprechen und dem 9. zuzuweisen, wie es in der
ungewöhnlich sorgfältig vorbereiteten Neu-Edition geschieht?
Die Antwort auf diese Frage ist bekanntlich eng verbunden mit dem V e r -
f a s s e r - Problem. Für dieses Problem hat die Forschung bisher drei Haupt-
lösungen. Bis 1926 antwortete sie fast einmütig: Ekkehard I. Diese Meinung
wird — wie man nach den elementaren Regeln historisch-philologischer Quel-
lenkritik sagen muß — endlich von immer mehr Forschern aufgegeben und
zwar zumal von denen, die nicht ältere, einmal bezogene Positionen zu ver-

---

* Mit einigen Änderungen und Kürzungen wurde das Manuskript bei der Arbeits-
sitzung des Instituts für fränkische Landesforschung an der Universität Erlangen
am 16. 7. 1953 vorgetragen. Von den Anregungen der anschließenden Aussprache
konnten die von H. L ö w e und E. B u c h n e r in der Fahnenkorrektur ebenso
berücksichtigt werden wie Anregungen aus der mündlichen und brieflichen Diskussion mit B. B i s c h o f f , A. B l a s c h k a , C. K o c h , P. L e h m a n n , F. R.
S c h r ö d e r und W. S t a c h .
[1] Carl E r d m a n n , Forschungen und Fortschritte 17, 1941, S. 171. Walter S t a c h ,
Historische Zs. 168, 1943, S. 58.
[2] An der Ekkehard-These und damit am 10. Jh. hielten z. B. fest: Georg B a e -
s e c k e , Dt. Vjs. f. Litew. u. Geistesgesch. 23, 1949, S. 152; Karl L a n g o s c h ,
Die dt. Literatur des Mittelalters, Verfasserlexikon IV, 3, 1953 Sp. 776ff.; Cola
M i n i s , Der Wächter 30/31, 1948/49, S. 81ff. und 33, 1952, S. 12ff. (Die zweite
Arbeit ist mir unzugänglich); Hans N a u m a n n in seinen bisher ungedruckten
Ottonischen Studien; Hermann S c h n e i d e r , Geschichte der deutschen Dich-
tung nach ihren Epochen dargestellt, 1949, S. 43; Ludwig W o l f f , in Erbe der
Vergangenheit, Festgabe für Karl Helm, 1951, S. 71ff.; d e r s ., Das deutsche
Schrifttum bis zum Ausgang des Mittelalters 1, 1951, S. 108ff. — Bei Trennung

teidigen haben. Indem ich im Folgenden die früheste Phase der Geschichte der Ekkehard-These skizziere, hoffe ich, nicht unwichtiges, neues Material gegen diese Ansicht beizusteuern.

Seit der Revolution gegen Ekkehard I. antworten die Forscher, die sich dieser Revolution anschlossen, entweder: die Verfasserfrage ist unlösbar, oder: der Waltharius-Dichter ist jener Gerald, der sich im Prolog des Epos nennt. Die letzten beiden Alternativen ergeben sich von der Interpretation des Prologes aus und zwar besonders von dem *de larga cura* (Vers 10) her. Gerald widmet dem im Prolog genannten *pontifex summus* Erkambald den Waltharius als Schreiber oder Bibliothekar *de larga cura,* so meinen die einen; Gerald widmet Erkambald sein Werk *de larga cura* als Dichter, so meinen die anderen. Eine Nuance der Interpretation hat also weitreichende Folgen. Dennoch scheint mir der Text die Möglichkeit zu einer klaren Entscheidung zuzulassen. Der These von dem Prolog als Schreiber- oder Bibliothekarsdedikation, der als solcher in der mittelalterlichen Überlieferung keineswegs ohne Parallelen wäre, vermag ich nicht zu folgen. Denn sie kommt ohne interpretierende Ergänzungen der entscheidenden Verse nicht aus. Die näherliegende, die einfachere Lösung und damit die von der Überlieferung aus notwendige ist in den folgenden Versen, in denen Gerald von seiner auf das dargebrachte Werk verwandten, reichlichen Mühe spricht, eine Selbstnennung des Verfassers zu sehen:

> 9 *Praesul sancte dei, nunc accipe munera servi,*
> *Quae tibi decrevit de larga promere cura*
> *Peccator fragilis Geraldus nomine vilis,*
> *Qui tibi nam certus corde estque fidelis alumnus.*
> 16 . . . *Serve dei summi, ne despice verba libelli* . . .

Diese Anschauung, begründet auf die unmittelbarste Anlehnung an den Text, wie er sich nun einmal darbietet, wird gesichert durch Otto S c h u - m a n n s gründlichen, alle Zweifel beseitigenden Nachweis a) von der Einheit der Dichter-„Handschrift" im Prolog und Epos und b) von der Zugehörigkeit des *de larga cura* zur Topik des V e r f a s s e r - Prologs. Antike und mittelalterliche Autoren rühmen ihre Mühe bei der Abfassung mit diesem und verwandten rhetorischen Topoi. Ohne überzeugen zu können, versuchte Langosch (a. a. O.), dieses sichere Ergebnis anzutasten. Zu demselben

---

von Ekkehard erklärte die Datierung für offen Herbert G r u n d m a n n , Geschichte in Wissenschaft und Unterricht 2, 1951, S. 541; ähnlich aber deutlich mehr dem 9. Jh. zuneigend Helmut d e B o o r , Geschichte der deutschen Literatur, hrsg. von Heinz O. B u r g e r 1, 1951, S. 55; Felix G e n z m e r , Das Waltharilied, Reclams Universalbibliothek Nr. 4174, 1953, S. 3f. (entgegen diesen Ausführungen erscheint jedoch der Name Ekkehards auf dem Umschlagtitel); Kurt H. H a l b a c h , in Deutsche Philologie im Aufriß, hrsg. v. Wolfgang S t a m m - l e r , 11. Lieferung 1953, Sp. 505ff., 515; Paul L e h m a n n , Mittelalterliche Büchertitel II, SB. München 1953, Heft 3, S. 8; Friedrich P a n z e r , Der Kampf am Wasichenstein, 1948, S. 10, 84; Gustav A. S ü ß , Zs. f. d. Geschichte des Oberrheins 99, 1951, bes. S. 6ff.; Karl S c h i c k e d a n z , Studien zur Walthersage, maschinenschriftl. Diss. Würzburg 1949, S. 34ff. (freundlicher Hinweis von F. R. S c h r ö d e r).

Ergebnis, zu dem die Gerald-Überlegungen neuester Forschung geführt haben[3], kam jedoch bereits jener bedeutende, mittelalterliche Schreiber, dem wir die Brüsseler Handschrift B mit ihren berühmten, selbst moderne Philologen wie Strecker und Wilhelm Meyer überzeugenden Konjekturen verdanken. Denn dieser Anonymus stellte dem Gesamtwerk das INCIPIT POESIS G E R A L D I DE GUALTARIO voraus, falls dieses Incipit nicht sogar noch älter sein sollte. Das Mittelalter selbst bestätigt also die Interpretation des Prologs als Autorenzeugnis durch jenen Anonymus, dessen Explicit: TERMINAT LIBER DUORUM SODALIUM, WALTHARII ET HAGANONIS nicht weniger treffend ist als das eben zitierte Incipit. Ohne stichhaltige Gründe versuchten Langosch (Zs. f. dt. Philologie 65, 1940/41, S. 120) und ihm folgend Süß (a. a. O.) das Faktum, daß der philologisch qualifizierte Schreiber von B von dem Prolog aus auf Gerald als Verfasser schloß, wegzuinterpretieren oder abzuschwächen (ähnlich Schumann, Anzeiger, S. 17, m. E. ganz zu unrecht für diesen Fall).

Von der hier vertretenen Auffassung aus erhalten besondere Bedeutung die Neufunde Paul L e h m a n n s zu I, der Ingolstädter Handschrift (= Hs.)[4]. I, die weitaus älteste Hs. der sogenannten süddeutschen Gruppe, hatte, wie der für I bereits errechnete und nun wiederentdeckte Vers 18 lehrt, auch den Gerald-Prolog. Damit ist für den Archetypus Geralds Selbstbezeichnung als Verfasser (Prolog Vers 9ff., 16) endgültig gesichert.

Den Weg zu dieser für mich zwingenden Folgerung aus der Überlieferung versperrte bisher d i e E k k e h a r d - H y p o t h e s e. Entgegen dem Veto der hsl. Überlieferung beharren noch immer namhafte Gelehrte auf ihr (s. Anm. 2). Es ist daher notwendig, daran zu erinnern, wie die Ekkehard-Hypothese entstanden ist, zumal darüber seit Generationen Ungenaues und Falsches nachgeschrieben wird, bedauerlicherweise auch in S t r e c k e r s Einleitung zu seiner Edition. Ekkehard wurde zum Waltharius-Dichter nicht erst durch die geniale Intuition Jacob G r i m m s , wie man fast überall in der

---

[3] S c h u m a n n , Zum Waltharius, Zs. f. dt. Altert. 83, 1951, S. 25, 40 (künftig zitiert als Schumann, Zeitschrift); d e r s., Waltharius-Literatur seit 1926, Anz. f. dt. Altert. 65, 1951, S. 17ff., bes. S. 35f. zu de larga cura (künftig zitiert als Schumann, Anzeiger); d e r s., Walthariusprobleme, Studi Medievali 17, 1951, bes. S. 183ff. (künftig zitiert als Schumann, Studi); ihm folgten in diesen Punkten Wolfram v o n d e n S t e i n e n , Der Waltharius und sein Dichter, Zs. f. dt. Altert. 84, 1952, S. 5ff. und, wenn ich richtig sehe, G e n z m e r , a. a. O. — Vor und neben Schumann vertraten die Geraldthese mit verschiedenen Varianten in der Argumentation Rudolf R e e h , Zs. f. dt. Philologie 51, 1926, S. 413ff.; Henri G r é g o i r e , Bulletin de la Faculté des Lettres de Strasbourg 14 No. 6 1936, S. 201ff.; d e r s., La Nouvelle Clio 4, 1952, S. 319ff.; S t a c h , a. a. O. Als gleichgewichtig neben der Ekkehardthese anerkannte die Geraldthese Andreas H e u s l e r , Kleine Schriften I, 1942, S. 13. Für den St. Galler Magister Gerald tritt ein: Henrik B e c k e r , Zum Waltharius, Wissenschaftl. Zs. der Univ. Jena, 1952/53, S. 65ff.

[4] 72. Beiheft zum Zentralblatt für Bibliothekswesen, 1940, S. 91ff., bes. S. 99. Der Fund bestätigte die Richtigkeit von S t r e c k e r s Rekonstruktion des Umfangs der Hs. I: MGh. P. L. V, 1937, S. 406, Deutsches Archiv (= D. A.) 4, 1940, S. 369 u. 5, 1941, S. 28.

neueren Literatur lesen kann, so sehr dessen übermächtige Autorität die irrige Anschauung gestützt hat. Zum Waltharius-Dichter wurde Ekkehard vielmehr durch das Zusammentreffen des St. Galler Lokalpatriotismus des gelehrten Ildefons v o n A r x mit dem schon von den mitforschenden Zeitgenossen gegeißelten, unkritischen Überschwang Friedrich H. v o n d e r H a g e n s im Sommer 1816 in St. Gallen. Von der Hagen teilte seine St. Galler Entdeckung seinem Freunde Johann G. B ü s c h i n g nach Breslau mit, der die Leser seiner neugegründeten „Wöchentlichen Nachrichten" zwar sofort, aber nur damit bekannt machte, daß Herr von der Hagen auf seiner Reise den Verfasser des Walther von Aquitanien entdeckt habe[5]. Die angekündigte, nähere Mitteilung unterblieb jedoch in Büschings Nachrichten. Das gelehrte Publikum erfuhr stattdessen 1817 an der Stelle von Genauerem zu von der Hagens Entdeckung zuerst in einer Rezension über Büschings neue Zeitschrift, die als unwissenschaftlich mit der Schärfe und dem Gewicht der Wahrheit angegriffen wurde[6], was der Rezensent „darüber anzuführen hätte".

Dieser Rezensent bringt drei Nachrichten: Erstens die aus den *Casus Sancti Galli* nach Goldasts Druck, die für Ekkehard I. als Waltharius-Dichter zu sprechen scheint, zweitens die Polycarp L e y s e r s[7]. Sie beruht auf dem bekannten c. 70 des sogenannten *Anonymus Mellicensis* (Wolfgers von Prüfening, MGh. P. L. VI, S. 4 Nr. 17) und erklärt Ekkehard IV. zum Dichter von *gesta Waltharii*. Drittens aber druckte der Rezensent den „merkwürdigen, noch unbekannten Prolog", in dem sich deutlich ein Gerald als Dichter des überreichten Werkes bezeichnet, aus der ungenannt bleibenden Pariser Hs., aus P ab. V o n d e r H a g e n vereinigte nun seine St. Galler Entdeckung, von der er selbst sagt, daß er sie „durch Arx" machte, mit dem ihm jetzt erst begegnenden Gerald-Prolog auf den ersten Augenschein hin und ohne jede sorgfältigere Erörterung, indem er Erkambald mit dem Bischof von Straßburg, Gerald mit dem St. Galler Magister identifizierte. Diese Kombination, die mit leichter Hand gewaltsam disparate Tatsachen harmonisierte, wurde sofort weit verbreitet. Denn von der Hagen veröffentlichte sie publikumswirksam in seinem „Briefe in die Heimat aus Deutschland, der Schweiz und Italien" (Bd. I, 1818, S. 152). Die Rezension des Jahres 1817 dagegen war alsbald so vergessen, daß Franz J. M o n e 1830 erneut, nicht wie die neuere Forschung, voran S t r e c k e r[8], meinte als erster, den Prolog abdruckte und zwar dieses Mal nach B, der Brüsseler Hs.[9].

Mit diesem Prolog-Druck wollte Mone eindeutig darauf hinweisen, daß P u n d B „das Gedicht . . . nicht dem Eggihart", sondern Gerald zuschrieben.

---

[5] B ü s c h i n g , Wöchentliche Nachrichten für Freunde der Geschichte, Kunst und Gelahrtheit des Mittelalters 2, 1816, S. 320.
[6] Heidelbergische Jahrbücher der Litteratur 10, 1, 1817, S. 663f. Der Rezensent zeichnet lediglich mit dem griechischen Buchstaben ‚phi'.
[7] Historia poetarum et poematum medii aevi, 1721, S. 310.
[8] MGh. P. L. VI, S. 4, II Nr. 1. Ebda. S. 10 ist irrig aus 1830 1836 geworden.
[9] Quellen und Forschungen zur Geschichte der teutschen Sprache und Literatur 1. 1830, S. 183.

Trotzdem sollte von der Hagens flüchtige, durch zahlreiche Versehen charakterisierte Kombination[10] erfolgreich bleiben. Denn 1829 hatte v o n A r x die *Casus Sancti Galli* in den Monumenta, im II. Bd. der Scriptores editiert und dort (S. 118 Anm. 92) wiederum auf Ekkehard I. als Verfasser hingewiesen. Immerhin stimmte ihn die Nennung Geralds in P[11] als Mönch von Fleury bedenklich. Diese Bedenken entschärfte an der gleichen Stelle Georg P e r t z. Er hatte 1826 B in Brüssel mit dem Gerald-Prolog selbst gesehen. Jetzt erklärte er sowohl Gerald — auch er nennt ihn *Floriacensis* — als auch die beiden Ekkeharde zu lateinischen Nachdichtern eines verlorenen, deutschen Epos. Jacob G r i m m hat 1838 in seiner bekannten Neu-Edition keine neue Meinung vorgetragen.

Wie G r i m m zu seiner Anschauung gekommen ist, läßt sich im ganzen genau überblicken. Der Einfluß von von der Hagens Briefen ist nachweisbar. In einem Brief an Mone, (1820, März 21, Neue Heidelberger Jahrbücher 7, 1897, S. 226) zitiert Wilhelm Grimm die Seite 155 der Beschreibung des St. Galler Besuchs von der Hagens. Zwar war von der Hagen für die Brüder Grimm, die damals Seite an Seite in Kassel arbeiteten, alles andere als ein zuverlässiger Mitforscher. „Hagens Falschheit und mancherlei Wege, die er braucht, um sich und seine Wege auszuposaunen, sind mir zuwider", hatte Jacob Grimm schon 1811, Mai 17, an Görres geschrieben (nach ADB. 10, S. 336). Aber der Name von Arx, dessen Verdienste die Brüder schätzten, im Zusammenhang der Entdeckung des Waltharius dürfte die Brüder veranlaßt haben, die Ekkehard-Hypothese trotz ihrer kritischen Stellung zu von der Hagen zu übernehmen. In dem großen Brief, 1821 Juni 26, schreibt Wilhelm Grimm an Karl Lachmann jedenfalls mit einer Formel, die sich der Feder eingewöhnte, über den Waltharius: „auch beim Eckehart im Walther von Aquitanien finden wir schon den geschichtlichen Attila", und L a c h m a n n antwortet in der gleichen Anschauung 1821, September 20 (Briefwechsel der Brüder Grimm mit Lachmann hrsg. von Albert L e i t z m a n n II, 1927, S. 781, 795, 811). Spätestens 1829 mit dem auf die Forschung so nachhaltig wirkenden Buch von Wilhelm G r i m m , Die Deutsche Heldensage, hatten sich, man darf wohl sagen, die Brüder auch öffentlich auf diese Ansicht festgelegt, wenn es dort (S. 29) hieß: „*Waltharius manu fortis*. Von Ekkehard I. zu St. Gallen in der ersten Hälfte des 10ten Jahrh. gedichtet." Auch Mones Abdruck des Gerald-Prologs und Widerspruch gegen die Ekkehard-Hypothese (s. o.) änderte an der Meinung Jacob Grimm nichts. An Mones Quellen und Forschungen hatte er soviel auszusetzen, daß er das Buch nicht rezensierte. „Die resultate haben mir zu wenig sicheres und überzeugendes", schreibt er selbst an Mone 1831, Mai 28 (Neue Heidelberger Jbb. 7, 1897, S. 91). Die Voraussetzungen zu einer Änderung der Ekkehard-Hypothese durch J a c o b G r i m m waren also ungünstig.

---

[10] Briefe in die Heimat, S. 152 schreibt er 873 statt 973, 1816 statt 1817. In B ü s c h i n g s Wöchentliche Nachrichten 4, 1819, S. 122 erscheint, obwohl er es 1818 schon besser wußte, auf einmal wieder Ekkehard IV. als der Dichter.
[11] V o n A r x , behauptet das an sich von K, der Karlsruher Hs., aber das ist eine klare Verwechslung mit P, wie das *Gerardus* (!) *Floriacensis* zeigt.

Das Verfasser-Problem des Waltharius selbst zu durchdenken, wurde Jacob veranlaßt durch den Plan zu seinen lateinischen Gedichten. Er schreibt darüber an Joseph Freiherrn von Lassberg 1837, November 7, aus Göttingen (Germania 13, 1868, S. 379): „Theuerster freund, . . . ich lasse eben zwei merkwürdige lateinische Gedichte des X. und XI. jh. drucken, Ruodlieb und eine in Brüssel gefundene thierfabel. Dazu möchte ich nun den Waltharius geben. Ich besitze aus den vielen hss. namentlich pariser (!) und carlsruher collationen, wiewol unvollständige, andere hoffe ich von Pertz zu erhalten. Da Sie aber von lange her bevorrechtet sind auf diese ausgabe, so frage ich billig an, ob Sie noch dazu entschlossen sind . . . oder mir Ihre collationen überlassen wollen. Der Plan meines buches würde, ohne den Waltharius, sehr leiden. Da ich gerade nur das nächste vierteljahr muße für diese sachen habe und sie hernach schwerlich wieder vornehmen könnte, so wäre mir Ihre unterstützung höchst erfreulich. . . . so bitte ich die collationen u n v e r w e i l t m i t p o s t an mich abgehn zu lassen." Durch von Lassberg war bereits um 1820 die Edition des Waltharius, der eine Weile als erstes Denkmal der Monumenta Germaniae historica herausgegeben werden sollte, vorgesehen. (In den dazu im Archiv der Gesellschaft um 1820 erschienenen Aufsätzen war die Verfasserfrage nicht berührt worden.) Trotzdem entsprach von Lassberg im Winter 1837 der Bitte Grimms und übersandte ihm neben den Hss. Kollationen auch Noten und eine Einleitung zweier gelehrter Freunde, beides gleichfalls nur Manuscripte. Beides aber fand Grimm nach einer ersten Prüfung „abgeschmackt und fast unbrauchbar."

Hatte Grimm schon vorher P, die Pariser Hs., wenn auch unvollständig, aber vermutlich gerade mit dem Prolog abschriftlich besessen, so mußte er spätestens durch die Sendung von Lassbergs erneut auf Gerald stoßen. Auch die Fußnoten von Arx und Pertz in der Casus-Edition der Monumenta müssen ihm bekannt gewesen sein. Wie Grimm die Verfasserfrage ansah, hören wir auch sogleich in dem Brief, in dem er von Lassberg für die Übersendung seiner Collationen dankt (1837, Dezember 4): „Für den Waltharius herzlichsten dank, ich gehe rasch an die arbeit, so gut es die peinliche zeit gestattet. . . . Mit dem Eckehardus und Geraldus ists freilich seltsam, das weiß ich" (der Brief v. Lassbergs, auf den Grimm hier womöglich anspielt, ist wahrscheinlich gedruckt, mir aber im Augenblick unzugänglich), „daß dieser Geraldus k e i n f l o r i a c e n s i s war, sondern allem schein nach auch ein sangallensis, ich denke derselbe scholarum magister, dessen die casus gedenken, also genosse des alten Eckehardus selbst. Wie freundschaftlich von Ihnen, daß Sie sich nun auch um das Engelberger fragm. bemühen" (Germania 13, S. 380). Jacob Grimm kehrte also hinsichtlich Gerald gegen von Arx und Pertz de facto zu von der Hagens Ansicht von 1818 zurück, auch Erkambald von Straßburg sollte in der Einleitung seiner Ausgabe erneut erscheinen.

Der Schmerz über die Göttinger Ausweisung und so auch über die Trennung der Lebensgemeinschaft mit Wilhelm, der in diese infolgedessen vielerlei Unruhe bringenden Monate fällt, hat Jacob Grimms sonst schon immenses Arbeitstempo noch gesteigert (Germania 13, S. 382f.). Um das Vorläufige der

Ekkehard-Hypothese ganz zu verstehen, darf daher auch nicht verschwiegen werden, Grimms Waltharius-Ausgabe ist für uns Heutige unvorstellbar rasch gearbeitet. „Ich konnte weder die correkturen sorgfältig genug lesen, noch überhaupt alles ordentlich ausarbeiten, und doch hatte der Druck angehoben. Noch diesen Augenblick bin ich ohne Bücher und Hilfsmittel, und insofern ganz lahmgelegt", schrieb Grimm 1838, August 27, an von Lassberg, dem er das gedruckte Exemplar[12] bereits am 14. Mai 1838 übersandt hatte, aus seinem Ort der Verbannung, aus Kassel (Germania 13, S. 383).

Den Brüsseler Codex hat Grimm nicht einmal herangezogen, obwohl er von seiner Existenz wußte (S. 57, 59, 62). Weil Grimm die Verfasserfrage von einer ihm seit rund 20 Jahren vertrauten Meinung aus erörterte, so registrierte er verwundert, in den Prologen von P und B trete „mit gänzlicher verheimlichung Ekkehards ein anderer geistlicher, namens *Geraldus,* als dichter" auf (S. 59). Den *Geraldus Floriacensis* interpretierte er weg und schloß seine Überlegungen zur Verfasserfrage im Banne der St. Galler These von der Hagens mit dem Geständnis, „daß dies alles für den sanktgaller Geraldus (als Dichter) spreche und sein p r o l o g g r ö ß e r e s g e w i c h t h a b e a l s d e s s p ä t e r e n E k k e h a r d s a u s s a g e " (S. 62, Sperrung von mir). Dieser Blitz von Grimms Scharfblick verzuckte, ohne zum dauernden Licht werden zu können. Befangen wie Pertz, fährt Grimm fort (S. 63): „doch soll auch des älteren Ekkehard früherer antheil damit nicht ganz abgewiesen sein", und dann doch wieder *ex ungue leonem* (S. 63): „. . . des vierten Eckehards . . . überarbeitung . . . scheint . . . fast unerreichbar". So sieht die forschungsgeschichtliche Grundlage des Mythos aus, der sich, von Scheffels reizvollem Professoren-Roman entscheidend gefördert, noch heute als unausrottbar erweist.

Noch S t r e c k e r blieb im Bann dieser so fragwürdigen, traditionellen Meinung gegen die von der Überlieferung geforderte Einsicht eingenommen, daß Gerald der Dichter sei. Strecker vertrat die um 1940 vorherrschende Anschauung, der die unbestreitbaren Unterschiede zwischen Prolog und Epos eine Verfasser-Gleichheit auszuschließen schien[13]. Strecker hielt daher bis zu seinem Tode an der Trennung von Prolog (P. L. V, S. 405ff.) und Epos (P. L. VI, S. 1ff.) fest. Demgegenüber ist nun heute sehr zu wünschen, daß mit dem zweiten Fascikel des VI. Poetaebandes der Monumenta der Prolog auf nachzuliefernden Einlegblättern endlich seinen ihm gebührenden Platz erhält.

———

Gehört nun G e r a l d d e r D i c h t e r von Rang, der Karolingerzeit oder dem ottonischen Jahrhundert an? Das 10. Jahrhundert bietet sich vor allem

---

[12] Lateinische Gedichte des X. und XI. Jhs., 1838. Die im nächsten Absatz in Klammern gesetzten Seitenzahlen beziehen sich alle auf diesen Druck.
[13] So u. a. Eduard S i e v e r s , Alfred W o l f , B l a s c h k a , L a n g o s c h , E r d - m a n n , Ludwig W o l f f. Dagegen jetzt mit durchschlagenden Gründen S c h u - m a n n , Anzeiger S. 28—36, v o n d e n S t e i n e n , S. 8, G e n z m e r , a. a. O.

an durch die zeitliche Nähe zu den ältesten Handschriften des Epos. Der *Pontifex summus* Erkambald, dem Gerald sein Werk widmet, wäre dann der bekannte Straßburger Bischof. Diese Datierung und Lokalisierung, zuletzt von G r é g o i r e und S t a c h (a. a. O.) vertreten, empfiehlt sich ferner, weil mit ihr der Bischof Erkambald und neben ihm ein Gerald, ein Straßburger Presbyter, der allerdings bei der Häufigkeit seines Namens nur einen ungewissen Anspruch darauf hat, der Dichter zu sein, in der Überlieferung faßbar werden. Dennoch ist die Bahn zu diesem zeitlichen Ansatz nicht mehr frei. Stach meinte (a. a. O.), Streckers Argumente für die revolutionäre Umdatierung ins 9. Jahrhundert entkräften zu können. Aber nach Stach haben vor allem S c h u m a n n , v o n d e n S t e i n e n und S ü s s (a. a. O.) erneut für das 9. Jahrhundert plädiert. Mustern wir die Argumente, die in der gelehrten Diskussion verwendet wurden, so ist deutlich, wir können nur mit Indizien als Beweismitteln arbeiten. Gerade von dieser Quellensituation aus verzichte ich auf alle die Argumente, die von allgemeinen Einschätzungen des 9., bezw. des 10. Jahrhunderts, seien sie nun geistesgeschichtlich oder historisch im engeren Sinne, ausgehen, so viel auch mit ihnen operiert worden ist.

Die Frage, wie weit uns über das Epos hinaus Zeugnisse zur Datierung und Lokalisierung zur Verfügung stehen, ist in erster Linie eine Frage danach, ob die berühmte, durch ihre Farbenpracht so verlockende Nachricht Ekkehards IV. im cap. 80 der Casus Sancti Galli überhaupt abgelehnt werden muß. Oder dürfen wir etwa E r d m a n n s Anschauung (D.A. 5, 1941, S. 531) folgen, daß die V i t a e i n e s H e i l i g e n W a l t h e r , gedichtet von Ekkehard I. und überarbeitet von Ekkehard IV., eine mönchische „Fortsetzung" des Epos sei? Von dieser Anschauung aus gewönnen wir den so höchst erwünschten *terminus post quem non*. V o n d e n S t e i n e n hat (S. 11) tatsächlich so argumentiert, obwohl gerade er andererseits so nachdrücklich wie niemand vor ihm darzutun versuchte (S. 7ff.), daß das Epos in St. Gallen nicht ohne irgendeine sichere Spur in der Klosterbibliothek existiert haben könne. Die Datierungsüberlegung von dem Sanctus Waltharius aus ist bestechend. Da die Walthariusvita aber von Forschern wie Ludwig Wolff als reine Erfindung abgelehnt wird und Paul Lehmann (auch a. a. O.) als einer der besten Kenner mittelalterlicher Bibliothekskataloge mir mündlich einwendet, die Bezeugung in dem Touler Katalog erweise die Existenz eines *Waltharius christianus* noch keineswegs, zumal die vermutete Walthariusvita in geistlichen Kreisen eigentlich noch größeres Interesse als das Epos gefunden haben müßte, wenn es wirklich existiert hätte, so verwende ich dieses Argument von den Steinens nicht zur Entscheidung der Frage karolingisch oder ottonisch, obwohl zu dem Touler Zeugnis ja auch die Nachricht Wolfgers von Prüfening tritt und vielleicht eben das cap. 80 Ekkehards IV. Ich hebe allein hervor, daß eine Anfechtung der Alfred Wolf, Strecker, Erdmann, Stach, von den Steinen und anderen als sicher bezeugt geltenden, aber jedenfalls verlorenen Walthariusvita und zugleich die Anerkennung Geralds als Verfasser des Epos zur Konsequenz haben muß die völlige Ablehnung der Nachricht Ekkehards IV. als einer typisch späten, wahrscheinlich eine bereits proglose Handschrift voraussetzenden Adoption der Autorschaft des bereits berühmt gewordenen Walthariusepos für sich selbst und seinen Gesippen Ekkehard I. Man muß sich dazu vergegenwärtigen, daß Ekkehard IV. mit dieser freien Erfindung bei den Sankt Galler Mönchen um so leichter Glauben hätte finden können, wenn das Epos tatsächlich in der Klosterbibliothek nicht vorhanden gewesen wäre. Ekkehards IV. Nachricht wäre dann ebenso nichtig wie die Angabe des Explicits der Handschrift P, der dicke Bischof Tifrid von Niemandsstadt, also ein „führender Vagant" (Schumann, Anzeiger S. 27), sei der Dichter des Epos. Gegenüber diesen radikalen Konsequenzen, die der Zweifel an der Aussage des Touler Katalogs hat, scheint mir die These von der, aus welchen Gründen auch immer, verlorenen Walthariusvita der Ekkeharde doch der Überlieferung angemessener.

Ganz gleich, ob man nun diese Überlegungen und die daraus folgende Vorentscheidung des Datierungsproblems anerkennt oder wie Schumann Ekkehards IV. cap. 80 völlig abwertet, durch neues Beweismaterial vor allem Schumanns und von den Steinens scheint mir die D a t i e r u n g s e n t - s c h e i d u n g gefallen zu sein. Von den Argumenten S c h u m a n n s für die Datierung halte ich für verwertbar den Nachweis der Abhängigkeit von Abbos *Bella Parisiacae urbis* vom Waltharius (S c h u m a n n , Studi S. 181; bes. das Zeugnis Nr. 1 ist beweiskräftig). Damit ist für den Waltharius ein *terminus ante quem* gewonnen, der lautet etwa 890, spätestens 897. Dazu kommen die historischen Beobachtungen v o n d e n S t e i n e n s an zwar unscheinbaren, aber die benötigte, unverkennbare Zeit- und Lokalfarbe zeigenden Indizien (s. die Tabelle S. 44; anders L a n g o s c h , a. a. O.). Gerade wenn man, wie wir im folgenden zu zeigen hoffen, eine Datierung in das vorletzte Jahrzehnt des 9. Jhs. zu recht ins Auge faßt, wird man den Zeitabstand von der Entstehung der Dichtung bis zum Einsetzen der uns erhaltenen Überlieferung im 11. Jh. nicht als ein bedeutsames Hindernis ansehen. Der Rückgang der Überlieferung in der ersten Hälfte des 10. Jhs. im allgemeinen erklärt diese Distanz voll, zumal da alle uns erhaltenen Hss. des 11. Jhs. einen ganz unverkennbaren Abstand vom Archetypus des Epos zeigen. Die Zuweisung des Epos ins 9. Jh. ist daher mit dem überhaupt erreichbaren Maß von Wahrscheinlichkeit gesichert. Die Ablehnung Ekkehard I. als Dichter des Waltharius-Epos hat zu recht eine wesentliche Umdatierung nach sich gezogen.

Wo aber haben wir G e r a l d u n d E r k a m b a l d zu suchen? S c h u - m a n n , der bereits 1941 sich für Gerald als Waltharius-Dichter entschied, erklärte damals: „Wer dieser Geraldus war, wer Erkambald war, weiß ich nicht zu sagen" (Corona Quernea, Schriften des Reichsinstituts für ältere deutsche Geschichtskunde 6, 1941, S. 246). In seinen offensichtlich nicht mehr vollständig publizierten Waltharius-Studien (s. z. B. Anzeiger S. 34, letzter Absatz) begründet Schumann seine Datierung ins 9. Jh. nach Oberdeutschland erstens von der Stellung aus, die den Franken im Vergleich zu den übrigen Völkern von dem Dichter gegeben wird, — die Verwendbarkeit dieses Arguments werden wir unten einschränken müssen — und zweitens von der aus P stammenden und damit von Schumann für die beste Lesung gehaltene Namensform *Wirinhardus.* Der Name weise in dieser wahrscheinlich vom Dichter selbst gebrauchten Form entschieden nach Baiern. Er warne davor, mit der Datierung des Gedichtes zu weit ins 9. Jh. hinauf zu gehen (Zeitschrift S. 35, 29f.). Drittens aber grenzte Schumann den Waltharius zeitlich ein, indem er die Abhängigkeit des Epos von der Germanusvita Heirics von Auxerre (vollendet 873) und die Benutzung des Epos durch Abbo wahrscheinlich machte. Damit war für ihn gegeben, daß der im Prolog genannte *pontifex summus* nur Erkambald von Eichstätt sein konnte. Infolge seiner Datierungsmethode hat er sich einläßlich mit Erkambald über P. G a m s , Series episcoporum, hinaus nicht beschäftigt. Daher gibt er dem Bischof auch die längst als falsch erwiesenen Amtsjahre nach Gams[14].

Gegen diese Datierung wendet sich v o n d e n S t e i n e n mit einer anderen Meinung. Zu der Namensform *Wirinhardus,* auf die Schumann seine Datierung und Lokalisierung des Epos auch gründet, äußert von den Steinen, ein einziges i in einer einzigen Hs. könne nicht die Entscheidung für Ort und Zeit des Epos tragen. Von den Steinen gibt dann eine Liste der zur Interpretation des Prologs seiner Ansicht nach in Betracht kommenden, deutschen Erkambalde. Nur mit ihnen könne man argumentieren, der Name Gerald sei zu häufig. Auf die Frage nach dem *pontifex summus* Erkambald, den der Prolog Vers 6 nennt, antwortet von den Steinen: „Sofern sich nicht noch ein anderer findet, tritt in die Mitte (der Bemühungen der Forschung) der lotharische Kanzler Erkambald", der zwischen 855 und 865 als *archicancellarius* Lothars II. bezeugt ist (S. 44, 34f.). Denn ein Prolog begünstige die Superlative. Mit *summus pontifex* müsse nicht notwendig ein Bischof gemeint sein, könnte „am Ende auch ein besonders hochgestellter Prälat angeredet werden. ein Primicerius, Archipresbyter, Senior oder wie die Titel hießen" (S. 34, 44f.). So gut von den Steinens Ansatz des Waltharius, Metz um 860, zu allen von ihm erwogenen Indizien paßt, man muß dieser Anschauung vom Prolog aus widersprechen.

Mit von den Steinen (S. 44 unten) bin ich einer Meinung darüber: „Beglaubigte Daten wiegen schwerer als erschlossene." Eine solche beglaubigte Datierung gewinnen wir zum Glück von dem *summus pontifex* Erkambald des Prologs. Diese Ansicht gründet sich auf eine andere Interpretation der Verse 7ff. der Dedikation, als sie von den Steinen für richtig hält. M. E. richtet sich die Prologanrede zweifellos mindestens an einen Bischof.

Betrachten wir den strittigen Text. Gerald betet zu dem heiligen Geist (Vers 5ff.):

> *Pontificem summum tu salva nunc et in aevum*
> *Claro Erckambaldum fulgentem nomine dignum.*
> *Crescat ut interius sancto spiramine plenus,*
> *Multis infictum quo sit medicamen in aevum.*

Von den Steinen meint nun, „der Wunsch, der heilige praesul möge vielen

---

[14] S c h u m a n n , Studi, S. 177ff., 193. Diese Arbeit Schumanns wurde mir erst nach Abschluß des Manuskripts zugänglich. Ich wußte von seiner Erkambaldthese nur durch v o n d e n S t e i n e n , S. 33.

eine Himmelsarznei sein, bezieht sich auf kein Amt, sondern auf das Wirken des heiligen Geistes in ihm." Das *multis* ist jedoch so eindeutig wie möglich, gerade an der Wirksamkeit des A m t e s des *summus pontifex* durch den heiligen Geist kann ich von dem Text aus nicht zweifeln. Die Verse 5—8 sind eine innere Einheit. Das geistliche Amt des *pontifex summus* (Vers 5) ist durch Geralds Etymologisierung in Beziehung gesetzt zu dem Namen Erkambald (Vers 6). Der Name entspricht der Funktion des ‚höchsten Oberpriesters‘, in dessen Amtswirken für viele der heilige Geist echte Himmelsmedizin wird (Vers 8), wenn sich seinem Inneren nur das *spiramen sanctum* mitteilt (Vers 7). „*Infictus* = *non fictus* unverfälscht, echt ist eine Übersetzung des *erchan*" (Hermann A l t h o f , Waltharii Poesis II, Kommentar, S. 3). Dieser Gedankengang muß die Deutung von *summus pontifex* bestimmen.

V o n d e n S t e i n e n hat die seine nur mit der oben zitierten, allgemeinen Erwägung begründet, keine Beweise sonst, keine Belege für sie angeführt. Daß aber *summus pontifex* hier tatsächlich am ehesten E r z b i s c h o f o d e r B i s c h o f heißt, — auch für ihn ist ja diese Anrede durchaus superlativisch — darauf weisen uns nicht nur die zitierten Verse, sondern auch die bei D u C a n g e , bei S t r e c k e r , P.L.V. S. 407, und auch bei Wilhelm W a t t e n - b a c h , Deutschlands Geschichtsquellen im Mittelalter I⁷, 1904, S. 447 Anm. 1 gebotenen Parallelen, die sich leicht vermehren lassen, ferner die traditionelle Übersetzung von *pontifex summus* durch die Forschung und schließlich auch die Zweckmäßigkeit der Anrede an den Bischof durch eines der Mitglieder seines Domstifts, seines Presbyteriums. Doch davon später. Diese Auffassung wird nicht geändert durch die Synonyma, *praesul sanctus dei* (Vers 9), *servus dei summi* (Vers 16) und *sanctus sacerdos* (Vers 21), mit denen Gerald die erste Nennung des *pontifex* variiert.

Die Aushilfe, die von den Steinen sucht, brauchen wir gar nicht. Denn wir sind in der außerordentlich günstigen Lage, daß das ganze 9. Jh. in Deutschland und in Frankreich, das uns die von Schumann erneut herausgearbeitete, besondere Qualität von P durchaus mit zu berücksichtigen lehrt, nur einen einzigen B i s c h o f E r k a m b a l d kennt, und zwar den v o n E i c h s t ä t t. Mit Ausnahme von den Steinens hat die Forschung diesen spätkarolingischen Bischof niemals wirklich gründlich erwogen. Zwar bemerkte S t r e k - k e r : „Man kann nur sagen, daß Erkambald von Straßburg der Adressat ist, wird durch nichts bewiesen, Bischof Erkambald von Eichstätt (884—916) hat denselben unsicheren Anspruch wie jener" (D.A. 4, 1941, S. 370), aber wie Schumann gab er nach Gams dem Eichstätter Bischof falsche Amtsjahre. Erzbischof Erkambald von Mainz (1011—1021), den z. B. Hermann Schneider (Helden-, Geistlichen-, Ritterdichtung, 1943, S. 117) nennt, scheidet ebenso wie der Straßburger Erkambald und die Erkambalde von Tours und Bordeaux als zu spät gegenüber den ersten sicheren Zeugnissen für die Dichtung aus.

Was hat aber nun v o n d e n S t e i n e n für Einwände gegen Erkambald von Eichstätt? Sie lauten: „. . . Nur ungern denkt man sich an der ostfränkischen Altmühl ein Gedicht, das dem linken Rheinufer ein reges, dem rechten gar kein Interesse zuwendet und dessen Textüberlieferung westwärts weist, mögen auch die Handschriften I und später S dem Donaugebiet angehören. Nur widerstrebend denkt man das raumlose, stark westlich gefärbte Pannonien des Epos an einem Hofe gedichtet, der mit Mähren und Ungarn in wesentlichen Beziehungen stand" (S. 34). Auch wenn man bestreitet, daß die Geographie der epischen Handlung so interpretiert werden darf, haben diese Einwände Gewicht. Sie können aber niemals durchschlagen gegenüber der Entscheidung, die uns die Freundlichkeit der Überlieferung nach der Neudatierung des Epos mit dem *pontifex summus* allein läßt. Und hören wir nur auf die Überlieferung, zu wem sie uns führt, so kann es keinen Zweifel mehr geben, sie verhilft uns zur Wiederentdeckung einer verlorenen literarischen Provinz. Die Überlieferung bietet uns tatsächlich die außerordentlichen Voraussetzungen, die man zu der Begründung der Anschauung von einer Eichstätter Entstehung des Waltharius fordern muß.

Einer der besten Kenner der eichstättischen Geschichte, Franz H e i d i n g s - f e l d e r (Die Regesten der Bischöfe von Eichstätt, 1915—1938, S. 29), charakterisiert den *pontifex summus* folgendermaßen:

„Erchanbald, eine der glänzendsten Erscheinungen in der Eichstätter Bischofsreihe, nahm an dem politischen Leben des ostfränkischen Reiches den lebhaftesten Anteil. Schon unter Arnulf gehörte er — vielleicht dank seiner Verwandtschaft mit dem Karolingischen Geschlecht — zu den einflußreichsten Ratgebern des Königs; unter Ludwig dem Kinde erlangte er Anteil am Regiment . . . Eine Frucht dieser regen Anteilnahme an den öffentlichen Angelegenheiten sind die zahlreichen königlichen Gunsterweisungen durch Güterschenkungen, die bei der sonstigen Armut des Bistums an königlichen Verleihungen und dementsprechend an Königs- und Kaiserdiplomen besonders in die Augen springen. Dabei hatte Erchanbald Sinn und Interesse für literarische Studien. Er trug für Vervielfältigung von Handschriften Sorge und gab selbst Anregung zu schriftstellerischer Betätigung."

„So veranlaßte er den Priester Wolfhard zur Beschreibung der Ereignisse bei und nach der Translation von Reliquien der hl. Walpurgis von Eichstätt nach Monheim (vgl. MG. SS. XV, S. 535ff.) und zur Abfassung eines großen Legendariums, der ersten eigentlichen Legendensammlung des Abendlandes . . . Wolfhard wußte wohl, daß er den Bischof an seiner empfänglichsten Seite treffen würde, als er — bei Erchanbald wegen eines Fehltritts in Ungnade gefallen — im Kerker ein Responsorium mit geschichtlichem Inhalt aus dem Leben der hl. Walpurgis dichtete und Gelegenheit suchte, dasselbe dem Bischof vorzutragen. Der Erfolg täuschte ihn nicht. Es ist endlich ein Beweis, daß Erchanbald auch mit den rein religiösen Obliegenheiten seines Amtes es ernst nahm, wenn wir hören, daß er bei den Nonnen in Monheim wiederholt des Predigtamtes waltete, wie auch die Sorge für die Aufzeichnung der bei der Translation der Gebeine der hl. Walpurgis vorgefallenen Wunderzeichen letzten Endes den Zweck hatte, den frommen Sinn der Gläubigen und die Verehrung Gottes und seiner Heiligen zu fördern."

Diesem Mann also, dem einzigen Bischof Erkambald zwischen 800 und 950, hat Gerald das Epos gewidmet.

Die Grundlage, auf der diese Erkenntnis steht, ist trotz der Kargheit der Überlieferung so breit und fest, daß sich alle bisher gegen sie erhobenen Einwände leicht entkräften lassen. — Kein Leser von Streckers H a n d s c h r i f - t e n übersicht (in der großen Edition S. 2ff.) wird von den Steinens These von dem „westwärts Weisen" der Überlieferung zustimmen können. Im 11. Jh.

hat der Westen P und B, der Süden dagegen I, (N, die Novaleser Chronik) und E, die jetzt verlorene Hs. aus Engelberg in Unterwalden, die Pertz ins 11. Jh., von Laßberg allerdings ins 13. Jh. setzte. Im 12. Jh. bietet die südliche Gruppe K, V, den cod. Vindobonensis 289, die westliche Gruppe dagegen keine Hs. Im 13. Jh. stehen S aus St. Emmeram und L, zwei Leipziger Pergamentblätter im Zusammenhang mit V, H dem Hamburger Bruchstück mit unbekannter Herkunft gegenüber. Und schließlich hat das 15. Jh. für jede Gruppe noch eine Hs., auf der einen Seite V¹, auf der anderen Seite T, den Trierer codex aus Mettlach. Die Handschriftengruppen halten sich also zum mindesten die Wage, eher ist die süddeutsche Gruppe die reichere. Dafür ist das Übergewicht der Zeugnisse und Zitate bei der westlichen Gruppe größer (gegen Streckers Liste der verlorenen Hss., von den Steinen S. 4f.). Der auf die Überlieferung gegründete Einwand von den Steinens kann daher ad acta gelegt werden.

Durch die Entscheidung für den Eichstätter Bischof gewinnen wir zeitlich und räumlich nahestehendes Vergleichsmaterial zunächst für d i e A n r e d e n des Geraldus-Prologs mit den Dedikationen der Werke Wolfhards von Herrieden an Erkambald. Von Wolfhard wird der Bischof, ähnlich der ersten und wichtigsten Titulatur bei Gerald, mit *pontifex* angeredet. In der Widmung variiert Wolfhard *pontifex* mit *praesul* und *pater*, während in der Darstellung nur das Beiwort wechselt, also *dignissimus, venerabilis* mit *venerandus, probus piusque* (MG. SS. XV, S. 538, 5; 541, 29; 548, 31; 554, 43; 553, 43: der ungekürzte Text der Miracula S. Waldburgae in den Acta Sanctorum Februar III S. 523ff. hat keine weiteren Nennungen des Bischofs). In dem Passionale folgen auch statt *pontifex* und zwar *summus pontifex, praesul, antistes* und wiederholt mit und ohne Beiwort *pater* (Bernhard P e z , Thesaurus Anecdotorum VI, 1729, Sp. 90ff.).

Wichtiger als diese zwar bestehende, aber nicht entscheidend beweiskräftige Verwandtschaft der Anreden ist, daß uns die Dedikationen Wolfhards — es sind in seinen zwei Werken zwei der vier Praefationes der Miracula und fünf der zwölf Prologe des Passionale ausdrücklich an Erkambald gerichtet — in die aktuelle historische Situation führen, in der Gerald seinen Prolog dichtete. Gewiß, gerade diese Prologe sind, wie wir besonders seit den Forschungen von Ernst Robert C u r t i u s wissen, die Haupttummelplätze für das Spiel mit gelehrten Konventionen. So behutsam man infolgedessen die Formeln dieser Widmungen interpretieren wird, auch für sie gilt doch die Horazische Regel: „Der Sprache Werkzeug brauchst du meisterhaft, wenn kluge Fügung neu das Alte schafft" (Erich C a s p a r , in: Meister der Politik, I², 1923, S. 567), und so besehen spiegelt die neu gefügte Konvention unter Umständen doch auch den historischen Moment, dem sie zugehört.

Wozu wurde das Passionale geschrieben? Wolfhard antwortet in der *Praefatio in Decembrem: Duodecim mensium cursu rota volvitur anni, quibus gesta pugnaeque sanctorum aures fidelium erigunt mentesque spirituali edulio pascunt et amorem caelestis beatitudinis trahunt.* Und schließend preist Wolfhard den Schöpfergott, *qui et suis facundiam sermonis munificiis tribuit* (P e z

2. Sp. 92 D, die Spaltenzählung ist an dieser Stelle irrig doppelt). Der Anteil Erkambalds an diesem Werk Wolfhards ist nicht nur Gebetshilfe *(Praefatio in Januarium)*, sondern mehr. „Neun Bücher habe ich Eurer Weisung gemäß, *Pontifex vere beate in secula memorande*, ausgeführt", so wendet sich Wolfhard in der *Praefatio in Octobrem* an Erkambald. „*Cogit etiam nunc vestrae imperium dignitatis, ut decimus liber . . . subsequatur*" (2. Sp. 91 D). Die gleiche A u f t r a g s s i t u a t i o n, den gleichen Zweck, wenn auch im Einzelnen mit anderer Gewichtsverteilung, zeigt vor allem die Praefatio zum Liber I der Miracula S. Waldburgae. Diese Miracula werden von Wolfhard auf Befehl des Bischofs erforscht. Wolfhard ist auferlegt, sie *ad laudem et nomen vivificae trinitatis necnon ad excitandos animos dominicae plebis . . . scedulis adnotare* (MG. SS. XV, S. 538, 10). Vor diesen Bischof, dessen literarische Aufträge wohl doch auch dem eigenen Ideal entsprechend Rühmung der dreieinigen Gottheit und die Erziehung und Erweckung seiner christlichen Herde wünschten, tritt nun ein *frater* Gerald und rühmt in seinem Gebet für den Bischof zwar zunächst auch die Trinität und das Wirksamwerden des heiligen Geistes in dem Bischofsamt für viele. Dann aber erklärt er, — ich kann mir nicht versagen, S c h u m a n n s schöner Interpretation (Zeitschr. S. 18) wenigstens in einem Teilstück wörtlich zu folgen — „Die Dichtung, die er dem Gönner überreiche, gehöre zwar nicht zur hohen theologischen Literatur: Vers 17 *Non canit alma Dei;* sie sei nur ein Heldenlied: ebda. *resonat sed mira tironis*, also leichte Lektüre. Aber ganz unnütz sei doch auch sie nicht. Denn auch ein so hoher geistlicher Würdenträger sei ja doch nicht allezeit von seinen erhabenen Amtspflichten in Anspruch genommen; auch ihm blieben Zeiten, da es ihm gegönnt sei, sich zu entspannen *(ludere)*, Vers 19f.:

> „*Ludendum magis est, Dominum quam sit rogitandum,*
> *Perlectus longaevi stringit inampla diei.*"

Wie wohlverständlich wird nun erst trotz aller Bindung an die Konvention von der Bänglichkeit des Moments der Überreichung eines Werkes aus, das der Zeitgeschmack einem Fahrenden, einem dicken Bischof von Niemandsstadt, wie das Explicit von P ironisch sagt, zuzurechnen zu müssen glaubte, das Stammeln des Prologs und nach dem konventionellen Segenswunsch für Erkambald die Bitte an den gestrengen Herrn, behalte dennoch den Bruder Geraldus, den *fragilis peccator*, lieb in deinem Herzen!

Erkennt man diese zeitgenössischen Beziehungen, die mir der Vergleich der Dedikationen Wolfhards mit der Geralds zu lehren scheint, an, so ist ein wertvolles Argument für die Lokalisierung des Epos gesichert und zeichnet sich zugleich zum ersten Mal ab, was wir mit dem historischen Hintergrund alles für die Waltharius-Interpretation gewinnen. Nun, vorerst haben wir uns mit dem entscheidenden Einwand v o n d e n S t e i n e n s auseinanderzusetzen und zu fragen, wie soll ein „rheinisches" Epos an der Altmühl entstanden sein? Denn die Zeitgrenzen, die von den Steinen mit seinen Indizien gewinnt, sind keineswegs ernsthafte Hindernisse für eine Datierung zwischen 880 und 890. Bei der Rolle, die Metz 869 spielt, ist der *Camalo metropolitanus* auf den von den Steinen Gewicht legt, durchaus auch im späten 9. Jh. noch

möglich und Ähnliches gilt für alle anderen Indizien von den Steinens, soweit sie für die Datierung berücksichtigt werden müssen.

Mir scheint es nun gerade bei der Armut an Zeugnissen methodisch bedenklich, ja abwegig, von dem einzigen, überlieferungsmäßig unantast-
baren Beleg durch irgendwelche, auch noch so begründete Kombinationen
abzugehen. Erkambald ist durch seine Einsamkeit als Bischof dieses Namens
in dem allein in Betracht kommenden Zeitraum gleichsam der trigonometri-
sche Punkt, von dem aus wir den Ort des Waltharius bestimmen müssen. Von
dieser Tatsache aus sind vor allem zwei Überlegungen notwendig, damit wir
das Faktum des „rheinischen" Epos an der Altmühl besser verstehen. Wir
müssen erstens fragen nach der Herkunft und nach den Beziehungen Erkambalds, um die an sich überraschende Konstellation gegen jeden Zweifel zu
sichern. Zweitens könnte sich auch von der Persönlichkeit und der Lebensgeschichte Geralds aus das Rätsel lösen.

Über die H e r k u n f t E r k a m b a l d s haben wir nur eine Nachricht des
16. Jhs. Sie lautet: *Erckenwaldus ex posteris Caroli Magni summo loco natus*
(H e i d i n g s f e l d e r, S. 29). Gewiß, diese Aussage in Bruschius' Epitome
ist jung und schien daher von den Steinen (S. 34) „sehr unsicher". Da aber
Bruschius Eichstätt selbst kannte und z. B. in Rebdorf geweilt hat, sind seine
selbständigen Nachrichten, keineswegs ohne weiteres von der Hand zu weisen (freundlicher Hinweis von Th. N e u h o f e r). Heidingsfelder (a. a. O.)
sah das Zeugnis der Epitome bestätigt durch die eindrucksvolle Stellung Erkambalds neben Arnulf von Kärnten und neben Ludwig dem Kind. Ich meine,
der junge Beleg gewinnt eine weitere Stütze dadurch, daß der Haupt-handlungsraum des Erkambald gewidmeten Epos dem alten karolingischen Haus-
besitz an der oberen Mosel so nahe liegt (s. den Korrekturnachtrag am Ende
des Aufsatzes!). Doch scheint dagegen ein Einwand zu stehen, den mir ein
Brief von Fräulein Dr. H. P r ü t t i n g nachdrücklich dartut. Dieser Einwand
lautet, konnte man wirklich einem karolingischen Bischof ein Werk widmen,
in dem die Franken „so schlecht wegkommen"?

Die diesem Einwand zu Grunde liegende Ansicht hat bei der Diskussion
über die Lokalisierung des Epos schon immer eine Rolle gespielt[15]. S c h u -

---

[15] Georg B a e s e c k e, Vor- und Frühgeschichte des deutschen Schrifttums 1, 1940,
S. 434f. hatte u. a. damit seine überkühne These von der alemannischen Lied-
vorstufe am Hof des Herzogs Lantfried zwischen 725 und 730 begründet, S t a c h,
S. 66f. u. a. seine ottonische Datierung, Ludwig W o l f f, Erbe der Vergangenheit, S. 72 u. a. sein Festhalten an der Ekkehard-Hypothese. Gegen diese Beweis-
führungen ist zunächst einzuwenden, daß sie zu summarisch verfahren. Wohl ist
E r d m a n n, Forschungen und Fortschritte, 171, S. 170 voll im Recht, wenn er
den Waltharius wegen seines Frankenbildes sich nicht als Dichtung am Hofe Karls
des Großen denken kann, wie Alfred W o l f es wollte. Aber das heißt noch keineswegs, daß der Waltharius nicht spätkarolingisch sein könnte, wie es auch v o n
d e n S t e i n e n vertritt und G r u n d m a n n erwägt, wie es Herrschergestalten
wie Lothar II. und der deutsche Karl III. ohne weiteres ermöglichen. Solange man
die konkrete Situation, für die die Dichtung bestimmt und nuanciert war, nicht
kennt, sind diese Beweisthemen kaum beweiskräftig.

m a n n hat damit noch (Zeitschrift, S. 30ff.) argumentiert. Ich kann daher
kurz sein. Von den zwei Gründen für die a n g e b l i c h e F r a n k e n -
f e i n d s c h a f t des Dichters entfällt der, der sich auf Walthers *Franci
nebulones* beruft. Fickermann (Editio minor, S. 155, s. u. Anm. 20) und Schumann (a. a. O.) sehen darin zu recht alles andere als ein die Franken herab-
würdigendes Wortspiel und deuten *Nebulones,* wie Schumann sich auf N be-
rufend schreiben will, als den Nibelungenbeinamen der Franken. Ferner ist
festzuhalten, was schon Andreas H e u s l e r (Kleine Schriften I, S. 20) hervor-
hob: der Dichter spricht überall dort, wo er unabhängig von der Sagenvorlage
zu Wort kommt, von den Franken mit Achtung. Es ist deutlich, daß diese
Anschauung die Panzersche Theorie, das 2. Buch der Thebais des Statius sei
weithin die Vorlage für den Walthariusdichter gewesen, als mit der Überlieferung unvereinbar ablehnt (so auch Stackmann, von den Steinen, Schik-
kedanz, Süss, Ludwig Wolff, Betz, Langosch und andere, s. u. Anm. 19).
Schumann konnte von der Niederlage der fränkischen Einzelkämpfer gegen
Walther und von dem Guntherbild des Epos aus nur deswegen die Ansicht
vertreten: „Das kann keiner geschrieben haben, der selber ein Franke war,"
(Zeitschrift, S. 35) weil er im Banne der gelehrten Konstruktionen Panzers
stand und so nicht zu sehen vermochte, daß gerade die Spannungen im Frankenbild des Waltharius zu den sicheren Zeugnissen für die Heldensage als
Vorstufe für Geralds Werk gehören. In eine Erörterung dieser Vorstufe mit
ihrem gotisch-b a i e r i s c h e n Attilabild und mit ihrem, wie wir nun auch
mit gutem Grund sagen dürfen, baierischen Frankenbild[16] soll hier deswegen
nicht eingetreten werden. Es sei lediglich daran erinnert, daß das Kerngebiet
des Bistums 744 (?) aus dem baierischen Nordgau als fränkischer Brücken-
kopf herausgeschnitten wurde (A. B i g e l m a i r , Schornbaum-Festgabe
1950, S. 31ff.) und dennoch, wie die Willibaldsvita lehrt, das Bewußtsein
baierischer Stammeszugehörigkeit nicht verlor. Nachdem 843 im Vertrag von
Verdun der Nordgau politisch wieder baierisch geworden war, beginnt seit
der Erkambaldzeit der Umstand, daß die Eichstätter „Diözese zum Teil dem
baierischen Gebiete angehörte, . . . schwerer [zu wiegen] als ihre kirchliche
Abhängigkeit von Mainz" (H e i d i n g s f e l d e r , Reg. Nr. 87, 114). Das
Gesagte genügt, um die Meinung verfechten zu können: gegen die wahrscheinliche karolingische Herkunft Er^l- .nbalds entstehen von dem ihm gewidmeten
Bild der Franken als *gens .um fortis, cui nos similare nequimus* und *caput
orbis* (Vs. 58, 1083) keine Bedenken.

Schließt man sich diesem Gedankengang an, hält man die karolingische
Versippung Erkambalds für ernstlich erwägbar, so wäre leicht zu verstehen,

---

[16] Wenn H e u s l e r , S. 24f. an eine alemannische Sagenquelle dachte, so von seiner
nicht unproblematischen Rekonstruktion der Vorstufen des Nibelungen-Epos aus,
aber auch wegen der Alemannen Ekkehard I. und Gerald von Straßburg, denen
er die gleiche Berechtigung auf die Verfasserschaft des Epos zuerkannte. B a e -
s e c k e hat a. a. O. mit diesen Thesen weitergebaut. Auf ein baierisches Frankenbild der Quelle zu schließen, scheint mir wesentlich unkomplizierter und historisch
besonders sinnvoll für das ausgehende 9. Jh.

daß sich die Überlieferung in eine westliche, gleichsam altkarolingische Gruppe und in eine südliche, in Eichstätt beginnende auffächert, wie es tatsächlich der Fall ist. Das heißt also: Ist Erkambald nur mit einiger Wahrscheinlichkeit ein Karolingersproß aus dem karolingischen Ursprungsgebiet, so ist die Annahme, daß die Hss. zu den Burgen, Stiftern und Städten seines Lebensweges von Osten nach Westen zurückreisten, in denen Erkambald vor seiner Bischofszeit in Eichstätt im Westen des Reiches gelebt hat, nicht von der Hand zu weisen. Jedoch nicht allein das Schicksal des Bischofs wird für die Entstehung der Dichtung und die Verbreitung ihrer Hss. wirksam geworden sein, sondern neben anderen Faktoren auch der Lebensweg Geralds.

Im Bereich dieser b i o g r a p h i s c h e n V o r g e s c h i c h t e d e r D i c h t u n g können wir nur eine Wahrscheinlichkeitsrechnung anstellen. Wenn wir nicht davon absehen wollen, uns alles anschaulich zu vergegenwärtigen, werden wir auf sie, obwohl wir damit verschiedentlich den Bereich der Hypothese betreten, nicht verzichten. Nicht zuletzt durch den von Steinens Indizien und auch Stachs Überlegungen, die für Straßburg sprachen, ist es möglich geworden, den Weg Geralds sich parallel dem Erkambalds, des vermutlichen Karolingers, vorzustellen.

Dazu müssen wir jetzt nach Gerald fragen. Wir besitzen über ihn keine anderen Angaben als die seines eigenen Werkes. Der berühmte Schluß des Epos Vers 1453ff. gibt uns Gewißheit darüber, daß Gerald noch jung war.

> *Haec quincunque legis, stridenti ignosce cicadae*
> *Raucellam nec adhuc vocem perpende, sed aevum,*
> *Utpote quae nidis nondum petit alta relictis.*

Vor nicht allzu langer Zeit erst hat der junge Dichter „sein Nest" verlassen. Sein Elternhaus? Die geistliche Gemeinschaft seiner Schule? Wahrscheinlich doch wohl das letztere. Ja selbst der Ortswechsel, den wir von dem Gegensatz zwischen dem rheinischen Haupthandlungsraum des Epos und der Widmung an Erkambald voraussetzen, könnte mit dem Vergils Georgica entlehnten und zugleich geistvoll umgeprägten Gleichnis von den Vögeln, die aus ihrem Nest auffliegen, durchaus als Faktum angedeutet sein. Wie dem nun auch sei, die geistliche Gemeinschaft, der der junge, dem jung-genialen Walahfrid oft verglichene Dichter entstammt, hat ihm jedenfalls die für seine Zeit erstaunliche, durch die Forschung jetzt immer besser erhellte Belesenheit ermöglicht. Wir dürfen diese Ausbildungsstätte am gewissesten im Westen des Reiches vermuten, am fränkischen Mittelrhein, wo Edward S c h r ö d e r (Ehrengabe für Karl Strecker, 1931, S. 157) den Dichter der Quelle suchte, also im Haupt-Handlungsraum des Epos, an den Erkambald und Gerald in Eichstätt ja auch gemeinsame Erinnerungen gehabt haben könnten, sowie Leo IX. und Humbert von Silva Candida in Rom an die lothringische Bischofszeit des Papstes, an die Vogesen und Toul. S c h u m a n n hat allerdings gegen die Autorität Schröders allerlei Bedenken angemeldet (Zeitschrift, S. 25ff.). Eine Entscheidung zwischen diesen verschiedenen Meinungen muß einer neuen Untersuchung der germanischen Namen des Epos vorbehalten bleiben. Sie hätte nicht nur diese Divergenzen zwischen Schröder und

Schumann zu überwinden, sondern auch zu bedenken, ob sich Schröders Meinung, die mündliche Quelle des Epos über die Namensformen erreichen zu können, wirklich aufrecht erhalten läßt.

Mit der folgenden Überlegung festigen und schließen wir den Abschnitt über die biographische Vorgeschichte des Epos. Von den uns bekannten Tatsachen aus wird man nicht unbegründet die Anschauung vertreten dürfen: in einem Kolonisationsbistum wie Eichstätt entsteht ein Werk von solchem Rang wie der Waltharius nicht aus wilder Wurzel. So stumm die Überlieferung bleibt, der Schluß, daß wir um 890 in Eichstätt einen ähnlichen Vorgang anzunehmen haben wie z. B. den bei der Entstehung des berühmtesten Werkes des Zisterzienser Abtes Johannes von Viktring, hat das Gewicht innerer Wahrscheinlichkeit. Der großartige *Liber certarum historiarum,* mit dem der Abt Johannes gleichrangig neben Otto von Freising tritt, wurde gerade in Viktring dadurch möglich, daß Johannes aus Lothringen nach Kärnten in ein Kolonisationskloster kam. Diese Erwägung würde mit Gewißheit gelten, wenn wir nicht nur auf Schlüsse darüber angewiesen wären, wie Geralds Schicksal aussah, bevor er nach Eichstätt gelangte.

Wir können jetzt unsere entscheidenden Bedenken gegen von den Steinens Haupteinwand dahingehend zusammenfassen, daß wir sagen: Die Überlieferung bietet die von von den Steinen vermißten Beziehungen zu dem besonders lebendigen, rheinischen Handlungsraum der Dichtung zwar nicht mit einer Fülle von gesicherter Anschauung, aber sie bleibt voll verständlich.

Aber ist denn Gerald, wie wir soeben voraussetzten, wirklich i n E i c h - s t ä t t gewesen? Diese Frage können wir, soviel ich sehe, zwar von einem unmittelbaren Zeugnis aus nicht, aber infolge der Einsamkeit Erkambalds als Bischof bzw. Erzbischof in dem durch die Datierungsentscheidung festgelegten Zeitraum beantworten, wenn uns der Prolog darüber Auskunft gibt, wo sich der Dichter befand in dem Augenblick, als er seine Widmung an Erkambald schrieb. Wir fragen daher, ob Gerald sein Werk aus der Ferne oder am gleichen Ort dem Bischof überreichte. Wer unvoreingenommen den Prolog untersucht, wird auf diese Frage antworten, am Aufenthaltsort Erkambalds, also sagen wir in Eichstätt und prüfen später noch die Anwartschaft der anderen Stifter und Klöster der Diözese. Ist diese Lokalisierung der Widmung richtig, so darf man zugleich behaupten: Auch der Prolog wird vor den *fratres,* die der Vers 1 des Epos anredet, gelesen worden sein. Zu ihnen gehört Gerald zuverlässig als *confrater,* wenn er sich selbst als *adelphus (frater)* Prolog Vers 22 bezeichnet. Liest man den Prolog der Überlieferung gemäß mit dem Epos-Anfang zusammen, dann wird man den von Wolfhard immer wieder auch als *pater* angeredeten *pontifex summus* Erkambald als das geistliche Haupt dieser Brüdergemeinschaft betrachten. Daß das Presbyterium der Bischofskirche in Eichstätt oder doch der Dichter als eines seiner Mitglieder den Bischof als *pontifex summus* anredet, ist ganz natürlich. Dieses Domstift in Eichstätt hat gemeinsam den Waltharius gelesen. Der Waltharius-Dichter gehörte als *frater* zu den Stiftskanonikern. So lehrt es der erste Blick auf die lange verkannte Überlieferung, so lehrt es reifliche Überlegung des Textes.

Als *servus sancti praesulis* nennt sich der *frater Geraldus* Prolog Vers 9, als *certus, fidelis alumnus* Erkambalds Vers 12. Der junge Mann — Prolog und Epos stimmen auch hierin überein — befindet sich also auf einer neuen Station seiner Ausbildung in Eichstätt, wird das *alumnus* heißen, oder auch Erkambald ist es, der ihn erst ganz flügge macht, um im Bild der Schlußverse des Epos zu bleiben. Mit allen diesen Überlegungen stehen wir auf festem Boden. Darüber hinaus wagen wir die begründete Vermutung, daß Gerald mit oder doch durch Erkambald nach Eichstätt kam. Diese Annahme liegt nahe, auch wenn man der rhetorischen Topik des Prologs entsprechend *alumnus* lediglich als konventionell geziemend demütiges Wechselwort für *servus* oder *famulus* anerkennen will, nachdem sich z. B. der vermutliche Bamberger Domherr Udalrich, in dem Widmungsgedicht des berühmten Codex Udalrici als *alumpnus* bezeichnet (zur Topik S c h u m a n n , Anzeiger, S. 30; d e r s. Studi, S. 183ff.).

Unsere Anschauung, Gerald, ein D o m k a n o n i k e r i n E i c h s t ä t t , läßt uns weiterfragen, was wissen wir von dem Domstift, dem Domkapitel in der Frühgeschichte Eichstätts? Franz Xaver B u c h n e r , der Verfasser einer historisch-statistischen Beschreibung des Bistums (Das Bistum Eichstätt, I, 1937, S. 212f.) antwortet: „Die klösterliche Verfassung des vom hl. Willibald in Eichstätt gebildeten Klerus scheint mit Willibalds Tod erloschen zu sein. Wenn sein Nachfolger bereits in Heidenheim die Mönche durch Säkularkanoniker ersetzte (H e i d i n g s f e l d e r , Reg. Nr. 26), wird das in Eichstätt um so eher der Fall gewesen sein. An die Stelle der Klosterverfassung trat die *vita communis* . . . 893 (sind) urkundlich genannt 43 Presbyter und 2 Archipresbyter." Diese beiden Archipresbyter erscheinen bereits zwischen 870 und 880 in einer Überlieferung, die, wie mich dünkt, die früheste Erwähnung des Domstifts bietet. Auf Weisung des Bischofs Otgar überführten damals die Archipresbyter Waldo und Adalung in feierlicher Prozession den Leib der hl. Waldburg von Heidenheim *ad Eihstattense cenobium* (Wolfhardi Miracula, MG. SS. XV S. 541).

Daß mit diesen Worten tatsächlich das auch *monasterium* genannte Domstift gemeint ist (Heidingsfelder, Reg. Nr. 63 S. 27 bleibt bei der Übersetzung unschlüssig. J. W i d e m a n n , der Bearbeiter des Registers zu Heidingsfelders Regesten, irrt, wenn er als erstes Zeugnis für das Domkapitel erst den Brief Gozberts von Tegernsee an die *fratres ecclesiae Eichstettensis*, Reg. Nr. 152, gelten läßt), ergeben einmal die Formeln, mit denen z. B. das Domkapitel in Bamberg gleich in seinen Anfängen als *coenobitalis fraternitas* bezeugt ist (Erich von G u t t e n b e r g , Regesten der Bischöfe von Bamberg, 1932 ff., S. 22 Reg. Nr. 35, Reg. Nr. 69—71, S. 126, Reg. Nr. 277), ergibt der Terminus *claustrum* in Chrodegangs Regel der Säkularkleriker auch für ihre Stifter und ergeben schließlich auch die Zusammenhänge unserer Untersuchung, voran die Stellung des *egregius pater (fratrum) et pontifex summus* Erkambald (Wolfhard bei P e z Sp. 91, April). Unter den 43 Presbytern des Domstifts. die in der einzigen Urkunde aus der Zeit Erkambalds (Mon. Boica 49, NF. 3, 1910, S. 3ff.), einer großen Besitzschenkung der betont adlig exklusiven Nonnen Monheims an Eichstätt anläßlich einer Diözesansynode aufgeführt sind, erscheint zwar Wolfhard, aber nicht Gerald. Da wir, soviel ich sehe, sonst keine Zeugnisse haben, die diese Lücke schließen, besteht wenig Hoffnung, unmittelbar zu ermitteln, in welchen der rund 30 Amtsjahre Erkambalds Gerald *frater ecclesiae Eihstattensis* gewesen ist. Bevor wir nun versuchen, Geralds Zugehörigkeit zu den *fratres ecclesiae Eihstattensis* dennoch zeitlich genauer einzugrenzen, bedenken wir noch ein anderes Moment.

Man könnte ja der Ansicht sein, Gerald habe in Erkambalds Amtszeit einer anderen geistlichen Gemeinschaft in der gleichen Diözese zugehört und gar nicht dem Domstift. Mustert man jedoch die in Betracht kommenden geistlichen Männergemeinschaften der Diözese, so bleibt neben dem Domstift — auch die fuldische Propstei Solnhofen meine ich ausschließen zu müssen — allenfalls erwägenswert das Kloster H e r r i e d e n (dazu jetzt Margarete A d a m s k i , Die Geschichte von Kloster Stift und Stadt Herrieden im Mittelalter, maschinenschriftl. Diss. Berlin 1953, S 57ff.). Dieses reiche Kloster, begütert auch im Wormsgau, wurde in den 80er Jahren in einer heute verlorenen Urkunde von Karl III. an den Erzbischof Liutbert von Mainz geschenkt. Also auch hier gibt es starke rheinische Beziehungen in die Eichstättische Diözese. Im November 887 tauscht Arnulf von Kärnten (D. Nr. 1) Herrieden von Liutbert gegen Ellwangen ein und schenkt dann das Kloster im Februar 888 Erkambald (D. Nr. 18, das ist das erste Zeugnis, das den Namen des Bischofs nennt). Noch am Schenkungstag hebt Erkambald das Kloster auf, siedelt die Mönche aus — wir wissen nicht wohin — und verwandelt es in ein Stift für Kanoniker. Mit der Aufhebung des Klosters könnte es zusammenhängen, daß in dem berühmten Reichenauer Verbrüderungsbuch wohl noch sein Name *Hasareod,* aber keiner seiner Mönche mehr genannt ist. Nur ein Teil der Klostergüter wurde 888 Präbende der Kanoniker, mit dem größeren anderen Teil begründet Erkambald eine stattliche Stiftsvasallität (MG. SS. VII, S. 256. H e i d i n g s f e l d e r , Reg. Nr. 69).

Woher Erkambald die neuen Kanoniker nach Herrieden führte, ist unklar. In Betracht käme dafür die eigene Diözese, vor allem das Domstift, wenn wir an einen ähnlichen Vorgang wie im 11. Jh. denken dürften, wo Bischof Heribert (1022—1042) die 70 *canonici Eihstettensis congregationis* an einem Tag auf 50 reduzierte (das Straßburger Domstift zählt lange 40) und 20 von ihnen Pfarreien in seiner Diözese gab (MG. SS. VII, S. 261. H e i d i n g s - f e l d e r , Reg. Nr. 173). Ähnlich könnte Erkambald 888 die Zahl der *congregatio Eihstattensis* vorübergehend vermindert haben, um Herrieden neu zu besetzen. Wäre Gerald unter den neuen Kanonikern in Herrieden gewesen, wir würden es bei der Trümmerhaftigkeit der karolingischen Überlieferung Eichstätts ebenso wenig erfahren können, wie Gerald uns überhaupt in den Eichstättischen Quellen seiner Zeit, ausgenommen den Prolog, nicht feststellbar bleibt. Der Rest von Ungewißheit hinsichtlich Herriedens und Geralds, bzw. hinsichtlich des Domstifts und Geralds ist insofern leicht hinzunehmen, weil für Generationen sehr enge Beziehungen zwischen dem ehemaligen Kloster und dem Domstift bestanden. Wir können diese Beziehungen im 9. Jh. in Wolfhard verkörpert sehen, im 11. Jh. ablesen an dem reizvoll originellen Werk des *Anonymus Hasarensis,* dessen verlorener Liber Agnetis zugleich die enge Verbindung zwischen den Eichstättische Bischöfe gewordenen Hofkaplänen und dem salischen Haus in Schicksalsjahren der deutschen Geschichte dargestellt haben muß. Noch das erhaltene Fragment weiß davon Beachtenswertes zu berichten. Wir werden die literarische Bedeutung derselben engen Verbindung im 9. Jh. zwischen Erkambald und seinen karolingischen Herrschern sogleich zu erwägen haben.

Zunächst sei jedoch noch einmal zusammenfassend hervorgehoben: *Geraldus frater Eihstattensis* (so müssen wir im ausgehenden 9. Jh. noch statt *Eichstettensis* sagen) oder allenfalls auch *Hasarensis,* so lautet der Name des Waltharius-Dichters, an den wir uns von jetzt ab gewöhnen müssen und nicht *monachus Sangallensis,* wie es der deutschen, und auch nicht *monachus Floriacensis,* wie es der französischen Forschung lange schien. Das gilt von dem Prolog aus auch, obwohl uns Gerald vorläufig nicht und wahrscheinlich niemals mehr in einem anderen Zeugnis aus der karolingischen Diözese Erkambalds genannt wird.

Wann hat aber nun der *frater Geraldus,* den wir trotz des verbleibenden Unsicherheitsfaktors hinsichtlich Herriedens einfach auf Grund seiner Zugehörigkeit zum Bistum Erkambalds kurz *Eihstattensis* nennen wollen, das Epos am ehesten seinem Bischof (Amtsjahre 882?—912) gewidmet? Wolfhards von Herrieden erhaltene Werke liegen um 895 und 900. Geralds Waltharius ist, wenn wir von dem oben erörterten *terminus ante quem* ausgehen, z w i - s c h e n 8 8 2 u n d 8 9 0 anzusetzen. Wir haben daher Gerald am wahrscheinlichsten in der uns sonst nicht näher bekannten Frühzeit Erkambalds in Eichstätt zu suchen. In die unmittelbare Nähe der Entstehungszeit des Waltharius muß ein enger Zusammenklang von Geralds Hexameter über den Zorn Attilas mit einem Vers des St. Galler Hartmanns über den Zorn des Herodes gehören (S t r e c k e r , Waltharius, editio minor, 1947, S. 154 zu Vers 380, S. 162). V o n d e n S t e i n e n (Notker der Dichter, Darstellungsband, 1948, S. 526f.) hat mit beachtlichen Gründen dieses Hartmann-Gedicht zusammen mit anderen um 883 datiert. Im Gegensatz zu Schumann und Fickermann (bei S t r e c k e r , a. a. O.) scheint mir die Frage, ob da Gerald von Hartmann zitiert werde, keineswegs ohne weiteres zu bejahen zu sein. Das Umgekehrte ist mindestens ebenso wahrscheinlich. Hier soll daher dieser Zusammenklang nur als Hinweis auf die auch sonst gut bezeugte Verbindung des berühmten Klosters mit Eichstätt in der Erkambaldzeit verwertet werden (H e i d i n g s f e l d e r , Reg. Nr. 83). Diese Verbindung wird uns sogleich, wenn wir nach den Zeugnissen für die literarische Kultur der Diözese Erkambalds fragen, bei Wolfhard wiederbegegnen, der ein Hauptwerk Notkers unmittelbar nach dessen Entstehung benützt. Ungefähr gleichzeitig mit Hartmann, „dem Jünger", muß Gerald für Erkambald und seine *fratres* am Werk gewesen sein. Mit Sicherheit vermögen wir nun als richtig anzuerkennen von den Steinens Überlegungen (S. 40), die das Bild der Hunnen im Epos betreffen. Es ist noch ohne Bezug zu der spätestens seit 895 auch

für den der Politik nicht näher stehenden Betrachter deutlich sichtbar heraufbrechenden Ungarngefahr gezeichnet[17]. Sagen wir also für die Entstehung
des Waltharius nach 880. Damit können alle die echten oder auch vermeintlichen Anklänge und Beziehungen gelten, die seit Streckers Vorarbeiten zur
großen Edition im Deutschen Archiv vom Epos zu der karolingischen Literatur deutlich geworden sind. Zusammen mit Geralds Zitaten aus z. B. so
selten gelesenen Dichtern wie Silius (S c h u m a n n , Zeitschrift, S. 40; d e r s.
Studi, S. 178; B. B i s c h o f f , brieflich) schließt diese starke Nachwirkung
karolingischer Dichtung die ottonische Einordnung des Epos endgültig aus.
Wir dürfen aus diesem Befund folgern: Gerald war wohl etwas jünger als
Notker der Dichter, in ihm begegnet uns eine eigenwillige, große Persönlichkeit wahrscheinlich der letzten Generation des 9. Jahrhunderts.

Was die Wiederentdeckung wenigstens einer Lebensstation dieses großen
deutschen Dichters geistesgeschichtlich bedeutet, soll von zwei neuen Blickpunkten aus im folgenden noch erhellt werden. Der erste Fragezusammenhang, dem wir uns noch widmen, lautet, was wissen wir denn eigentlich
über den soeben für Eichstätt zurückgewonnenen Waltharius hinaus, sonst
über die literarische Tätigkeit, die Bibliotheken und die S c h r e i b s c h u
l e n in der Diözese im 9. Jh.? Stützt nicht die Tatsache, daß in M a n i t i u s '
Literaturgeschichte dieser Name in der Karolingerzeit niemals begegnet,
erneut von den Steinens Bedenken? Weist nicht in die gleiche Richtung
B i s c h o f f s Feststellung, die allerdings von den trostlosen Überlieferungsverhältnissen in dem von hochgebildeten Angelsachsen gegründeten Bistum
ausgeht . . . (Die südostdeutschen Schreibschulen und Bibliotheken in der
Karolingerzeit, 1940, S. 57): „Es bleibt dabei, daß keine einzige karolingische
Handschrift mit Gewißheit für irgendeine der im folgenden aufgezählten
geistlichen Gemeinschaften — und Schreibschulen — der Diözese in Anspruch
genommen werden kann: das Domstift Eichstätt und St. Walburg, Heidenheim, Solnhofen, Herrieden, Spalt, Gunzenhausen, Monheim und Auhausen"
(wohl Kirchanhausen bei Beilngries).

Nun, eine Eichstätter Hs. des 9. Jhs. wird nicht so rasch zu präsentieren
sein, aber wir haben doch je eine gewichtige Nachricht für die Qualität der
Bibliothek des Domstifts bzw. Herriedens und für den Eifer der Schreibtätigkeit gerade unter Erkambald. Der Anonymus Hasarensis weiß davon:
*hic ergo sacerdos magnus eiusque successor Starchandus quales quantique
episcopi fuerint in vita, quam periti et studiosi in divina scriptura, optimorum quos fieri iusserunt librorum usque hodie testatur multitudo copiosa*
(MG. SS. VII, S. 257 cap. 11). Ist Eichstätt zwar von den erhaltenen Denkmälern aus „auf der paläographischen Landkarte wie eine weiße Fläche",
an einer bedeutenden Schreibtätigkeit unter Erkambald, dessen Ruhm als
Mäzen des Waltharius durch die handschriftliche Überlieferung fest gegründet ist, kann man schwerlich zweifeln.

---

[17] Wie schon die ältere Forschung nicht selten, vertrat zuletzt Ludwig W o l f f , Erbe
   der Vergangenheit, S. 73 Rückwirkung der Kämpfe mit den Ungarn auf die Farben der Schilderung des Epos.

Ähnliches gilt für die Qualität der Eichstättischen D o m b i b l i o t h e k. Es ist naheliegend, sie sich bei der Aufhebung des Klosters Herrieden 888 auch durch Bestände der Klosterbibliothek vermehrt zu denken. Daß es sich bei ihr jedenfalls um eine Bibliothek zu mindestens guten Durchschnitts gehandelt haben muß, lehrt das auf Weisung Erkambalds entstandene Passionale Wolfhards. So groß der Niveauunterschied zwischen Gerald und Wolfhard ist, sein Werk bildet als großes Martyrologium den ersten Abschluß der Entwicklung des Heiligen Kalenders zur Legendensammlung. In den Analecta Bollandiana (Bd. 17, 1898) sind die Quellen von Wolfhards Werk untersucht. Der Anschluß Wolfhards an das Martyrologium des Hieronymus versteht sich von selbst. Daß Beda herangezogen ist, ist möglich. Die ähnlichen Arbeiten des Florus von Lyon, Wandalberts von Prüm und des Hrabanus Maurus hat Wolfhard zwar nicht selbst benutzt, aber da des Florus Werk eingeht in das Martyrologium Ados von Vienne (850/860) gleicht sich das aus. Zeitlich und sachlich steht Wolfhard am nächsten das St. Gallische Martyrologium Notkers des Dichters. Wolfhard hat es auch benützt (zu dieser Entwicklung Albert H a u c k , Kirchengeschichte Deutschlands, II 3. 4., 1912, S. 687 Anm. 2; B i s c h o f f , Die dt. Literatur des Mittelalters, Verfasserlexikon IV, 3, Sp. 1057f.). Den eigentlichen Reichtum von Hss., die Wolfhard verwendet hat, erschließen aber nicht die vorangehenden Sammelwerke von Hieronymus bis Notker, sondern die zahlreichen Einzelviten, die Wolfhard in seinem Werk zusammengeschrieben hat (das Nähere Anal. Boll. 17, S. 11ff.). Wolfhards Martyrologium als „erste eigentliche Legendensammlung des Abendlandes" sichert die Qualität der Eichstättischen Domstiftsbibliothek, deren Bestände durch Wolfhard ebenso herangezogen worden sein dürften wie die Bücher Herriedens, um das Jahr 900. Wird so die literarische Bedeutung der Diözese zur Zeit Erkambalds theologisch erhellt, die Widmung des Waltharius an Erkambald von seinem *fidelis alumnus* Gerald zeigt sie uns dichtungsgeschichtlich.

Der zweite Fragezusammenhang, dem wir uns abschließend zuwenden und mit dem wir uns das Gewicht der Wiederentdeckung des Entstehungsortes des Waltharius und seiner literarischen Provinz vergegenwärtigen, wird am besten mit der kirchlich so berechtigten Verwunderung darüber angepackt, daß das regulierte Leben einer *coenobitalis fraternitas* nicht die gemeinsame L e s u n g d e s H e l d e n e p o s ausschloß. Man denkt unwillkürlich an Alchvines Klage über das Ingeldlied des Harfners im Kloster Lindisfarne und an die Heldensage-Beschäftigung des Bischofs Gunther von Bamberg, die den Domscholaster Meinhard von Bamberg bekümmert (dazu zuletzt Vf., GRM. 33, 1951, S. 11ff.). Gerade wenn die Beschäftigung mit dem allerdings weit verchristlichten Kriegshelden Walther (s. S c h u m a n n , Anzeiger S. 32)[18] für die *fratres Eihstattensis ecclesiae* nicht ohne die Alchvinesche Klage notiert wird, so dürfte der folgende, letzte Schritt um so leichter verständlich sein.

---

[18] Auch das Maß der Verchristlichung der germanischen Walthersage im Epos ist stark diskutiert, z. B. E r d m a n n , Forschungen und Fortschritte, 17, S. 170; S t a c h , S. 57, 73ff.; v o n d e n S t e i n e n S. 31; H e u s l e r , S. 16f.

Ich meine, die Stellung Erkambalds erlaubt die Vermutung, daß der Bischof, erst einmal im Besitz des Epos, dieses auch seinem Herrscher Arnulf von Kärnten zugänglich gemacht hat. Diese Vermutung erhält Bedeutsamkeit, wenn wir folgendes bedenken. Der Erzbischof Fulko von Rheims erinnert in dem Augenblick, als er sich vor Arnulf von Kärnten wegen seines Staatsstreiches gegen Odo, wegen der Salbung des jungen Karls III. verantworten muß und infolgedessen alle Argumente, mit denen er Arnulf für sich gewinnen konnte, in seinem bekannten Entschuldigungsbrief ins Feld führt, den deutschen Herrscher an das Exemplum Ermanarichs. *Adnectit etiam,* so berichtet Flodoard von Fulkos Brief, *quod in omnibus pene gentibus notum fuerit, gentem Francorum reges ex successione habere consuevisse, proferens super hoc testimonium beati Gregorii papae; subicit etiam ex libris Teutonicis de rege quodam Hermenrico nomine, qui omnem progeniem suam morti destinaverit impiis consiliis cuiusdam consiliarii sui (Sibicho), supplicatque, ne sceleratis hic rex adquiescat consiliis, sed miseratur gentis huius et regio generi subveniat decidenti, satagens, ut in diebus suis dignitas successionis suae roboretur et hi, qui ex alieno genere reges extabant vel existere cupiebant, non praevalerent contra eos, quibus ex genere honor regius debebatur* (MG. SS. XIII, S. 564; Ernst D ü m m l e r , Jbb. des ostfränkischen Reiches, III, 1888, S. 385f.).

Dieses politisch so gewichtige Zeugnis lehrt uns die Bedeutung und die Lebendigkeit der Heldensage-Überlieferung am Hofe Arnulfs von Kärnten. Von diesem Zeugnis aus ist der Schluß auf den Vortrag des Epos an Arnulfs Hof in Regensburg unbedenklich. Aus St. Emmeram kam ja auch eine der späteren Hss. (S). Die H e l d e n s a g e als *exemplum*, als fest geglaubte Überlieferung im baierischen Herrschaftsraum des letzten Kaisers aus dem karolingischen Hause läßt uns einmal den meist verwehrten Blick tun auf die geistige Kultur unserer Königshöfe. Die Ermanarich-Überlieferung *in Libris teutonicis* und nun gleichfalls der Waltharius — auch er ist ja trotz seines Lateins ein *Liber Teutonicus* — veranschaulichen uns die lebendige Funktion der Heldensage an weltlichen und geistlichen Höfen. Man sieht erneut, welche Bedeutung der Entdeckung des Prologfragments der Ingolstädter Hs. durch Paul L e h m a n n zukommt. Denn nach Ausweis seiner Lesarten hat I nicht erst seit dem Spätmittelalter dem baierischen Raum zugehört (S t r e c k e r . D. A. 5, 1942, S. 34). Die Neufunde Lehmanns zu I entstammen Kollegheften des Ingolstädter Professors Georg Zingel, der über dreißig Jahre im Besitz eines persönlichen Kanonikats im Eichstätter Domkapitel gewesen ist (C. P r a n t l , Geschichte der Ludwig-Maximiliansuniversität I, 1872, S. 112). Die Hs. I könnte daher womöglich sogar, was bei ihrer Sonderstellung im Handschriftenstemma keineswegs überraschte (S t r e c k e r , a. a. O.), aus Eichstätt selbst kommen.

Baiern, das eigentliche Reichsland des jungen ostfränkischen Reiches, ist längst stark beachtet als wichtiges Traditionszentrum der alten Heldensage. Auch der rheinisch-südostdeutsche Weg wiederholt sich an berühmten Denkmälern der mittelalterlichen Dichtungsgeschichte. Der feste Platz, den das

Waltharius-Epos durch Erkambald von Eichstätt historisch erhält, erinnert
unwillkürlich an die in der Regel verworfene Nachricht der sogenannten
Klage von der Nibelungias eines Meisters Konrad im Auftrag des Bischofs
Pilgrim von Passau. Mag man auch weiter dieses in mancher Hinsicht, wie ich
anderwärts zu zeigen hoffe, hoch bedeutsame Zeugnis in seiner Hauptaus-
sage ablehnen, der Waltharius kann keineswegs das einzige Denkmal der
Heldensage in lateinischer Sprache gewesen sein. Zumindest die *Libri Teu-
tonici de rege Hermenrico* wird man auch in diesem Zusammenhang nach-
denklich betrachten. Und was wissen wir sicherer aus der Vorgeschichte des
Ruodlieb, der für adlige Laien entstand (zuletzt Vf., Studium generale 3, 1950,
S. 617), als daß sein baierischer Dichter den Waltharius benützt hat. Bei
dieser Skizze der wiederentdeckten, literarischen Provinz des Waltharius soll
schließlich eine Erwägung Helmut d e B o o r s nicht fehlen, der neuerdings
meinte (Annalen, S. 55f.):

„Es wäre kühn aber reizvoll, den Waltharius in zeitlichem und sachlichem
Zusammenhang mit der entscheidenden deutschen Neugestaltung der Nibelungenfabel zu sehen, jener völligen Neudeutung von Kriemhilds sippen-
gebundener Rachetat für ihre Brüder an dem Gatten zu gefühlsgebundener
Rache für den Geliebten an den Brüdern, seinen Mördern. Soweit Kriemhild
und Hiltgunt im Wesen auseinander liegen, sie beide sind etwas, das das kern-
heroischem Denken völlig fremd war: das liebende Weib. Darin sehen wir
entschiedenen Einfluß antiker Schulung. Der Walther-Dichter konnte es sanft
und rein gestalten; dem Neudichter des Burgundenunterganges war die Gestalt der erbarmungslosen Rächerin vorgegeben; er konnte nur den Antrieb
ihres Handelns neu sehen."

Auch dieses Wegstück sei nicht ohne Rückblick. Wir dürfen jetzt sagen:
neben die schwäbische literarische Provinz des als allemannischen Teilkönig
beginnenden Karls III., auf dessen Geheiß Notker der Dichter seine *Gesta
Karoli* schreibt, dessen Kanzler Liutward von Vercelli Notker seinen epoche-
machenden *Liber Ymnorum* widmet, tritt nun durch Gerald die baierische
Arnulfs von Kärnten mit einem ähnlich unvergleichlichen Werk, mit der
Erkambald von Eichstätt von dem *adelphus* gewidmeten *poesis Waltharii.*
Wie Erkambald sein Bistum politisch entscheidend gefördert hat, so auch
literarisch. Ohne diesen hervorragenden Bischof wäre der Waltharius im
spätkarolingischen Eichstätt wohl unmöglich gewesen.

Es folge zum Schluß noch ein A u s b l i c k. Carl E r d m a n n rühmte 1941
unter dem Eindruck der Abkehrung W o l f s und S t r e c k e r s von der
Ekkehard-Hypothese „die Beseitigung des falschen Hintergrundes, vor den
man das Werk bisher gestellt hatte," als „einen sofortigen Gewinn." (Forschungen und Fortschritte 17, S. 170). Ganz können wir diesen Gewinn erst
jetzt einbringen, nachdem wir der Überlieferung nach Eichstätt folgen. In
der Konsequenz dieser Anschauung liegen nicht nur eine Reihe neuer, litera-
turgeschichtlicher, sondern auch neue, rein historische Ergebnisse und zwar
unter ihnen auch eines, das wir einerseits der imponierenden und beispiel-
gebenden Forschungsarbeit Erdmanns verdanken, das aber andererseits auch

geeignet ist, eine seiner Grundthesen zeitlich zu modifizieren. Die gemeinsame Lesung des Waltharius in einer *coenobitalis fraternitas* gehört auch in
das erst von Erdmann zu schreiben begonnene, große Kapitel der mittelalterlichen Geistesgeschichte mit der Überschrift Kirche und Krieg. Erdmann
hat das selbst schon gesehen für die Walther-Legende in Novalese und bei
Ekkehard IV. Er meinte (a. a. O.): „Da das Interesse für die Konversions-
geschichte eines Kriegshelden gut in die Zeit der werdenden Kreuzzugsidee
und christlichen Ritterschaft paßt, erklärt sich auch der Auftrag des Mainzer
Erzbischofs zur Umdichtung" der *vita Waltharii manu fortis* Ekkehards I. an
Ekkehard IV. Aber das Interesse für die *conversio* des Kriegshelden bestand
doch offenbar schon um 925, als, wie gerade Erdmann meinte, in St. Gallen
das Epos zur Vita weitergedichtet worden sein muß. Ja die Begeisterung für
christliche Ritterschaft ist bereits in der lateinischen Umprägung des germanischen Walther-Stoffes tätig und das keineswegs einsam. Denn wohl. 897
schließt Abbo von St. Germain sein Epos *Bella Parisiaca urbis* ab, in dem
wir unter anderem auch die folgenden Verse lesen:

> *Heu, nudi gladium subeunt gentis truculentae!*
> *Et caelo mittunt animas livore fluente;*
> *Martirii palmam sumunt caramque coronam.*

(MGh. P. L. IV S. 95 I, 563 ff.; C u r t i u s Zeitschrift für romanische Philologie 64, 1944, S. 200). Bei Abbo werden also die gegen die normannischen
Heiden gefallenen Christen bereits zu Märtyrern. Aus diesen Versen Abbos
und aus dem Waltharius-Epos folgt: die Heiligung des Krieges durch die
mittelalterliche Kirche ist von Erdmann, der zuerst die fundamentale Bedeutung des Vorgangs sah und besonders von den Kampfmotiven und dem
Kampfethos aus darstellte, in wesentlichen Etappen zu spät datiert worden
(so auch Ernst H. K a n t o r o w i c z , Laudes Regiae, University of Cali-
fornia Publications in History Vol. 33, 1946 S. 29 Anm. 48).

Mit diesem Ausblick breche ich hier ab. Solche Erwägungen wie die eben
angestellten sind erst möglich geworden durch die unsere frühe Geistesgeschichte umordnende Umdatierung des Waltharius. Wenn wir das Epos
nach dem derzeitigen Forschungsstand nicht mehr der ersten Generation des
10. Jahrhunderts, sondern der letzten des 9. zuschreiben müssen, so ist das
Ergebnis der Umwälzung weniger umstürzend als es scheinen mußte von
den Datierungsversuchen aus, die an die Zeit Karls des Großen oder Ottos II.
dachten. Das Epos verliert keineswegs seine „historische Mittlerstellung" auf
dem Weg vom Heldenlied zum Buchepos. Denn kam auch in der Dichter-
und Datierungsfrage meines Erachtens die Revolution zum Sieg, Friedrich
P a n z e r s versuchter revolutionierender Angriff auf die mündliche Vorstufe des Epos ist trotz Schumanns Zuzug gescheitert und bleibt eine forschungsgeschichtliche Episode[19]. Der Abschnitt über die Sage in S t r e c k e r s

---

[19] Die Statius-Theorie ist in vorbildlich vornehmer Sachlichkeit widerlegt durch
Karl S t a c k m a n n , Euphorion 45, 1950, S. 231ff. S. auch S c h i c k e d a n z ,
a. a. O., Werner B e t z , Beiträge zur Geschichte der deutschen Sprache und Literatur 73, 1951, S. 468ff.; Ludwig W o l f f , Erbe der Vergangenheit, S. 80f.;

Edition (S. 20) bleibt notwendig. Das Epos behält, jedenfalls unter den uns bekannten Denkmälern, seine Ausnahmestellung als lateinische Neuschöpfung germanischer Heldensage. Um so dankbarer besitzen wir den konjekturenlosen Text der Monumentaedition im photomechanischen Neudruck der im Dezember 1943 vernichteten Ausgabe[20].

Korrekturnachtrag : Nach mündlicher Mitteilung von H. DeckerHauff erweist eine neuere französische Arbeit die Herkunft Erkambalds aus einem oberrheinischen Geschlecht. Diese Bestätigung und Modifizierung meiner Anschauung in diesem Punkt behandle ich in der Januarnummer 1954 von: Die Erlanger Universität, Hochschulbeilage zum Erlanger Tagblatt.

---

von den Steinen, S. 29ff.; Langosch, a. a. O. Anders Becker, Genzmer, a. a. O. — Die Statius-Zitate, die man Panzers inzwischen überwundener Theorie zufolge noch entdeckt hat, jetzt bei Schumann, in Studien zur deutschen Philologie des Mittelalters, F. Panzer dargebracht, 1950, S. 12ff.

[20] Über die Monumentaedition führen hinaus die Apparatergänzungen in der Editio minor, Waltharius, herausgegeben von Karl Strecker, deutsche Übersetzung von Peter Vossen, 1947, und Schumann, Zeitschrift S. 12ff.

Aus: Germanisch-Romanische Monatsschrift. N F 4 (1954).

Das Gedicht von Waltharius manu fortis

Von Gustav Neckel

Nach allem, was über die Frage geschrieben ist, hat es noch immer als das bei weitem wahrscheinlichste zu gelten, daß der Dichter des lateinischen Waltherepos Ekkehart von St. Gallen gewesen ist, also ein deutscher Mönch in der ersten Hälfte des 10. Jahrhunderts. Und selbst wenn dies ein Irrtum sein sollte, so bliebe doch die Herkunft des Gedichtes aus dem deutschen Sprachgebiet als sichere Tatsache bestehen.

Es ist nicht ganz überflüssig, dies zu betonen. Denn jenseits der Vogesen wird neuerdings der Versuch gemacht, den Waltharius, und ebenso den Ruodlieb, für Frankreich zu annektieren. Das ist wissenschaftlich in keiner Weise ernst zu nehmen[1]. Es handelt sich lediglich um ein paar neue Belege für die chauvinistische Befangenheit, die Herrschaft der Leidenschaft über den Verstand, die wir bei französischen und französisch orientierten Gelehrten in den letzten Jahren so oft erlebt haben. Ein lehrreiches Gegenstück dazu hat es schon in den Tagen von Beckers Rheinlied gegeben: damals argumentierte Fauriel, der Geschichtsschreiber der provenzalischen Poesie, ganz ähnlich wie im Weltkriege der belgische Historiker Wilmotte.

Die Widerlegung der Wilmotteschen These läßt sich völlig schlagend in einem Satze geben: der Waltharius ist ein Denkmal der deutschen Heldensage.

Jeder Laie wird auf diesen Einwand leicht verfallen. Dazu besitzt er immerhin genug deutsche Bildung. Ein durchschnittlicher französisch-belgisch-angelsächsischer Gelehrter besitzt diese elementare germanistische Bildung nicht. Was vor hundert Jahren die Brüder Grimm entdeckt haben, ist leider nicht Gemeingut der Kulturvölker geworden. Ja, es ist weit davon entfernt, auch nur überall in Deutschland gebührend anerkannt zu werden. Wenn anzunehmen ist, daß im vorliegenden Falle Laien imstande sein werden, die richtige Anwendung davon zu machen, so beruht das in der Hauptsache darauf, daß im Schulunterricht die Grimmschen Gesichtspunkte eine gewisse Geltung behauptet haben. Im übrigen hat man sie seit den siebenziger Jahren allzu sehr zum alten Eisen geworfen. Wilhelm

---

[1] Vgl. Strecker, Ztschr. f. dtsch. Alt. 57, 185 ff.

Meyer leugnete rundweg das deutsche Walthergedicht, das Jakob
Grimm als Quelle erschlossen hatte[1]. Diesem ausgezeichneten Lateinphilologen waren die angelsächsischen Bruchstücke Hekuba. Und
daß es darüber hinaus bei den Hyperboräern noch anderes Merkwürdige gibt — was ging ihn das an? „Waltharius" war ein lateinisches Gedicht in vergilischer Manier, und damit gut. War es aber
nicht damit eigentlich für vogelfrei erklärt? Waren nicht lateinische
Bildung, Vergillektüre und Hexametermachen international? Und
wenn nun die Walthariushandschriften ebenfalls international verbreitet sind und die Zeugnisse über Verfasserschaft widerspruchsvoll
und zweideutig lauten, liegt es dann noch fern, die Heimat des Gedichtes auf romanischem Boden zu suchen, etwa zu Toul im Kloster
S. Apri? Der falsche Blick auf die Voraussetzungen des „Waltharius"
ist nicht auf Entente-Philologen beschränkt, nicht schlechtweg
ein Erzeugnis der Kriegspsychose; auch er ist international.

Es handelt sich nicht darum, ob die altdeutsche Literaturgeschichte um einen begabten Vergilschüler reicher oder ärmer sein
soll. Es handelt sich vielmehr darum, ob ein richtiges Urteil über
ein Werk wie den Waltharius möglich ist ohne wirkliche Kenntnis
dessen, was herkömmlich germanische oder deutsche Heldensage
heißt. Die Verdienste der Lateinphilologen um die Überlieferungs-
frage, um Textherstellung, Textverständnis und Beleuchtung des
Textes durch findig aufgespürte Parallelen sollen nicht geschmälert
werden. Daß aber durch diese Arbeit Klarheit verbreitet wäre über
die literarischen Grundlagen des Gedichts, ist ein Mißverständnis,
man müßte denn unter literarischen Grundlagen nur solche Gebilde
verstehen, die Ekkehart auf Pergament vorgelegen haben können:
dann aber beschränkt sich die Klarheit auf Nebendinge. Und die
dürfen uns nicht genügen.

Vers 1160 ff. richtet Walther angesichts der von ihm Erschlagenen
ein Dank- und Bittgebet an Gott, und zwar mit dem entblößten
Schwert in der Hand. Darin sah Jakob Grimm eine heidnische
Opfersitte. Er hätte sich auf die Belege für den altgermanischen
Waffeneid berufen können, die Svend Grundtvig in einer wertvollen
(aber offenbar wenig gelesenen) Abhandlung gesammelt und besprochen hat. Aber da der Zusammenhang rein christlich ist und die
Vergilnachahmung Ekkeharts auf der Hand liegt, so ist es weit auf-
klärender als Grimms Vermutung der Hinweis auf Aeneis XII, 175:
Aeneas ruft mit gezogenem Schwert den Sonnengott und die Mutter
Erde an. Es ist begreiflich, daß man durch diesen Hinweis die Stelle
für „erklärt" gehalten und daran die Lehre geknüpft hat, hier zeige
sich die Überflüssigkeit und Gegenstandlosigkeit des Arbeitens mit
dem unkontrollierbaren deutschen Walthergedicht, und dasselbe
könne sich unverhofft an mancher andern Stelle zeigen, von

---

[1] Ztschr. f. dtsch. Alt. 43, 113 ff.

lateinischer Belesenheit sei alle wahre Aufklärung in der Quellen-
frage zu erhoffen. Begreiflich, aber nicht weise. Wer so folgert,
dem fehlt es an Augenmaß. Er macht aus der Mücke einen Elefanten.
Auf solchem atomistischen Wege gelangt man nie zu literarhistorischer
Einsicht. Mikroskopie ergibt keine Kunstgeschichte, ja auch nicht
Botanik oder Zoologie . . .

Vers 333 ff. wird geschildert, wie Walther sich zur Flucht wappnet:

> Ipseque lorica vestitus more gigantis
> inposuit capiti rubras cum casside cristas
> ingentesque ocreis suras complectitur aureis.

Auch hier hat die ältere Schule sich getäuscht. Dieser „Riese"
hat mit den Riesen in den Helden- und Spielmannsepen oder mit
denen, die Thor bekämpft, nichts zu tun. Man darf auch nicht mit
Althof übersetzen „nach der Weise der Recken" (mhd. *in recken wise*
hat bekanntlich eine Bedeutung, die nicht hierher paßt). Aber die
Vulgata sagt 1. Macc. 3, 3: induit se loricam sicut gigas. Kein
Zweifel, daß der gelehrte Mönch hier an Judas Maccabaeus gedacht
hat. Beim folgenden hat ihm wieder die Aeneis vorgeschwebt (XII,
430, vgl. 87 ff.).

Derartige Beobachtungen sind für die Beurteilung seiner Schaf-
fensweise recht lehrreich. Sie veranschaulichen, wieviel Lateinisches
in Ekkehards Kopfe rege gewesen ist, und wie es fortwährend Einfluß
gehabt hat auf die Formung seiner Gedanken. Allerdings ist dies eigentlich nicht viel mehr, als wir von einem in lateinischen Versen dichtenden
Klostergeistlichen der ausgehenden Karolingerzeit erwarten. Die
lateinische Bildung hat damals in St. Gallen auf achtenswerter Höhe
gestanden.

Wie hoch übrigens der Waltharius als lateinische Stilübung
eines Mönches steht, das erfährt man im vollen Umfange nicht aus
Parallelstellen allein. Auch vieles, wozu es keine wörtlichen Anklänge bei Lateinern gibt, ist rein klassisch oder biblisch gedacht.
Nicht bloß Sprache und Metrum, auch Gedanken und Phantasie-
bilder sind weithin klassisch oder biblisch, ohne eigentlich, antike
Werkstücke zu sein. Das Gedicht ist antik empfunden und durch-
gebildet, wie eine karolingische Kapelle oder Basilika, bei der auch
nicht die alten Werkstücke das Wesentliche sind, sondern die Nachahmung.

Wir können sagen, daß Ekkehart vier ungermanische Hüllen
um seinen Stoff legt. Von der äußeren angefangen, sind es diese:

1. Die fremde Bildung des Verfassers: der geographisch-ethno-
graphische Eingang (den schon Jakob Grimm als mönchisch von
der Quelle absonderte), die Umschreibung des Sonnenaufgangs
V. 1188 f. (Luzifer steigt als Herold auf den Olymp und meldet, die
Insel Taprobane erblicke die Sonne), der Seitenblick auf den homerischen Bogenschützen Pandarus V. 728, 737; Reflexionen und Urteile

wie V. 632: Hagen wird zornig, wofern es erlaubt ist, seinem Herrn zu zürnen; der todgeweihte Trogus reizt den Sieger noch durch bittere Trutzworte, *seu virtute animi seu desperaverat* V. 1055 f.; der Ruhm (*laus*) heißt eitel, niedrig (*vilis*, 871); ein zur Rache Mahnender heißt *demens* (954); Räuber (*latrones*) bekommen das Beiwort *cruenti* (496); u. v. a.; von dieser Art ist auch das schon erwähnte *more gigantis*.

2. Antikes Kostüm: die Reiterschlacht beginnt mit Trompetenstößen und Wurfspießwerfen der geordneten Heere, setzt sich fort mit Schwerterkampf, endet mit dem Siege Walthers, der sich die Schläfen mit dem Lorbeer krönt und an der Spitze der Feldzeichen, denen die übrige Mannschaft sich anschließt, im Triumphe heimkehrt (V. 179—214); Waffen, Kampfweise und Witzreden der Einzelkämpfer des Hauptstücks versetzen uns in homerische Welt (Pfeile, Dreizack, siebenhäutiger Schild)[1]; von Beinschienen und Helmbusch an der oben angeführten Stelle V. 333 ff. gilt dasselbe; Hildegund muß den Wein mischen (*misceto merum*, V. 1410); die Fliehenden legen *M fere passus* zurück, wie römische Legionäre, V. 1208.

3. Die Gesten, überhaupt vielfach das Benehmen, das Temperament, zumal die Beredsamkeit sind die von Südländern, wie sie in der klassischen Literatur erscheinen, nicht von Deutschen oder andern Germanen: Etzel, außer sich über Walthers Flucht, zerreißt seinen Mantel von oben bis unten (382, vgl. Mt. 26, 65); nachts kann er kaum einen Augenblick still liegen, es treibt ihn ruhelos umher[2]; vor dem Kampfe zittern die Glieder der Kämpfer unter den Schilden vor Kampflust (1284); Skaramund und andere Angreifer „fliegen heran" (*advolat*, 694, vgl. 915); Hagen vergießt Tränen aus Sorge um den Neffen (876, vgl. 689), und seine Lippen fließen über von einer langen Deklamation über die Verderblichkeit der Habsucht und der Ruhmgier — weder die sententiöse Beredsamkeit noch dieser ihr Inhalt sind in weltlichen altgermanischen Versen denkbar[3].

4. Selbst den Gesinnungen und Charakteren der Menschen haftet etliches an, was vom Standpunkt der altgermanischen weltlichen Überlieferung sowie der bodenständigen germanischen Volksart von heute gesehen als fremdartig erscheint: Werinhard bettelt um sein Leben (751), ebenso Randolf athleta (981); auch Hildegunds übergroße Ängstlichkeit, ihre Unselbständigkeit und dienende Demut

---

[1] Den tiefen stilistischen Unterschied gegenüber den sonst vergleichbaren Kämpfen im 2. Teil der Nibelungenepos betont mit Recht Fr. Vogt, Festschr. der schles. Ges. f. Volkskd., 1911, S. 506.

[2] Wie viel beherrschter äußert sich im eddischen Brot Str. 12 f. Gunthers so sehr viel tiefer sitzender Gram oder im Rother V. 448 ff. Rothers Trauer und Sorge um seine Mannen!

[3] Die Quelle könnte eine Gnome gehabt haben wie Nib. 1554, 2. Aus Ekkehart spricht deutlich der Prediger. Die Lehre von der Verderblichkeit des Goldes, die man seit dem 17. Jahrh. in der Vǫluspá findet, ist nicht darin.

gehören hierher, mögen diese Züge auch für gebildete Städter etwas Natürliches und Reizvolles sein: altgermanische Frauenart ist das nicht[1], und in der Tat zeichnet der Waldere das Mädchen sehr anders, noch im Biterolf blickt dieses ältere Charakterbild deutlich durch; was Ekkehart uns bietet, ist in wesentlichen Stücken Ausfluß seines eigenen Begriffs von der Frau, wie sie sein soll, und dieser Begriff ist zwar nicht heidnisch-antiker, wohl aber christlich-antiker Herkunft; am klarsten tritt das wohl da hervor, wo das burgundische Königskind dem Jüngling Walther zu Füßen fällt (248)[2]. Dieser ist denn auch weit entfernt, in der Vertreterin des *sexus fragilis* (1209) den gleichberechtigten Menschen zu ehren. Er ist nicht bloß ihr *sponsus*, sondern damit zugleich ihr *senior* (1418). Sie ist die Dienerin, der er wie einem Kinde Vorschriften bis ins einzelne macht — wie der Pater dem Schüler —; er fühlt sich, schon ehe sie ihm ihr Einverständnis erklärt hat, berechtigt, sie zu umarmen und zu küssen (222), und er traut ihr zu, daß sie ihn beim Anblick nahender Feinde in jähem Schrecken augenblicks wecken werde, und verbittet sich dies (508) — so wenig sind die beiden Schicksals- und Standesgenossen eines Sinnes. Im übrigen ist Walthers Wesen widerspruchsvoll. Ehe er sich zu dem Entschluß aufrafft, die Nacht über an Ort und Stelle zu bleiben, damit er nicht Feigling genannt werde (1153 f.), hegt er lange furchtsame Gedanken und zuletzt Angst vor den Gefahren des zu durchreitenden Waldes, so daß das folgende stolze Wort als leeres Gerede ohne echten Gesinnungshintergrund erscheinen müßte, wenn ihm nicht die Tat folgte. Ähnlich Vers 561—565: Walther hat kaum das stolze Wort gesprochen, kein Franke werde seiner Frau berichten können, daß er ein Stück des Schatzes davongetragen, als er reuig zu Boden fällt und Gott um Verzeihung anfleht für seinen Übermut.

Die beiden Fälle sind besonders merkwürdig deshalb, weil sie handgreiflich zeigen, wie der Mönch Zusätze macht zu seiner Quelle. Das, was er meint abschattieren, abschwächen zu müssen, die Ausbrüche der Heldengesinnung, das war ihm überliefert. Denn eben, weil er es anstößig findet, hat er es nicht erfunden, und ähnliche Trutzworte gibt es in Menge in altgermanischer weltlicher Überlieferung (besonders natürlich in der reichen nordischen, doch keines-

---

[1] Dies wird gewöhnlich verkannt, vgl. z. B. Simons in dem unten angeführten Buche S. 141.

[2] Der Zusammenhang V. 229 ff. ist seltsam und schwierig. Vgl. Koegel, Pauls Grundriß, 1. Aufl., 2, 1, 183 und Gesch. d. dt. Lit. 2, 291 f.; Althof, Waltharii Poesis 2, 85. Wahrscheinlich sind die Reden aus der Quelle, teilweise ungeschickt, übersetzt und die Erläuterungen dazu in Vers 229 und 235 beruhen auf Mißverständnis Ekkeharts. Koegels weitreichende Schlüsse sind also abzulehnen.

wegs nur dort)[1]. Auch das über Hildegund Gesagte führte uns bereits
auf die Quelle. Und zwar lassen uns die beiden Heldenworte Walthers
diese deutlich als poetisch geformt erkennen: das germanische
Heldenlied pflegt in solchen Aussprüchen zu gipfeln, und Ekkehart
dürfte nur vor gebundenem Wortlaut so viel Achtung gehabt haben,
daß er ihn beibehielt und auf Abmilderung bedacht war, statt ihn
einfach fallen zu lassen. Es werden sich nachher noch deutlichere
Hinweise auf die Gedichtform ergeben.

So deutlich die antik-mönchische Einkleidung ist, so tief offenbar die Umbildung stellenweise greift, so sicher handelt es sich eben
nur um Einkleidung und Umbildung, so wenig kann das Eingekleidete
und das Umgebildete verborgen bleiben.

Lehrreich ist ein Seitenblick auf Saxo Grammaticus. Es dürfte eine
selbstverständliche methodische Regel sein, daß ein Werk wie der Waltharius
zunächst zusammenzustellen ist mit andern lateinischen Versbearbeitungen
heimischer Heldenstoffe durch germanische Geistliche des Mittelalters. Man stellt
ihn gewöhnlich nur mit dem Ruodlieb zusammen und springt von da gleich zu
Vergil und Prudentius. Aber der Ruodlieb ist trotz der räumlichen und zeitlichen
Nachbarschaft nicht das nächste Gegenstück; näher liegen die mancherlei versifi-
zierten Stücke bei Saxo. Auch Saxo ist ein sehr belesener und höchst gewandter
Lateiner, einer der bedeutendsten lateinischen Stilisten des Mittelalters. Der
gelehrte Kreis des Erzbischofs Absalon holte um 1200 sozusagen das nach, was
die Akademie des großen Karl für die von Karl beherrschte germanische Christen-
heit geleistet hatte: es wurde eine Literatur in annähernd klassischem Latein
geschaffen, während man gleichzeitig südlichen Kirchenbau und südliche Garten-
kultur einführte und auch sonst beflissen war, sich auf die Höhe der Südländer
zu bringen. Doch entstand in Dänemark nichts den Poetae latini Entsprechendes:
man war zu fern von Rom, und die heimische Überlieferung, die unter anderen
durch rührige Isländer vertreten wurde, machte sich zu stark geltend. Nur das,
was wir die Außenwerke der karolingischen Renaissance nennen können, wiederholt sich in Dänemark: es entstehen Darstellungen der heimischen Geschichte
und Sage; kein Walahfrid Strabo, wohl aber Paulus Diaconus und Ekkehart,
Sven Ågesen und Saxo, und letzterer ist Paulus — und zwar ein stark bereicherter
— und Ekkehart in einer Person. Nicht als ob Saxo den Langobarden und den
Alemannen nachahmte. Aber er arbeitet unter annähernd gleichen Bedingungen
und bringt Ähnliches zustande.

Seine Bedingungen nun kennen wir weit besser als die des Ekkehart, denn
wir haben die altisländische Literatur, und die liefert uns in einigen Fällen die
Vorlagen zu Saxos lateinischen Gedichten und in zahlreichen Fällen nahe Verwandte der verlorenen Vorlagen. Andererseits stehen uns auch Saxos lateinische
Stilvorbilder zur Verfügung, ebenso wie die des Ekkehart. Man hat zwar lange
nicht den Eifer auf den Nachweis klassischer Parallelen verwendet wie beim Wal-

---

[1] L. Simons, Waltharius en de Walthersage, Lier 1914, S. 121 ff. findet einen
ähnlichen Gegensatz zwischen Walthers tugendhaftem Gesamtbild und seinem
schnöden Undank gegenüber Etzel, weshalb er letzteren Zug der Quelle zuschreibt
(dies mit Recht). Die Habe, die Walther den Hunnen abnimmt, ist aber der
einst von Etzel eingetriebene Tribut oder Ersatz dafür. Hiervon zeugt u. a. der
Mimming in Walthers Besitz (Waldere); die väterliche Brünne, die er im Waldere
trägt, muß dieselbe sein wie die Walth. 264 erwähnte Brünne des Etzel; der
Hunnenkönig hat sie dem Alphari abgenommen — was auf einen alten kriegerischen Verlauf der Vorgeschichte weist.

tharius, weil der begrenzte Wert solcher Nachweise von vornherein feststand,
aber das ändert an dem grundsätzlichen Verhältnis natürlich nichts[1].

Eine Hexameterdichtung von rund 300 Versen bei Saxo beginnt so:

Ocius evigilet, quisquis se regis amicum
aut meritis probat aut sola pietate fatetur,
discutiant somnum proceres; stupor improbus absit;
incaleant animi vigiles; sua dextera quemque
aut famae dabit aut probro perfundet inerti;
noxque haec aut finis erit aut vindicta malorum.

Vers 4a kehrt wieder bei Ovid (Met. 2, 87), und auch das folgende (4b—6)
hat ein nahe anklingendes lateinisches Gegenstück[2]. Die reflektierende Zerlegung
des Gedankens mittels aut — aut in Vers 2 ist rein lateinisch und kann keine
Übersetzung germanischer Rede sein. Einem kurzsichtigen Betrachter müßte es
darum auch hier nahe liegen, die germanische Versgrundlage als überflüssiges
Gedankenspiel abzutun. Leider aber besitzen wir das Original dieses Passus sowohl wie auch des unmittelbar Folgenden, und alles übrige liegt in durchsichtiger
Prosaauflösung in der Hrólfssaga kraka vor. Es handelt sich um die altnordischen
Biarkamál.

Halten wir den Urtext neben die Übersetzung, so zeigt sich, daß letztere
sehr frei ist; wir dürfen sie eine geschwätzige Paraphrase nennen; rhetorische
und reflektierende Ausweitungen machen sich stellenweise sehr breit. Den angeführten 6 Hexametern liegt wahrscheinlich nicht mehr zugrunde als diese 4 wort-
knappen Verse:

Vaki ok æ vaki   vina haufuð,
allir enir œztu   Aðils af sinnar[3].

Die daran anschließenden 4:

Vekkia ek yðr at víni   né at vífs rúnum,
heldr vek ek yðr at horðum   Hildar leiki[4],

werden von dem Lateiner folgendermaßen aufgeschwellt:

Non ego virgineos iubeo cognoscere ludos,
nec teneras tractare manus, aut dulcia nuptis
oscula conferre et tenues astringere mammas,
non liquidum captare merum, tenerumve fricare
femen, et in niveos oculum iactare lacertos.
Evoco vos ad amara magis certamina Martis.

Hier ist die Umbildung ganz besonders lehrreich. Der auffallendste Zug ist,
wie die sinnliche Phantasie des in antiken Erotikern belesenen Mönches sich auf
eigene Hand im Vollen ergeht. Dazu bietet ihm den willkommenen Anlaß ein
kurzes Wort seiner Quelle (at vífs rúnum), in dem allerdings, rein logisch betrachtet, alles das enthalten ist, was er mit unsauberen Fingern herausholt, aber
psychologisch nimmermehr: der alte Dichter der Biarkamál würde nicht den,
wenn man will, verhüllenden Ausdruck 'Weibesraunen' wählen, wenn ihm all
das vorschwebte, was Saxo formuliert; es ist geradezu bezeichnend für sein
— typisches — Seelenleben, daß ihm die geschlechtliche Sphäre vertreten wird
durch eine Vorstellung wie 'Weibesraunen', d. i. 'heimliches Flüstern mit dem
Mädchen', 'zärtliche Verabredung', also durch die Vorstellung von etwas, was
jeder, der unter Menschen lebt, schon beobachtet hat, was also für jeden ein

---

[1] C. Knabe in Torgau hat eine umfassende Sammlung von Parallelstellen
zu Saxos Latinität angelegt, die er handschriftlich verwahrt.

[2] Gertz bei Olrik, Danmarks Heltedigtning 1, 344.

[3] 'Wachet, erwacht, | ihr wackern Genossen! || alle ihr mutigsten | Mannen
des Fürsten!' ||

[4] 'Nicht ruf ich zum Wein | noch zum Weibesraunen; || erwacht zum harten
Spiel der Hild!' ||

anschauliches Bild ist, und wovon jeder sprechen könnte; und es ist nicht minder bezeichnend für den lateinischen Verballhorner der germanischen Verse, daß er sich jene Sphäre durch ganz andere Vorstellungen vertreten läßt, Vorstellungen von Dingen, die nicht jeder kennt, die vor allem er selber nicht kennt, und von denen man nicht spricht, wohl aber kraft antiker Überlieferung lateinisch schreibt. Der Gegensatz läßt sich unschwer verallgemeinern, und dann erkennen wir, wie eine und die andere Stelle bei Ekkehart sich nicht grundsätzlich anders verhält als die ausgehobene Saxostelle, obgleich Ekkehart sich nirgends solche Zügellosigkeiten gestattet und überhaupt weit mehr Geschmack, Künstlersinn und innere Bildung zeigt: sein Stil — und das ist nicht bloß eine Form, sondern Form als Ausdruck einer innern Verfassung — ist eben auch der lateinische. Hagens *O vortex mundi...* ist psychologisch keinem germanischen oder altdeutschen Heldendichter zuzutrauen, weil dieser Erguß mit Gedanken arbeitet, die man nicht hat, geschweige denn ausspricht, außer kräft antiker und Predigtüberlieferung; logisch aber läßt sich dieses Ganze zurückführen auf einen schlichten Erfahrungssatz, der ebenso stilgerecht wäre wie jenes 'Weibesraunen'. Ekkehart sowohl wie Saxo lebten des Glaubens nicht bloß an die Überlegenheit der lateinischen Sprache, sondern auch an den alleinseligmachenden lateinischen Stil. Daher übersetzten sie nicht einfach, sondern durchdrangen den germanischen Dichterstoff, der ihnen ärmlich erschien, mit lateinischen Gedanken, so daß er aufquoll und in allerlei Farben zu schillern anfing. Beachten wir noch, wie der Däne jedem Begriff sein Beiwort zuteilt; so wird ihm der 'Wein' der Quelle zum *liquidum merum*. Auch Ekkehart liebt Attribute: *saeva cupido, mors nefanda, vilis laus*. Seine Quelle war mit Derartigem sicher viel sparsamer. Die Biarkamál sprechen von dem 'harten Spiel der Hild' (dem Zusammenschlagen der Waffen nach dem Willen der Walküre). Daraus macht Saxo *amara certamina Martis*. Dies ist ein schönes Beispiel für Kostümwechsel: der römische Kriegsgott vertritt die germanische Walküre.

Saxos lateinische Gedichte veranschaulichen zweierlei: lateinisch versifizierte germanische Heldenstoffe, deren metrische Form zunächst vermuten läßt, daß sie durch Versform der Quelle veranlaßt ist, können in der Tat sehr wohl poetische Quellen wiedergeben, auch wenn ihre Abhängigkeit von lateinischen Vorbildern weit geht; wir haben aber in solchem Falle mit starker Umstilisierung zu rechnen.

Hätte man sich beides immer klar gemacht, so wäre weder die Lehre von dem übersetzten deutschen Waltherepos aufgestellt noch das deutsche Walthergedicht je geleugnet worden.

Wir sahen, daß sich über dessen Dasein und Beschaffenheit aus dem Waltharius selbst, also von innen her, bereits allerlei ergibt. Diese Ergebnisse lassen sich von außen her bestätigen, sichern und weiterführen.

Der Waltharius ist ein Denkmal der **deutschen Heldensage.** — Was heißt dies? Der Ausdruck „Heldensage", als Einzahl, ist romantisches Erbe. In Wilhelm Grimms Deutscher Heldensage von 1829 ist eine Menge von Zeugnissen gesammelt für die Bekanntschaft mit gewissen sagenhaften Personen und Ereignissen. Diese Zeugnisse reichen von Jordanes bis herab zu Volksüberlieferungen der Gegenwart und Darstellungen auf Wappen und andern Bildwerken, und sie beziehen sich auf den ganzen Kreis der germanischen Welt. Sie scheinen zu zeigen, daß eine und dieselbe eigenartige poetische Vorstellungswelt das Leben der Germanen vom Anfang ihrer Geschichte an begleitet hat, und zwar als geistiger

Besitz des ganzen Volkes und in der Hauptsache auch als ungeteiltes Ganzes, als Einheit. Denn wo der eine Held auftaucht, da pflegen andere nicht fern zu sein, und einige mittelalterliche Quellen — die deutschen Heldenbücher, die Edda, die Völsungasaga — enthalten ein förmliches Pantheon · der germanischen Heldenwelt. Dieses allverbreitete Pantheon ist „die Sage". Aus ihr haben die Chronisten, aber auch die Dichter geschöpft. Manchmal erscheint die Sage in den Quellen getrübt: dann gilt es die echte Sage herauszuschälen. Aber alle Quellen, alle Denkmäler der deutschen Heldensage, schwimmen sozusagen auf dem Meer der Sage, wie Inseln des Ozeans, der Ozean ist eins, und er verbindet die Inseln.

Dies etwa ist die romantische Anschauung. Sie übt heute noch großen Einfluß aus. Und sie enthält viel Wahres. Richtig ist vor allem die Annahme einer lebendigen mündlichen Überlieferung hinter und zwischen den erhaltenen Denkmälern, und fruchtbar war der Versuch, die durchgehende Eigenart dieser Überlieferung durch die wechselnde Beschaffenheit der Denkmäler hindurch zu erkennen. — Schief, unklar und eigentlich falsch war die Vorstellung von der Sage als einer Einheit. Hier haben genauere Erforschung der Quellen und entwicklungsgeschichtliche Fragestellung stark berichtigend eingreifen müssen. Soweit es Sageneinheiten gibt, sind sie erst spät und sekundär entstanden. Hiermit eng zusammen hängt ein Zweites: die ältere Betrachtungsweise fragte nicht entschieden genug nach der Form der mündlichen Überlieferung; sie dachte sich diese gar zu leicht als formlos, nach dem Bilde der Volkssagen, und dabei verfälschte sich das Wesen der Heldensagen, das von dem der Volkssagen sehr verschieden ist; man betrachtete die „Heldensage" zu sehr als ein Ding für sich und machte sich nicht klar, daß diese Disziplin ein Zweig der Literaturgeschichte ist.

Die Anwendung auf unseren Fall sieht etwa so aus: Wenn der Waltharius von Etzel, Gunther und Hagen erzählt, Dinge erzählt, die stark erinnern an Nibelungen, Edda und den verwandten Quellenkreis, wenn Bruchstücke wesentlich derselben Geschichte in stabreimenden angelsächsischen Versen vorliegen, so genügt es nicht, diese Übereinstimmungen daraus zu erklären, daß der gesamte Inhalt aller beteiligten Denkmäler plus X in der „Sage" gelebt hätte und die Denkmäler Niederschläge dieser wären, teilweise Niederschläge, die sich darum nur teilweise decken (der Waltharius berichtet z. B. Hagens Jugend, das Nibelungenlied seine späteren Erlebnisse, doch mit Anspielungen auf die Jugend). Eine befriedigende, allen Tatsachen gerecht werdende Erklärung ergibt sich nur bei einer Annahme, die an die Stelle der unklaren und unkontrollierbaren Sage die ihrer Art nach empirisch bekannten Größen der mündlichen Literatur setzt und sie nach überall geltenden literarhistorischen Erfahrungsregeln aufeinander wirken läßt: die stoffverwandten

Denkmäler hängen zusammen durch Gedichte, die nur mündlich
vorhanden gewesen und daher verloren sind. Das Nähere über diese
Gedichte gilt es nach Möglichkeit zu bestimmen.

Ein Einwand liegt nahe: können nicht die verwandten Denkmäler
unmittelbar zusammenhängen? Kann nicht z. B. Ekkehart den
Waldere gekannt haben? Oder umgekehrt? Kann nicht dem Nibelungendichter der Waltharius vorgelegen haben? Oder sollten nicht
Nibelungen und Waltharius verbunden sein durch die lateinische
Nibelungias des 10. Jahrhunderts, also ein drittes Werk der Feder,
das nur zufällig verloren ist?

Entsprechende Fragen auf angrenzendem Gebiet sind: hat
nicht die Thidrekssaga das Nibelungenepos direkt benutzt? Beruhen nicht die färöischen Nibelungenballaden ausschließlich auf
Thidreks- und Völsungasaga? die dänisch-schwedischen Dietrich-
balladen auf der Thidrekssaga?

Wären diese Fragen mit ja zu beantworten, so läge der Gewinn
auf der Hand: das Bild würde sich radikal vereinfachen, indem
alle nur erschlossenen Größen ausschieden, sagen wir: alle X würden
aus der Rechnung verschwinden; und wir könnten unmittelbar
beobachten, welche Veränderungen die Dichter mit dem Stoff vornehmen, erhielten also einen Maßstab für ihre Eigenart und ihre
Erfindungsgabe. Z. B. würde — nun noch ein Beispiel aus anderem
Gebiet zu nennen — Wolframs Schöpferbegabung in den späteren
Büchern des Parzival aufs glänzendste hervortreten, wenn der Contes
du Graal des Chrestien die Quelle dieses Werkes wäre.

Andererseits ergäbe sich aber auch ein Nachteil: die Verein-
fachung des Bildes bedeutete zugleich Verarmung, eine Anzahl
namenloser analphabetischer Dichter in germanischen Volkssprachen
verblaßte zu wesenlosen Schatten, und Wirklichkeit hätten nur
noch die Schreibenden und Diktierenden; die Literaturgeschichte
würde einschrumpfen zur Denkmälerkunde, und die Masse der nicht
Schriftgelehrten, das Volk, ginge die Literatur ebensowenig oder
noch weniger an als in den Jahrhunderten seit der Renaissance.

Ob diese Nachteile, oder jene Vorteile ernster genommen werden,
hängt von subjektiven Faktoren ab; das Wünschenswerte bestimmt
sich durch Begabung, Geschmack, Bildungsgesichtskreis der Einzelnen. Die Entscheidung der Fragen hat damit natürlich nichts
zu tun. Sie kann nur das Ergebnis unvoreingenommener Untersuchung sein, einer Untersuchung zunächst von Fall zu Fall, wobei
sich aber unter Umständen eine breite Grundlage für Analogieschlüsse
ergeben kann.

Solche Untersuchungen sind während des letzten Menschen-
alters in ziemlichem Umfange vorgenommen worden. Der Rück-
schlag gegen die romantischen Lehren von der allverbreiteten Sage
brachte es mit sich, daß man versuchte, ohne diesen dunklen

Faktor auszukommen, indem man gerade Verbindungslinien zwischen den erhaltenen Denkmälern zog[1]. Die Versuche sind nicht ergebnislos gewesen: sie haben gezeigt, daß auf diese Weise die Tatsachen nicht restlos zu begreifen sind[2].

Es bleibt also bei dem X, das die Romantiker die Sage nannten. Aber seine Dunkelheit hat sich inzwischen auf anderem Wege bedeutend gelichtet: durch die klarere Erkenntnis des germanischen Heldenliedes, seines Betriebs, seiner Kunstformen, seines Stils, und die folgerechte Verwertung dieser Erkenntnis als Erklärungsmittel. Schon Wilhelm Grimm hat hier die Bahn gebrochen[3], doch ohne fest durchzugreifen; der Stand der Quellenkenntnis zu seiner Zeit erlaubte das schwerlich schon, und die erste Aufgabe war die Sammlung und Ordnung des Materials. Daß diese Aufgabe kraftvoll angegriffen und glänzend gelöst wurde, nicht ohne eine Menge feiner und fruchtbarer Beobachtungen, danach bemißt sich das Verdienst Wilhelm Grimms und unsere Dankbarkeit. Das Verhältnis ist ähnlich wie bei seinem Bruder Jakob, der auch die methodische Durchleuchtung hat einer späteren Zeit überlassen müssen. Für die Heldensage kam das meiste Licht aus dem an altertümlichen Denkmälern viel reicheren Norden: von der Eddaforschung und vielleicht noch mehr von der Folkeviser-(Balladen-)forschung her, die Svend Grundtvig ihr Bestes verdankt. Die weitblickende Erörterung des Grundsätzlichen und die Anwendung auf das deutsche Material ist das Verdienst namentlich Andreas Heuslers[4], dessen Gesichtspunkte — trotz der noch immer geltenden Abgelegenheit des Nordischen — zunehmenden Einfluß ausüben.

Aus: Germanisch-Romanische Monatsschrift. IX (1921). Es wurde nur der I. Teil von Neckels Studien abgedruckt.

Waltharius, Carmen de prodicione Guenonis und Rolandsepos

von Wilhelm Travernier

A. Carmen und Waltharius.

Wir haben unlängst als wichtigste Aufgabe der Roland-forschung bezeichnet, die Quellen des *Carmen de prodicione Guenonis*[1]) zu erschließen.
Auf eine Ovidstelle hatte A. Pakscher hingewiesen,[2]) einige Anklänge an Vergil haben wir selbst bemerkt,[3]) die taktischen

---

[1]) Künftig nach Stengel lC gekürzt; zitiert nach der Ausgabe von Gaston Paris in Romania XI: 1882, S. 466 ff. Wo wir von seinem Text abweichen, geben wir nicht immer die Begründung, da wir in der Fortsetzung unseres Beitrags II (Carmen de prodicione Guenonis und Rolandsepos) das Text und Auslegung des lC Betreffende vereinigen möchten.

[2]) Zur Kritik und Geschichte des französischen Rolandsliedes, Diss. Straßburg, Berlin 1885, S. 35. — Es handelt sich um Metam. II, 22 ff.:

Consistitque procul: necque enim propiora ferebat
Lumina. P u r p u r e a velatus v e s t e sedebat
In solio P h o e b u s, claris lucente zmaragdis;

danach lC 97 P u r p u r e a v e s t e vestitur regia coniunx und vorher 93

Cuius forma micat P h e b o mage mane micante. —

Eine weitere Entlehnung aus Ovid läßt sich anfügen. Kurz vor den eben zitierten Carmenversen heißt es 89 f.

Demum videt regem s p a c i a n t e m sub spaciosa
Pinu, s u b cuius frondibus u m b r a placet,

wohl nach Ars amatoria I, 67

Tu modo Pompeïa lentus s p a t i a r e s u b u m b r a.

Man beachte, wie wenig lC 89 f. zu 91 passen; das *spaciantem* 89 hängt von der eben, *sedere* 91 wohl von der oben zitierten Ovidstelle, die Darstellung in 91 ff. überhaupt vom W ab (s. unter A 4), und der Carmendichter versäumte den nötigen Ausgleich. — G. Paris in der Anm. zu lC 89 vermutet, *spaciantem* bedeute hier „sich ausruhen", *sens que je n'ai pas rencontré ailleurs; voy. cependant dans Du Cange quelques passages où spatiari paraît signifier „jouer, se divertir"*. Die beiden einzigen dort angeführten Belege aus den Jahren 1353 *(ad billas ire spatiatum)* und 1360 *(ludo scolae spatiari)* helfen unsere

Maßnahmen lC 210 ff.[4]) wie die Beschreibung von Turpins Pferd
339 ff. lassen sich auf antike Vorschriften zurückführen,[5]) und

---

Carmenstelle nicht erklären; Beeinflussung durch den viel gelesenen
Ovid liegt näher.
[3]) Diese Zs. XL[2], 1913, S. 477. Was das erste der beiden dort
angeführten vergilischen Muster betrifft, so wird sich unten (Stück 9)
ergeben, daß die erwähnten Stellen der Aen. nicht unmittelbar das
Carmen, sondern den Waltharius beeinflußt haben; von Ekkehard
wieder hängt der Carmendichter ab. — Was die zweite a. a. O. vermutete Entlehnung (lC 9 nach Aen. I, 687) anlangt, so konkurriert
mit der Aen. der W als mögliche Quelle.
       Aen. I 687 Cum dabit amplexus atque oscula dulcia figet;
       W 222 Cui post amplexus atque oscula dulcia dixit;
       lC 100 Amplexusque juvant, oscula multa magis.
   Näher liegt die Situation im lC der in der Aen. Hier wie dort
handelt es sich um eine Königin und um festliches Mahl. So wird an
unserer Stelle allerdings in erster Linie an Vergil als Vorbild für den
Carmendichter zu denken sein.
   Daß der Verfasser des lC die Aen. sehr genau gekannt hat, wird
durch eine Reihe sicherer Entlehnungen bezeugt — obschon solch
Nachweis bei einem lateinischen Dichter des 11. Jahrhunderts kaum
nötig erscheint.
   Gleich die Eingangsworte lC 3 ff.
       R e x Karolus, clipeus regni, tutela piorum,
       Contemptor sceleris, s a n c t i o i u r i s erat;
       M a r t e f e r u s, stirpe presignis, corpore prestans,
       Mente p i u s, rebus faustus, honore potens
scheinen die bündigen Vergilverse (Aen. I 544 f.) zu umschreiben:
       R e x erat Aeneas nobis, quo i u s t i o r alter
       Nec p i e t a t e fuit, nec b e l l o m a i o r et armis.
Es sind dieselben Gedanken, z. T. dieselben Wortstämme an beiden
Stellen, und dasselbe rex zu Beginn. —
   Die 7 Jahre lC 15 sind übernommen aus Aen. I 755 f., V 626 ff.:
       S e p t i m a p o s t Troiae e x c i d i u m iam vertitur aestas,
       Cum freta, cum terras omnis, tot inhospita saxa
       Sideraque emensae ferimur ...
Die Worte post excidium klingen im lC noch verräterisch nach, be-
fremden leise im Zusammenhang:
       lC 15 Rex annis septem sibi regni regna subegit,
       In quo cum m u l t i s aspera m u l t a t u l i t;
       P o s t hoc e x c i d i u m Morindia sive per arma
       Sive per insidias regis adepta fuit.
   Noch in 16 hat der Carmendichter des Äneas Mühsale im Sinn —
auch hier wirken die Worte der Vorlage fort:
       Aen. I 3 ... m u l t u m ille et terris iactatus et alto ...
       5 M u l t a quoque et bello p a s s u s ...
In genauer Entsprechung setzt also die Handlung der Aen. nach 7 Jahren
voller Irrfahrten, im lC nach 7 Kriegsjahren ein. —
   lC 44 S o l v e r e pollicitans p r e m i a d i g n a sibi
nach Aen. IX 252
       Quae vobis, quae d i g n a, viri, pro laudibus istis
       P r a e m i a posse rear s o l v i? ... —
   iC 69 Ductus hic errore Sirie deserta pererrat
klingt an des frommen Äneas Klage an (I 384):
       Ipse ignotus, egens, Libyae deserta peragro.
Das vergilische Libya hat dem Carmendichter die dichterische Meto-
nymie Syria für das sarazenische Spanien nahegelegt. In der Fort-

weitere Entlehnungen stellen wir in Anm. 2. 3. 33 a fest. All das
trifft mehr Äußerliches und Beiläufiges. Woher hat der Dichter
die Handlung, das Wesentliche ? So muß fragen, wer nicht den
Glauben früherer Generationen an eine ausführliche Rolandsage teilt.

---

setzung unseres Beitrags II wird eingehender über diese Bezeichnung
zu handeln sein; mit den *porz de Sizer* hat sie nichts zu tun. —
Je 1000 Streiter kommandiert jeder der 12 *patricii* (lC 207 f.).
Dieselbe Kombattantenziffer ist im Katalog Aen. X 167. 178 für den
ersten und den dritten Führer gegeben; der Verfasser des lC scheint
der Kürze halber zu verallgemeinern. —
lC 334 ff. beruhen sichtlich auf Aen. XI 289 ff., lC 423 ff. wohl auf
Aen. X 801 ff.
lC 387 Rollandum n o s c e n s per m e m b r a , p e r a r m a , per actus,
    M i r a t u r tot eum prelia posse pati.
    Hunc natumque suum v i s u s videt ...
vereinigt zwei Vergilstellen miteinander:
    XI 910 Et saevom Aenean a g n o v i t Turnus i n a r m i s
und X 445 At Rutulum abscessu iuvenis tam iussa superba
    M i r a t u s stupet in Turno c o r p u s que per ingens
    Lumina volvit obitque truci procul omnia v i s u. —
Damit ist die Liste der Entlehnungen aus Vergil nicht abgeschlossen;
vgl. Anm. 24. 28. 30. Nur vorläufig sollte gezeigt werden, in welcher
Richtung überhaupt die Muster des Carmendichters zu suchen sind.
    [4]) Die Franzosen beobachten genau die Vorschriften des Vegetius
über den Marsch eines Heeres in Feindesnähe, speziell im Gebirge.
„Aperta autem vis si praeparetur in montibus, a l t i o r a l o c a
praemissis sunt praesidiis o c c u p a n d a , ut hostis, cum advenerit,
reperiatur inferior nec audeat obviare, cum tum a fronte quam supra
caput suum cernat armatos" (Flavi Vegeti Renati Epitome rei militaris,
Lib. III 6; rec. Carolus Lang, ed. altera, Lipsiae 1885, S. 79). lC 212
ne quis obesse queat verrät, woher der Carmendichter seine militärischen
Kenntnisse hat, und läßt auch für das Vorangehende
    210 Pars e q u e s insequitur agmina, parsque p e d e s;
    Pars parat insidias, pars obtinet a r t a v i a r u m
die Muster im selben Abschnitt des Vegetius suchen: in der Marsch-
kolonne „primi ergo equites iter arripiant, deinde p e d i t e s ...
(ebenda S. 77); quod si a n g u s t a e sunt v i a e , sed tamen tutae,
melius est praecedere cum securibus ac dolatoriis milites et cum labore
v i a s a p e r i r e , quam in optimo itinere periculum sustinere" (S. 79).
    [5]) Den Quellennachweis in allen Einzelheiten zu führen ver-
schieben wir auf die Fortsetzung unseres Beitrags II. Die Frage ist
nämlich von Wichtigkeit für das Verhältnis des Carmen zum Rolandsepos, und auch Gédéon Huet's Abhandlung: Sur l'origine du poème
de Phillide et Flora (Romania XXII: 1893, S. 536 ff.) wird von daher
korrigiert. Hier würde die Ausführung allzuweit vom Thema ab-
führen. Nur sei zur einstweiligen Rechtfertigung für unsere obige
Behauptung der im Mittelalter vielgelesene Palladius (Opus agricul-
turae, ex rec. J. C. Schmittii, Lipsiae 1898, S. 142 f.) IV, 13, 2 zitiert:
sed in admissario... spectanda sunt...: vastum corpus et solidum,
robori c o n v e n i e n s a l t i t u d o , l a t u s l o n g i s s i m u m ,
m a x i m i a c r o t u n d i c l u n e s , p e c t u s l a t e p a t e n s
et corpus omne musculorum densitate nodosum, p e s siccus et solidus
et cornu c o n c a v o altius calciatus... exiguum caput et siccum
pelle propemodum solis ossibus adhaerente, a u r e s b r e v e s et
argutae, oculi magni, nares patulae, coma et cauda profusior, ungula-
rum solida et fixa rotunditas.

176   [44]

Die Frage läßt sich vollgültig beantworten. Wir wollen
zeigen, daß das Carmen in der Hauptsache auf dem *Waltharius*
des Ekkehard beruht.

Dazu werden wir zunächst die Einzelzüge, dem Gang des
lC folgend, zu vergleichen, danach einen Blick auf das Ganze
der Komposition zu richten haben.

Den *Waltharius*[6]) zitieren wir nach S t r e c k e r ,[7]) die
reichen Anmerkungen in A l t h o f's liebevoller Ausgabe[8]) und
seiner Übersetzung[9]) heranziehend. Beide weisen Entlehnungen
aus Vergil und andern Lateinern nach und erleichtern damit
unsere Untersuchung, die nur soweit den W voll verwerten
kann, als er nicht unmittelbar von Vergil usw. abhängt.

1. lC wie W beginnen mit einer geschichtlichen Einleitung,
die beidemal 10 Verse umfaßt. Hier wird des Hunnenvolks,
dort Karls Größe geschildert.

Es folgen im W die Verse über Attila:

11. Attila rex quodam tulit illud tempore regnum,
   Impiger antiquos sibimet renovare triumphos.

Ekkehard leitet damit über zu einem weitausgedehnten
Eroberungszug des hunnischen Königs nach Westen (13 ff.). Ihm
folgt der Carmendichter: er führt seinen König nach Spanien.
Der Erfolg ist beidemal ein durchschlagender, eine Reihe von
Königreichen wird unterworfen (vgl. lC 15 *Rex annis septem
sibi regni regna subegit*). Ruhmgekrönt kehrt Attila heim; Karl
will wenigstens heimkehren (20 *In sua regna fuit cura redire sui*).
Nun aber setzt im lC die Rolandgeschichte ein: Saragossa (lC 24ff.)
und Rolands Tapferkeit durch Einhard gegeben.

2. Gleich aber findet sich der Carmendichter zu seiner Vorlage zurück. Er übernimmt das Motiv der Gesandtschaft, das
in W 17—92 dreifach abgewandelt war. Allerdings gehen bei
Ekkehard die Gesandtschaften von den bedrohten Völkern aus.
Aber die F r a n k e n gehören zu ihnen, und noch einmal wird
im W durch einen Franken herausfordernde Botschaft überbracht
(W 581 ff.). Darüber wird unten mehr zu sprechen sein; halten
wir zunächst nur das Gemeinsame fest, daß umfangreiche Ge-
sandtschaftsschilderungen den ersten Teil beider Dichtungen
ausfüllen helfen.

---

[6]) Künftig W gekürzt.
[7]) Ekkehards Waltharius. Hrsg. von Karl Strecker. Berlin 1907.
[8]) W a l t h a r i i   p o e s i s. Das Waltharilied Ekkehards I von
St. Gallen... hrsg. u. erklärt von Hermann Althof. T. 1. 2. Leipzig
1899. 1905. (Im folgenden „Althof, Walth. poesis" gekürzt.)
[9]) Das W a l t h a r i l i e d. Ein Heldensang aus dem 10. Jahrh.
Übers. u. erl. von Hermann Althof. Größere Ausg. Leipzig 1902.
(Im folgenden mit „Althof, Waltharilied" gemeint.)

3. Bemerkenswert ist die Ausführlichkeit, mit der im IC
der Ritt Ganelons nach Saragossa und seine Gedanken unterwegs
geschildert werden. Turoldus weicht hier bekanntlich erheblich
von seiner Vorlage ab und aus guten Gründen. Nebensächlich
ist, daß Ganelon nach dem im Rolandepos Vorangegangenen
nicht mehr allein, sondern in sarazenischer Begleitung reist.
Die Schilderung des IC war für Turold unannehmbar schon deshalb weil sie in grauen Farben der Furcht gehalten ist. Der
Stamm *timere* kehrt immer wieder, mit *pavor* und *terrere* wechselnd.
Soviel unmännliche Angst schien dem Rolanddichter eines Franzosen unwürdig. Woher stammt die bängliche Stimmung im IC?
Sein Verfasser war befangen durch die Reiseschilderung seiner
Vorlage, des W. Ekkehard hatte seinen Helden vom fernen
Hunnenland bis an den Rhein zu bringen. Nicht als Gesandter,
durch das Völkerrecht mindestens bis zu gewissem Grad geschützt,
macht Walther die weite Fahrt, sondern als Flüchtling, als
Deserteur, der sich obendrein mit gestohlenem Gut beladen und
die Rache eines mächtigen Herrschers zu fürchten hat. Ganz
sinngemäß läßt Ekkehard uns das Bange, Gefahrvolle solcher
Reise mitfühlen.

340 Coeperat invisa trepidus decedere terra...

346 Suspectamque habuit cuncto sibi tempore pugnam...

350 Sollicitatque metus vel per loca tuta fatigans...

357 ... tremulos variant per devia gressus;
dazu die Todesangst Hildegundes 351 ff. Diese Stimmungsbilder
von einer Reise durch Nacht und Nebel, voll höchster Gefahr,
unter Vermeidung aller bewohnten Stätten haben dem Dichter
des IC vorgeschwebt; in ihrem Bann hat er die Gesandtschafts-
reise Ganelons ausgemalt. Daher die seltsame, unbegründete
Furcht des Franzosen. D a r u m muß sich Ganelon unterwegs
verirren,[10]) muß, was so bezeichnend, vor jeder sarazenischen
Ortschaft Angst bekommen (73 f.). *Pour comble de preuve* fehlt
es an wörtlichen Anklängen an die Vorlage nicht. Man vergleiche Ganelons Aufbruch mit dem Walthers:

W 340 Coeperat invisa trepidus d e c e d e r e terra;
IC 68 Regnis d i s c e d e n s regna remota petit.
Und sichtlicher abhängig von Ekkehard ist die Schilderung des
zwiespältigen Seelenzustands:

C 71 In diversa trahunt illum simul h o r r o r et error:
       H i n c abit ipse sui nescius, i n d e timens.

---

[10]) Das ist der Sinn von IC 69 ff. Arthur L i v i n g s t o n hat
ihn in seiner verdienstlichen Übertragung (The Carmen de prodicione
translated into English, with textual notes, in: Romanic Review II,
1911, S. 64) nicht getroffen. Er gibt *error* mit *folly* wieder; es handelt
sich aber um *errores* wie die des Äneas. *Actus errore* wäre klassischer
gewesen.

So nach W 354: H i n c odium exilii patriaeque amor incubat
i n d e.
Wenige Verse vorher (352) begegnet im W der Stamm von
horror:
351 In tantumque t i m o r muliebria pectora pulsat,
H o r r e a t ut cunctos aurae ventique susurros . . .,
und in ebendiesen Versen fand der Carmendichter das Wort
timor, über dessen Stamm er seine Variationen dichtet:
79 Cumque t i m o r e novo t i m o r illius renovatur,
Et t i m e t, et t i m i d u m reddit uterque t i m o r.
Eine Erwägung zum Schluß. Hätte der Verfasser des lC
das Rolandsepos gekannt, wie die meisten noch immer annehmen,
so wäre es nicht zu erklären, daß er von der so viel näherliegenden,
so viel heldenmäßigeren Darstellung im Rld abwich und die zur
Sachlage gar nicht passende Schilderung des Ekkehard übernahm. Auch hier, wo W und lC gegen Rld zusammengehen,
zeigt es sich deutlich, daß Turold im Verhältnis zu den beiden
Lateinern der Spätere ist. Er lehnte taktvoll die unzeitgemäße,
wenig ritterliche Darstellung des lC ab und sah sich nach besserem
Vorbild um. Die Äneide half ihm, durch Gespräche zwischen den
Weggenossen die Reiseschilderung zu beleben;[11]) Ganelon kündet
vor dem Feind seines Kaisers, seines Volkes Lob.
4. Endlich reitet der Gesandte in Saragossa ein, und auch
hier noch weicht die Darstellung im Rld anfangs in wesentlichen
Punkten vom lC ab. Nach dem Lateiner sucht Ganelon den König
zunächst in seinem Palast auf; das war das Gegebene. Aber
Marsilius ist nicht zu Haus, er feiert in einem nahen Garten
ein großes Fest (101 *festum regis*). Der Carmendichter hat sich
nämlich auch für die Schilderung des Königshofs die Einzelzüge
bei Ekkehard geholt. Dort wird 287 ff. umständlich ein prächtiges
Gastmahl beschrieben, das Walther und Hildegunde für den
König, die Königin und den Hof veranstalten. Daß dem Verfasser des lC wirklich jene Szene vorschwebt, das verraten manche
Details.
Die ungeheure Zahl der Gäste im lC (*b i s decem reges* und
2 0 0 0 0 sonstige Anwesende) scheint Ekkehards schon hohe Angabe zu übertreiben: neben dem König *duces hinc indeque b i n i*
und 1 0 0 Tafeln voller Gäste.[12])
Am festlichen Mahl hat auch die Hunnenkönigin teilgenommen.[13]) Ospirin nun, „die kluge, ihren Gemahl so wohl-

[11]) Vgl. diese Zs. XXXVI¹, 1910, S. 84 f.
[12]) So erklärt wenigstens Strecker im Glossar S. 80 und erklärte
früher Althof den umstrittenen Vers 296
Centenos simul accubitus iniere sodales.
Althof ist zuletzt (Walth. Poesis II 107 ff.) andrer Meinung geworden,
u. E. ohne zureichenden Grund.
[13]) W 278. 372; Althof, Waltharilied, S. 121, Anm. zu 278; Walth.
poesis II, S. 106.

beratende, redegewandte Königin"[14]) hat in Bramimunde ein
poetisches Nachbild erhalten. Sie ist im Carmen auch die Königin
des Festes. Der Rolanddichter wußte soviel von sarazenischen
Frauen,[15]) daß er die Königin an dieser Stelle seiner Nachdichtung
strich, um sie erst nachher auftreten zu lassen. So bezeichnend
ist, wie Turold die aus dem Waltharius übernommenen Vorstellungen des lC von einem Festmahl leise umändert in das Bild
eines Hoftags, wie er selbst manchen miterlebt hatte. Der Wein,
der bei Ekkehard so verhängnisvoll und wichtig wird, kehrt im
lC wieder (149 *Accedit propius rex Guenonique propinat*)
— so war König Etzel den Tischgenossen einen Ganzen vor-
gekommen (W 310 f.). Auch diesen Zug kann der Rolanddichter
nicht brauchen;[16]) er unterdrückt ihn stillschweigend.

Hier sei eine Frage an die Forscher erlaubt, die das lC für
die flüchtig kürzende Arbeit eines krassen Anfängers halten.
Wie wollen sie erklären, daß der Verseschmied zu dem *propinat*
gekommen ist, wovon doch im Rolandsepos nichts steht? Um
Antwort wird gebeten.

5. Wir kommen weiter zu der herausfordernden Botschaft
Ganelons, lC 109 ff., die wenig zu seiner vorherigen Ängstlichkeit
paßt. Auch hier erklärt sich alles aus der Vorlage des Carmen-
dichters. Das Muster für Ganelons Rede lieferte ihm nämlich
Kamalo's übermütige Botschaft an Walther. Kamalo, vom
Frankenkönig geschickt, fragt Walther schon wenig höflich in
der Form (587 „*dic, homo* . . .“) nach Namen, Herkunft, Reiseziel.
Auf eine Gegenfrage des Aquitaniers

591   Camalo tunc reddidit o r e s u p e r b o:
       Noris Guntharium r e g e m t e l l u r e p o t e n t e m
       Me misisse tuas quaesitum pergere causas.

So spricht im lC 119 ff. umständlich von Karls gewaltiger Macht,
die doch dem Marsilius nach dem siebenjährigen Krieg in Spanien
(lC 15) recht wohl bekannt gewesen sein muß.

       Huic plures reges, huic cedunt plurima regna;
       Dant reges, urbes, regna tributa sibi.

Wie hier die Vorlage auf die Darstellungsform des lC eingewirkt
zu haben scheint, so ist wohl auch die unglaubliche Unhöflichkeit
zu Beginn der Rede Ganelons (lC 109 ff. Cur tibi talis honor,
cum non sis dignus honore . . .) ein Echo von Kamalo's oben
angeführten Worten.

---

[14]) Althof, Waltharilied, S. 48.
[15]) Vgl. Wilhelm Tavernier, Zur Vorgeschichte des altfranzös.
Rolandsliedes, Berlin 1903, S. 54. 229, Anm. 1 (Schwur beim Koran);
diese Zs. XXXIX[1], 1912, Anm. 32 auf S. 146 f. (spanisches Kolorit
im Rld); unten Anm. 16.
[16]) Weil er kein Gastmahl schildern wollte. Vielleicht wußte er
auch von seiner Spanienreise oder sonst woher, daß der Wein den
Moslemin verboten.

Als Kamalo zum drittenmal spricht, fordert er Herausgabe des Pferds, der Schreine und der Jungfrau, und schließt 603:

Quod si promptus agis, vitam concedet et artus.

Entschiedener wiederholt er beim viertenmal:

647 Regi Francorum totum transmitte metallum,
Si vis ulterius vitam vel habere salutem!

Und ein letztesmal:

667 Aut quaesita dabis aut vitam sanguine fundes.

Ein ähnlicher Gedanke klingt wiederholt im IC nach:

113 Hoc Karolus tibi: Da Karolo tibi regna regenda;
Et si forte neges, non sine morte dabis;

und gegen Schluß der Rede Ganelons:

127 Ni parere pares, rex in nullo tibi parcet:
Ni tibi nunc parcat, parcere nullus erit;

vgl. noch IC 114.

Gedankenmaterial für Ganelons Ansprache hat sich der Carmendichter aus Kamalo's Reden zusammengesucht.

6. Wütend über Karls Brief, läßt Marsilius seinen Zorn an dem fränkischen Gesandten aus:

135 I r a r u m causas i n e u m c o n v e r t i t ...

Der Ausdruck stammt aus dem Waltharius; klassische Parallelen sind nicht nachzuweisen:[17]

W 1050 Hinc indignatus i r a m c o n v e r t i t i n i p s u m
Waltharius ...

Im letzteren Fall folgt Tötung des Gegners, im ersteren ist sie beabsichtigt.

7. Wir haben früher mehrfach auf einen Punkt hingewiesen, wo IC und Rolandsepos in bedeutsamer Weise auseinandergehen. Im IC ist zwar Ganelon auch voll Wut gegen Roland nach Saragossa aufgebrochen, aber kaum angedeutet wird (147 ff., *livor* 165), daß ihn Rachsucht z u m V e r r a t mit bestimmt.[18] Ganelon wird bestochen, und breit führt der Dichter aus, wie die *auri sacra fames* ihn allmählich unterkriegt. Auch hier erkennt man die Nachwirkung des W. „Der Goldhort bringt allen Beteiligten Kampf und Tod oder schwere Wunden."[19] Habsucht ist das treibende Motiv, das zum Kampf, zur Katastrophe führt. Das unterstreicht Ekkehard, indem er Hagen, den Alles wissenden,

---

[17]) Nur *iram vertere in aliquem* begegnet bei Horaz, Epod. V 53 f.
[18]) Die entscheidende Stelle im IC 161 f. lautet richtig:
  Seu rex, seu timor, seu donum, sive cupido
    Vincit eum....
Hier wird also Rachsucht nicht unter den Beweggründen zum Verrat aufgeführt. G. Paris hat eigenmächtig für *timor* des Textes *livor* eingesetzt.
[19]) Althof, Waltharilied, S. 56.

traurigen Sinns eine lange Anklagerede gegen die *fames habendi*
halten läßt:

857 O vortex mundi, fames insatiatus habendi,
    Gurges avaritiae, cunctorum fibra malorum.

    . . .

861 Sed tu nunc homines perverso numine perflans
    Incendis n u l l i que suum iam sufficit. ...

    . . .

864 Quanto plus retinent, tanto sitis ardet habendi.

    . . .

868 Ecce ego dilectum nequeo nevocare nepotem,
    Instimulatus enim de te est, o s a e v a c u p i d o.

    . . .

Diese schwungvollen Verse haben es dem Carmendichter angetan.
Auch er bricht in einem *à part* in Ausrufe aus:

165 O scelus! o livor! o fraus! o c e c a c u p i d o!

Hunc que cuncta movent nonne movere queant?

Unverkennbar wirkt hier auch formal die Vorlage nach: ein
vierfaches Wehe zu Beginn, und im Hexameterausgang *o ceca
cupido*, ein Nachklang des *o saeva cupido* in gleicher Stellung.[20]
In 166 kehrt der Gedanke von W 861 f. wieder.

So ist die Darstellung des lC in diesem Abschnitt durch
den W bestimmt. Interessant ist nun, wie der Rolanddichter
seine lateinische Vorlage lC korrigiert. Er rückt entschieden
das Motiv des Hasses in den Vordergrund; gemeine Habsucht
ist des ritterlichen Franken unwürdig. Ganelon erhält Gast-
geschenke und Zeichen der Waffenbrüderschaft. Von dem
Verräterlohn ist kaum und nur andeutungsweise die Rede;
er scheint gar nicht zur Auszahlung zu kommen, während das
lC sich eingehend darum kümmert (171 f., 175 ff.).[21]

8. Auf Ganelons Bericht hin kehrt Karl nach Frankreich
um. Roland wird mit 12 *patriciis* (und 12 000 Mann) zur Rückendeckung beordert. Entsprechend treten lC 251 ff. auf spanischer
Seite zunächst 12 *patricii* mit Reiterei und Fußvolk ins Gefecht.

---

[20] Ekkehard seinerseits ist von Vergil (Aen. III 56 *quid non
mortalia pectora cogis, Auri sacra fames*) abhängig. Die wörtlichen Anklänge des lC an den W zeigen, daß der Carmendichter nicht etwa
nur und unmittelbar von Vergil beeinflußt ist.

[21] Vgl. diese Zs. XXXVI[1], S. 92. Bezeichnend ist, daß Turold
von den drastischen Versen lC 171 f.

    Gazas abscondi rex suadet, in hiis Karolus rex
    Credere ne possit posse latere dolum
und 175 f.

    Ergo letificant legatum munera parta
    Sola fraude sua, non probitate sui
in seiner Nachdichtung keine Notiz nimmt. Ganelons Aufbruch und
Rückkehr werden im Rld 659 f. auffallend kurz abgetan.

253 Patricius his **u n d e c i m u s** coniurat in arma;[22])
Rege **d u o d e c i m u s** cogitur ire tamen.
**D i e   Z w ö l f z a h l   w a r   d e m   lC   d u r c h   W   g e -
g e b e n.** Gunther bricht auf, um Walther seines Schatzes zu
berauben,
475 Atque omni de plebe viros sëcum **d u o d e n o s**
Viribus insignes, animis plerumque probatos
Legerat. inter quos simul ire Haganona iubebat.
Auch hier wieder eine verräterische formale Kleinigkeit: Hagano
wird genau wie Adalrot als zwölfter genannt. Die Zählung
11 + 1 im lC ist augenscheinlich bestimmt durch die nachträg-
liche Nennung Hagens bei Ekkehard. *c o g i t u r   i r e* im lC
wird erklärt durch das sachlich begründete *iubebat* W 479,
von dem es abhängt.[23])

9. Nun ist im lC gerade wie in der Vorlage die friedliche
Hälfte der Dichtung, die Odyssee, zu Ende, und die Ilias, die
Kämpfe, beginnen.
Ein Waldgebirg die Szene hier wie dort. Hildegunde bezw.
Roland sehen die Feinde von fern herannahen. In beiden Ge-
dichten warnt vor der Entscheidung — doch schließlich ver-
gebens — eine Stimme der Vernunft, dort Hagen, hier Olivier.
Damit sind wir zu dem Motiv gelangt, in dem man wieder-
holt den Kern des Rolandslieds oder der Rolandssage zu finden
geglaubt hat, dem erst verweigerten, dann zu spät für der Helden
Rettung erfolgenden Hornruf.
Aber auch dieser Zug widersteht literarischer Analyse nicht.
Die große Schlacht gegen ein ungenanntes Vasallenvolk der
Hunnen, die W 179 ff. geschildert wird, klingt aus in einem
Hornruf Walthers:
208 Et tandem ductor recavo vocat agmina cornu.
Damit war der Hornruf des Haupthelden für den Carmendichter
gegeben.
Bedeutsamer ist doch, was sich im lC mit ihm verknüpft.
Olivier gibt Roland, der seiner rechtzeitigen Mahnung nicht
gefolgt ist, Rolands eigene Worte zurück, als dieser zu spät
auf Oliviers Vorschlag zurückkommt.

---

[22]) Die Textverbesserung *in a·ma* haben wir diese Zs. XXXVII[1],
S. 96 begründet. Livingstone übersetzt (S. 70 f.) „He as one of the
eleven takes oath **a g a i n s t   t h e   p e e r s**, but he is obliged to go
as one of twelve." Von dem Manuskript weicht auch er ab, wenn er
in omnes durch *against the peers* ersetzt. Obige Textfassung bleibt
dem Ms. näher als die frühere.
[23]) Hagen geht nur schweren Herzens und gezwungen mit auf die
Fahrt, aber weswegen des Marsilius Neffe erst „gezwungen" werden
müßte, sieht man nicht ein.

„Numquid quod ais ignavia? numquid
D e d e c u s ? et si non d e d e c u s , ecce p u d o r !"
So hatte Roland (lC 227 f.) gesagt; dieselben Ausdrücke
braucht Olivier wieder (366 ff.).
„Desine, te pudeat! desine, namque p u d o r !
Num tibi, nonne tuis erit intolerabile, perpes,
Maximus, obprobium, d e d e c u s , atque p u d o r ?"
Die Abhängigkeit von W ist unverkennbar. Vor Beginn des
Kampfes wird Gunther von Hagen vergebens gemahnt, Walther in
Frieden ziehen zu lassen. Gunther ruft übermütig (629 ff.):
„Ut video, genitorem imitaris Hagathien ipse.
Hic quoque perpavidam gelido sub pectore mentem
Gesserat et multis fastidit proelia verbis."
So beginnt der Kampf, und der Ausgang gibt Hagen recht:
Walther ist nicht zu besiegen. Der vorher so übermütige Gunther
muß sich vor Hagen demütigen und den als Feigling Gescholtenen
flehentlich um Beistand bitten. Der erwidert (1067 ff.):
„Me genus infandum prohibet bellare parentum
Et g e l i d u s sanguis m e n t e m mihi ademit in armis.
Tabescebat enim genitor, dum tela videret,
Et timidus m u l t i s renuebat p r o e l i a v e r b i s ..."
Man sieht, es sind Gunthers Worte, die ihm jetzt, ein tiefster
Vorwurf, zurückgegeben werden.
Der wirkungsvolle, feine Zug hat letzten Endes in der Äneide
ein Vorbild, worüber diese Zs. XL², S. 177 zu vergleichen ist.
Daß aber das vergilische Muster nicht unmittelbar auf lC eingewirkt hat, zeigt die überwiegende Menge des dem W und dem
lC Gemeinsamen:
a) ein Kampf steht bevor,
b) die Mahnung eines Einsichtigen wird von einem Über-
mütigen nicht befolgt,
c) der Übermütige sieht Feigheit in dem ihm von dem Einsichtigen gemachten Vorschlag,
d) der Warner behält recht, das sieht die andere Seite selbst
ein,
e) dem Allzukühnen werden von dem Einsichtigen die eigenen
Worte vorgehalten.
Es erweist sich, daß auch dieses Hauptmotiv des lC vom W
abhängt, dessen Verfasser seinerseits von Vergil Anregung empfing.

10. Für die **Schilderung der Kämpfe,** die in beiden
Gedichten einen breiten Raum einnimmt, brauchte der Kleriker
des lC natürlich Anlehnung wenn irgendwo.
173 Tunc ad Waltharium convertitur actio rerum:
Qui mox militiam percensuit ordine totam
Et bellatorum confortat corda suorum ...
177 P r o m i t t e n sque istos solita v i r t u t e tyrannos

Sternere et externis terrorem imponere terris.
Nec mora, consurgit sequiturque exercitus omnis.
Das wird im lC 231 ff. ziemlich sinngetreu nacherzählt.
Roland übernimmt die Direktive, erfüllt seine Führerpflichten
(231 *optat complere quod optat, Et parat et properat omnibus esse
prior*; = W 173); *turmas jungit* (233 = W 174); H a r a n g u e:
„Wir siegen" (235 *Victoria nos manet omnes*; 237 *Vincere non
vinci nobis dabit optima v i r t u s*; = W 177 f.); das Heer schart
sich um den Führer (241 f., = W 179).[24])

1. T r e f f e n.

11. Die Darstellung des 1. Treffens im lC 257—288 schließt
sich zunächst an Ekkehards Bericht über die Kämpfe im Wasgenwald an.

In beiden Gedichten bleibt der König vorerst außer Gefecht.
Erst gegen Ende des Kampfes greift er ein.

12 Helden kämpfen der Reihe nach; 11 d a v o n f a l l e n
(vgl. lC 259. 267 ff.),[25]) einer bleibt übrig. So im lC wie im W.
Verräterische Details ergibt die Prüfung der Namen.

Der Dichter des lC hat sich die Mühe gespart, 12 Namen
auf einmal zu erfinden, er begnügt sich zunächst mit den 5
in 267:

Samson, Turpinus, Oliverus, Gero, Gerinus.

Samson klingt an *Randolf* an, *Gero* dürfte dem *Gerwitus*
entsprechen, *Gerinus* erinnert an *Werinhardus*, und bezeichnend
ist noch der Schluß der Reihe: im W und im lC steht z u l e t z t
ein durch Stabreim verbundenes Kämpferpaar (*Trogus* und
Tanastus sind No. X. XI im W, die letzten der gefallenen Helden).
Von den sarazenischen *patriciis* nennt das lC nur 1 oder 2[26])
mit Namen. Ein Neffenverhältnis verknüpft den ersten der Reihe
mit seinem König, wie im W No. II der Neffe von No. I ist.[27])

---

[24]) Wesentlich hat nur die Ansprache Walthers auf die Darstellung
im lC eingewirkt; im übrigen konkurrieren mit dem W als Vorlage
die wuchtigen Verse der Aen. (IX 462 ff.):
Turnus in arma viros armis circumdatus ipse
Suscitat, aeratasque acies in proelia cogit
Quisque suas, v a r i i s q u e a c u u n t r u m o r i b u s i r a s.
Der letzte Vers erklärt erst, was lC 234 gemeint ist:
Et videt ipse minans omnia plena minis.
[25]) Zu beachten ist hierzu die Anm. 28 begründete Textverbesserung in lC 273.
[26]) 2, wenn der ausgefallene Vers 252 des lC den Namen *Adalrot*
gebracht hat. Die Namensform wäre dann durch den entsprechenden
1. Kämpfernamen im W, **Camalo**, beeinflußt.
[27]) Und No. VI der Neffe von No. XII (Hagen). — Da der Carmendichter eine No. II nicht namentlich aufgeführt hatte, so lag für ihn
nahe, No. I mit dem einzigen bis dahin genannten Sarazenen, mit dem
König, verwandtschaftlich zu verbinden.

Noch könnte Vers 260 des lC durch die Vorlage bedingt
sein. Der erste der heidnischen Pairs fällt;
   Jam pereunt pariter cum pereunte mine.
Von diesen Drohungen hat der Dichter vorher nichts erzählt,
es müßte denn in dem verlorenen Vers 252 geschehen sein. Dafür
finden sich im W dreimal drohende Worte des *Camalo*, dessen
Rolle der des Königsneffen im lC entspricht, W 601 ff., 646 ff.,
665 ff.
   Tunc equus et dominus hora cecidere sub una.
So erzählt Ekkehard 685 Kamalo's Ende. Der Dichter des lC
scheint die Stelle zu entmaterialisieren; ihm lagen noch die
Drohungen im Ohr, von denen er in seiner Vorlage gelesen hatte.

12. Nachdem der Carmendichter im genauen Anschluß an
den W 11 Einzelkämpfe resümiert hat, trotzdem ihm 12 Pairs
zur Verfügung standen — so wirkt die Vorlage nach —, möchte
er doch etwas wie eine Schlachtschilderung im allgemeinen geben.
Seine Klerikerphantasie erweist sich wenig ergiebig an dieser
Aufgabe. Die Kämpfe im Wasgenwald boten ihm keinen Anhalt
für seine Darstellung, weil es sich dabei nicht um Massenkämpfe
handelte. So mußte er schon in der Vorlage zurückblättern
oder gedächtnismäßig zurückgreifen bis auf die Schilderung der
Hunnenschlacht gegen ein ungenanntes Vasallenvolk, in der
Walther Führer und Vorkämpfer ist, eine der Rolands ähnliche
Rolle spielt. 196 ff. erzählt Ekkehard Walthers Wüten inmitten
der Schlacht; wo er sich zeigt, wendet sich alles zur Flucht.
   198 Hunc ubi conspiciunt hostes tantas dare strages,
     Ac si praesentem m e t u e b a n t cernere m o r t e m ,
     Et quemcunque locum seu dextram sive sinistram
     Waltharius peteret, cuncti mox terga dederunt ...
Damit ist lC 275 ff. zu vergleichen:
     Quod gentis superest gentilis f u n e r i s h o r r o r
     Cogit h a b e r e m e t u m , suadet inire fugam.
     Diffugiunt tamen, incassum, quia diffugientes
     Seu vi Rollandi sive timore ruunt.
Sind hier nur noch Anklänge an die Vorlage zu spüren, so verrät
sich in andern Versen deutlich die Abhängigkeit des lC. Von
der Aristie Walthers geht Ekkehard folgendermaßen zur allgemeinen Schlachtschilderung über (203 ff.):
     T u n c imitata ducem gens maxima Pannoniarum
     S a e v i o r i n s u r g i t caedemque audacior auget,
     Deicit o b s t a n t e s , fugientes proterit ...
Der Dichter des lC hat nach dem Muster der Hunnenschlacht
die Aristie Rolands entsprechend der Walther'schen stark herausgearbeitet; sie nimmt in der Beschreibung des ersten Treffens
einen übergroßen Raum ein, und die übrigen 10 Pairs kommen
dagegen zu kurz. Von den Einzelkämpfen leitet der Dichter
nun so zum Allgemeinen über (lC 271 ff.):

Tunc alacres Galli magis instant; pars tamen ingens
Ledit et arcet eos, instat et obstat eis.
Ut mos est quicumque[28]) fugant et quique[28]) fugantur....
Man sieht, wie der Dichter die Worte seiner Vorlage verändert,
für *saevus alacris*, für *insurgere instare*, für *fugere fugari* einsetzt,
aber, ob er es schon vermeiden möchte, verrät er doch noch
deutlich seine Abhängigkeit mit dem *tunc* am Anfang und mit
obstare, ganz abgesehen von dem gleichen Sinn. —

13. Als Gunther auch die letzten seiner Kämpfer sich im
Blute wälzen sieht, besteigt er sein Pferd und flieht eilends zu
Hagen hin.

W 1060 Ecce simul caesi volvuntur pulvere amici,
  Crebris foedatum ferientes calcibus arvum.
  His rex infelix visis suspirat et omni
  Aufugiens studio falerati terga caballi
  Scandit et ad maestum citius Haganona volavit...

Die Szene schwebte dem Carmendichter vor, als er den Ausgang
des ersten Treffens zu schildern hatte.

279 Sed Margaretus, fugiens vix vixque superstes,
  Et celer et timidus et male tutus abit;
  Illum festinant ferus hostis, mortis ymago,
  Corpora truncata, sanguis ubique fluens;
  Festinans equus ipse fremit, timet ipse magister...

Die Einzelzüge sind fast alle der Vorlage entnommen, das blut-
getränkte Feld, Leichen, auch im W mit abgehauenem Kopf,
der Reiter mit dem Blick auf all das Entsetzliche, die eilige
Flucht. Genau entsprechend ist die beiderseitige Sachlage:
11 Kämpfer sind gefallen, der 12., als welchen man in der Reihe
des W Gunther stellvertretend zu rechnen hat,[29]) sucht das
Heil in der Flucht.

Wie der Dichter die Verse, die Worte des W verändert, das
ist auch hier interessant zu beobachten.

Überblicken wir die Darstellung des ersten Treffens im lC.
Dem Inhalt nach bringt der Dichter nichts Eigenes; er hat sein
Material gewonnen weder aus einer Rolandsage, noch aus einem
verlorenen altfranzösischen Rolandslied, sondern durch geschickte

---

28) Stände sinnloses *quinque* wirklich in der Handschrift, dann wäre
es augenscheinlich durch das doppelte *quinque* von 268 f. in 273 herein-
gekommen. Schon das Metrum zwingt, die Kürzung als *quicumque*
aufzulösen. — Der Vers will sagen: wie es in der Schlacht zu gehen pflegt,
muß jede Partei einmal zurück und kommt wieder auf. So hatte Vergil das Hinundherwogen der Schlacht Aen. XI 618 ff. geschildert:
 629 Bis Tusci Rutulos egere ad moenia versos,
  Bis reiecti armis respectant terga tegentes ... (vgl. noch 623).
Noch näher steht Baudri, Poème adr. à Adèle, publ. p. Delisle,
Caen 1871:
 451 Mars utrisque favet partique arridet utrique;
  Quaelibet in caedem pars animata ruit.
29) Absque Haganone locum rex supplevit duodenum (W 1011).

Kombination der beiden Kampfschilderungen im W. Die Szenen im Wasgenwald lieferten ihm 11 Einzelkämpfe und die Flucht des *Margaretus*; die Hunnenschlacht die Aristie Rolands, die durch ihn herbeigeführte Entscheidung und das Gesamtbild.

2. T r e f f e n.

14. Schematisch in hohem Grad ist die Darstellung des zweiten Treffens im lC (289—328):

Der Lärm eines heranziehenden Heeres (293 f.).

Die übliche Harangue (295 ff.).

Kampf (302 ff.).

4 Einzelkämpfe, nach dem Schema, daß immer ein Franke von einem Sarazenen und dieser wieder von einem Franken getötet wird (305 ff.).

Kampf (321 f.)
Aristie Rolands (324 ff.)
Flucht (327 ff.).

Gegen Ende gehen dem Dichter so sehr die Gedanken aus, daß er sich selbst ausschreibt und ganze Wendungen aus der Beschreibung des ersten Treffens wiederholt:

326 Jam poterit dici g e n s ea tota n i c h i l
(vgl. 288) und

328 Ad summam si quis forte s u p e r s t e s a b i t
(vgl. 279 f.).

Der künstliche Aufbau der Schlachtbeschreibung des zweiten Treffens weist darauf hin, daß die ganze Handlung und ihr Verlauf am Schreibtisch e r s o n n e n , konstruiert wurde. Die Muster, manchmal vager Art, lieferte zumeist die Äneide[30]); auch hier sind ganz gewiß keine Sagen mit im Spiel.

---

[30]) Das Kernstück, die „Kettenkämpfe" lC 305 ff., ist übermäßige Verlängerung des bei Vergil mehrfach begegnenden Vorwurfs, daß ein Krieger, der einen andern niedergestreckt hat, seinerseits von einem dritten getötet wird; vgl. Aen. X 753
...Deicit; at Thronium Salius Saliumque Nealces;
IX 571 ...Corynaeum sternit Asilas...
573 Ortygium Caeneus, v i c t o r e m C a e n e a T u r n u s ,
Turnus Ityn Coniumque, Dioxippum Promolumque...
An IX 573 mag noch in lC 319 *Victorem perimit T u r p i n u s* (vgl. lC 316) ein Nachklang geblieben und der Carmendichter nicht zufällig gerade auf Turpin als Rächer verfallen sein. —
Die Flüchtigen entgegen gehaltene Harangue ist bei Vergil durch drei Prachtstücke vertreten: IX 781 ff. (nach der Rede:
788 T a l i b u s accensi firmantur et agmine denso
Consistunt....;
so im lC 301: ...*Auditis t a l i b u s instant*...); ferner X 369 ff.;
XI 732 ff.
Unverständlich und ersichtlich Doppelschreibung ist das zweifache *tota* in lC 295; das erste (oder das zweite) wird durch *prima*, im Stabreim mit *prius*, zu ersetzen sein und die beiden Verse

3. Treffen.

Sehr viel reicher und reich auch an Abwechselung ist im lC die Darstellung des 3. Treffens (329—436). Sie zerfällt ihrerseits in drei Abschnitte.

Zu Beginn des zweiten sind es noch 60 Kämpfer auf der Christenseite. — Daß der Hornruf Rolands aus der Hunnenschlacht bei W übernommen, wurde oben (Stück 9) gesagt. —

15. Wie der dritte und letzte entscheidende Gang des Treffens beginnt (419 ff.), sind nur noch drei Christenhelden am Leben und die müssen zu Fuß kämpfen. Hier tritt die Quelle handgreiflich zutage.

Ekkehard hatte die Kämpfe vor der Schlucht durch einen Einschnitt — die Überlebenden bitten Gunther, mit dem Streit aufzuhören, Walther gewinnt Zeit sich zu verschnaufen, und die Leser auch — im Verhältnis von 7 : 5 (4) zweigeteilt. Der Abend, die Nacht bricht herein, und der andere Tag bringt die letzte Entscheidung, das dritte Treffen gleichsam. Drei Kämpfer sind nur noch am Leben, Gunther, Hagen, Walther. Die drei sind von den Pferden gesprungen, *cuncti pedites bellare parati* (1282). Darum also sind es auch im lC drei Kämpfer vor Beginn des letzten Kampfabschnitts, und getreu nach der Vorlage heißt es (423) *Incedunt pedites!* U n t e r d e n D r e i e n aber ist W a l t h e r im lC wie im W. Auch den Helden selbst hat der Dichter von Ekkehard übernommen. Turold wußte wohl, wer im lC gemeint war; *Gualtier del Hum* nennt er ihn, an seinen Aufenthalt im Hunnenland erinnernd (2039; 803).[31]

16. Wir kommen zu dem Teil des lC, der auf die Schilderung des dritten Treffens folgt (437 ff.).

Roland ist Herr des Schlachtfelds; die Feinde sind tot oder entflohen. Nur eine treue Seele hat der Held noch zur Seite, den edlen Erzbischof.

Das ist *mutatis mutandis* das genaue Abbild der Situation im W. Walther hat alle Gegner bis auf Gunther und Hagen erlegt, die beiden schlagen sich in die Büsche, und der Aquitanier bleibt allein als Sieger auf der Wahlstatt mit seiner lieben Gefährtin. — Eine Braut hatte der Carmendichter Roland nicht mitgeben können in den siebenjährigen Krieg; er läßt ihm dafür

---

Prima prius tuta Turpini tota caterva
Incipit esse timens...
dem vergilischen XI 868 nachgedichtet sein:
Prima fugit domina amissa levis ala Camillae.
[31]) Schon Althof, Waltharilied, S. 189: Wenn endlich in der altfranzösischen Chanson de Roland Walther ein Hunne genannt wird, so wird damit auf seinen langjährigen Aufenthalt am Hofe Etzels hingewiesen.

den unter den Franzosen zur Seite, den er am besten brauchen konnte für die Szene, die wir nun zu besprechen haben.

17. Zu dem Eindrucksvollsten der ganzen Dichtung wie auch des auf ihr beruhenden Rolandsepos gehört die Einsegnung der toten Helden durch den Erzbischof Turpin, der kurz vor seinem Sterben noch die letzte, ergreifende Amtshandlung vollzieht. Diese schaurig schöne Szene aber ist dem W nachgedichtet! Walther (1157)

> ad truncos sese convertit a m a r o
> C u m g e m i t u et cuicumque suum caput applicat atque
> Contra orientalem prostratus corpore partem
> Ac nudum retinens ensem hac voce precatur: ...
> 1165 Deprecor at dominum contrita mente benignum,
> Ut qui peccantes non vult sed perdere culpas,
> Hos in caelesti praestet mihi sede videri.

Der Carmendichter hat situationsgemäß geändert. Die Köpfe hatten die Pairs nicht verloren, wohl aber lagen ihre Leichname auf dem Schlachtfeld zerstreut und nicht auf engem Raum zusammen wie im W. Roland muß sie also heranholen.

> 450 Quorum plus mortem quam sua g e m i t

ist Nachklang von W 1157 f. *amaro cum gemitu.* Der Verfasser des lC hatte seinen Erzbischof zur Verfügung und konnte daher das fürbittende Gebet des Laien durch die wirkungsvollere Absolution und den Segen des Priesters ersetzen. — Auch in der Umdichtung des lC hat unsere Szene noch nicht ihre Wucht und ihre Schauer verloren; durch alle Veränderungen schimmert das grausig großartige Original hindurch.

18. Vor Beginn des Kampfes war Walther ein übermütiges Wort entschlüpft. Aber

> 564 Necdum sermonem complevit, humotenus ecce
> Corruit et v e n i a m p e t i i t, quia talia dixit.

Das lC erwähnt nach Schluß des Kampfes ein Gebet Rolands:

> 458 Et supplex v e n i a m supplice voce r o g a t.

Der Ausdruck erinnert an die zitierte Stelle des W; in 457 *Adnixus scopulo requiem petit* hat der Carmendichter die Vorlage situationsgemäß abgeändert.

19. Noch einige Worte über den Nachruf, den der Dichter des lC dem toten Roland weiht (465—472). Berührt sich schon lC 465. 470 mit W 376 f. (Klage Ospirins um Walther), so noch mehr lC 467

> G a l l i a te nudata jacet, quia te prius ente
> Quid fuit? o r b i s honor; quid modo? tota nichil.

mit W 1083 (Walther)

Qui solus hodie caput infamaverat o r b i s.
1085 Dedecus at tantum superabit F r a n c i a numquam.[32])

Wir sind am Ende der vergleichenden Durchsicht des W
und lC. Es ergibt sich, daß das Carmen im Großen wie im Kleinen
vom Waltharius abhängt. Die ganze Anlage des lC ist dem
W nachgeahmt: Gesandtschaft und abenteuerliche Reise im 1.,
Kämpfe im 2. Teil. Die einzelnen Szenen des lC sind zum größten
Teil geschickt umgearbeitete Szenen des W; gerade die schönsten
und wichtigsten Motive, der Hornruf, mahnende Worte erst
überhört, dann von dem Mahner vorwurfsvoll zurückgegeben,
drei Kämpfer zum Schluß, darunter Walther, und die drei zu
Fuß, der Totensegen auf blutgetränkter Wahlstatt, stammen
von Ekkehard, und soviel andere, weniger eindringlich doch
bedeutsam auch: Ganelon muß sich verirren (Stück 3), muß
Marsilius gerade bei prächtigem Mahl und beim Wein antreffen
(St. 4), weil der W ähnliche Szenen bot; von dem Pferd eines
Kämpfers ist das erstemal die Rede, wie der Dichter Gunthers
Flucht zu Pferd nachdichtet (St. 13) und gerade zwei Eng-
verbundene (nicht etwa auch Olivier!) müssen nach errungenem
Sieg das Schlachtfeld behaupten (St. 16).

Und nun die Charaktere. Auch sie sind im lC zumeist liebe
Bekannte aus dem W. „Die patriarchalische Gestalt des milden
Hunnenherrschers, der nach einem Leben voll ruhmvoller Kämpfe
... selbst auf weitere k r i e g e r i s c h e Taten verzichtet"
(Althof, Waltharilied, S. 48), grüßt uns wieder in König Karl.
Der reichlich unsympathische und wenig mutige Gunther wird
im Marsilius kopiert; *iniuste tractans omnia, iure nichil*, die Charakteristik des lC 26 paßt mindestens so gut auf den Herrscher
von Worms wie auf den von Saragossa. Bramimunde ist Nachbild
der andern Königin im W. Roland rückt so ziemlich in Walthers
Stelle ein,[33]) und wesentliche Züge in Hagens Charakter, neben
gewaltiger Kraft die Freundschaft zum Haupthelden, die
vorausschauende Einsicht finden sich bei Olivier wieder, der
merkwürdigerweise auch zuletzt auf den liebsten Freund ein-
schlägt wie es Hagens schweres Los ist.

In der Form hat der Verfasser des lC als rechter Dichter
umfangreichere Entlehnungen vermieden, und schon die Verschiedenheit des Versmaßes hätte solche Entlehnungen be-

---

[32]) Das gemeinsame *orbis* und die übereinstimmende Beziehung
auf die Franken lassen die vergilische Entsprechung (XI 57 f. *hei mihi,
quantum Praesidium ,Ausonia, et quantum tu perdis, Jule!*) weniger in
Betracht kommen.
[33]) Nicht ganz, denn der Carmendichter hat nach v e r g i l i -
s c h e m Vorbild (Turnus-Äneas) in den Charakteren Rolands und
Oliviers den Gegensatz zwischen der *vis consilii expers* und der *vis
temperata* wiederholen wollen.

schränkt. Doch finden sich noch in den Distichen des lC *disiecta membra* der Ekkehardschen Hexameter wieder: vgl. im Hexameteranfang lC 333 *H o s t i b u s   i n ⱱ i s u s   visos accedit ad hostes* mit W 526 *H o s t i b u s   i n ⱱ i s u s*, *sociis mirandus obibat.* Überhaupt hat der Carmendichter nicht völlig verhindert, daß w ö r t l i c h e A n k l ä n g e (vgl. vor allem St. 3. 6. 7. 8. 12), Z a h l e n m ä ß i g e s (vgl. St. 4; 12 *patricii*, wovon 11 fallen (St. 8. 11); drei Kämpfer zum Schluß (St. 15); zwei treue Seelen zuletzt auf dem Schlachtfeld: St. 16) N a m e n s f o r m e n (St. 11) und sonstige Äußerlichkeiten die Quelle verraten, der er nicht die Form, aber neben Einhard und über seinen knappen Bericht hinaus den wesentlichen Stoff für seine Dichtung verdankt. Für manche Einzelheiten sind noch antike Autoren[33a]) heranzuziehen, von denen Vergil erheblicher eingewirkt hat. Einhards *Vita Karoli*, der *Waltharius* und die Alten im Verein erklären hinreichend das Zustandekommen des *Carmen de prodicione Guenonis.*[34]) Für die Annahme einer Rolandsage oder eines verlorenen französischen Epos als Quelle verbleibt kein Zwang und kaum ein Raum.

B. Rolandsepos und Waltharius.

Nichts wäre mehr willkommener Beweis für unsere These, daß das lC die Vorlage des Rld,[35]) die *geste que Turoldus declinet*, wenn es so stände, daß nur lC und nicht Rld den W benutzt hat. Den Gefallen hat uns Turold nicht getan. Er war ein zu geschulter Lateiner und ein viel zu feingebildeter und feinempfindender Mensch, als daß er den W nicht gekannt und nicht im Bann dieser eigenartigen Schöpfung voll Kraft und Innigkeit gestanden hätte, so gut wie die Dichter der Nibelungias und der

---

[33a]) Dazu von späteren Lateinern Wido Amb., Carm. de Hast. proelio: vgl. 1f. zu lC 1f., 197f. zu lC 29, 219f. zu lC 114, 146 zu lC 117, 94ff. zu lC 371f.

[34]) Natürlich hat der Carmendichter die vom W gebotenen Motive ausgesponnen. — An selbständigem Gut bleibt für lC im wesentlichen nur übrig: 1. Roland schlägt Ganelon zum Gesandten vor. 2. Zwei Heiden versuchen dem sterbenden Roland das Horn zu rauben. 3. Ganelon wird von Pferden zerrissen. Hierin dürfte jedoch Erinnerung liegen an den schrecklichen Tod der Königin Brunhilde, den das vielgelesene *Liber historiae Francorum* erzählte: „equorum indomitum pedibus legata, dissipatis membris, obiit" (Monum. Germ. historica, Scriptores rer. merovingic. II, Hannoverae 1888, S. 311).
So wirkt ein recht altes Motiv nach, wenn Bramimunde, von Ganelons Schönheit gerührt, den Gesandten rettet. Königinnen, die sich für schöne Fremdlinge interessierten, ließen sich in langer Liste aufführen. Auch das Motiv des Verrats drängte sich sozusagen auf.
Wie schließlich so gut wie nichts an selbständiger Erfindung im lC zurückbleibt, sondern alle Züge übernommen oder doch die Konsequenz von übernommenen sind, das denken wir in der Forts. des Beitrags II eingehender zu zeigen.

[35]) So bezeichnen wir im folgenden das französische Rolandsepos.

des Carmen.[36]) Der Zusatz *del Hum*[37]) zu Walthers Namen beweist ja allein schon, daß der Held aus Hunnenland dem Rolanddichter kein Fremder war. Sehen wir, wie weit Turold außer dem schon von W abhängigen lC noch den W unmittelbar verwertet hat.

I. Ganelons Verrat.

1. Eingangs läuft die Handlung im Rld parallel dem lC und somit auch dem W. Mit L. 2 ff. weicht dann Turold von lC ab und schildert den *cunseil* des Marsilius. Er folgt damit dem Gang der Handlung im W. Dort las der Rolanddichter zweimal (21 ff.; 57 ff.) eine solche Staatsratszene angesichts drohender Kriegsgefahr. Ekkehard war hier wie sonst durch vergilische Muster angeregt;[38]) aus eigenem hinzugetan hat er die Geiseln, die er für das Schürzen des Knotens brauchte. Nun hat zwar auch Turold einige Züge für L. 2 ff. von Vergil entlehnt, jedoch auf die Szene des *cunseil* gebracht worden ist er durch den W, der sie an gleicher Stelle hat; so hat denn der Rolanddichter in erster Linie auch Ekkehards Darstellung verwertet und von daher z. B. die Geiseln übernommen, die im Rld schließlich ganz aus dem Gesichtskreis verschwinden.

Lesen wir zum Beweise dessen den Bericht über den ersten Staatsrat, den bei den Franken (W 20 ff.). Ihr König Gibicho

---

[36]) Auch ins französische Sprachgebiet war der W hinübergedrungen (vgl. zum folgenden Althof, Walth. Poesis I, S. 36; Strecker, S. VIII ff.; M. Manitius, Geschichtliches aus mittelalterlichen Bibliothekskatalogen, in: Neues Archiv der Gesellschaft für ältere deutsche Geschichtskunde, XXXII: 1907, S. 686).

„Der Originalkatalog der Bibliothek des Klosters S. Apri zu Toul" aus dem Jahre 1084 zählt 3 Exemplare des *Waltharius* auf. Eine *Waltharius*handschrift ist fürs 11./12. Jahrh. in der Abtei Gemblours nachzuweisen. Schon im 10. Jahrh. war ein Exemplar in Fleury an der Loire (heute S. Benoit-sur-Loire), oberhalb von Orléans. Die Chronik von Novalese aus der Mitte des 11. Jahrh. endlich bringt z. T. wörtliche Auszüge aus dem W.

„Die Geschichte... bildete einen Lesestoff für die Klosterschulen und besonders f ü r die in denselben gebildeten S ö h n e v o r n e h - m e r L a i e n , der aus pädagogischen Gründen vor manchen Erzeugnissen heidnischer Dichter den Vorzug verdiente, und so ist es leicht begreiflich, daß der *Waltharius* eine weite Verbreitung in den Klöstern fand, sogar ü b e r d i e d e u t s c h e n G r e n z e n h i n - a u s (Althof, Walth. Poesis I 46).

[37]) Der Schreiber von O hat sich wohl nichts mehr bei dem Zusatz denken können, der genauerer Auslegung Schwierigkeiten bereitet, so deutlich die Absicht des Dichters im allgemeinen ist. Vielleicht ist *des Hums* das Richtige, l und s waren leicht zu verwechseln und O 2067 hat noch *Gualter de Hums. Hums* ist auch 3254 die Form des Rlds für die Hunnen. Daß sie Gegner Karls des Großen sind, konnte den Dichter nicht hindern, Walther mit *des Hums* näher zu bezeichnen.

[38]) Über die wir diese Zs. XXXVI[1], S. 75 f. 80 gehandelt haben.

non confidens armis vel robore plebis
Concilium cogit, quae sint facienda requirit.
22 Consensere omnes foedus debere precari ...
24 Obsidibusque datis censum persolvere iussum.

Das ist in Kürze der Inhalt der L. 2—4 im Rld. Daß aber
der W wirklich und fast wörtlich von Turold benutzt ist, ergeben
die Schlußworte bei Ekkehard.

25 Hoc **melius** fore quam **vitam** simul ac r e g i o n e m
    Perdiderint natosque suos pariterque maritas.

So schließt Blancandrins Rat beidemal mit den Worten

44 Asez est m i e l z qu'il i p e r d e n t les c h i e s,
    Que nus perduns d'E s p a i g n e la deintiet

bzw. am Ende der *cunseil*-Szene überhaupt und Ekkehards
Worten noch näherkommend.

58 Asez est **mielz** qu'il i **la vie** perdent,
    Que nus **perduns** clere Espaigne la bele,
    Ne nus aiuns les mals ne les suffraites.

Ziehen wir den 2. Staatsrat und die entsprechende Szene 83 ff.
des W heran, so hängen die Verse 42 f. im Rld

Enveiuns i les filz de noz muilliers!
Par num d'ocire j'enveierai le mien

ersichtlich ab von W 90:

Obsidis inque vicem dilectum porrigo natum

(vgl. W 62 f.). Noch könnte man neben Rld 18 f.

Jo nen ai o s t qui bataille li dune,
Ne n'ai tel g e n t ki la süe derumpet

die Verse bei Ekkehard stellen:

85 Nec iam spes fuerat saevis defendier armis.
    ,Quid cessemus,' ait, ,si bella movere nequimus?'

— so spricht König Alpher zu Beginn seiner Rede —
oder schon 20, wo es von König Gibicho heißt:

Qui non confidens a r m i s vel robore p l e b i s.

Soviel ist sicher: Turold ist durch den W nicht nur auf
die im lC nicht deutlich ausgemalte *cunseil*-Szene geführt worden,
er hat auch Ekkehards Darstellung verwertet. Daneben ist er
im Streben nach reicherer Fülle auf des Deutschen Quelle zurück-
gegangen und hat auch dem Vergil allerlei Schönes zum Schmuck
entlehnt. Das diese Zs. XXXVI[1], S. 75 ff. Ausgeführte bleibt
vollinhaltlich bestehen, trotz Ekkehard. Ohne Vergil wäre die
Rolle des Drances-Blancandrin, wäre das Schweigen nach des
Königs Rede (Rld 22 f.), wären die Oliven und sonstige Einzelheiten nicht erklärt.

2. In den besprochenen *cunseil*-Szenen des W begegnet 60
in des F r a n k e n königs Mund die Wendung *patriam defendere*

dulcem, und herzlicher noch klingt es, wenn Walther, der Franzose, 599 f. von sich sagt:

nuncque recessi
Concupiens p a t r i a m d u l c e m q u e revisere g e n t e m.

Es ist wohl kein Zufall, daß in der von W beeinflußten *cunseil*-Szene des Rolandsepos sich (16) zum erstenmal das *France dulce* findet. Möglich, daß neben dem Deutschen Ekkehard auch Vergil unmittelbar mit seinem *dulcis moriens reminiscitur Argos* (Aen. X 782) bei der Prägung jener Formel voll tiefster Innigkeit eingewirkt hat. Die Rolandverse 2376 ff. (2377 ff. *a remembrer li prist . . . De dulce France*), scheinen der Aen. nachempfunden. Die Stelle jedoch, wo *dulce France* im Rld zuerst begegnet, legt die Annahme nahe, daß eine und vielleicht die erste Anregung von der *patria dulcis* im W ausgegangen ist.

3. Was im Rld. auf den *cunseil* des Marsilius folgt, ist zumeist dem Vergil nachgedichtet.[39]) Mit L. 12 schließt sich Turold wieder an den Gang der Handlung im IC an, so doch, daß er allerlei dem Vergil Entlehntes einflicht: den Wettbewerb der Helden um den gefahrvollen Auftrag (L. 17—19), das unheilkündende Omen (L. 26), den tränenreichen Abschied in L. 27. 28.[40]) — Über die L. 29—31 und die inhaltlich damit verwandten 41—43 haben wir diese Zs. XXXVI¹, S. 84 ff. gehandelt. Neben die dort aufgeführten antiken Muster, vor allem Aen. XI 278 ff., könnte man Verse des W stellen, die auch ihrerseits von Vergil abhängen. Wiederholt warnt Hagen den König vor einem Kampf mit Walther und rühmend preist er dessen unwiderstehliche Tapferkeit: 519—529, 574—580, 617—620. Doch fehlen wörtliche Übereinstimmungen, und nur im allgemeinen mag neben der bezeichneten Vergilstelle und in zweiter Linie das dreifache Lob Walthers aus dem Mund des künftigen Gegners und die Warnung vor einem Kampf mit dem unbesiegbaren Helden die beiden Laissendreiklänge mit angeregt und beeinflußt haben.

4. Nachdem Ganelon von Marsilius gewonnen ist, wird der Verrat durch dreimaligen Kuß besiegelt. Erst küßt ihn der König *el col* (601), dann küssen sich Valdrabrun und Ganelon *es vis et es mentuns* (626), endlich Climborin und Ganelon *es buches e es vis.* Von Judasküssen kann man eigentlich nicht sprechen, da nicht der Verratene geküßt wird. Das Muster, zunächst für Rld 601, ist unverkennbar in W 1126 ff. gegeben:

Laudat consilium satrapa et c o m p l e c t i t u r illum
O s c i l l o q u e virum demulcet; et ecce recedunt
I n s i d i i s que l o c u m circumspexere sat aptum ...

---

39) Vgl. diese Zs. XXXVI¹, S. 78 f.
40) Vgl. ebenda S. 81 ff.

Gunther hat endlich Hagen so weit bekommen, daß er sich zum
Kampf mit Walther bereit erklärt. Da sucht der König ihn mit
einem Kuß vollends zu versöhnen. Die Parallelen zwischen Rld und W sind hier merkwürdig
genau. Hagen wie Ganelon sind schwer erzürnt. Der König
— hier Gunther, dort Marsilius — sucht den Helden zu beschwich-
tigen und für seine Sache zu gewinnen. Gunther gesteht seine
Schuld ein:

1075 Deprecor ob superos, conceptum pone furorem.
        I r a m de nostra contractam decute culpa...
Ganz so Marsilius:
    512 „Bels sire Guenes," ço li ad dit Marsilie,
        „Jo vos ai fait alques de legerïe,
        Quant por ferir vus demustrai grant i r e.
Er wolle alles gut machen, so fährt Gunther an der eben zitierten
Stelle fort: (culpa,)
1077 Quam vita comitante, domum si venero tecum,
        Impensis tibimet b e n e f a c t i s d i l u o m u l t i s.
Entsprechend Marsilius nach den obigen Versen:
    515 Guaz vos en dreit par cez pels sabelines;
vgl. 651 ff.:
        De mun aveir vos voeill dunner grant masse,
        X muls cargiez del plus fin or d'Arabe;
        Jamais n'iert anz, altretel ne vos face."

5. Noch kämpft Hagen mit sich selbst, und auch Ganelon
scheint noch nicht ganz gewonnen. Endlich siegt bei jenem die
Vasallenpflicht, und Ganelon wird durch die Strophendreiheit
41—43 auf Roland gebracht; wir scheinen zwischen den Zeilen
lesen zu sollen, daß seine Wut gegen den Stiefsohn neu belebt wird
und ihn zum Verrat geneigt macht.

Hagen ist gewonnen, aber Bitte und Vorschlag des Königs,
gleich in den Kampf zu gehen, lehnt er ab; er weiß einen sichereren
Weg zum Erfolg, wenn überhaupt einer möglich:

1110   ecce viam conor reperire salutis...

1116 Secedamus eique locum praestemus eundi
        Et positi in speculis tondamus prata caballis,
        Donec iam castrum securus deserat artum
        Nos abiisse ratus.
Es wird also eine Kriegslist vorgeschlagen. Geradeso lehnt
Ganelon den Plan des Marsilïus, die Franzosen in offener Feld-
schlacht anzugreifen, als aussichtslos ab. „Ne vus a ceste feiz."
Eine Kriegslist nur kann zum Ziele, zu Rolands Tod führen,
und die setzt Ganelon 570—600 auseinander.

1126 Laudat consilium satrapa et complectitur illum
        Oscilloque virum demulcet...,

so geht es im W weiter. Der königliche Kuß erfolgt also auf den guten Rat hin. Geradeso steht es im Rld. Ganelons Vorschlag ist 600 zu Ende.

601 Quant l'ot Marsilie, si l'ad baisiet el col.

6. Noch über diesen verräterischen Kuß hinaus folgt die Handlung des Rlds der im W. Im oben begonnenen Vers 1127 heißt es weiter:

> et ecce recedunt
> Insidiisque locum circumpexere sat aptum ...

So folgen im Rld L. 46 — wenn Stengel's Umstellung der O-Laissen 45 und 46 akzeptiert wird — die örtlichen Details des geplanten Überfalls.

583 Li reis serat as meillors porz de Sizer ...

Ganelon erweist in den Versen 583 ff. eine Einsicht und eine Voraussicht des Künftigen, die eines Hagens würdig ist.

Durch den Kuß des Marsilius aufmerksam gemacht, sehen wir also, daß von L. 40—46 (für 41—43 in Konkurrenz mit Vergil) Ekkehard die Handlung des Rlds durchaus beeinflußt. Das lC mit seinen drastischen Bestechungsversuchen genügte Turold nicht, aber der ergreifende Konflikt der Pflichten in Hagens Seele hatte es ihm so gut angetan, wie dem Dichter der Nibelungias. Zwar das Motiv in seiner ganzen Wucht zu übernehmen, war Turold nicht imstande; er deutet nur an, wie bei Ganelon die Verehrung für den Kaiser, der Stolz auf die *franceise gent*, mit seiner Rachsucht ringt. Um den Konflikt heiliger Pflichten konnte es sich im Rld eben nicht handeln; Privatrache ist nicht mit Freundestreue und Vasallentreue in eine Linie zu stellen. Soviel wie möglich aber hat Turold seinem Vorbild Ekkehard entnommen und ist ihm, wie wir sehen, auch in der Führung der Handlung eine ganze Strecke weit gefolgt. —

Von L. 47 an wird der W wieder durch Vergil abgelöst. Die Schwurszene (L. 47. 48), die Geschenksszene (L. 49—51) stammen daher (diese Zs. XXXVI[1], S. 90 ff.).

lI. Roncevaux.

1. Vergilisches haben wir auch zu L. 56 ff. angemerkt (a. a. O. S. 92 ff.). Zum Traum Karls in L. 58 aber zitierten wir schon damals das Pendant im W:

> 623 Visum quippe mihi te colluctarier urso,
> Qui post conflictus longos tibi mordicus unum
> Crus cum poblite ad usque femur decerpserat omne
> Et mox auxilio subeuntem ac tela ferentem
> Me petit atque oculum cum dentibus eruit unum.

Trotz mancher Abweichungen ist doch der Traum im Rld unzweifelhaft nach Ekkehards Muster gedichtet. Gemeinsam ist beiden Träumen:

a) sie ereignen sich in der Nacht vor entscheidendem Kampf.
b) Hauptperson ist der König,
c) dem der andre Tag und mehr noch ein späterer[41]) schwere Entscheidung bringen soll.
d) Dieser König wird von einem Bären verwundet. —Turold hat für den Schenkel dezenter den rechten Arm gesetzt.
e) Ein treues Wesen kommt dem Angegriffenen zu Hilfe.

Soweit geht die Übereinstimmung. Das Ende des Traumes mußte Turold abändern, weil der *plait* anders auslaufen sollte als die Kämpfe mit Walther, günstiger nämlich für den König und seinen wackren Helfer. Für Hagen Thierry, den Helden des *plait*, einzusetzen, ging auch nicht an; von Thierry war noch keine Rede gewesen. Turold bleibt über seine Vorlage hinaus in der Tiersymbolik. Nicht zufällig wählt er statt Hagens einen *veltre*, das Tier, welches die Treue versinnbildlicht.

Bedenkt man, welche Abänderungen Turold situationsgemäß machen mußte, so bleibt genug des Gemeinsamen übrig, um auch den Traum der L. 58 auf jenen andern im W zurückzuführen.

2. Wir nähern uns der Schlachtentscheidung. Was unmittelbar vorangeht, die Mobilmachung, der *catalogus gentium,* der Ritt nach Roncevaux ist vergilischen Mustern nachgedichtet, die wir diese Zs. XXXVI[1], S. 95 ff. aufgezeigt haben. Rolands Worte 1008 ff., 1113 ff., eine feudale Moralpredigt enthaltend, berühren sich mit Versen Lucans (vgl. ebenda S. 98 f.). Die Betonung der Vasallenpflichten in Gegenwart eines Publikums, das solche Erinnerung sehr nötig hatte,[42]) mag dem Rolanddichter durch den W besonders nahegelegt worden sein. Dort ist das Motiv der Vasallentreue von höchster Bedeutung: unvergeßlich ist sie in Hagen gleichsam verkörpert. In Betracht kommt vor allem W 1109 f. *propriusque dolor succumbit honori Regis,* auch 1094 ff.:

Erubuit domini vultum, replicabat honorem
Virtutis propriae, qui fors vilesceret inde.

Auch Walther hatte (W 158 f.) doziert:

Nil tam dulce mihi, quam semper inesse fideli
Obsequio domini ...

Wie streng Ekkehard selbst über Vasallenpflichten denkt, zeigt sich 632 f.:

Tunc heros magnam iuste conceperat iram,
Si tamen in dominum licitum est irascier ullum.

---

[41]) Bezeichnend: wie Ekkehard nicht die Ereignisse des Tages nach der Traumnacht, sondern die des letzten Kampftages vorahnen läßt, so greift Karls Traum hinüber bis zur letzten Entscheidung, zum *plait de Guenelun.*

[42]) Die Mahnung war noch mehr den Baronen Franziens als denen der Normandie zugedacht (vgl. diese Zs. XLI[1], 1913, S. 50. 76 ff). Nötig war sie für die einen wie die andern.

Kein Zweifel, daß schon der Verfasser des W die dichterische Gelegenheit benutzte, um zur Treue, zum Gehorsam gegen den Lehnsherrn zu mahnen; feudale Leser fehlten ja seinem Epos nicht. Nach Ekkehards Vorgang spricht auch Turold durch die Dichtung den Baronen ins Gewissen, die ihr lauschten, als sie in festlicher Stunde zum erstenmal erklang. Die Treue halten bis zum Tod ist Vasallen-, ist Ritterpflicht!

3. Zur Laissendreiheit 81—83 haben wir auf Vergils Muster hingewiesen.[43]) Von ihm beeinflußt ist auch W 532 ff. Hildegunde sieht von weitem die Feinde herannahen:

At procul aspiciens Hiltgunt de vertice montis
Pulvere sublato venientes sensit . . .

Die Stelle könnte die vergilische in der Erinnerung verstärkt und mit ihr zusammen auf die Darstellung im Rld eingewirkt haben. Der weder in der Aen. noch im lC gegebene *pui* 1017. 1028 wäre dann aus dem W übernommen. — Daß Turold auch in diesem Abschnitt beim Dichten den W im Kopf hatte, beweist das Folgende.

4. Walther, von Hildegunde auf die drohende Gefahr aufmerksam gemacht, rüstet sich für den kommenden Kampf.

538 Paulatim rigidos ferro vestiverat artus
Atque gravem rursus parmam collegit et h a s t a m
Et saliens vacuas ferro t r a n s v e r b e r a t a u r a s
Et celer ad pugnam t e l i s p r o l u s i t amaram.

Ein lustig Waffenvorspiel vor blutiger Arbeit! Man kann es verstehen, wie die Szene im W den normannischen Baron gepackt hat. Unverkennbar hat er sie in L. 92 nachgedichtet. Roland, dem Olivier das Nahen der Feinde mitgeteilt hat, geht wohlgerüstet und wohlgemut, strahlendes Lächeln im Gesicht, in den todschweren Kampf, als wär's ein Spiel.

1154 Portet ses armes, mult li sunt avenanz.
Et s u n e s p i e t vait li ber p a l m e i a n t,[44])
Cuntre le ciel vait la mure turnant . . .
1159 Cors ad mult gent, le vis c l e r e r i a n t.

5. Nun beginnt die Schlacht. Wie Turold sie zu erzählen unternimmt, hält er sich zwar an den Gang der Handlung im lC. Aber das bot ihm nicht mehr als das Gerippe für seine Darstellung. Was hatte der Dichter des Carmen aus den kraftstrotzenden, abwechslungsreichen Bildern des W gemacht! Alle Fülle, alle Farben sind verschwunden. Zwar nicht flüchtig

---

[43]) Diese Zs. XXXVI[1], S. 99 f.
[44]) Gautiers farblose Übersetzung wird dem Sinn von 1155 nicht gerecht: *Il s'avance, le baron, avec sa lance au poing* (La chanson de

kürzend war der Verf. des lC an die Kampfschilderungen des W
herangetreten, aber dem jungen Kleriker fehlte das Herzens-
interesse an heißem Kampf, an wuchtigem Dreinschlagen. Das
Militärwissenschaftliche war ihm schon eher wichtig (vgl. Anm. 4);
er hat ein deutliches taktisches Bild vom Verlauf der Schlacht
gegeben, das der Rolanddichter im wesentlichen übernehmen
konnte. Die Einzelkämpfe aber, die durch die Vorlage nahegelegt waren, sind im lC nur trocken registriert und nicht ausgeführt. Da mußte sich Turold nach andern Vorbildern um-
sehen. Und was lag näher als von der dürftigen Ableitung auf
die Quelle zurückzugehen. Der W drängte sich noch mehr auf
als die Aen., weil im W die Kampfszenen einen ganz bedeutenden,
den größeren Teil der Dichtung einnehmen. Welchen Reichtum,
welche Kraft, welche Anschaulichkeit entfaltet Ekkehard in ihnen!
Wenn er uns Söhne des Maschinenzeitalters noch aufs tiefste zu
packen weiß, wie muß erst ein Normannenherz in den Kreuzzugs-
jahren ergriffen worden sein.

Wir werden uns also nicht wundern, wenn wir in der Analyse
der **Kampfschilderungen** im Rld auf Vorbilder aus dem W
stoßen.

1. T r e f f e n.

In der Darstellung des 1. Treffens folgt Turold dem lC, das
1 + 10 Einzelkämpfe mit tödlichem Ausgang vermeldet.[45]) In
einem Punkt weicht er ab. Die Aristie Rolands, die der Carmendichter nach dem ersten Zweikampf eingefügt hat (lC 261—266),
wird verlegt, und die Einzelkämpfe folgen sich in ununterbrochener
Reihe.

Sie beginnen z. T. mit einer *vantance* des heidnischen Gegners,
dann folgt der eigentliche Zweikampf, der Heide wird besiegt
und einige triumphierende oder anerkennende Worte von französischer Seite machen den Schluß. So das Schema der L. 94
bis 105.

Vergleichen wir es mit dem W, und prüfen wir zunächst
die Worte, welche den Taten vorausgehen. Da ist es kenn-
zeichnend für Walther, daß e r ruhig und schweigend die Gegner

---

Roland. Publ. par Léon Gautier. Éd. classique. 1899 éd., Tours 24,
S. 115). Roland spielt mit der Lanze, nicht mit der gleichen Routine, aber
aus der gleichen Kampffreudigkeit heraus wie jener *histrio* mit
seinem Schwert vor der Entscheidung bei Hastings. Es ist nicht etwa
das übliche Schwingen der Lanze „kurz vor dem Zusammenprall"
gemeint, „damit der Stoß möglichst wuchtig wird" (Hugo Zuechner,
Die Kampfschilderungen aus dem Chanson de Roland..., I, Diss. Greifs-
wald 1902, S. 36). — Ekkehard seinerseits ist durch Vergil zu der in
Rede stehenden Szene angeregt worden; aber der deutsche Dichter
erst hat den in der Aen. (IX 52; vgl. XII 105 f.) kaum angedeuteten
Zug *(et iaculum attorquens emittit in auras)* herausgearbeitet. Die
Rolandverse stehen dem W augenscheinlich näher als den wenigen
Worten Vergils.
[45]) Vgl. oben A 11.

erwartet,[46]) indes diese ihm herausfordernde und drohende Worte zurufen. So steht es aber auch im Rld[47]). Die Franzosen reden kein Wort vor der Entscheidung, und nur auf der Sarazenenseite wird der Mund reichlich voll genommen. Was den Inhalt der Trutzreden anlangt, so hat sich der Rolanddichter nicht bemüht, es der reichen Mannigfaltigkeit Ekkehards nachzutun. Dieser ist mitten in seinem Thema, während Turold noch so viel zu erzählen hatte, erst ganz im Anfang seines Schlachtberichts war. Nachdem Turold dreimal im wesentlichen dieselben Gedanken wiederholt hatte (Rld 1191 ff., 1223, 1238 ff.), verzichtete er wohlweislich auf weitere *vantances*; auch Ekkehard mochte sie nicht bis zur No. XI durchführen.

6. Ziemlich gleichförmig ist im Rld auch die Schilderung des Waffengangs selbst. Turold spart seine Kraft für später auf und ist daher weit entfernt von der abwechslungsreichen Fülle des Ekkehard. Bei No. I—XI kommt erst die Lanze zur Verwendung, bei No. XII, in L. 105, tritt der Schwerthieb an die Stelle des Lanzenstoßes, weil Rolands Lanze zerbrochen ist. — In den ersten 10 Fällen ist der Verlauf mit geringen Abweichungen ziemlich der gleiche: der Franzose stößt mit der Lanze zu, durchsticht den Schild und den Panzer des Gegners; die Lanze dringt in dessen Körper ein oder durch den Körper durch und der Sarazene wird langhin aus dem Sattel geworfen. Im W läßt sich allenfalls zum Vergleich heranziehen:[48])

776 Lancea taurino contextum tergore lignum
  Diffidit ac t u n i c a m („den Panzer") scindens p u l m o n e
                                          resedit;
wozu Rld 1276 L'escut li fraint ...
        Li bons osbers ne li est guaranz proz;
        ... trenche le firie e le p u l m u n ...

Turold hat die Kampfweise seiner Zeit durchgeführt und konnte daher die abwechslungsreichen Schilderungen des Ekkehard wenig verwerten.

---

[46]) Ein Fall für sich ist, daß Walther Patafried um Hagens willen vor dem Kampf warnt. Auch das *laudatque virum, qui praebuit aequam Pugnandi sortem* W 788 kann nicht den Trutzreden der Gegner zur Seite gestellt werden.

[47]) Allerdings hat Walthers Verhalten Vorbilder in der Aen. (Ascanius IX 595 f., Aeneas X 322 f. 580 ff.), aber das dort Zerstreute kann nicht zum Vergleich herangezogen werden, wo im W und im Rld so lange, parallele Reihen aufeinander hinweisen.

[48]) Ekkehard verwertet Aen. IX 698 ff.; vgl. besonders 699 ff.
        ... stomachoque infixa sub altum
      Pectus abit; reddit specus atri vulneris undam
        Spumantem, et fixo ferrum in pulmone tepescit.
Mit Rld 1276 ff. haben diese Verse so wenig gemein, daß Vergil als Vorbild für Turold hier nicht in Betracht kommt.

Es ergibt sich für die Schilderung des Waffenganges bei den Einzelkämpfen des 1. Treffens kaum nachweisbare Abhängigkeit Turolds vom W. Der Rolanddichter hat sehr vereinfacht und schematisiert, auf die ritterliche Formel gebracht, was im W so ungeregelt, wild und spannend ist. Mit den Hieben der Heiden hält sich Turold nicht auf; außer Margariz (No. XI), dem die ausführlichere Erwähnung im IC (279 ff.) zugute kam, betätigen sich die sarazenischen *per* nur mit dem Munde oder auch das nicht einmal; sie sind nur Objekte der französischen Tapferkeit. —

7. Grausige Ironie legt Ekkehard in die Worte, die Walther den besiegten Gegnern in den Tod nachruft. Sie finden sich bei No. III (752), VIII (979 f.), XI (1057 f.). Im ersten Fall knüpfen die Worte des Siegers an die *vantance* des Besiegten an, und so steht es im Rld bei No. I (1207 ff.), II (1232 f.), III. Es ist kein Zufall, daß sich im Rld triumphierende Worte des Siegers finden bei No. I—III, VIII, XII; No. XII entspricht aber der No. XI des W, weil Margariz, No. XI, nicht getötet wird, und überhaupt durch die Stellung am Ende der Einzelkämpfe. — Bei No. V—VII hat Turold der Abwechslung halber nicht den Sieger sprechen lassen, sondern einen seiner Parteigenossen, und zwar der Reihe nach Olivier (1274), Turpin (1280), Roland (1288). Um so auffälliger ist es, daß er dann gerade bei No. VIII auf das alte Verfahren zurückkommt, also bei derselben Nummer wie Ekkehard.

Am greifbarsten zeigt sich Abhängigkeit des Rlds vom W am Schluß einer Laisse ohne triumphierende Worte von der siegreichen Seite (No. IV):

1268 L'anme de lui en portet Sathanas.[49])

Das entspricht der No. VI bei W, wo gleichfalls Worte des Siegers fehlen:

913 Silvestrique ferae corpus, a n i m a m d e d i t O r c o.

Noch näher kommt dem Wortlaut dieser Stelle der Rolandtext in 3647:

L'a n m e de lui a s vis diables d u n e t.

Soviel über die Reihe der Einzelkämpfe des 1. Treffens. Den Waffengang selbst hat Turold verändert und vereinfacht, aber der ganze Aufbau der betreffenden Laissen und manche Einzelheiten auch ziffernmäßiger Art verraten doch, daß Turold auch in diesem Abschnitt die Muster im W nicht unverwertet gelassen hat.

Sehr gewandt leitet der Rolanddichter mit L. 105 von den Einzelkämpfen über zur Aristie Rolands, die durch das IC doch an andrer Stelle gegeben war (vgl. oben S. 53. 67). Den beiden Roland gewidmeten Laissen (105. 106) setzt Turold dann eine

---

49) Ähnlich noch 1510:
   L'anme de lui en portent aversier.

Aristie Oliviers, gleichfalls in zwei Laissen (107. 108) zur Seite.
In L. 110. 111 haben wir entsprechend dem Gang der Handlung
im lC allgemeine Schlachtbeschreibung und Flucht. Das Meiste
und Beste mußte, bei der abstrakten, farblosen Art der Vorlage,
der Rolanddichter aus Eigenem hinzutun; höchstens der eine
Vers 1398

> Fierent li un, li altre se defendent

erinnert noch von fern an das lateinische Muster:

lC 271 Tunc alacres Galli magis instant; pars tamen ingens
> Ledit et arcet eos, i n s t a t et o b s t a t eis.

Lebhafte Bilder, wehmütige Herzenstöne hat Turold an Stelle
der kalten, dürftigen Ausführungen des lC gesetzt. Mit der
dulor por la mort de Rollant in L. 111, II, für die er Lucan und
die Vulgata verwertet hat, schließt der Dichter eindrucksvoll
die Darstellung des 1. Treffens.

2. T r e f f e n.

8. Roß und Reiter fallen 1546 unter einem gewaltigen Hieb
Rolands. So im W beim Kampf Walthers mit Kamalo. Walthers
Lanze ist in des Pferdes Rücken gedrungen, *transpungens t e r g a
c a b a l l i* (676). Im Rld durchbohrt des Helden Schwert *a l
c h e v a l parfundement l e d o s.*

685 Tunc equus et dominus hora cecidere sub una,

heißt es bei Ekkehard zum Schluß; entsprechend *ambure ocit*
im Rld 1546.

9. Ein andres Motiv aus dem W hat Turold in L. 123 verwertet. Walther eilt auf Trogus zu.

1022 Qui subito a t t o n i t u s ...
> Horribilique hostis conspectu coeperat acrem
> N e q u i q u a m t e m p t a r e f u g a m.

So sieht sich Grandonius Roland gegenüber.

1596 Enceis nel vit, sil cunut veirement
> Al fier visage et al cors qu'il out gent
> Et al reguart et al contenement.
> Ne poet müer qu'il ne s'en e s p a e n t ,
> F u ï r s'e n v o e l t , mais n e li v a l t n ï e n t.

Wie Trogus so findet auch Grandonius den Tod. — Am Ende
der Laisse ist wieder ein Zug aus Ekkehard verwertet, der oben
besprochene: Roß und Reiter fallen unter einem Streich (1607).
Das verstärkt die Annahme, daß auch der Schrecken und die
vergebliche Flucht des Grandonius nach dem Muster im W
gedichtet worden sind.

Eine allgemeine Schlachtschilderung, die mit der Flucht der
Sarazenen endet, gibt Turold zum Schluß des 2. Treffens in
L. 124. 125, mit denen L. 125a vielleicht den Strophendreiklang
vervollständigte. Die Bilder, die der Dichter bietet, stammen
nicht aus dem W. Höchstens wäre 1622

　　　La veïssiez si grant dulor de gent
mit W 923
　　　Hic vero metuenda virum tum bella videres
zu vergleichen.[50]

　　　　　　　　　3. T r e f f e n.

　10. Turold hält sich hier eng an seine Vorlage, das IC. —
Von schön Alda (1720 f.) sprechen wir unten zu III 1. — Zu
Rld 1810

　　　Et cil escut ki bien sunt peint a flurs
mag an W 798 *parmam deponito pictam* erinnert werden.
Nicht eingehen können wir auf das textkritische Problem,
ob L. 141a dem Dichter oder einem Kopisten bezw. Bearbeiter
gehört. Eine Strophendreiheit wäre mit den L. 139—141 gegeben und 141a in dem Fall überschüssig; aber sollen L. 138—141a
vielleicht eine Fünfheit von Strophen bilden? Was uns L. 141a
nicht ohne weiteres als unecht erscheinen läßt, ist der Umstand,
daß sie in deutlicher Anlehnung an eine Stelle im W gedichtet
ist. Gunther zeiht Hagen der Feigheit:

　629 Ut video, genitorem imitaris Hagathien ipse.
　　　Hic quoque perpavidam gelido sub pectore mentem
　　　Gesserat et multis fastidit proelia verbis.
Wie hier der König erbliche Belastung supponiert, so wird in
L. 141a von König Karl erbliches Verrätertum Ganelons an-
genommen.

1850g Si ancessur encrismé fellon furent,
　　　De fellonïe toztens ourent costume ...
1850n Cist fel traïtre retrait a sa nature.

　Was die Annahme der Echtheit dieser Laisse bestärken
könnte, ist, daß auch die folgende, 142, von Turold nach Ekkehard-
schem Muster in den Zusammenhang des IC hineingedichtet
worden ist. Die Totenklage Rolands über die gefallenen Helden
der Nachhut ist vorweggenommenes Pendant zu dem Totensegen
über die gefallenen Pairs, von dem wir in Stück A 17 gehandelt
haben. Auch die Ungezählten, die Namenlosen, die dem Beispiel
der Führer folgend so brav gekämpft haben, mag Turold nicht
vergessen; auch sie sind ihm herzlicher, klagender Fürbitte
wert. Inhaltlich stehen die drei Rolandverse 1854 ff.

　　　Seignor baron, de vos ait deus mercit,
　　　Tutes voz anmes otreit il pareïs,
　　　E n s a i n t e s   f l u r s il les facet gesir
jenen drei schon zitierten Versen im W nahe

　　　————
　　　[50]) Rld 1614 Sur l'e r b e   v e r t e   li clers s a n s s'en afilet
(vgl. Rld. 3389 f.) berührt sich mit W 922
　　　S a n g u ineumque u l v a   v i r i d i dimiserat ensem.
Blut im grünen Gras. — *ulva viridis*, doch ohne Blut, schon bei Vergil,
Eclog. VIII 87.

1165 Deprecor at dominum contrita mente benignum,
Ut qui peccantes non vult sed perdere culpas,
Hos i n c a e l e s t i praestet mihi s e d e videri.

4. T r e f f e n.

11. Andeutungen, Möglichkeiten im lC hat der Rolanddichter zur Darstellung eines 4. Treffens ausgebaut.[51] Es beginnt der Kampf mit den Schwarzen.

Das Duell zwischen dem Kalifen und Olivier wird in engem
Anschluß an die Vorlage erzählt. Ein kennzeichnender Zug in
L. 148 ist aus dem W herübergenommen. Walther tötet Randolf,
der ihm zwei Haare vom Kopf geschlagen hat.

979 En pro calvitio capitis te vertice fraudo,
Ne fiat ista tuae de me i a c t a n t i a s p o n s a e.

So streckt Olivier seinen Gegner nieder, der ihn zuvor verwundet,
und gibt ihm in den Tod die Worte mit:

1959 Iço ne di, Karles n'i ait perdut;
Mais ja a a d a m e que tu aies vëud
N'en v a n t e r a s el regne dunt tu fus,
Vaillant denier que li aies tolut,
Ne fait damage ne de mei ne d'altrui.

Schon was vorangeht, die letzte Phase des Zweikampfs, deutet
auf das Muster bei Ekkehard hin; in beiden Gedichten derselbe
gewaltige Hieb von oben nach unten, der den Gegner zu Boden
schlägt:

976 ... Alpharides retro, se fulminis instar
E x c u t i e n s, Francum valida vi f u d i t a d a r v u m
Et super assistens pectus conculcat et i n q u i t ....

Vgl. Rld 1953 ff., und besonders

1957 Brandist sun colp, si l'a d mort a b a t u t;
A p r è s li d i s t ... [51a]

12. Das Folgende, Oliviers letzte Aristie, sein letzter Hieb,
der den liebsten Freund treffen muß, ist wieder nach dem lC
gedichtet. Des Helden letztes Gebet (L. 152) hat Turold eingefügt, ein Seitenstück zu Rolands Sterbegebet, und so auch
den *regret* in L. 153. Dann lenkt er in die vom lC vorgezeichnete
Handlung ein.

Der Vorlage eingedichtet ist wieder der rührende Zug, daß
der Erzbischof bei einem letzten Liebesdienst den Tod findet.

---

[51] Vgl. Rld 1920 f.; Vorgeschichte S. 129 f. Mit L. 145 beginnt
in der Tat das 4. Treffen und nicht etwa das fünfte. Die Vorgesch.
Anm. 226 (S. 121) am Ende vorgeschlagene Deutung von Rld **1686**
scheint uns die richtige zu sein, eine Anrechnung von L. 106—109
als besonderes Treffen außer Möglichkeit zu liegen.

[51a] Weiter ab vom Rld steht die Szene bei Vergil, Aen. IX 749 ff.:
Sic ait, et sublatum alte consurgit in ensem,
Et mediam ferro gemina inter tempora frontem
Dividit impubisque immani vulnere malas.

2247 Defors son cors v e i t gesir la büele

nach W 912

Labitur infelix Patavrid sua v i s c e r a c e r n e n s.

13. Über die Vorlage hinaus bietet das Rld den Abschied von Durendal, ein Glanzstück, für welches wir eine nur weitläufige Parallele diese Zs. XXXVI[1], S. 89 beigebracht haben; die näherliegende, des Mezentius Abschied von seinem treuen Streitroß (Aen. X 858 ff.), werden wir demnächst ausführlich erörtern.[52])

2299a T i e n t Durendal s'e s p e e tote n ü e,

im Zusammenhang gefordert und daher unzweifelhaft echt, steht fast wörtlich im W 1160, wo es von Walther heißt:

Ac nudum retinens ensem hac voce precatur ...

So ist auch Walthers Schwertgriff fast so kostbar wie der Rolands; vgl.

W 1379 Quamlibet e x i m i o praestaret et arte m e t a l l o

mit Rld 2345:

En l'o r i e t p u n t asez i ad reliques.

Man sieht, wie die Zeit frommer geworden ist zwischen 920 etwa und 1106.

Rolands letztes Gebet ist den lateinischen Sterbeliturgien der Kirche, sein Tod lateinischen Märtyrergeschichten nachgedichtet, das Sonnenwunder in L. 181 der Vulgata. Die Roncevauxschlacht endet dank Gottes Hilfe am Ebro.

14. In Klagen wie Bramimunde (L. 189. 190) ergeht sich auch ihr Urbild, die Königin Ospirin, vor dem König im W:

371 Tristior i m m e n s i s satrapae c l a m o r i b u s inquit:

O detestandas quas heri sumpsimus escas!

O vinum, quod Pannonias destruxerat omnes! ...

376 En h o d i e[53]) imperii vestri cecidisse columna

Noscitur, en robur procul ivit et inclita virtus ...,

wozu man vergleichen möge

2576 Dedevant lui sa muillier Bramimunde

Pluret et crïet, mult forment se doluset;

2596 Trait ses chevels, si se c l a i m e t caitive,

A l'altre mot mult haltement s'escrïet:

E Sarraguce, cum ies o i desguarnïe

Del gentil rei ki t'aveit en baillïe! ...

---

[52]) In der Fortsetzung unseres Beitrags I (Äneide, Pharsalia und Rolandsepos). Wichtig sind vor allem die Verse 865 f.:
... neque enim, fortissime, credo,
J u s s a a l i e n a p a t i et dominos dignabere Teucros.

[53]) Vgl. schon Rld 1861 f.
Tere de France,...
O i deserte estes de tanz vassals gentils.

III. Die Baligantschlacht.

Sie bildet das durch die symmetrische Anlage des ganzen
Epos geforderte Pendant zur Schlacht in Roncevaux.

1. Wie Turold in 2616

Tuz survesquiet et Virgilie e O m e r

Baligant mit Männern des Altertums in Beziehung setzt, so
macht Ekkehard den Bogenschützen Werinhard zum Abkömmling
des homerischen Pandarus:

727 O vir clare, tuus cognatus et artis amator,
Pandare, qui quondam iussus confundere foedus
In medios telum torsisti primus Achivos.

Es ist wie ein Bekenntnis zum Altertum, das die beiden Dichter
des Mittelalters ablegen; sie deuten freimütig auf die hohen
Vorbilder hin, denen sie nachstrebten.

2. König Karls Klagen in L. 208 ff. mit der bangen Sorge
um die politischen Folgen scheinen nicht ganz unbeeinflußt zu
sein von König Gunthers Klage nach dem verlustreichen Kampf:

W 1084 Non modicum patimur dampnum de caede virorum,
D e d e c u s a t t a n t u m s u p e r a b i t F r a n c i a
n u m q u a m.

Antea quis fuimus suspecti, sibila dantes:
„Francorum", dicent, „exercitus omnis ab uno,
Proh pudor ignotum vel quo, est impune necatus!"

Man vgl. Rolandverse wie

2935 Ki tei ad mort France molt ad honïe

und vor allem 2916 ff.: die Völker, die sich früher vor den Franken
fürchteten, werden nun mutiger ihr Haupt erheben. — Noch
könnte man die schon zitierten Verse 376 f. bei Ekkehard heranziehen:

En hodie imperii vestri cecidisse columna
Noscitur, en r o b u r procul ivit et inclita v i r t u s

und ihnen Wendungen im Rld zur Seite stellen wie

2902 Cum decarrat ma f o r c e e ma b a l d u r

und ähnliche.

3. Der Rüstungsszene im W 333 ff.

Ipseque l o r i c a v e s t i t u s more gigantis
Imposuit capiti rubras cum c a s s i d e cristas ...

336 Et l a e v u m f e m u r ancipiti p r a e c i n x e r a t e n s e
Atque alio dextrum pro ritu Pannoniarum: ...

339 Tunc h a s t a m dextra rapiens c l i p e u m que sinistra...

sieht die andere in L. 230 ähnlich:

3141 V e s t une b r o n i e dunt li pan sont saffret,
Lacet sun e l m e ki ad or est gemmez,
Puis ceint s'e s p e e a l s e n e s t r e c o s t é t ...

3149 Pent a sun col un soen grant e s c u t lét...

3152 Tient sun e s p i e t , si l'apelet Maltét...

Nicht nur wörtliche Berührungen finden sich in den ersten
drei Versen, die Reihenfolge auch ist beiderseits dieselbe: Panzer
Helm, Schwert — dann sind Lanze und Schild (W 339) im Rld
umgestellt, den Umständen gemäß: Baligant hängt den Schild
vorerst um und nimmt nur die Lanze zur Hand.[54])

4. Die Baligantschlacht auf weitem Blachfeld hat einige
Züge gemeinsam mit der Hunnenschlacht im W.

174 Qui mox militiam percensuit ordine totam
Et bellatorum confortat corda suorum,
Hortans praeteritos semper memorare triumphos ...

179 Nec mora, consurgit sequiturque exercitus omnis.
Ecce locum pugnae conspexerat et numeratam
Per l a t o s acies c a m p o s digessit et agros.
Iamque infra iactum teli congressus uterque[54a])
Constiterat cuneus; ...

Das ist in Kürze auch der Gang der Handlung im Rld. W 174
entsprechen L. 219 ff.; W 175 f. L. 248; W 176 Rld 3335 f.,
3407 f.:

Tantes batailles avez faites pur mei,
Regnes conquis et desordenét reis;

W 180 f. Rld 3292 f., 3305:

Grant est la plaigne et l a r g e la cuntree.

In beiden Schlachtberichten findet sich derselbe Einschnitt:
die Lanzen sind verschossen bezw. verstochen und die Kämpfer
greifen zu den Schwertern.

W 190 Postremum c u n c t i s utroque ex agmine pilis
A b s u m p t i s manus ad mucronem vertitur omnis:
Fulmineos promunt enses clipeosque revolvunt,
Concurrunt acies demum p u g n a m que restaurant.

---

[54]) Etwas weniger nahe stehen dem Vorbild im W die Wappnungsszenen in L. 217 und 282; die Reihenfolge der Waffen dort entspricht
der in L. 230.   Ganz andere Folgen bieten die entsprechenden Szenen
in der Aen. VIII 619 ff., XI 486 ff., XII 87 ff., 430 ff. und im lC 245 f.;
überhaupt zeigt ein Vergleich mit dem Wortlaut dieser Stellen deutlich,
wie eng sich in den Wappnungsszenen W und Rld berühren.

[54a]) Der Vers ist ziemlich wörtlich aus Aen. XI 608 übernommen,
wie schon W174 an Aen. XI 599 *Compositi numero in turmas* erinnert.
Aber man lese nur den betreffenden Schlachtbericht bei Vergil ganz
und man wird deutlich erkennen, wie fern er dem Rld steht und wie
nah sich dagegen W und Rld berühren.

So mit wörtlichen Übereinstimmungen, im Rld 3401 f.:

As cols premiers **toz** lor espiez i p e r d e n t,[55])
Plus de cent milie espees i unt traites.
Ais vos le caple et dulurus et pesme!
B a t a i l l e veit cil ki entr'els volt estre.

5. Der Szene in L. 250 f. — Naimes wird verwundet und wäre ohne Karls Dazwischentreten verloren — entspricht eine Stelle im W, 1360 ff. Mit einem gewaltigen Schwerthieb hat Walther dem Gunther den Schenkel vom Knie bis zur Hüfte abgeschlagen; der König sinkt zu Boden.

1367 Alpharides spatam tollens i t e r a t o cruentam
A r d e b a t lapso postremum infligere vulnus;

vgl. Rld 3445 Et li paiens de ferir mult s e h a s t e t; und vorher:

3441 Sie li paiens a l t r e colp recuvrast,[56])
Sempres fust morz li nobilies vassals.

Da stellt sich der treue Hagen vor seinen König und fängt mit dem Helm den tödlichen Streich auf.

Noch die im Rld folgenden Verse 3451 f.:

Mult ad grant d o e l Carlemagnes li reis,
Quant Naimun veit si nafrét d e v a n t s e i

hängen von W 1365 f. ab:

Ille super parmam a n t e p e d e s mox concidit huius.
P a l l u i t exanguis domino recidente satelles.[57])

6. Der Zug Rld 3586

Des h e l m e s clers li f o u s en escarbunclet

findet sich bei Ekkehard 713 f.

713 Sed c a p u l u m g a l e a e impegit; dedit illa resultans
Tinnitus i g n e mque simul transfudit a d a u r a s.

---

[55]) Das dichtet Turold ohne großes Besinnen der Vorlage nach. Nachher denkt er nicht mehr an die Entlehnung und schreibt viel plausibler erst 3482
Fruissent cez hanstes et cil espiet furbit.
[56]) Hierzu mögen aus einer andern ähnlichen Kampfszene W 1046ff. herangezogen werden, wo es, und auch von Walther, heißt:
Sed cum athleta i c t u m libraret ab aure s e c u n d u m
Pergentique animae valvas aperire studeret,
Ecce Tanastus adest....
[57]) Zwar im W schützt der Vasall den verwundeten König, im Rld der König seinen Vasallen. Turold wird nicht ohne Absicht die Rollen vertauscht haben, in maiorem Karoli gloriam. Karl ist kein Gunther. Falls Graf Raimund von Toulouse das Urbild des n'Aimes, so käme eine Kreuzzugserinnerung hinzu, wie sie der Dichter in L. 259 so deutlich aufbewahrt hat. Raimond hat sich einmal während entscheidender Schlacht in ähnlich verzweifelter Lage befunden, wie Naimes im Rld und nur einem treuen Waffengefährten, Graf Stephan von Chartres, sein Leben zu verdanken gehabt (vgl. diese Zs. XLI, 1913, S. 88).

Noch näher steht der lateinischen Vorlage die Fassung in 3910 ff.:
De lur espees cumencent a c a p l e r ,
Desur cez helmes ki sunt a or gemét;
C u n t r e l e c i e l volet li fous tuz clers.
Vgl. auch 3916 f. — Antike Muster können nicht in Betracht
kommen; Georg Zappert[58]) hat schon bemerkt, daß das „Ent-
zündungs-Phänomen bei den Vergilischen Kämpfern, deren Rüst-
stücke vorwiegend erzen waren, nicht zur Erscheinung kommt".

7. L. 262. Wie die beiden Helden aufeinander einreden vor
dem entscheidenden Waffengang, wird man an Walthers und
Hagens Wechselrede bei Ekkehard 1237 ff. erinnert. Im W
macht wenigstens der erste der beiden für den Fall der Einigung
Versprechungen, wie das im Rld bei beiden Gegnern der Fall ist.
Hagen wirft Walther den Tod seines Neffen, wie Baligant Karl
den Tod seines Sohnes vor. — Vgl. auch L. 285 f. (3894 mit
W 1262 f.).

8. Mit Karls Hieb in L. 264
3616 L'e l m. e li fraint o les gemmes reflambent,
Trenchet la teste pur la c e r v e l e e s p a n d r e
E tut le vis tresqu'en la barbe blanche
Q u e m o r t l'a b a t senz nule recuvrance
läßt sich ein noch tiefer gehender Schwertschlag Walthers ver-
gleichen:
1018 Huic g a l e a m findens c e r e b r u m d i f f u d i t et ipsam
Cervicem resecans pectus patefecit, et aegrum
C o r pulsans a n i m a m l i q u i t mox atque calorem.[58a])

IV. In A a c h e n.
1. Zum Schönsten, was Turold gelungen ist, gehört die
Aldaepisode. Es ist aber kein Zufall, daß in seinem Epos gerade
nur zwei Frauen vorkommen wie im W, und wie dort eine Königin
und eine Heldenbraut. „Schön" Alde hat in der schönen Hildegunde (*pollens stemmate formae* 37; *incredibili formae decorata
nitore* 456) ihr dichterisches Vorbild, so wie die Königin Bramimunde in Etzels Gemahlin Ospirin. Echt weiblich sind beide
Frauenrollen im W wie im Rld, nichts Suffragettenhaftes, viel
Sorgen, Weinen, Herzeleid. Mit vollendeter Künstlerschaft hat
schon Ekkehard in Walthers und Hildegundes Gestalten den

---

[58]) Virgil's Fortleben im Mittelalter, in: Denkschriften der Kaiserlichen Akademie der Wissenschaften, philos.-hist. Classe, II, Wien
1851, Abt. 2, S. 26.
[58a]) Viel weiter als W 1018 ff. liegen von Rld 3616 ff. die Vergilverse, Aen. XI 696 ff., ab:
Tum validam perque arma viro perque ossa securim
Altior exsurgens oranti et multa precanti
Congeminat; vulnus calido rigat ora cerebro.

Gegensatz zwischen Manneskraft und jungfräulicher Zartheit
herausgearbeitet. So setzt Turold dem fast über das Maß hinaus-
gehenden Heldentum Rolands das weibliche Heldentum un-
endlicher, todtiefer Liebe entgegen. Der tragische Ausgang des
Helden war dem Rolanddichter durch seine Vorlage wie durch
die Geschichte (Einhard) gegeben. Darum mußte auch Alda
anders, tragischer enden als Hildegunde, nicht frohe Hochzeit
(und „rite") am Schluß, sondern jäher Tod. Aldas Ende entsprach dichterischer Forderung; im einzelnen mag eine er-
schütternde Tragödie ähnlicher Art, die Turold miterlebt hatte
und deren Heldin die Mutter von Turold's Landesherrin gewesen
war, mitbestimmend für den Ausgang der Aldaepisode gewesen
sein,[59]) während Vergil doch entscheidende Anregung gab.[60])

Daß die unvergeßlich zarte, von schwermütigem Duft um-
flossene Jungfrauengestalt wirklich aus dem W übernommen ist,
wo sie in Hildegunde nicht weniger zart und unendlich lieblich
verkörpert ist, das beweist, wenn es noch eines Beweises bedarf,
ein feiner Zug. Wie Walther und Hagen nach schwerstem Kampf
auf blutiger Wahlstatt beim Becher ausruhen und mit grausigem
Humor die Wunden verspotten, die sie sich beigebracht, da
malt der grimme Hagen das Bild aus, wie der nun einarmige
Walther seine künftige Frau umarmt.

1431 Uxorique tuae, si quando ea cura subintrat,
      Perverso amplexu circumdabis euge sinistram?
Man weiß, wie der Rolanddichter den Zug verwertet hat. Inmitten der tosenden Schlacht, auf leichenvoller Wahlstatt, den
sicheren Tod vor Augen, spricht Olivier mit erschütterndem Humor
dem treuen Waffengefährten von höchstem Liebesglück, 1720 f.:

    Se puis veeir ma gente sorur Alde,
    Vos ne jerreiz jamais entre sa brace.[61])

---

[59]) 1093 fiel König Malcolm III. von Schottland im Kampf
gegen die Normannen. Als der Königin Margarete die Trauernachricht
überbracht wurde, ist sie vor Gram gestorben (Henrici Huntend.
Hist. Angl., ed. by Th. Arnold, L. 1879, S. 217).

[60]) Es ist die ergreifende Szene, wo Äneas Andromache wieder-
sieht (Aen. III 306 ff.). „Als sie Äneas erblickt, ist Hektor ihr erster
Gedanke" (Richard Heinze, Virgils epische Technik, 2. Aufl., Leipzig
und Berlin 1908, S. 107).
312 ‚Hector u b i e s t'? dixit... (vgl. 3709 O's t Rollanz li
                            catanies...).
308 Deriguit visu in medio, calor ossa reliquit;
    Labitur... (vgl. 3720 Pert la culor, c h i e t...).
Von jungfräulichem Sterben erzählten jene andern rührenden Verse
der Aen. (XI 818 f.), wo es von Kamilla heißt:
    Labitur exsanguis, labuntur frigida leto
    Lumina, purpureus quondam c o l o r ora reliquit.

[61]) Wie hier schön Aldas liebreizendes Bild hineingezogen wird
in das der blutigen Schlacht, so hatte Ekkehard mit hoher Kunst dafür
gesorgt, daß Hildegunde über den fortgesetzten Kämpfen der Helden
nicht ganz vergessen wurde. Beim 6. Zweikampf des ersten Tages,

Die Aldaepisode zeigt den Rolanddichter aufs neue in Abhängigkeit vom W. Aber wie Turold die bei Ekkehard gegebenen Anregungen und Motive verwertet, wie er verändert und Auseinanderliegendes wirkungsvoll vereint, erweist er sich nicht als gedankenloser Nachahmer, sondern als kongenial nachfühlender und nachschaffender, seinem Vorbild ebenbürtiger Dichter.

2. Über den *plait de Guenelun* und dessen Grundlagen zu handeln, haben wir seit langem in Aussicht gestellt und denken binnen kurzem unser Versprechen einzulösen.[62]) Wesentliches in dieser Duellgeschichte kann nicht aus dem W stammen, der inhaltlich kaum Entsprechendes bietet.

Gemeinsames hat wieder der Schluß der beiden Dichtungen. Er weist hier wie dort auf künftige Kämpfe hin, dämmernd unbestimmt.

W 1451 Qualia bella dehinc vel quantos saepe triumphos
        Ceperit, ecce stilus renuit signare retunsus.
So L. 293 im Rld.

3. Ja noch die letzte Zeile, das vielumstrittene
4002 Ci falt la geste que Turoldus declinet
scheint in ihrer bündigen Kürze den letzten Vers des W zu kopieren:
1456 Haec est Waltharii poesis. vos salvet I H S.
Beidemal die Verfasserangabe in der 3. Person.[63]) Bescheiden wie Ekkehard in 1453 ff. von seinem Werk spricht, gibt Turold sich nur als Bearbeiter, verweist er die Hörer mit ihrem Dank an die lateinische Quelle.

---

4. Wenn wir so mancherlei Übereinstimmungen zwischen W und Rld, eine Reihe sicherer Entlehnungen festgestellt haben,

also etwa inmitten des ganzen Treffens, verirrt sich Patafrieds Speer und fällt in die Schlucht vor Hildegundes Füße.
892 Ipsa metu perculsa sonum prompsit muliebrem.
    At postquam tenuis redit in praecordia sanguis,
    Paulum suspiciens spectat, num viveret heros.
    [62]) Daß der „*plait de Guenelun* ursprünglich eine selbständige, vom Rolanddichter nach starker Bearbeitung in sein Epos aufgenommene und eingefügte Dichtung sein könnte", liegt außer jeder Möglichkeit. Soviel mag mit Bezug auf S. 190 f. unserer Vorgeschichte vorweg bemerkt werden.
    [63]) Weiter ab von Rld liegt der schöne Schluß der *Ars amatoria*, die Turold allerdings auch gekannt haben wird (III 809 ff.):
    Lusus h a b e t f i n e m : cycnis descendere tempus,
    Duxerunt collo qui juga nostra suo.
    Ut quondam juvenes, ita nunc, mea turba, puellae
    Inscribant spoliis: N a s o magister erat. —
    Wie dies Beispiel neben dem Ekkehards zeigt, schließt Crescini (I principali episodi della Canzone d'Orlando, trad. da Moschetti, con un proemio di V. Crescini, Torino 1896, S. XLV) zu Unrecht aus der Verfasserangabe in 3. Person, daß Vers 4002 wahrscheinlicher von einem Kopisten herrühre als von Turold selbst.

so erhebt sich eine. Mutmaßung, was die Form beider Gedichte
anlangt. Das Rolandsepos ist das erste uns bekannte französische
Dichtwerk, das nicht in Strophen, sondern in freien Laissen
abgefaßt ist. Nun ist aber der W in ähnlichen Abschnitten geschrieben, die in den Handschriften (wie in Streckers Druck)
durch größere Initialen sehr deutlich voneinander abgehoben
sind. Vergleichen wir die Länge der Laissen in den beiden
Dichtungen, so hat die 1. im W 10, im Rld nach Ste auch 10,
nach O 9 Verse; die e r s t e n 20 haben bei Ekkehard zusammen
286, durchschnittlich **14, 3**, bei Turold 295, durchschnittlich **14,
75** Verse. Die höchste Zeilenzahl einer Laisse ist im W für L. 1—20
36, im Rld 26, die niedrigste bezw. 3 und 7. Der Rolanddichter
hat nur um ein ganz geringes umfangreichere Laissen als sein
lateinisches Vorbild.

Vergleichen wir aber die 20 l e t z t e n Laissen beider
Dichtwerke miteinander, so ergibt sich zum Ausgleich das umgekehrte Verhältnis: W insgesamt 253, durchschnittlich **12, 65**
Zeilen, Höchstziffer einer Laisse 27, Mindestziffer 4; Rld insgesamt 240, durchschnittlich **12** Zeilen, Höchstziffer 22, Mindestziffer 6. Auch hier kommen sich also beide Dichtungen auffallend nahe; um ein geringes steht die Verszahl der Laisse im
Rld hinter der im W zurück.[64]

Die großen Schwankungen in der Zeilenzahl seiner Vorlage
hat der Rolanddichter, wie man sieht, etwas ausgeglichen, was
wohlverständlich ist. Schwer denkbar aber ist es, daß die
Laissen so gleicher Ausdehnung im Rld ganz unbeeinflußt gewesen
sind von der Praxis im W. Die Annahme drängt sich auf, daß
wenn nicht die Laissenform der altfranzösischen Epik überhaupt
so doch die Umgrenzung der Laisseu im Rld. auf Ekkehard
zurückgeht. Der prov. Boethius hat Laissen von uur
8, 23 Zeilen im Durchschnitt.

Überblicken wir die Beziehungen zwischen W und Rld.
So stark können die gegenseitigen Berührungen nicht sein wie
zwischen W und lC: das Rld ist dem W an Umfang weit über-
legen, dazu kommt das Trennende der Sprache und vor allem
der Umstand, daß schon die Vorlage des Rlds, lC, dem Deutschen
die schönsten und tiefsten Motive entnommen hatte, daß also
für den Rolanddichter gar nicht mehr so viel zu entlehnen übrig
blieb. Bringt man diese Erwägungen mit in Anschlag, so erhellt
um so deutlicher die Tatsache, daß Turold doch auch unmittelbar

---

[64]) Wir begnügen uns mit obigen Stichproben, hoffend, daß
Fachgenossen, die über mehr Zeit verfügen und besser rechnen können
als wir, den Laissendurchschnitt für den ganzen W ermitteln werden
(für das Rld 15 nach L. Gautier). Kein Zweifel, daß die Gesamt-
zählung im wesentlichen unsere Teilresultate bestätigen wird.

den W verwertet hat, zuweilen in streckenweiser Abhängigkeit
von der Vorlage: Die Geiseln, von denen nachher keine Rede
ist (I 1), der Kuß des Königs mit allen übereinstimmenden Details
vorher und nachher (I 4), Karls Traum (II 1), das Schema der
Einzelkämpfe im 1. Treffen (II 5. 7), dann wieder Parallelen im
Verlauf der Baligantschlacht (III 4), schön Alda's bräutliche
Gestalt (IV 1), der Schluß mit dem Ausblick auf künftige Kämpfe
(IV 2), das mögen die wichtigsten Züge im Rld sein, die aus dem
W stammen. Daß wirklich Abhängigkeit und unmittelbare
vorliegt, beweisen die wörtlichen Anklänge, die wir besonders
unter I 1, II 7, 9, 11, 12, 13, 14, III 3, 4, 6 hervorgehoben haben.
Es ist zuviel des beiden Dichtungen Gemeinsamen, als daß
man an Zufall glauben dürfte. Obendrein hat ja Turold mit
Gualtier del H u m unzweifelhaft zu erkennen gegeben, daß ihm
der Held von Hunnenland wohlbekannt war. Der Rolanddichter
hatte keinen Grund, sich seiner Vorlage zu schämen, die Quelle
zu verdecken, aus der er dankbar geschöpft hatte. Wenn nicht
romantische Gefühlsschwärmerei und windiger Sagenzauber
den freien Gang der Forschung umnebelt hätte, man wäre längst
durch des Dichters eigenes Bekenntnis auf die rechte Spur ge-
leitet worden, die Turold so wenig hat verwischen wollen.

So stehen wir vor der Tatsache, daß das *Carmen de prodicione
Guenonis* ganz wesentlich und das Rolandsepos mittelbar durch
das *Carmen* und daneben unmittelbar durch mancherlei Entlehnungen vom *Waltharius* abhängen.

Da der *Waltharius* andrerseits die *Nibelungias* erheblich
beeinflußt hat, so ergibt sich, daß die beiden bedeutendsten
„Nationalepen" der Franzosen und Deutschen eine starke Wurzel
gemeinsam haben.

Aus: Zeitschrift für franz. Sprache und Literatur. XLII. (1914).

LA

PATRIE DU WALTHARIUS

von Maurice Wilmotte

C'est en 1838 que Jacob Grimm publia, en collaboration avec
Ad. Schmeller, ses *Lateinische Gedichte des X und XI*ᵗᵉⁿ *Jahrhunderts*. Il signa seul la préface de ce recueil, dont l'importance littéraire est telle qu'on ne saurait l'exagérer. Cette
importance, Jacob Grimm la proclame lui-même et, malgré
des expressions de feinte modestie, il avoue son orgueil de
savant, qui révèle toute une série d'œuvres, renouant la chaîne
entre les productions attardées de l'école carolingienne et les
créations lyrico-épiques germaniques des xiiᵉ-xiiiᵉ siècles, si le
mot de création peut s'appliquer aux imitations plus ou moins
libres de nos auteurs de « gestes » et de romans et de nos chan-
sonniers du Nord et du Midi.

On conçoit qu'il n'y ait pas que le savant dont l'amour-propre
soit remué par sa découverte ; il y a encore, il y a surtout le bon
Allemand, qui a le sentiment du service intellectuel rendu à sa
patrie. Il est inutile de rappeler tout ce que celle-ci doit aux
recherches de Jacob Grimm[1]. Ses titres vraiment immortels sont
constitués par des travaux philologiques, tels que son dictionnaire des idiomes germaniques, sa grammaire de la langue allemande, ses *Antiquités du droit*, etc. Mais l'histoire littéraire
lui est infiniment redevable de l'enrichissement que constituent
le plus ancien poème épique, le premier roman d'aventure et
l'audacieuse satire allégorique dont il faisait, en 1838, l'hom-
mage dévoué à sa patrie.

Des trois ouvrages, un seul, le *Waltharius*, était connu
jusque-là. Il avait été plusieurs fois publié depuis 1780. Des
discussions avaient surgi sur sa provenance, et Fauriel l'avait
revendiqué pour la France, en s'appuyant sur d'assez bons

1. Voir le livre de M. Éd. Tonnelat, *les Frères Grimm*. Paris, A. Colin, 1912.

arguments[1]. Jacob Grimm ne mit que plus d'âpreté à le restituer à l'Allemagne, ou du moins à la littérature de sa race.
Pour les deux autres, restés inédits jusqu'alors, la tâche de
l'éditeur avait été beaucoup plus facile, et, on s'étonne que nul
n'ait songé, dans la suite, à soumettre la thèse de Jacob Grimm
à un examen sérieux.

Pourtant tout y conviait une critique dénuée de parti-pris.
La satire, intitulée *Ecbasis captivi*, est contenue dans deux
manuscrits conservés à Bruxelles. Un examen, même superfi-
ciel, de la langue met le lecteur en présence de termes et de
tours qui n'ont rien de germanique : *ad presens* (= à présent)
y figure deux fois, *conductus* y a le sens de l'ancien français
conduit, *dictare* y correspond exactement à l'ancien français
ditier, *incurrere mortem* y signifie mourir (comme aussi dans
le *Waltharius*, d'ailleurs), *gobio* y désigne le *goujon* français,.
le *govion* wallon, le *fol* est dit *follus*, *nutrire* ne s'y peut glo-
ser que comme l'équivalent du français *nourrir*, etc. La provenance des manuscrits, qui sont deux médiocres copies d'un même
prototype, n'est pas un sujet d'embarras ; ils étaient au xv⁰ siècle
dans un lieu situé sur les bords de la Moselle (*in ripa Mosellei
siti*), c'est-à-dire à une distance infime de la frontière des
langues, et ils remontent aux xi⁰-xii⁰ siècles.

Je ne veux pas parler à cet endroit du *Ruodlieb*, c'est-à-dire
des fragments, assez mal conservés, d'un roman d'aventures
qui ont été considérés jusqu'ici comme originaires de Tegernsee
où l'on a soutenu[2] qu'avait été écrit le manuscrit qui nous les a
conservés. Dans une étude, d'un caractère plus philologique
qu'historique, je me suis efforcé de prouver ailleurs[3] qu'en fait
ces précieux vestiges d'un art, dont nous nous étions habitués
à considérer qu'une sorte de génération spontanée nous l'avait
restitué aux environs de 1150[4], nous appartiennent indubita-
blement et forment la transition, nécessaire et logique, entre

1. *Histoire de la poésie provençale*, t. I, p. 269 et suiv.
2. C'est la thèse de Seiler dans son édition critique de 1882 (voir p. 9 et
suiv.). Toutefois cette thèse avait déjà été ébranlée par M. Laistner dans son
long et sévère compte-rendu de cette édition, *Zeitschrift für deutsches Altertum, Anzeiger IX*.
3. Dans la *Romania*, 1916, p. 373.
4. Voir mon étude, *le Roman français aux environs de 1150* (Paris, Champion, 1903).

les brèves narrations d'une latinité antérieure et nos romans du XIIᵉ siècle, dont la vogue a conquis l'Europe.

Reste le morceau de grande résistance, ce *Waltharius*, intégralement conservé dans un certain nombre de manuscrits, la plupart d'origine monastique[1] ; les meilleurs et les plus anciens proviennent de nos contrées, ce qui aurait déjà dû servir d'avertissement à ses éditeurs et traducteurs successifs en Allemagne, légion nombreuse et routinière, qui a malheureusement trouvé la confirmation de ses vues aventurées dans le silence ou le consentement de la critique étrangère, y compris la nôtre. C'est tout récemment[2] qu'un des maîtres de l'enseignement français a repris la thèse de Fauriel, à laquelle j'ai fait tantôt allusion, et a revendiqué pour sa patrie un des chefs-d'œuvre de la littérature latine du moyen âge. Il a bien voulu y mentionner mes conclusions, conformes aux siennes dans l'essentiel, et que j'avais formulées, dès l'hiver 1915-1916, dans un cours de la Sorbonne. J'espère qu'il lira avec bienveillance une étude qui, se rattachant à un ensemble plus vaste de recherches sur les Xᵉ-XIIᵉ siècles, ne coïncide avec la sienne, ni par le plan, ni par ses développements principaux, ni par une partie de ses conclusions, mais s'inspire toutefois du même souci de vérité et de justice.

I.

La question du *Waltharius* m'a paru, dès l'origine, être une question d'histoire. L'auteur de ce poème ne brille pas par l'invention littéraire. On a pu dire que ses 1,456 vers étaient un centon virgilien. En effet, c'est de Virgile qu'il se souvient régulièrement lorsqu'il décrit un guerrier, un combat, une assemblée, un banquet. Et pourtant les emprunts multipliés,

1. C'est le cas pour les trois manuscrits du groupe I qui appartiennent à l'abbaye de Gembloux (Bruxelles), à celle de Fleury-sur-Loire (Paris) et à celle de Metlach-lez-Trèves. Les groupes II et III (si l'on admet la classification assez mal échafaudée d'Althof) nous reportent en Allemagne ; ils sont d'ailleurs acéphales et d'importance moindre. Parmi les manuscrits perdus, notons que les trois de Saint-Èvre, celui de Wissembourg et celui d'Utrecht sont de provenance lotharingienne.

2. M. Jacques Flach dans une lecture faite à l'Académie des sciences morales et politiques et publiée dans la *Revue des études historiques*, juillet-août 1916.

qui montent peut-être au quart de l'œuvre, n'embarrassent guère
la marche du récit et n'entament point la véritable origina-
lité du poème. Qui donc, si ce n'est nos grands classiques du
XVII° siècle, a pu accomplir semblable tour de force littéraire?
Jusqu'à eux je cherche en vain le nom d'un auteur, poussant
aussi loin le sens et l'art de la composition, mais aussi profondément indifférent que le poète latin à la propriété des matériaux
dont il use.

Est-il aussi indifférent à l'invention du thème lui-même? Je
suis porté à l'admettre. L'imagination cléricale n'est pas créa-
trice; elle combine, elle raffine, parfois elle subtilise et c'est
tout. Les récentes études sur la *Chanson de Roland* ont fortement confirmé ce que des admirations traditionnelles avaient
entassé d'adjectifs louangeurs sur le talent littéraire de son
auteur, qu'il soit ou non Turold. Plan de l'œuvre, succession
des épisodes, caractéristique des héros, proportion des parties
et maintien attentif de leur subordination au tout, sobriété de la
langue, surtout dans les portions descriptives, emploi discret de
l'image, prédominance des développements oratoires, familiers
et agréables aux auditeurs des « gestes », tout cela est de si
complète notoriété que j'éprouve un scrupule à le redire. Mais
combien réduite est la part de l'imagination dans une œuvre,
dont chaque mot est pesé et dont tant de passages ne sont que
la mise en beau et bon français d'une pensée érudite, parfois
d'une pensée étrangère! *Waltharius* offre avec *Roland*, à tous
les égards, des analogies saisissantes. On y parle moins, sans
doute, parce que le récit est plus pressé; mais on n'y agit point
différemment; les combats singuliers y tiennent autant de place,
ils en tiennent même davantage, puisqu'ils en sont l'essentiel.
La seule différence, profonde il est vrai, des deux poèmes consiste en ce que *Roland* est une geste chrétienne, presqu'une
vie de saint, tandis que *Waltharius* respire le plus violent
souffle du paganisme, ou du moins qu'il échappe entièrement
à l'empreinte clérico-théologique. Il n'est que plus piquant d'y
noter que les interventions à l'antique de la divinité dans les
querelles humaines ont été négligées par l'écrivain du X° siècle,
en raison du sujet qu'il traitait et des fins trop évidentes qu'il
avait devant les yeux, tandis qu'elles ont préoccupé singulièrement l'écrivain du XII°.

Moins soucieux de l'au delà, plus ramassé et contraint sur

l'actuel, l'art de Gérald[1] ne s'est que plus nettement exercé à
conserver des formes concrètes et accessibles à ses auditeurs[2].
Il semble, à le lire et à le relire encore, qu'il ait voulu écrire
une chronique où la fantaisie soit reléguée à un plan modeste.
Presque tout a couleur d'histoire, chez lui : les premiers vers,
inspirés visiblement des chroniques universelles, l'épisode du
début nous montrant la cour d'Attila avec des détails précis qui
n'ont rien de choquant pour la vraisemblance, le voyage des
amants, la peinture des lieux où va s'accomplir le drame, la
personnalité des principaux adversaires de Gautier, peut-être
même — on va le voir — celle de son compagnon et ami Hagen.
C'est tout juste si, respectueux d'une tradition plus vieille que
lui, l'auteur a conservé Gunther[3], ce piètre monarque que les
Nibelungen vont, deux siècles plus tard, mettre devant nous
en si fâcheuse posture, et s'il a imaginé cette Hildegonde, qui
est déjà pareille à Alde, à la fille du roi Hugon, à l'épouse d'Alexis,
c'est-à-dire à autant de petites héroïnes d'un même temps, dis-
crètes, tendres et imitant, au milieu des figures agissantes de
nos guerriers, l'attitude réservée et effacée de leurs sœurs de
pierre sur nos portails gothiques.

Pour restituer à ces guerriers leur véritable physionomie, il
est nécessaire de se reporter au temps où Gérald a écrit, à un
âge où l'Est de la France et les futurs Pays-Bas sortent à peine
d'une longue crise politique. Les effets du traité de Verdun s'y
font encore sentir, et les partages successifs et toujours renou-
velés, qui ont déchiré la paix de ces terres riches et fécondes, en
ont troublé l'âme plus encore que la vie matérielle. Tantôt — et

1. Je dis : *Gérald*, comme on dit de l'auteur de *Roland* : *Turold*, réservant
les questions de paternité qui, pour l'instant, sont secondaires.

2. Je dis : à ses auditeurs; car, dès le premier vers (*fratres*), on est sûr
qu'il fut lu à haute voix et rien ne prouve qu'on n'ait pas récité, hors du
monastère où il fut composé, le poème de Gérald. Le manuscrit de Paris, qui
semble le plus ancien, a tout à fait l'air d'être un manuscrit de jongleur, tout
comme le Digby 23 d'Oxford, le premier texte conservé du *Roland*.

3. Encore serait-il téméraire d'affirmer que le souvenir de l'archevêque de
Cologne, Gunther, dont la lâche complaisance fut payée de tant de faveurs par
Lothaire II, n'ait pas laissé en Lotharingie un souvenir qui influença le choix
de l'auteur du *Waltharius*. Gunther, archevêque de 850 à 870, déposé dès 863
par ordre du pape Nicolas, lutta pendant sept ans pour se maintenir sur un
siège dont il était de tout point indigne. N'oublions pas qu'il était le descendant du fameux duc des Frisons Radbod et que son avidité valait bien celle de
son homonyme de l'épopée (voir *Ann. Xantenses*, ad annos 865-869. *M. G. H.*,
Script., t. II, p. 231-233).

c'est le cas de 843 à 869 — elles sont réunies sous un sceptre indépendant, tantôt elles sont partagées, comme de 870 à 879, entre les deux Frances, celle de l'Ouest et celle de l'Est; puis, entraînées dans un autre cercle d'intérêts, elles passent sous le sceptre des successeurs de Louis le Germanique, et rien n'est plus frappant que le contraste entre la mentalité que révèlent les annales et les autres écrits des régions mosanes et mosellanes, et celle qui se dessine déjà dans les œuvres d'outre-Rhin, dans les Annales de Fulda, par exemple, et dans Réginon[1]. Sans doute, comme l'a remarqué un peu rapidement Gabriel Monod[2], la rivalité des races et des langues n'existe pas encore. Ce sont des rivalités d'ambition qui décident seules de l'attribution de tel ou tel territoire, et rien ne nous permet d'affirmer qu'un cri de l'âme populaire ait jailli, en guise de protestation, à la suite d'un des nombreux partages du IXe siècle. Mais déjà, dans l'attitude du haut clergé, souvent servile et cupide, dans celle aussi de la noblesse, que lie le devoir féodal, lorsque des coalitions d'intérêts ne l'arment pas contre un maître, on entrevoit, d'une rive à l'autre du Rhin, des oppositions qui deviendront plus tard des antagonismes.

À l'époque où écrit Gérald, il serait encore prématuré de dénoncer ces tendances et de les lui imputer. Et c'est pourquoi je ne puis admettre avec M. Flach que l'on voie « dans le *Waltharius* les Wisigoths et les Burgondes représenter la Gaule, par opposition aux Francs orientaux qui, aux Xe et XIe siècles, occupaient la région de Worms, jadis tenue par les Burgondes[3] ». La façon dont sont qualifiés les *Franci nebulones* (et que relève M. Flach) n'est pas pour me surprendre ni m'inquiéter. Il est tout naturel qu'en constatant la poursuite dont il est l'objet et l'approche de Gunther et de ses hommes, l'Aquitain Gautier laisse échapper une épithète injurieuse. Mais de là à jeter le blâme sur tous les *Franci*, il y a loin, presqu'aussi loin que si l'on endossait à Turold le langage injurieux pour Charlemagne et ses Français, qu'il prête aux guerriers de Marsile. En admettant même, comme j'essayais de l'expliquer tantôt, que l'auteur ait partagé les sentiments de son héros, il reste plus que douteux que sa réprobation

---

1. Nul n'a ressenti et marqué plus nettement ces incompatibilités que Gerbert. Voir ses lettres de 985 dans l'édition Julien Havet (n°s 45 et suiv.).
2. *Annuaire de l'École des Hautes-Études*, 1896.
3. *Revue*, etc., p. 15 du tirage à part.

s'étende à tout le peuple franc, comme le concèdent les critiques allemands[1]. En fait, Hagen, ou plutôt Haganon, est un personnage aussi sympathique, dans l'œuvre, que le héros lui-même. Sa conduite est chevaleresque d'un bout à l'autre des 1,400 vers. Pour qu'il se décide à combattre son ami d'enfance, il faut qu'il y soit contraint par le devoir féodal, et le désir de venger son neveu, tué par Gautier, ne l'y aurait pas déterminé. La réconciliation des deux adversaires, après le combat d'où tous deux sortent mutilés, est émouvante et vraiment belle. Un Franc y serre loyalement la main d'un Aquitain ; il fait mieux encore, il s'efface noblement devant un frère d'armes, lorsqu'il refuse la boisson rafraîchissante que lui tend Hildegonde et exige que le héros soit le premier à étancher sa soif.

Au surplus, que deviennent dans l'hypothèse d'une « légende gothico-celtique » les vers 581-583 :

> Praecipit ire virum cognomine rex Camalonem,
> Inclita Mettensi quem Francia miserat urbi...
> Praefectum...

L'inclita Francia, c'est déjà la France l'énorée de nos chansons, la Terre-Majeur de Turold.

Car Camalon n'est pas un sujet de Gunther, et voici qui va nous permettre d'étudier de plus près l'historicité de notre poème, de déterminer, avant d'aller plus loin, les origines et les personnalités de quelques-uns des personnages de second plan, et notamment des guerriers qui combattent Gautier.

Pour plusieurs d'entre eux, tout renseignement nous fait défaut. Dire que Werinhardus descend de Pandarus, ce n'est pas nous apprendre grand'chose. De même le

> veniens de germine Trojae

appliqué à Hagen dès le début sert tout au plus à nous prouver que la fable de l'origine troyenne des Francs est familière à notre auteur. Mais ne l'est-elle pas à tous ceux qui écrivent dès le VIIᵉ siècle? Il n'est pas de trait plus curieux de l'évolution morale qui, au temps de Frédégaire, s'opère chez les vainqueurs, barbares de la veille, candidats du lendemain à la

---

1. Voir Althof, *Das Walthariuslied*, II, 178, et l'édition de Beck, p. 41, note du vers 555. Toutefois Boer, *Untersuchungen ueber den Ursprung und die Entwicklung der Nibelungensage*, I, 128 et 197, est d'un autre avis.

civilisation romaine. Au xe siècle, c'est monnaie banale et usée
que cette usurpation généalogique.

Du huitième combattant, nous savons qu'il est robuste
(athleta) et qu'il a une femme *(tuae... jactantia sponsae);* ce
n'est guère, et nous sommes aussi mal renseignés sur le neu-
vième, *Eleuthir... cognomine Helmnod.* En revanche, on
nous apprend que Hadawardus est de Worms, Trogus de Strasbourg et Tanastus de Spire[1]; de Worms provient aussi Gerwitus,
qui porte le titre de *comes* et dont on dit que *Wormatiae cam-
pis extitit.* Et ainsi se groupe autour du triste Gunther la petite
cohorte des Francs de l'Est, accrue d'un Saxon exilé, Ekurid, et
de Camalon et de son neveu Kimo, qui sont des Messins, donc des
Lotharingiens, et ne semblent s'être trouvés là que par un hasard
malheureux. Camalon, en effet, était arrivé la veille *(illo ante-
riore die)* du jour où parvint aux oreilles de l'âpre Gunther la
nouvelle du passage de Gautier. Il portait des présents à Gunther *(dona ferens).* Présents de qui? Et pourquoi? On a négligé
de nous le dire. Mais qui donc, si ce n'est le souverain des Francs
de l'Ouest, de l'*inclita Francia*, pouvait charger l'évêque de
Metz *(Mettensis metropolitanus)*[2] d'une mission qu'accompagnait, suivant l'usage, l'octroi de présents? Car nul critique n'a
pris garde à ce détail ni à cet autre que la *Francia* du vers 582,

1. Notez que, si ces noms ont pour la plupart une physionomie germanique,
il serait imprudent, à la date où nous sommes, d'en tirer argument en faveur
d'une théorie quelconque sur les origines du texte. On verra plus loin combien
mal avisés ont été les critiques, se fondant sur l'appellation de quelques-uns
des personnages pour rattacher l'œuvre à Saint-Gall. Les seuls noms gréco-
romains semblent être ici ceux d'*Eleuther*, de *Tanastus* et de *Scaramundus*
(qui a donné notre *Esc[l]armond*, au féminin *Esclarmonde*); encore est-il possible que ce dernier ait une origine tudesque. Voir Förstemann, *Altdeutsches
Namenbuch*, I, s. v.
2. Un évêque de Metz du nom de *Camalo* n'existe pas. On peut tout au
plus se demander si, dans la composition de ce nom volontairement imaginaire, ne gît pas un ressouvenir de ce *Wala* ou *Walo*, qui fut le successeur
d'Advence et occupa le siège de 876 à 883. Quant au titre de *metropolitanus*,
il ne peut nous surprendre. Trois évêques de Metz le portèrent, bien qu'il fût,
en principe, réservé aux seuls archevêques. Ce sont Chrodegang, Angilramne
et Drogon. Voir à ce sujet la démonstration très claire de M. Pfister dans les
Mélanges Fabre, p. 109 et suiv. Voir aussi les variantes du nom de Chrodegang dans le *Gallia Christiana*, XIII, 705. Elles autorisent par leur grand
nombre et leur liberté (*Dractegangus, Sirigangus*, etc.) une certaine latitude
dans le rapprochement fait plus haut. Détail qui a son prix : Walo est mort,
comme Camalon, les armes à la main.

accompagnée de l'adjectif *inclita*, n'était pas la même qu'aux vers 87, 442, 1085, 1106, où le terme désigne le pays des Francs de l'Est, le royaume de Gunther ; que *Franci*, non plus, n'avait pas une valeur unique et que, s'il désignait dix-neuf fois sur vingt les sujets de Gunther, il était au moins un cas (celui du vers 919) où il s'appliquait aussi bien aux Francs de l'Ouest qu'à ceux de l'Est. C'est à cette circonstance qu'il faut attribuer l'étrange association de mots du vers 555 : « *Franci nebulones* ». Ce sont ces gueux de Francs, dit Gautier à sa fiancée, lorsqu'à travers le nuage de poussière, que soulevaient les sabots de leurs chevaux, il reconnaît à leurs armes Gunther et ses guerriers lancés à sa poursuite. Comment concilier ces *nebulones*, dont l'acception préjorative a été admise assez généralement par les exégètes, avec l'*inclita Francia* du vers 582 ? Sinon par un *distinguo* qu'autorise, qu'impose la tradition historique. Un auteur, que sa naissance rattachait aux *Franci* de Lotharingie, pouvait s'exprimer sans ménagement ou permettre à son héros de le faire, sur le compte des *Franci de l'Est ;* qui donc, si ce n'est le souverain de la Lotharingie, pouvait — et je reviens à ce point essentiel — charger l'évêque de Metz, Camalon, d'une mission qu'accompagnait, suivant l'usage, l'octroi de présents ? Et, de même qu'il est tout à fait normal qu'un évêque serve d'intermédiaire entre deux princes, de même on conçoit que ce soit lui que le rusé Gunther, plutôt qu'un de ses propres guerriers, délègue à Gautier pour lui arracher un butin enviable. Qu'après cela, Camalon en vienne aux mains avec le héros du poème et soit tué par lui, rien qui nous surprenne ; Turpin est là pour nous avertir que les prélats de ces époques sont doublés de soldats redoutables ; enfin, que son neveu essaie de le venger, n'est-ce pas l'équité même ? L'oncle de Roland et l'oncle de Vivien acceptent, dans des cas inverses, le même devoir dans l'épopée française ; ici c'est Hagen qui venge son neveu Patavrid, dont je n'ai encore rien dit, puisque nous ne savons de lui que sa collatéralité avec le célèbre Franc.

Mais la série est épuisée et nous voici un peu mieux instruits des adversaires de Gautier. Ce sont des Francs, aidés de deux Lotharingiens et d'un Saxon. Les Lotharingiens sont donc, à l'époque où se passe l'action du poème, rangés sous un autre sceptre que les Rhénans. Ainsi en fut-il à plus d'une reprise

après 843. Mais — et ceci importe davantage — leur pays
s'appelle *Francia*[1] et participe, comme il convient, de l'illustration qui resta longtemps attachée aux territoires dont Aix-
la-Chapelle était la capitale, à ceux qu'après Charlemagne et
Louis le Pieux gouvernèrent Lothaire Ier et Lothaire II.

Peut-on tirer de ces indications une conclusion précise sur
la date et le lieu où le *Waltharius* fut composé? Sur le lieu, oui,
certes, surtout lorsque d'autres indices moins vagues viendront
s'ajouter à ceux que les noms des personnages nous ont fournis.
Sur la date, pour les raisons que j'ai déjà alléguées, il en va différemment. Il s'est fait, aux ixe-xe siècles, un jeu de va-et-vient
aux dépens de ces belles et riches contrées de la France orien-
tale et des Pays-Bas (à l'exception de la Flandre trans-scaldique);
téméraire serait, à défaut de preuves formelles, celui qui oserait
risquer une indication d'année, d'autant plus téméraire que la
précision de l'histoire, sans être étrangère aux préoccupations
de l'artiste, ne va pas jusqu'à l'empêcher d'être principalement
soucieux de l'effet artistique et déjà satisfait d'avoir conféré à
son récit une vraisemblance générale.

Pourtant, il serait difficilement soutenable que l'auteur du
Waltharius ait écrit son poème à un moment où le même souverain régnait des deux côtés du Rhin. Or, au xe siècle, quand
se produit un état de choses ressuscitant la situation créée par
le traité de Verdun? De 895 à 900, la Lotharingie est recons-
tituée sur la base de ce traité. En 900, Arnulf meurt et elle
redevient allemande. Elle l'est moins complètement que ne vou-
draient le faire croire les historiens d'outre-Rhin. Elle garde

1. Le nom de *Francia* n'est pas le premier donné au royaume de Lothaire.
Tantôt — et il semble que ce soit la plus ancienne dénomination — on l'appelle *Gallia Belgica* ou *Belgica* tout court, tantôt *Lotharingia* (comp. *regnum
quod a multis Hlotarii dicitur* dans un diplôme du 24 juin 903, cité par
M. Parisot, *Histoire du royaume de Lorraine*, p. 567). La mention des Francs,
dans la désignation de ces territoires, prêtait à une confusion d'autant plus
grave qu'on appelait *regnum Francorum* tout l'héritage de Charlemagne. C'est
encore le nom que lui donnent les petits-fils du grand empereur au deuxième
congrès de Meerssen (*Cap. Reg. Franc.*, *M. G. H.*, II, 14). Plus tard, *Francia*
devient synonyme de *Lotharingia*, et pour désigner les états de Charles le
Chauve et de ses successeurs, Richer a recours soit à la vieille expression de
Gallia Celtica (I, cap. I, III (*Celtae vero ac Aquitani*), IV, XXI (*Belgica quo
Celticae conlimitat*), etc.), soit à d'autres approximations. Au xiie siècle, la
Chanson de Roland atteste que c'en est fait de ces fluctuations. Les Francs
sont les Français.

une certaine autonomie; elle a sa chancellerie distincte; ses grands se dispensent d'assister aux assemblées qui se tiennent dans le royaume de Louis l'Enfant; celui-ci mort, ils refusent le serment à son successeur et lui préfèrent le Carolingien de droite lignée, qu'ils vont prendre de l'autre côté de la frontière. Avant comme après cet événement capital, le gouvernement direct est exercé par des personnages qui ont reçu, il est vrai, leur mandat de Louis; mais il resterait à éprouver la solidité du lien féodal rattachant un Regnier au long col à un suzerain dont l'éloignement rend le contrôle plutôt illusoire. Le jour où Regnier peut se proclamer *dux*, après avoir contribué largement au transfert de la suzeraineté de l'est à l'ouest, ce lien, déjà si fragile, dut s'amincir encore.

Mais, le transfert opéré, dans des conditions si obscures que l'historien ne peut que le constater, on assiste à des tentatives répétées du roi Conrad Ier pour rentrer en possession du bien de son prédécesseur. Tractations diplomatiques et expéditions militaires alternent sans qu'on puisse toujours en définir le caractère et en fixer l'importance. Il y eut même un temps — en 915 — où la révolte d'Henri, duc de Saxe, réduisit Conrad à une portion de pouvoir plus congrue. Serait-ce le moment qu'a choisi Gérald pour écrire son poème?

Sans une circonstance sur laquelle j'insisterai tantôt (lorsque j'aurai à identifier le prélat auquel l'œuvre est dédiée et qui nous fournit un *tempus a quo*), j'avoue que je serais favorable à cette date de 915, celle où l'on conçoit qu'un seigneur saxon, exilé de sa patrie, puisse vivre en sûreté à Worms, celle aussi où Charles le Simple prend le titre de *rex Francorum*. Conrad, comte de Worms et de Hesse, avant de porter la couronne d'Allemagne, serait assez naturellement désigné par son propre fief pour jouer le personnage de Gunther, abstraction faite du point de savoir si des traditions plus anciennes sont déjà inscrites dans les aventures du triste adversaire de Gautier. En tout cas, si l'on doit renoncer à cette datation, on ne peut s'empêcher de remarquer que, pendant tout le xe siècle[1], la Lorraine (puisque c'est de cette portion de la Lotharingie qu'il s'agit ici, comme l'attestent le lieu du combat, la présence d'un évêque de Metz, etc.) resta pour les Francs orientaux une possession incertaine.

1. Parisot, p. 586, n. 4.

Jusqu'en 925 elle leur échappa; trois fois au moins, en 939, en 978 et en 985, elle leur fut disputée par les princes français, qui ne pouvaient se consoler d'une perte, dont, après plus de neuf siècles, on n'a cessé de ressentir l'amertume en ce pays. Il n'y a donc rien d'étonnant que, quelques années après la défaite de Charles le Simple et sa mort obscure (en 923), un poète se soit plu à évoquer et à considérer comme encore présente l'époque où sa petite patrie se rattachait à l'*inclita Francia*[1].

Un autre indice nous confirmera dans la vivacité — et la réalité — de ce souvenir. Trois lignes de Richer, où il est question de Charles le Simple, vont nous le fournir : « Nam cum multa benignitate principes coleret, principua tamen beatitudine Haganonem habebat, quam ex mediocribus potentem efficerat[2]. »

Que fut au juste ce Haganon, c'est ce qu'on ne saura probablement jamais. L'historien le plus minutieux de la Lotharingie n'a, malgré sa patience et sa sagacité, groupé que de bien faibles données sur son compte[3]. Il semble que, parti de bas, il ait passé par tous les échelons de la faveur royale. En 916, il n'est pas arrivé au sommet, puisque c'est en 918 qu'il est fait comte, en 921 qu'on lui applique l'épithète de *venerabilis*, en qualité d'abbé laïc de Saint-Maur-des-Fossés, en 922 qu'il reçoit la dotation fructueuse de l'abbaye de Chelles. Mais dès 916 il figure en bonne place dans le plaid d'Héristal, et bientôt après il est « parmi les grands qui souscrivent le traité de Bonn ». Nous voilà fixés sur le chemin qu'il a parcouru, si réellement il provient « ex mediocribus ». Il ne peut faire doute qu'il s'impose à l'attention, et, si c'est aux environs de 916 que le compagnon de captivité de Gautier est le Franc Haganon, dans la belle histoire de ce personnage, le Franc Haganon, redouté et envié en Lotharingie, n'aurait-il vraiment rien de commun avec lui? Sans doute, notre Haganon n'est pas de médiocre extraction puisque les Francs devant livrer un otage de marque et le fils du roi étant trop jeune, c'est cet adolescent qu'on lui substitue :

> *Nobilis hoc Hagano fuerat sub tempore tyro*
> *Indolis egregiae, veniens de germine Trojae.*

1. Parisot, p. 600. Dans une charte pour Saint-Èvre du 5 novembre 916, *Francia* remplace *regnum Lotharii*. On verra tantôt l'importance de Saint-Èvre pour nous.
2. Le même, p. 674.
3. Voir surtout les p. 629 et suiv. de la belle *Histoire du royaume de Lorraine* de M. Parisot.

Mais l'objection paraît plus forte qu'elle ne l'est en réalité, un favori du roi ayant toujours une généalogie illustre toute prête, comme les parvenus fameux de tous les temps[1]. Ajoutons que les historiens ne sont pas d'accord sur cette humilité des origines du personnage. Von Kalckstein affirme qu'il était le proche parent de saint Gérard de Brogne, par conséquent parent aussi avec l'oncle de ce dernier, l'évêque Étienne de Liège, et, par lui, avec Matfrid de Metz et Richard de Prüm, ainsi qu'avec la feue reine Frebruna[2]. Ajoutons encore que, de l'aveu de M. Parisot, les Lotharingiens ne semblent jamais avoir voué à Haganon, qui était de leur race, une haine que les seigneurs français poussèrent jusqu'à la rébellion contre leur souverain. Enfin, notons sans y insister que plusieurs historiens n'ont pas hésité à asseoir sur des raisons très honorables la faveur de ce Haganon. Comme le Haganon de la fable est le meilleur soutien de Gunther, ils pensent, en effet, que celui de l'histoire « avait été un ministre énergique qui aurait essayé de mater les grands et de restaurer l'autorité royale[3] ».

Ai-je trop insisté sur l'analogie historique que les événements de 915-920 environ m'invitaient à mettre en lumière? J'ose croire que non. Je le crois d'autant plus fermement qu'un détail topographique, détail point négligeable, va me permettre de corroborer ce qui n'est qu'une suggestion. Il m'est fourni par l'étude des lieux où se passe l'événement qui constitue le thème principal du poème. Ces lieux ont été décrits, mieux encore, déterminés par l'auteur avec une précision relative qui n'est pas l'effet d'un heureux hasard :

Interea vir magnanimus, de flumine pergens,
Venerat in saltum jam tum Vosagum vocitatum.
Nam nemus est ingens, spatiosum, lustra ferarum
Plurima habens, suetum canibus resonare tubisque[4].

Ainsi le héros vient de passer le Rhin ; le voici dans la forêt vosgienne, dont les vestiges actuels conservent encore un carac-tère de grandeur. L'auteur ne se borne pas à cette caractéris-

---

1. Parisot, p. 620. Comp. 660 : « La faveur dont jouissait Haganon ne paraît pas avoir indisposé les seigneurs lorrains à l'égal des seigneurs français. »
2. Von Kalckstein, *Geschichte des franzoesischen Koenigtums unter den ersten Kapetingern*, 1877, p. 142.
3. M. Parisot cite (p. 630) Henri Martin et M. Mourin, *les Comtes de Paris*.
4. Vers 489-492.

tique un peu vague. Il tient à nous persuader qu'il a, des lieux
où va se dérouler le drame, une connaissance plus précise :

> *Sunt in secessu bini montesque propinqui,*
> *Inter quos, licet angustum, specus extat amoenum,*
> *Non tellure cava factum, sed vertice rupum,*
> *Apta quidem statio latronibus illa cruentis.*
> *Angulus hic virides ac vescas gesserat herbas*[1].

Est-ce tout ce que nous apprend Gérald sur le théâtre de
son drame? Non, car il nous indique à quelle distance exacte
de Worms se trouve cette sorte de défilé verdoyant où Gautier
défiera l'attaque des guerriers de Gunther. Les vers 1144-1145
sont destinés à nous permettre de calculer cette distance[2]. Elle
n'est pas bien considérable, puisque le héros exprime la crainte
que, dans l'espace d'une nuit, Gunther et Hagen, restés seuls
en face de lui, n'aient le temps de retourner à Worms et d'en
amener du renfort dès l'aube :

> *Pluribus ut sociis per noctem forte coactis*
> *Primo mane parent bellum recreare nefandum.*

Ainsi tout s'accorde pour une localisation dans le temps et
dans l'espace, que les sentiments de l'auteur et l'idée même de
son œuvre nous préparaient à admettre. Pour faire violence au
texte du *Waltharius*, comme on s'y est acharné, et pour le rattacher à une tradition historique différente, il me paraît qu'il
serait besoin d'arguments autrement forts que ceux dont ont
usé mes devanciers. Ce sont ces arguments que je voudrais
maintenant examiner.

II.

Les arguments de la critique allemande sont d'ordre philologique. Pourtant, comme il s'agissait, en dépossédant l'auteur
présumé, celui que nomment plusieurs manuscrits et les meilleurs, de préparer les voies à l'auteur imaginaire, dont le choix
assurait l'annexion allemande de l'ouvrage, on a bien dû mêler

---

1. Vers 493-497.
2. Grimm a déjà essayé d'identifier les lieux décrits avec cette précision; il
pense à *Framont* (*fractus mons*), non loin de l'abbaye de Senones; mais cela
ne l'empêche pas (p. 124) de se refuser à admettre — hypothèse qu'il formule
— que l'auteur soit un Lorrain!

un peu d'histoire aux discussions de vocable et de grammaire, en quoi réside l'essentiel du plaidoyer de Grimm et de ses successeurs.

On a donc soutenu — sans ombre de preuves — que l'homme qui se nomme :

Peccator fragilis Geraldus nomine vilis

et, encore une fois :

... *Geraldus carus adelphus*[1]

dans le prologue, n'était pas le véritable auteur du *Waltharius*, mais que cet auteur était précisément celui qui ne s'y nommait pas et dont on y chercherait en vain la trace.

Ah! ce fut assez laborieux, non certes pour Grimm, qui, sachant qu'en 1838 il ne trouverait guère de contradicteurs (en 1843[2], Édelestand du Méril réimprime son texte et corrobore en deux lignes son dire), ne se mit pas en grand frais de logique[3], mais pour les derniers éditeurs, notamment Althof et Strecker, dont l'effort démonstratif vaut la peine qu'on s'en préoccupe.

Je n'ose dire que cet effort ait été totalement désintéressé. Il s'y rattache, en effet, l'arrière-pensée de réduire autant que possible la part de l'auteur du prologue, soit qu'on le considère comme un simple plagiaire faisant délibérément sien le travail d'autrui, soit qu'on consente à voir en lui un remanieur. C'est déjà l'avis de Peiper, qui date de 1020 environ la rédaction de Gérald; pour Scheffel et Holder, que je cite ici d'après Althof[4], cette rédaction serait simplement postérieure à la mort du véritable auteur, laquelle remonte à 973. Je passe légèrement sur d'autres hypothèses non moins hasardeuses et dans lesquelles, selon son ordinaire, la critique conjecturale d'outre-Rhin s'est donné libre jeu. Le seul avis quelque peu sérieux qu'elle nous offre est celui de M. Strecker, le meilleur critique du *Waltharius*, et celui qui s'est exprimé sur ce sujet difficile avec le plus de sens et de netteté[5]. Encore est-il entaché d'une erreur ini-

---

1. Vers 11 et 22 du *Proemium*.
2. *Poésies populaires latines antérieures au XIIe siècle*, p. 313 et suiv., Comp. p. 314, notes, colonne 2. Du Méril avait toutefois fait une revision du manuscrit de Bruxelles.
3. *Lateinische Gedichte*, p. 57.
4. P. 39 de son édition, t. I.
5. Voir son édition (1907) et avant tout son article des *Gœttingische gelehrte Anzeigen*, 1907, p. 835 et suiv.

tiale, puisque, sans se donner la peine de discuter la paternité
de l'œuvre, cet érudit se borne à examiner le point de savoir si
le prologue de Gérald a existé dans tous les manuscrits, ou, plus
exactement, si ceux qu'on range dans la classe ne le possédant
pas (Beck la désigne par le sigle α, l'autre par γ) ne remontent
pas à un prototype perdu qui possédait cette entrée en matière.
M. Strecker ne dissimule pas — et cela fait honneur à sa pers-
picacité — qu'il est enclin à admettre l'affirmative. Mais il est
arrêté par un scrupule assez imprévu[1]. En fait, comme ses prédécesseurs[2], il est contraint, par l'examen du texte, de reconnaître la valeur infiniment supérieure de la famille γ (c'est-à-
dire de ceux où Gérald est nommé) et d'en faire la base de son
édition. Cela ne l'empêche pas, d'ailleurs, d'attribuer le poème
à Ekkehard Ier.

M. Flach a, d'une façon très claire, ramené à ses véritables
proportions la conjecture de Grimm et de tous ses successeurs,
conjecture sur laquelle cette soi-disant paternité est fondée. Elle
ne résiste pas à l'examen, et n'étaient les habitudes routinières
de la critique philologique, on ne concevrait même pas qu'il ait
fallu attendre trois quarts de siècle pour ébranler ce médiocre
échafaudage de preuves, si tant est qu'on puisse parler de
preuves, là où l'on ne peut invoquer que la plus vague des coïncidences.

Le hasard a voulu que les *Casus monasterii Sancti Galli*

1. P. xix de son introduction. Le scrupule lui vient de ce qu'on peut relever
dans Hroswitha certaines analogies de style et de langage avec notre poème.
Or, à la date où elle aurait pu utiliser un texte de celui-ci, remontant à ce
que la critique allemande appelle la version de Gérald (qu'elle se refuse avec
énergie à considérer comme la primitive), Archembaud n'était pas encore
évêque de Strasbourg. C'est un embarras où je n'entre point, puisque mon
Archembaud est d'un demi-siècle antérieur et que le témoignage de la nonne
de Gandersheim est, au contraire, en ma faveur.

2. C'est W. Meyer qui, en 1873, modifia les points de vue courants sur l'importance relative des deux familles de manuscrits et mit en valeur, dans la
famille γ, le ms. de Bruxelles. Depuis lors, M. P. von Winterfeld, après avoir
d'abord soutenu une autre thèse, s'est rallié (*Anzeiger*, etc., t. XXVII, p. 10
et suiv.) à celle de l'antériorité de la famille γ et, dans celle-ci, à la supério-
rité du ms. de Paris, étroitement apparenté à celui de Trèves; c'est à quoi
semblent avoir abouti, d'ailleurs, les ultimes réflexions de W. Meyer lui-même
(*ibid.*, p. 11). Quant à M. Althof, sévèrement censuré par ses confrères allemands, il me paraît avoir été aussi peu capable de dresser un arbre généalogique de ses manuscrits que d'interpréter son texte malgré le labeur écrasant
et vain auquel il s'est soumis. Voir *Gœttingische gelehrte Anzeigen*, 1907, p. 853.

nous aient conservé sur l'abbé du couvent, Ekkehard Ier, une notice dans laquelle un de ses successeurs, Ekkehard IV, nous apprend qu'il écrivit la vie de Gautier à la main-forte (pensez à Guillaume *fière-brace*, à *Fierabras*, etc.). Il s'agit d'un travail d'écolier, dont un maître lui traça le plan, et qu'il exécuta d'une main inexperte (*scripsit et in scholis metrice magistro, vacillanter quidem; quia in affectione, non in habitu erat puer*[1]), et ce travail était si médiocre que l'auteur de la notice confesse qu'il s'est efforcé de le corriger de son mieux (*pro posse et nosse*), ajoutant, à l'excuse de son prédécesseur, qu'il était Allemand, donc barbare[2], et qu'en raison de cela il lui était malaisé de se pénétrer tout de suite du génie latin (*barbaries enim et idiomata ejus Teutonem adhuc affectantem repente Latinum fieri non patiuntur*). Enfin, le même rédacteur conclut par une critique de la façon dont les maîtres d'alors, à demi instruits (*semimagistri*), enseignaient le latin et explique par là les faiblesses de cet essai juvénile.

Voilà comment serait né le merveilleux poème, dont tant de copies manuscrites au moyen âge, tant d'éditions, de traductions et d'adaptations au xixe siècle ont popularisé le héros en Allemagne, sur la rive gauche du Rhin et jusqu'en Italie et dans les contrées du Nord! Formuler une telle proposition, n'est-ce pas en faire sentir toute l'absurdité? Il est fréquemment[3] question, dans nos écoles du moyen âge, de ces devoirs d'élèves qu'un sentiment de piété bien naturel a sauvé plus ou moins de l'oubli; mais jamais nul ne songea à transformer un pensum

---

1. On a généralement traduit de façon assez libre ces derniers mots. Il est bien évident que l'auteur oppose ici les sentiments de l'adolescent, ou plus exactement sa sensibilité littéraire, au reste de sa manière d'être, qui révélait une maturité précoce. Qu'il fût encore dans l'enfance, le contexte ne permet pas d'en douter.

2. Ainsi Gerbert (lettre 45, éd. Havet, p. 43) oppose *Latini* à *Barbari* (c'est-à-dire héritière de la culture romaine à son suzerain, l'empereur d'Allemagne, et à ses sujets).

3. Voir ce que dit Dümmler des 792 vers que nous avons conservés de l'histoire d'Apollonius de Tyr (*Poetae latini aevi Carolingi*, II, 483). Comp. Ebert, III, 358, pour un autre exercice d'école (*dictamen, specimen eruditionis*), la vie de saint Christophe composée par la religieuse Hazecha. On a de bonnes raisons de croire que le fragment de La Haye a la même origine. Voir à ce sujet Gorra, dans les *Rendiconti del R. Ist. Lombardo*, série II, vol. XLVI, p. 1102. Toute une série de devoirs scolaires de Saint-Gall sont analysés par M. P. de Winterfeld (*Neues Jahrbuch für kl. Altertum*, IV, 351-352).

en chef-d'œuvre, et il est permis de dire qu'il a fallu des raisons
bien particulières pour qu'on fît exception à une règle de
simple bon sens. Même retouché par Ekkehard IV, médiocre
écrivain lui-même et facile à l'éloge de ses pieux prédécesseurs[1],
ce qui doit nous rendre d'autant plus attentifs à ses réserves sur
la valeur du poème, le récit de la vie de Gautier main-forte
n'offrirait, s'il nous avait été conservé, que de vagues analogies
de thème avec les 1,456 vers, dont le succès est attesté par des
manuscrits de provenance si variée[2] et auxquels se rattache, par
une tradition plus ou moins lointaine, le « moniage Gautier »,
dont nous avons gardé deux attestations, d'autant plus curieuses
qu'elles proviennent de lieux différents[3].

Il convient donc de restituer à Gérald un bien qu'à entendre
certains critiques, il aurait simplement dérobé à un de ses confrères d'église. Ce qu'il était lui-même, le ton humilié du début
de l'œuvre nous le révèle. Même en faisant la part des formules,
où la génuflexion la plus humble est d'usage[4], on est bien forcé

1. Voir (*M. G. H.*, *Script.*, t. II) l'éloge emphatique de l'abbé Salomon,
« doctus et disciplinatissimus » (p. 92) ; celui de Hiso, « Anhelabant ad illius
doctrinam totius Burgundiae nec non et Galliae ingenia » (p. 94) ; celui de
Notker, Ratbert et Tutilon, « N. in orando, legendo, dictando celeberrimus...
T. erat eloquens, voce clarus, celaturae elegans et picturae artifex, musicus,
... musicus in omnium genere fidium et fistularum prae omnibus... versus et
melodias facere praepotens (p. 94 *in fine*), etc. »

2. Répétons que parmi les manuscrits perdus, cinq sont Lotharingiens,
comme le poème : un de Wissembourg, un d'Utrecht et trois de Saint-Èvre,
près de Toul, c'est-à-dire du monastère que gouverna Archembaud (voir p. 21).
Parmi les conservés, il en est de même des meilleurs et des plus anciens,
Bruxelles (Gembloux), Paris (Echternach), Trèves.

3. L'une est liégeoise (*Egbert*, éd. Voigt, p. 203), l'autre, de provenance italienne, est renfermée dans le *Chronicon Novaliciense*, II, cap. 10-11 (*M. G. H.*,
Script., VII, 93 et suiv.). Peut-être doit-on mettre en corrélation avec elle une
version un peu différente que nous trouvons dans la Chronique du Mont-Cassin
(*M. G. H.*, VII, 584). Reste à savoir si l'anecdote monastique, dont le succès
est ainsi attesté, se rapportait primitivement à notre héros, et d'autre part
comment elle a été, par un travail de contamination plus surprenant peut-être,
appliquée à Guillaume d'Orange, c'est-à-dire transportée du monde clérical dans
ce qu'on appelle, un peu arbitrairement, la légende populaire. On comprendra
que je n'aborde pas ici l'examen d'un problème qu'après Jonckbloet, etc.,
MM. Cloetta (Introduction au *Moniage Guillaume*, II, p. 130 et suiv.) et Becker
(*Die altfranzoesische Wilhelmsage*, p. 104 et suiv.) ne me paraissent pas avoir
résolu.

4. Je citerai, entre vingt, la dédicace du moine Jean de Haute-Seille à son
évêque (*Historia Septem Sapientium*), ou encore celle de la vie de sainte Ric-
trude à l'évêque Étienne, par Hucbald de Saint-Amand.

de reconnaître qu'un Ekkehard, ou tout autre abbé de grand monastère, n'en aurait pas usé de la sorte, fût-ce en s'adressant à un évêque de Strasbourg. C'est au surplus ce que confirme l'auteur de la Chronique de Novalèse qui — l'index du second livre de cette Chronique, mentionnant Gérald, en fait foi — vise bien notre obscur poète, lorsqu'il le qualifie de *quidam metricanorus*. On nous persuadera difficilement qu'il eût traité de la sorte un des illustres Ekkehard. Plus attentif aux préséances du rang qu'aux privilèges de l'art, il a parlé, sans trop d'égard, du clerc dont les imaginations l'ont distrait un moment.

Comme pour Turold, nous manquons de renseignements sur la vie et la carrière de Gérald. Il n'est pas difficile de trouver dans les annales du xᵉ siècle la mention, plus ou moins vague, de tel *Gerardus* (ou *Girardus*); mais je me demande à quoi peuvent servir des recherches ne s'appuyant sur nulle vraisemblance. Le fait assuré, c'est qu'il n'est nulle part question d'un poète — je ne dis pas d'un écolier — nommé Gérald, qui aurait composé un *Waltharius*. Reste à désigner, s'il est possible, le prélat auquel, en termes si humbles, il dédie son écrit. On a pensé à un évêque de Strasbourg, qui exerça ses fonctions de 965 à 991, et dont la *Gallia Christiana* nous dit qu'il fut « librorum semper studiosus[1] »; on a pensé aussi[2] à un archevêque de Tours, qui monta sur son siège en 981, et, de préférence, à un archevêque de Bordeaux, qui gouverna son diocèse de 1044 à 1059[3].

Cette dernière attribution me paraît difficilement soutenable.

1. T. V, col. 789. C'est déjà l'avis de Grimm (*loc. cit.*, p. 61), qui pense aussi à un abbé de Saint-Trutpert, dans le diocèse de Constance, et à l'archevêque de Mayence, qui succéda à Willigis (1011).

2. M. Flach (*op. cit.*, p. 13) reproduit ces deux hypothèses que Grimm (*loc. cit.*) avait déjà combattues à l'aide d'arguments contestables. Elles ne sont pas les seules, au surplus, qui aient été formulées. En 1907, notamment, dans les *Verslagen en mededeelingen* de l'Académie flamande (belge), M. Simons proposait un autre Erchenbald, archevêque de Mayence, de 1011 à 1021. Rien ne désigne plus particulièrement son collègue de Strasbourg, si l'on fait abstraction d'un goût qu'il partage avec beaucoup de prélats pour l'érudition et les beaux livres. Voir les *Regesten der Bischoefe von Strassburg*, I, 2ᵉ partie, p. 249. Dans ces mêmes *Regesta*, je note en tout deux mentions attestant de vagues rapports de l'évêque de Strasbourg avec l'abbaye de Saint-Gall; j'en trouve également une qui se rapporte (s. a. 984) à l'évêché de Toul; mais ce sont là des indices trop peu sûrs pour qu'on puisse en tirer un parti quelconque.

3. Voir Flach, p. 13 du tirage à part.

Elle l'est déjà du fait que le manuscrit de la Chronique de Novalèse provient, au plus tard, de 1050 et parle de notre texte,
dont il reproduit de longs passages, comme d'une chose connue.
Elle l'est surtout, si l'on veut bien tenir compte de la teneur du
texte lui-même et des coïncidences historiques que j'ai signalées
plus haut. Le choix d'un archevêque de Tours se fonde essentiellement sur la supposition que Gérald (et non Gérard de
Fleury) est aussi l'auteur[1] de trois poèmes religieux, conservés à la Vaticane et dont on s'est occupé aux tomes VI et VII
de l'*Histoire littéraire de la France*[2]. Pas plus qu'il ne résulte
de l'activité littéraire d'Ekkehard Ier — laquelle, si l'on excepte
ce produit d'extrême jeunesse qu'on a voulu promouvoir à une
dignité imméritée, se résume en des œuvres de piété — qu'il est
nécessairement l'auteur de notre *Waltharius*, pas plus n'est-on
en droit de conclure de l'activité littéraire d'un *Girardus* à son
identité avec notre Gérald.

Si, comme tout le fait présumer, celui-ci est Lorrain et a

1. Je ne vois pas l'importance démonstrative qu'on peut attribuer, comme le
fait M. Flach, à l'existence d'un ms. du xie siècle, donné par un moine du
nom de Girard à l'abbaye de Fleury, ni non plus au *Girardus* d'une charte de
novembre 1055, provenant de la même abbaye. Ce qui aurait plus de prix, ce
serait la restitution à cette abbaye de notre ms. de Paris qui, d'ailleurs, ne
peut en aucun cas (voir sur les fautes communes des trois mss. *P. B.* et *T.* les
éditions Althof et Strecker) être considéré comme l'original. Malheureusement,
il n'est pas un seul indice sérieux qui fortifie cette hypothèse. M. Flach a
noté que le dernier feuillet du ms. de Paris semblait « appartenir à un ms.
plus ancien ». Mon sentiment, après examen, est qu'il s'agit d'un feuillet
volant, sur lequel on a recopié, vers la même date, les sept derniers vers du
poème, d'une écriture un peu plus grande que celle des vers précédents, mais
contemporaine. Le seul détail intéressant est l'orthographe *Waltharius* du dernier vers ; encore faut-il reconnaître que si le *th* n'apparaît ni dans les 362 premiers vers, ni ne se retrouve de 620 à 811, il est suffisamment fréquent dans
le reste du poème pour interdire n'importe quelle conclusion sérieuse. La
taille des lettres de la fin est, d'ailleurs, celle des p. 20 r°, 22 r° et v° notamment ; la forme ne diffère pas.

2. Depuis le xviiie siècle, il faut confesser que rien de bien décisif n'a été
découvert ni dit sur la personnalité de Gérald et de son protecteur. Voici
comment les Bénédictins s'expriment au t. VI de l'*Histoire littéraire de la
France*. Après avoir reconnu qu'il n'est pas question de ce *Gérald* (ou *Gérard*,
ou *Géraud*) dans l'histoire de l'abbaye par D. Antoine Chazel, ils ajoutent :
« Cela n'empêche pas qu'un ms. de la Bibliothèque du Roi, etc. » (p. 438). Au
t. VII, il est vrai, notre poème est bien attribué au moine de Fleuri. Toutefois, les termes prudents dans lesquels l'écrivain formule cette hypothèse
ne doivent pas être perdus de vue : « Gérard ou Girard, *le même suivant cette
apparence* que Géraud dont nous avons déjà eu l'occasion de parler... » (p. 183).
De l'apparence à la réalité, on sait qu'il y a loin.

vécu non loin des lieux dont il a une notion si précise et dont
il a exprimé la poésie en vers si heureux, il y a, d'ailleurs, des
raisons majeures de ne pas aller lui chercher un patron à Strasbourg, à Tours ou même à Bordeaux. Est-ce qu'à deux pas de son
gîte, peut-être même sous le toit qui l'abrite, un *Erckembaldus*
n'a pu lui inspirer, par son autorité et ses talents, un respect
dont sa dédicace nous apporte les formules quelque peu hyper-
boliques?

Cet Archembaud ne doit pas nécessairement être un évêque,
et déjà Grimm avait hésité entre un évêque et un de ces puissants
abbés, dont la richesse et l'influence ne le cèdent souvent à
celles d'aucun prélat séculier. Or, à Saint-Èvre de Toul, à partir de 935, nous assistons à une œuvre de résurrection spiri-
tuelle dont la grandeur a impressionné les critiques modernes[1]
et qui est due à l'initiative inlassable de l'évêque Gauzlin. C'est
à Fleury-sur-Loire que celui-ci était allé chercher les modèles
dont il avait besoin, et il semble — coïncidence savoureuse —
que de là soit venu l'abbé Archembaud, dont on nous dit que
« dans tout ce qui concernait les intérêts monastiques il fut
le bras droit de son évêque ». Gauzlin, l'illustre réformateur, en
parle avec une affection évidente : « Boni propositi efficax reli-
giosissimae vitae abbas », et, sans vouloir être plus affirmatif
que ne le comporte notre maigre information, il est permis de
prendre en considération un personnage qui, si nos suppositions
se justifient, était le protecteur naturel de Gérald, l'auteur du
Waltharius.

III.

Disciple préféré (*carus adelphus*) de son abbé, Gérald a vécu
à Toul aussi obscurément que les autres moines et, sans doute,
comme tant d'autres écrivains, il n'a même pas eu le pressen-

---

1. Voir Voigt dans la préface de l'*Ecbasis Captivi*, p. 2 et suiv. Déjà Mabil-
lon (*Annales S. Bened.*, III, 705) reproduit par la *Gallia Christiana*, XIII,
col. 1070, a loué l'œuvre d'Archembaud de Saint-Èvre, que la confiance du savant
évêque Gauzlin mit à la tête du monastère à une date qui n'est pas précise,
mais qui ne peut être postérieure à 935. M. l'abbé Eugène Martin (*Histoire des
diocèses de Nancy, de Toul et de Saint-Dié*) a rassemblé plusieurs témoignages
de ce zèle religieux et érudit tout ensemble, qui valut à la maison de Saint-
Èvre une rénovation. « Son école, dirigée par Adson, moine de Luxeuil, et
plus tard abbé de Montiérendier, puis par Bernier, diacre de Toul, était fré-
quentée par de nombreux étudiants, réguliers et séculiers... (t. I, p. 155).

timent de la gloire qui allait auréoler son œuvre à la fois simple et profonde.

C'est de cette œuvre, étudiée en elle-même et dans le détail de son style surtout, que la critique allemande a tiré les déductions les plus nombreuses et — en apparence — les plus solides sur la provenance germanique de son auteur. Rien n'a été négligé, pas même les noms de quelques-uns des héros, notamment de ceux des guerriers que combat Gautier, et qu'on a prétendu — parce qu'on les retrouvait dans des manuscrits de Saint-Gall — identifier avec des personnages ayant vécu dans le monastère ou à l'ombre de ses tours[1], comme si ces noms ne pouvaient être relevés, au xᵉ siècle, dans des lieux aussi distants de Saint-Gall qu'ils le sont de Toul et de Metz[2]!

Déjà Jacob Grimm, dans une sorte de commentaire, faisant suite à la publication du texte, avait examiné avec une concision très savante les principales questions que soulève ce texte, soit en lui-même, soit par rapport à l'ancienne littérature germanique. Son travail se divise en trois parties, la première nous concernant seule ici (la seconde est une analyse du poème, la troisième consiste en une série de rapprochements entre l'épopée allemande et l'œuvre latine, dont le savant philologue soutient qu'elle n'est

---

1. Voir notamment Grimm, *op. cit.*, p. 116; Peiper, XIV; Althof, *Zeitschrift für deutsche Philologie*, t. XXXIV, p. 365 et suiv.

2. Un coup d'œil rapide sur l'ouvrage de Förstemann, *Altdeutsches Namenbuch*, m'a permis de retrouver ailleurs *Kimo*, ou plutôt *Gimo*, qui est le simple abrégé de *Gimbert*, *Girmund*, etc. De même *Gernwic* est cité par le même savant (p. 630) sans relation avec Saint-Gall, et *Gernwic* ressemble fort à *Gerwit* (voir *Gerswid*, nom de femme dans la *Vita Sancti Willehadi*, c'est-à-dire du premier évêque de Brême; *Gervise*, femme du comte Oderisius dans la Chronique du Mont-Cassin, II, 26; *M. G. H.*, *Script.*, VII, 644). *Ospirin* rappelle un autre nom féminin, celui d'une femme citée dans l'*Historia Frisingensis* (viiiᵉ siècle). *Trogus*, variante de *Drogo*, est fréquent dans nos textes : *Truogo* dans les *Annales Alamannici* et les *Annales* de Wurzbourg; *Trougone* dans les *Gesta Caroli*, etc. *Egfridus comes* est un envoyé de Saint-Vast auprès du roi de France dans les *Ann. Vedast.*, s. a. 892 (*M. G. H.*, *Script.*, I, 527); un autre *Egfried* est roi de Northumberland (*Ann. Corbeienses*, s. a. 670); un *Hadawart* est évêque de Minden (*Ann. Fuld.*, s. a. 853; *M. G. H.*, *Script.*, I, 368); un *Werinhart* est « vassus regius » dans ces mêmes *Annales* (s. a. 880) et c'est aussi le nom d'un évêque de Strasbourg (*Ann. August.*, s. a. 1020; *M. G. H.*, III, 125). Quant à *Helmot* (*Helmod*), peu différent de notre *Helmnod*, à *Randolf* (voir Förstemann, s. v.), à *Hericus* (ici c'est le roi des Burgondes; ailleurs ce sont trois rois des Danois et un chef normand; voir *M. G. H.*, *Script.*, VII, indices), il ne vaut pas la peine d'y insister. *Patavrid* est seul embarrassant, et je n'ai trouvé que la forme latine *Pataviensis* (*M. G. H.*, VII, *passim*), qui désigne un habitant de Passau (*Patavis*). Que nous voilà loin de Saint-Gall!

qu'une adaptation « à demi érudite » (!) d'un original écrit en langue vulgaire[1]).

Cette première partie — abstraction faite des indications sur les manuscrits, le prologue et l'auteur présumé — est bien courte[2] et pourtant elle contient tout l'essentiel du long et laborieux commentaire d'Althof, lequel s'est borné à délayer en pages in-octavo ce que Grimm, grâce à sa grande connaissance du passé de sa race, avait résumé de façon beaucoup plus impressionnante et sur un ton nettement affirmatif. Dans les observations qui vont suivre, c'est à l'un et à l'autre de ces commentateurs, également prévenus, que j'emprunterai les éléments de ma critique du texte même.

Et, tout d'abord, ce texte porte-t-il la trace d'une influence grammaticale étrangère? A travers son latin, voit-on réapparaître les formes, comme aussi le vocabulaire, d'une autre langue. J. Grimm ni M. Althof n'en doutent, ni non plus que cette langue soit l'allemand. Le premier de ces savants groupe en quelques pages les rapprochements que lui suggère un dépouillement attentif du texte[3]; le second éparpille ses observations tout au long de son interminable commentaire; mais ni le nombre, ni la qualité de ces observations n'ajoutent grand'chose à ce qu'avait amassé son illustre devancier. Le plus souvent, les analogies qu'il invoque sont si vagues qu'elles ne méritent pas la discussion. Au surplus, le commentaire de M. Althof est plus archéologique que philologique. Son ignorance totale de l'ancienne littérature française e condamnait, d'ailleurs, à une uni-latéralité fâcheuse.

Du bref exposé de Jacob Grimm, il serait injuste d'en dire autant quoique le parti-pris trop certain de sa critique lui ait fait apercevoir partout des identités qui, presque toujours, perdent leur valeur si l'on se tourne vers l'ancien français. C'est ainsi que là où le latin du moyen âge s'écarte de la langue classique, il est invinciblement porté à chercher dans les idiomes germaniques l'unique raison d'une altération, qui peut tenir à bien d'autres causes[4]. Mais que dire d'une méthode, expliquant

1. P. 99.

2. P. 65-78. Encore faut-il en déduire trois pages, consacrées à des rapprochements avec Virgile. Depuis lors, on a multiplié ceux-ci et reconnu des centaines d'emprunts.

3. P. 68 e; suiv.

4. Quand elle est réelle. Car on verra plus loin combien il est périlleux de

par l'ancien haut-allemand *Velle meum*, alors que déjà *meon vol* est français en 842 ; négligeant le français, « nous avons ici des Huns » pour traduire le *Hunos hic habemus ;* ignorant l'emploi métaphorique de *crever* qui se note dans *erupit cras* (402) [1]; étrangère à notre syntaxe, au point de voir un trait bien germanique dans la confusion des temps historiques : *steterat* (34), *dilexerat* (109), *praecesserat* (121), *compleverat* (144), etc., tandis que rien ne caractérise mieux le français des xe-xie siècles que cette confusion, dont les premiers exemples sont dans la cantilène d'Eulalie et dans les poèmes de Clermont [2] (Eulalie *avret*, 2 ; *pouret*, 9 ; *furet*, 18 ; *voldret*, 21 ; *roveret*, 22 ; Saint-Léger *firet*, 21, 1 ; *exastret*, 32, 5 ; *vindret*, 34, 4 ; etc.).

Je renonce à discuter chaque cas, bien que des allégations comme celles qui concernent *senior, nappa, hasta, (de) more*, etc., seraient plaisantes à relever. Mais je ne puis m'empêcher de signaler, parce que ce sont celles qu'a recueillies et rééditées pieusement M. Althof, les observations auxquelles a donné lieu l'étude archéologique du texte.

Il était inévitable que les critiques allemands, par une comparaison exclusive du *Waltharius* avec les anciens poèmes scandinaves et germaniques, se donnassent, et à leurs lecteurs, l'illusion d'une parenté étroite entre l'œuvre de Gérald et celles de leurs premiers trouvères [3]. Mais s'il est exact que, pour la plupart

refuser à la langue classique tel mot ou telle acception que le *Thesaurus* de Munich lui a restitués.

1. Si, comme le pense Strecker, ce dernier n'est pas l'imitation d'un passage de Job.

2. Voir d'ailleurs Diez, *Grammatik der romanischen Sprache*, 5ᵉ éd. all., t. II, p. 568.

3. Pourtant les meilleurs juges s'accordent, en Allemagne, à voir dans Waltharius un héros français. C'est ce que constate M. Althof, reproduisant l'opinion de Müllenhoff (*Zeitschrift für deutsches Altertum*, t. X, p. 163 et suiv.; t. XII, p. 273 et suiv.) qui « hielt Walther trotz seines Germanischen Namers (*sic*) für den Representanten des romanischen Galliens... ähnlich wie Fauriel » (p. 13). Et plus loin : « Mit Müllenholf stimmt Scherer darin ueberein dass er ihn für einen gallischen Helden hält » (p. 14). Ce sont des témoignages précieux qui corroborent sur ce point la thèse générale de M. J. Flach (p. 4 et suiv.) M. Althof est contraint de confesser qu'il n'y a pas de prototype du nom du *Waltharius* dans l'histoire du peuple allemand, « ist in der Geschichte kein germanischer Herrscher, der Walther hiess, bekannt » (t. II, p. 42), et il confirme sur ce point la thèse de M. Andler, que rappelle M. Flach (p. 7). Au surplus, la grande préoccupation des critiques allemands est de vieillir l'œuvre, et encore plus l'esprit que la langue. Tous soutiennent que ce sont de très vieilles traditions (préchrétiennes et nous reportant à l'époque des missions) qui se reflètent

des rapprochements de tours et de mots, on peut leur opposer
des éléments de comparaison plus justifiés que fournit l'ancienne
langue française, à plus forte raison, la familiarité de ces critiques
avec notre épopée les eût-elle, tout au moins, rendus circons-
pects, peut-être déterminés même à réserver les conclusions auxquelles ils ont tous abouti.

Si l'on veut tenir compte de ce fait que les 1,400 vers du
Waltharius sont, pour près d'une moitié, simple assemblage de
tours, d'hémistiches, voir d'hexamètres entiers empruntés aux
poètes anciens, on éprouve, à le relire, une véritable surprise,
mêlée d'émerveillement, en constatant que, fidèle ou non à une
tradition établie, l'auteur, quoique acceptant un aussi complet
servage, a su, avec de faibles moyens et en un court espace, grou-
per tant de traits caractéristiques de l'épopée, — et non pas seulement de l'épopée gréco-latine, mais quelques-uns, et non des
moins caractéristiques, de nos vieilles légendes féodales. Je
pense à la façon dont les combats sont décrits, mais plus encore
au sentiment de fidélité d'un Hagen envers son seigneur[1], à la
conception toute féodale de la femme, qui fait de Hildegonde la
sœur aînée de Guibourc et d'Enide[2], aux larmes des héros qui
coulent si abondantes au xiie siècle, à ces douze guerriers suc-
cessivement vaincus qui sont comme les douze pairs de Gunther,
à la prière si chrétienne de Gautier sur les corps à peine refroi-
dis de ses adversaires[3], à cette réconciliation finale et aux *gabs*,
par lesquels se termine l'œuvre. Dans tous ces passages[4], dans

dans le *Waltharius*. Vains efforts, comme le montre une étude impartiale de ce
prototype du roman de chevalerie. Comment expliquer d'ailleurs que dans un
poème, où tout serait primitif et qui remonterait par son inspiration à une
date où les diverses races de conquérants conservaient encore leur individua-
lité, il soit fait très nettement allusion à Charlemagne? Cette allusion, c'est
M. Althof lui-même qui la trouve dans les vers 1082-1083 :

> *Justius in saevum tumuisses mente tyrannum*
> *Qui solus hodie caput infamaverat orbis.*

Comp. la note de Beck, p. 73 de son édition.

1. Comp. les vers 1109-1110 et le vers 1113 avec le vers 1128 de la *Chanson
de Roland* (qui n'est pas isolé).

2. J'attire particulièrement l'attention sur le détail de l'épouse (ici de la
fiancée) veillant sur le héros dormant (1175 et suiv.; comp. *Érec*, 3099). De
même que Waltharius (1169-1170), *Érec* emmène aussi les chevaux de ceux
qu'il a vaincus (2908, 3085, etc.).

3. Voir *Roland,* 2178 et suiv.; 2252 et suiv. Mais c'est sur les corps des
chrétiens que Roland fait cette prière.

4. Il y en aurait bien d'autres à aligner. Les descriptions mériteraient toute
une étude. J'ai déjà parlé de celle, si précise, individualisant le lieu du combat.

l'emploi de formules comme *dulcis patria*, dans un vers comme celui-ci :

Concupiens patriam dulcemque revisere gentem,

dans la *gemme patrum*, conservé par nos épiques et déjà employé par l'auteur français d'*Alexis*[1], dans le *spadix equus* et tant d'autres tours qui nous charment au passage, Gérald s'avère incontestablement l'ancêtre et le modèle de nos auteurs de romans chevaleresques des xiiᵉ-xiiiᵉ siècles.

IV.

Sur le latin de l'auteur, Jacob Grimm se montre singulièrement discret. Il se borne — tâche aisée — à insister sur la dépendance où l'imitation de Virgile a mis cet auteur. On a, depuis lors, multiplié les rapprochements qui attestent chez Gérald une lecture assidue de l'*Enéide* et aussi des *Eglogues* et des *Géorgiques*. M. Althof nous offre la nomenclature à peu près complète des passages qui ont été mis à contribution, et déjà Peiper les avait catalogués, avec moins de rigueur, à la fin de son édition, tandis que Strecker, venu le dernier, les range avec un soin très exact au bas des pages ; on lui doit aussi la liste respectable des emprunts de Gérald aux écrits de Prudence et à la Vulgate.

Ce sont là bien des obligations qu'a notre auteur. Il n'y a pas pourtant de quoi se scandaliser lorsqu'on est familier avec les écrivains des siècles précédents. Toute la littérature carolingienne est volontairement asservie à quelques-uns de nos classiques.

Pour fréquentes et décisives qu'elles soient, les imitations que Gérald a faites de Virgile et Prudence ne le dispensent pas d'une certaine gratitude envers d'autres Latins. Ce n'est pas Virgile, mais Cicéron qui (*Verr.*, 3, 163) donne à *amicus* le sens de *fidelis*

Mais que dire des préparatifs et des détails du festin auquel *Waltharius* invite ses maîtres, de la façon dont lui-même s'équipe pour la fuite et le combat, de cette épée qui est celle de nos chevaliers (*gemmatum ensem* (1314) = *ad or gemmez*, Roland, 1031), etc.?

1. 76, 3 (et 116, 6) :

D 'icele gemme qued iloc unt truvede.

Comp. Du Méril, *Poésies populaires latines du moyen âge*, 268 (*Carole, gemma comitum*), dans une complainte sur la mort tragique du comte de Flandre Charles le Bon.

(on le retrouve ici vers 127) ; à *causa* pour la première fois l'acception, devenue fréquente au xe siècle, de *negotium* (*Catil.*, 4, 10 ; comp. vers 4, 170) ; qui emploie le composé *concedere* avec la valeur du simple (*pro Mur.*, 57), de même que Gérald, au vers 580[1]. Et quand je lis au vers 611 :

> ... *si me certamine laxat,*

je réprime un mouvement de surprise, puis je me souviens du *De Oratore*, 3, 61 : *a contentione disputationis animos curamque laxemus*.

D'autre part, des tours comme *inquit in aurem*, s'ils n'excluent pas une réminiscence de l'*Énéide* (5, 547, *fatus ad aurem*) invoquée par M. Althof, gagneraient à être rapprochés plutôt de Plaute (*Trin.*, 207), d'Horace (*Sat.*, I, 9, 9) et d'*Ovide* (*Epist.*, 3, 23). Le *clarissime*, dont est salué le héros par un de ses adversaires n'a-t-il rien de commun avec le *clarissime nato*, dont est qualifié Achille dans Catulle (64, 324)? En revanche, il faut recourir au *Corpus Inscriptionum* pour le voir appliquer à une femme (comp. *virguncula clara* du vers 1225). Déjà Plaute emploie *fortis* comme Gérald, dans l'acception de vigoureux (*Miles glor.*, 4, 3, 13), en quoi il est, d'ailleurs, suivi par Virgile (*Georg.*, I, 65) et d'autres écrivains de la bonne époque. *Forte* a, sans doute, une acception difficile aux vers 35, 52, etc. ; mais, consultez les dictionnaires, vous verrez qu'il a signifié à Rome : *précisément, parfois,* etc. Ces fluctuations anciennes nous défendent de tirer un parti précis de l'emploi qu'on observe dans notre texte.

Pour d'autres mots, enfin, c'est la Vulgate[2], ce sont les auteurs chrétiens[3] qu'il convient de citer. Leur utilisation atteste une

---

1. *Dignitati concedere* dans Cicéron ; ici *honori concedere* comme dans Dictys, 5, 14 ; et c'est peut-être la source.
2. On trouvera les principales références dans l'édition Strecker. Elles n'ont pas toutes la même force démonstrative. Néanmoins, je crois à des réminiscences bibliques dans les tours notés aux vers 380, 402, 431, 564, 603, 618, 671, 870, 1094, 1332, 1361, 1391. Les vers 484 et 1059 sont à peu près littéralement empruntés à la Vulgate, après Virgile et avec Prudence la source la plus ordinaire de Gérald. Quant au vocabulaire, j'ai noté quelques mots : *bellator, bissus* (et *ostrum;* var. de *purpura*); *migma*, avec une valeur particulière; *senior*, qui, dans Grégoire de Tours, se rapproche déjà davantage de notre acception; peut-être *a[h]enus*, combiné avec *lorica*, tandis que la Vulgate l'associe à *clipeum*.
3. *Cruciamen* (820) est dans Prudence (*Cathem*, 10, 90), ainsi que *crumena*

vaste culture ; il suffirait, si nous n'avions d'autres bonnes raisons de le faire, pour exclure l'hypothèse d'un auteur adolescent.

De ces quelques remarques, que nous ne voulons pas développer davantage ici, il ressort déjà que l'argumentation philologique est de faible portée lorsqu'on cherche à se fonder
sur elle pour dater et localiser notre poème. Pas plus pour
Saint-Gall que pour la Lotharingie, on ne doit chercher dans
ces 1,456 vers de critères bien sûrs. Tout au plus peut-on
retenir au passage la prédilection de l'auteur pour des expressions comme *amplexus atque oscula* (222), *aurum recoctum*
(405), *in aurem inquit* (260), *vestrum velle* (257), etc., qui
ont sans doute une origine ancienne, mais restent exceptionnelles
dans les textes jusqu'à ce que les correspondants francais :
*acoler et baisier, or recuit, dire à l'oreille, mon vuel, vostre
vuel*, etc., nous apportent un indice qui n'est pas négligeable [1].

(412) dans une acception spéciale; de même *squamosus thorax* (481), ailleurs
squamoso tegmine; ce dernier, dans un sens métaphorique, remonte vraisemblablement à l'auteur de la *Psychomachia*. Avant d'être usuel dans notre
épopée, *aurum recoctum* (405) apparaît dans le code Théodosien et se retrouve
dans Fortunat. Grégoire de Tours possède *hostis* avec la valeur de l'ancien
français *ost;* comme notre texte, il associe *ducem* à *comitem* (409); voir *le
Français a la tête épique*, p. 122. Reste à mentionner *bachica munera* (318-
319; je n'en connais pas d'exemple avant Boèce) et peut-être deux associations
de mots du prologue : *omnipotens genitor* et *sancto spiramine plenus*, que
M. P. von Winterfeld a retrouvées dans Aldhelm et Sedulius.
    1. On me permettra de reproduire ici un passage de mon récent livre, *le
Français a la tête épique*, p. 147, où je me fonde, pour établir cette localisation, sur un autre indice fourni par les vers 765-766 :
    « Dans ce poème signé qui nous transporte dans les Vosges et met en
scène deux Français fuyant l'esclavage chez les Avares, l'auteur a cru, à un
certain endroit, utile d'ajouter à la précision relative de son nom la précision
plus nette de la langue que parlent les personnages. Les vers 765-766 ont été
tournés et retournés dans tous les sens, et l'on est régulièrement parvenu à
leur faire dire le contraire de ce qu'ils signifient. Ces vers sont placés dans la
bouche de Gautier, insulté par un de ses adversaires, qui, le voyant ruisselant
de sueur et tacheté des feuilles tombées des arbres et qui se collent à sa peau,
croit spirituel de le comparer à un faune, hôte familier de ces bois (*saltibus
assuetus faunus*, 763). Et Gautier de rire (765-766) :
        *Celtica lingua probat te ex illa gente creatum,
        Cui natura dedit reliquos ludendo præire.*
    « Ce Français, qui est accoutumé aux « gabs », aux plaisanteries des gens
de son pays, qui plaisantera lui-même, à la fin de l'œuvre, en regardant son
corps mutilé et celui de son plus redoutable adversaire qui ne l'est guère moins,
ce Français est tout naturellement porté à prendre pour un compatriote l'homme

De même l'acception de *ratio* (= propos), de *honos* dans *con-cedere honori*, où l'on est conduit invinciblement à penser au français *honor* (combinant le titre et la possession), celles de *habitus*, de *nobilis*, de *dolor* (avec un sens non distinct de *ira* ; comp. *dolent et irié* de l'ancien français), le mot *regionem* avec la valeur du vieux français *roion* qui en dérive (*royaume*), la fréquence significative de *causa* = *chose*, tout cela confirme l'hypothèse historique que notre poème a été écrit dans un pays dont le français était tout au moins un des idiomes usuels[1].

V.

Il resterait bien des problèmes à résoudre si l'on s'était proposé autre chose que la localisation de la légende, telle que la conte un moine du x⁰ siècle, qui écrivait au fond d'un cloître lorrain, peut-être à Saint-Èvre de Toul. On observera, en effet, que je n'ai pas

qu'il a devant lui et qui *parle français* (*celtica lingua*) et il se hâte de lui répliquer qu'à son langage il reconnaît bien l'humeur d'une race, inégalée dans l'art de se moquer des gens. Tel est le sens des deux vers, et le fait qu'Ékevrid est d'origine saxonne ne l'infirme pas. Car l'auteur a eu soin de nous apprendre que ce Saxon (*a Saxonis... oris generatus*) avait dû s'exiler, ayant tué un noble de son pays (*pro nece facta cujusdam primatis... exul*). Rien de sur-prenant que, fixé dans le pays des Francs, au x⁰ siècle, cet exilé ait appris l'une des deux langues de la *Francia*, le français, qui n'était pas inconnu à un Aquitain de rang supérieur, bien que cet Aquitain parlât, lui, un dialecte d'oc. Et ce que j'avance ici trouve dans les textes d'alors la plus nette confirmation. Interrogez les annalistes qui ont écrit dans l'ancienne Lotharingie : dans les *M. G. H.*, IV, 477, vous trouverez un passage caractéristique de la *Vita Deoderici* de Sigebert de Gembloux. Il s'agit du nom *français* de la ville d'Autun, substitué au nom latin de *Augusti montem quod transfert Celtica lingua* = que traduit le français. Le passage qui précède lève tout doute, car il nous apprend qu'en « Gallica lingua », c'est-à-dire en celtique, les érudits savent que *dunum* veut dire *mont*. La désignation serait surprenante, si nous n'avions, dans Richer et d'autres chroniqueurs d'alors, la preuve que *Celtica Gallia* désigne la partie centrale et occidentale de l'ancienne *Gallia* par opposition à la *Belgica* et à l'*Aquitania;* voir Richer dans *M. G. H.*, t. III, livre I, cap. 2, 3, 21, 28; III, 73 (où *Gallia Celtica* est opposé à *Lotharium*); livre II, I, p. 586 : *Galli Celtæ* opposés à *Belgæ*. Comp. encore I, cap. 40, p. 578 : « *Et Gislebertus... in* « *Celticam secedit ac transit in Neustriam.* » Il s'agit donc bien des régions situées à l'Ouest auxquelles le Centre et l'Est sont opposés. »

1. J'ai déjà allégué, en retournant la preuve contre J. Grimm qui en tirait argument, les nombreux exemples du plus-que-parfait verbal dans le sens du prétérit. Des tours comme *scias quod* (133), *sperabam quod* (1245-1246) sont aussi romans. L'ordre des mots du vers 449, le *quid dicis* du vers 429, etc., sont des indices plus faibles, mais nullement négligeables.

étudié le rapport de la version latine, dont la vogue fut grande et
rapide (pensez à Egbert de Liège et à la Chronique de Novalèse),
avec les versions en langue vulgaire, que je n'ai pas voulu, non
plus, me demander quelle influence le poème de Gérald, devenu
populaire, avait exercée sur l'ancienne épopée des Français et
aussi sur celle des Allemands. Attestée d'indiscutable façon dans
les *Nibelungen*, cette influence — je l'établirai ailleurs — me
paraît aussi démontrable dans notre chef-d'œuvre épique, la
Chanson de Roland. De même, il est peu vraisemblable que le
Moniage Guillaume, ce beau poème de la fin du xiie siècle, puisse
être considéré comme indépendant de traditions remontant à un,
peut-être à deux siècles antérieurs, et dont le héros est *Waltharius manu fortis*. Mais si une partie des aventures de Guillaume d'Orange, et même son surnom, évoquent d'aussi trou-
blantes analogies, on peut se demander s'il n'y a pas eu au profit
d'un héros tard venu une simple substitution, qui n'est pas
exceptionnelle dans la poésie primitive. On voit qu'il reste à la
future critique du *Waltharius* un vaste champ d'investigation.

Aus: Revue Historique. 127 (1918).

LE *CHRONICON NOVALICIENSE*

ET

LES « LÉGENDES ÉPIQUES »

von Felix Lecoy

Le monastère de la Novalèse, aujourd'hui disparu, a été au VIIIe et au IXe siècle une des plus puissantes maisons religieuses de la chrétienté occidentale. Fondé en 726 par un Franc nommé Abbon, largement doté par son fondateur, protégé et enrichi par les rois carolingiens, fort de la position maîtresse qu'il occupait dans la vallée qui, du Mont Cenis, descend vers Suse et la plaine piémontaise, il voyait ses domaines s'étendre au loin sur les deux versants des Alpes. Les plus hauts personnages de l'empire le choisissaient à l'occasion comme lieu de retraite ; on y cultivait les lettres, et on y montrait avec orgueil une riche bibliothèque sans cesse accrue par des abbés aussi savants que pieux. Sans doute n'atteignait-on pas à la célébrité et à l'éclat du Mont Cassin ou de Bobbio. Mais, à la suite de ces deux astres brillants, on occupait encore une place fort enviable.

Toute cette puissance fut anéantie au début du Xe siècle, quand les Sarrasins envahirent le Piémont. Les moines durent s'enfuir ; les bâtiments furent détruits. La communauté, il est vrai, ne disparut pas ; elle se reconstitua à Turin d'abord, puis à Brême ; même, les Sarrasins ayant été chassés, la vieille maison de la Novalèse fut relevée de ses ruines. Mais les beaux jours étaient passés ; l'occasion ne se représentera jamais plus de se hausser aux rôles de premier plan. Il faudra se contenter désormais de vivre comme tant de maisons rivales, sans autre activité que l'exploitation des domaines et la prière, laissant à d'autres le soin et la gloire de donner à l'Église des prélats ou des éducateurs, au siècle des savants ou des lettrés.

Pourtant le monastère eut son historien. Vers le milieu du

xie siècle, un moine entreprit de raconter avec amour le passé
de la maison à laquelle il appartenait, et, plus particulièrement,
son passé glorieux. Mais, là non plus, la chance ne favorisa
guère la communauté. Pauvre chroniqueur ! Pauvre chronique !
L'œuvre elle-même ne nous est parvenue que dans un seul
manuscrit, vraisemblablement autographe. Encore ce dernier
est-il dans un piètre état, incomplet du début, déchiré par
places, puis rapetassé, n'ayant jamais connu les honneurs de la
présentation définitive. C'est une longue bande de parchemin,
aujourd'hui déposé aux Archives d'État à Turin et que constituent trente feuillets cousus bout à bout, le tout destiné à être
conservé sous forme de rouleau. Sans doute n'est-ce plus tout à
fait un brouillon, mais ce n'est pas encore un livre, capable de
porter au loin la parole de l'auteur. Il ne s'agit que d'une mise
au net, d'une minute ; l'œuvre n'a jamais dépassé ce stade ;
sa diffusion, à l'époque ancienne, a été nulle [1]
    Quant à l'auteur, en dépit des excellentes intentions · qui
semblent l'avoir animé, il n'a guère trouvé grâce devant ses
éditeurs ou ses commentateurs. C'est qu'en effet le sens critique
n'est pas son fort. Il brouille les dates, confond les noms,
s'égare en essayant de nous conduire dans un pays qu'il devait
pourtant bien connaître, perd à tout instant le fil de sa narration, néglige les événements les plus importants pour s'attarder
à des faits insignifiants, franchit d'un bond léger de longs inter-
valles de temps, revient en arrière sans nous prévenir et même,
probablement, sans s'en douter, fait preuve à chaque pas d'une
rare crédulité. Sa langue elle-même est barbare. *Paene risum
teneas ! Cachinnis parce, si potes !* s'écriait déjà Muratori, en
relevant les plus fortes bévues du texte. Et les éditeurs modernes,
plus indulgents pourtant dans leurs jugements, un Bethmann,

---

    1. Depuis elle a bien rattrapé le temps perdu ; nous n'en avons pas moins
de cinq éditions ou rééditions modernes : Muratori, *Scriptores*, II, 2, 693-
764, et *Antiquitates*, III, 963 ss, respectivement en 1726 et 1740 ; Combetti,
Monum. historiae patriae, Scriptores, IV, Turin, 1848 ; Bethmann MGH,
Scriptores, VII, 73 ss, Hanovre, 1845, édition reproduite dans la collection
in-8o *ad usum scholarum* ; enfin Cipolla, *Monumenta Novaliciensia Vetustiora*,
2 voll., Rome, 1890 et 1901, dans la collection *Fonti per la Storia d'Italia*,
Istituto storico italiano. C'est cette dernière édition que nous utilisons ; elle
est enrichie de notes nombreuses et précieuses.

un Cipolla, n'ont pas pu sauver grand'chose des affirmations de l'auteur — ou alors il s'agit de faits bien connus par ailleurs, auxquels le témoignage de notre moine n'ajoute rien.

Ceci dit, il est un aspect de l'œuvre qui peut toutefois en relever à nos yeux l'importance et l'intérêt, et c'est cet aspect qui lui a valu une célébrité relative : la Chronique de la Novalèse est remplie de fables et de légendes [1]. Or, si les érudits n'ont eu longtemps qu'un sourire de pitié pour ce qu'ils considéraient comme une faiblesse, il vint un jour où l'on s'avisa que ces *narrationes populares,* ces *fabulae suavissimae* n'étaient sans doute point de l'invention de celui qui les rapportait : « nam noster ea non effinxit », dit Bethmann. On jugea qu'elles représentaient les débris de fables populaires plus vastes, aujourd'hui disparues, introduites dans son texte par un historien peu difficile sur la qualité de ses sources, et qu'à ce titre, ces vénérables débris méritaient quelque attention.

Si l'on pense d'autre part que l'auteur du *Chronicon* était originaire de l'Italie du Nord, d'où il n'est vraisemblablement jamais sorti, et que les fables qu'il reproduit se rapportent à des événements, des personnages ou des localités de sa région, on mesurera toute l'importance de son témoignage. Nous sommes, en effet, très mal renseignés — pour ne pas dire pas du tout — sur ce qu'ont pu être, dans l'Italie du moyen âge, les légendes populaires inspirées par les événements historiques, c'est-à-dire les légendes épiques — j'entends naturellement les légendes proprement italiennes — et le moindre indice mérite d'être relevé et étudié avec soin. A défaut des œuvres en langue vulgaire que le temps n'a pas épargnées, ou que l'on n'a pas jugé utile de transcrire, il nous faut nous contenter des reflets que nous en renvoient peut-être les œuvres érudites ou pseudo-érudites. Et l'on peut croire qu'il y aurait une belle recherche à poursuivre, qui consisterait à dépister, puis à extraire, après l'avoir dissociée, la matière populaire que semblent s'être assimilée tant de textes historiques [2] : parmi ceux-ci, le *Chronicon Novaliciense* paraît avoir droit à une place de choix.

---

1. La plupart ont été groupées par Bethmann, dans une note de sa grande édition, p. 75, note 15.

2. Est-il besoin d'indiquer, comme type de ces enquêtes, le travail de

Cependant il convient d'être méfiant. Bien des précautions s'imposent, avant qu'on puisse affirmer le caractère populaire d'un détail ou d'une narration relevée dans un texte latin. Sans doute les chroniqueurs médiévaux nourrissaient-ils pour les narrations légendaires le même goût que leurs contemporains ; mais ils ne manquaient pas non plus d'imagination, et ils avaient des lettres. Avec cela, peu de scrupules, ou, si l'on préfère, une autre conception de l'histoire que la nôtre, et cette conception ne leur interdisait point d'agrémenter leurs œuvres des produits de leur propre fantaisie. Aussi est-on souvent exposé à prendre pour la transcription d'une légende qui aurait fleuri sur les places publiques ce qui n'est, en fait, qu'invention de quelque écrivain en mal de littérature ou combinaison réfléchie, sortie de quelque cercle érudit.

Tel me paraît être, en particulier, le cas d'un certain nombre de légendes contenues dans le *Chronicon Novaliciense*. Nous voudrions ici en étudier deux [1]. La première concerne Waltharius, ce guerrier-moine que la chronique nous présente comme une illustration ancienne de son monastère ; la seconde se rapporte à un épisode de la guerre de Charlemagne contre Didier, roi des Lombards, en 773 ; elle est connue sous le nom d'« historiette du jongleur ».

G. Kurth, *Histoire poétique des Mérovingiens*, Paris, 1893, sur les historiens des rois francs de la première race, ou les très belles études de M Menendez Pidal, sur les chroniques espagnoles, dans un domaine ou, il est vrai, les conditions sont différentes. En ce qui concerne l'Italie, qui est en cause ici, je ne connais, comme étude d'ensemble, que le chapitre, nécessairement rapide, de M. G. Bertoni, *Il Duecento*, 2e éd., ch. III. La chronique de la Novalèse y est utilisée.

1. Le caractère populaire des légendes de notre chronique a déjà été nié dans un opuscule de C. Beccari, *La Cronaca della Novalesa e le sue leggende*, Roma, Befani, 1884. On nous excusera de n'avoir pu consulter ce travail, Cipolla lui-même n'étant pas arrivé à se le procurer, cf. *op. cit.*, II, p. 83, note 2. Mais, en général, les conclusions de cet érudit n'ont pas été admises, cf. *Giornale storico della lett. italiana*, IV, 266 et LIII, 340 ss ; Gabotto, *Notes sur quelques sources italiennes de l'épopée française au M. A.*, in *Revue des Langues romanes*, XL, 241-264 ; enfin Bertoni, *Il Duecento*, 2e éd., p. 63. Très important est le ch. consacré par Bédier à notre sujet, *Légendes épiques*, II, pp. 158-178.

I

Au livre II du *Chronicon Novaliciense*, l'auteur nous parle
longuement d'un moine célèbre par sa piété, et qui s'était retiré
au monastère après une vie mondaine brillante, toute remplie
d'exploits guerriers. Le fait, en lui-même, n'a rien d'étonnant :
le moyen âge a vu, en effet, bien des grands de la terre se
diriger vers le cloître sur leurs vieux jours pour y attendre la
mort en paix [1]. Toutefois le personnage qui nous est ici présenté
n'est point un personnage ordinaire. Il s'agit d'un certain
Waltharius que nous connaissons fort bien par ailleurs, car il
est le héros d'une vieille légende guerrière, d'origine germanique, qui a elle-même donné naissance à un poème épique
latin, rédigé dans le second quart du Xe siècle, probablement
au monastère de Saint-Gall. Nous avons donc à faire à un personnage imaginaire, que la communauté de la Novalèse a purement et simplement adopté [2]. Et, afin que nul n'en ignore, le
poème latin lui-même est rapporté en entier par la chronique
sous la forme d'un résumé en prose entremêlé de vers repro-
duits textuellement.

Cependant l'effort de notre historien ne s'est pas arrêté là. Il
a attribué à son illustre prédécesseur un certain nombre d'ex-

1. Cf. cette remarque du chroniqueur, II, 13 : « Promittens ergo interea
rex (sc. Carolus)... ibi multa bona facere propter... coetu... fratrum inibi
degentium, quia multi *nobiles carne* et nobiliores fide, scilicet ex Francorum
prosapia, ibi Deo militabantur. » On comprend d'autre part que les commu-
nautés aient tenu à compter parmi elles des moines de haute naissance qui
rehaussaient leur prestige. On n'hésitait d'ailleurs guère à se créer de faux
titres de noblesse. C'est ainsi que la Novalèse, ayant eu parmi ses abbés un
personnage nommé Hugo (cf. Cipolla, I, p. 341, 357, 384), on l'identifia par
la suite avec le fils de Charlemagne du même nom, cf. la chronique aux ch.
15, 25, 30 et 31 du liv. III.

2. On s'est demandé comment cette adoption avait pu se faire. Le plus
simple est de supposer que les nécrologes de l'abbaye mentionnaient un
Waltharius quelconque — le nom est fréquent, en effet, — et que les moines,
de bonne foi, ou, plus vraisemblablement, mus par quelque pieuse intention,
ont lancé dans la circulation cette idée que ce Waltharius inconnu ou obscur
était le célèbre guerrier lui-même, venu se retirer parmi eux. Ils ne mettaient
naturellement pas en doute que le héros du poème avait réellement existé.

ploits que sa légende épique ne connaissait pas et qui ont trait plus particulièrement à sa vie monastique.

Il l'a d'abord montré, avant sa prise de froc, parcourant le monde à la recherche d'une maison où la règle religieuse fût scrupuleusement respectée. Pour éprouver les moines, il s'était muni d'un bâton qu'il avait orné de clochettes à une extrémité, pénétrait dans l'église, ainsi équipé, à l'heure de la prière et frappait le sol de son instrument. Si, au bruit insolite qui se produisait alors, il notait quelque curiosité, quelque désordre dans les rangs de la pieuse assemblée, il quittait la place et continuait sa route. Inutile de dire que le monastère de la Novalèse s'était tiré de cette épreuve à son honneur (liv. II, ch. 7).

Admis dans la communauté, Waltharius fut chargé du soin du jardin, tâche dont il s'acquittait avec habileté. Il avait tendu, au-dessus de son terrain, deux cordes en croix, auxquelles, l'été venu, il suspendait les herbes nocives, les racines tournées du côté du soleil. Les rayons de l'astre brûlaient alors les pousses perverses et la mauvaise graine devenait ainsi incapable de proliférer (liv. II, ch. 7).

L'histoire suivante nous est encore racontée. Un jour, les hommes de Didier, roi des Lombards, arrêtèrent un convoi de provisions destinées au monastère. Les serviteurs du couvent dépêchèrent l'un d'entre eux à l'abbé pour demander du secours. On tint conseil, et l'on décida d'envoyer aux brigands un moine pour tâcher de les ramener à la raison : pouvait-on sans péché s'emparer des biens de Dieu ? Le choix tomba sur Waltharius. Mais celui-ci, connaissant sa nature belliqueuse, demanda à l'abbé quelle conduite il devait tenir, au cas où il serait maltraité. Si on lui volait sa tunique, devait-il résister ? — « Non pas, s'écria l'abbé, abandonne même ta cape : ainsi te l'ordonnent tes frères ». — « Et si l'on s'empare de ma pelice et de ma chemise ? » — « Supporte tout sans murmurer ». — Waltharius risqua une dernière question : « Et mes braies ? » L'abbé jugea alors que l'épreuve serait suffisante et que le frère pourrait se défendre. Les choses se passent comme on pouvait s'y attendre ; les soldats reçoivent Waltharius avec des sarcasmes et se mettent en devoir de le dépouiller. Lui, cependant, fait preuve d'une patience proprement angélique, jusqu'au moment où un imprudent porte la main sur ses braies ; le moine a beau lui faire remarquer que son devoir d'obéissance ou d'humilité ne l'oblige pas à souffrir un tel affront ; l'autre persiste. Libre désormais d'agir à sa guise, notre saint homme saisit l'étrier de son cheval, d'un coup bien asséné fend le crâne de son voleur, s'empare de ses armes et se précipite sur les autres assaillants. Puis, voyant à quelque distance un veau paissant dans un pré, il lui arrache la cuisse, fait merveille avec cette nouvelle massue et met en fuite la soldatesque sacrilège (liv. II, ch. 10 et 11).

A cette anecdote s'en mêle d'ailleurs une autre. Au moment de quitter le couvent pour voler au secours des biens de la communauté, Waltharius réclame un cheval. Les moines lui en présentent quelques-uns qu'il essaye et dont il se déclare mécontent. Il se rappelle alors que le vieux destrier qui l'a autrefois porté dans les combats doit vivre encore, et on le lui amène, en effet, tout vieux et tout brisé par les tâches ingrates auxquelles il est soumis : il porte le blé au moulin. Mais, dès que son maître l'a enfourché, ses qualités réapparaissent et Waltharius déclare reconnaître la jeune bête qu'il a autrefois dressée ; elle n'a rien perdu de son enseignement (liv. II, ch. 11).

Que cet ensemble ne soit qu'un produit d'imagination, sans le moindre fondement réel, c'est ce que l'esprit le plus crédule et le moins averti remarque dès l'abord, et il n'y a pas là de problème à proprement parler — mais c'en est un que de chercher à déterminer l'origine et la nature précise de ces historiettes. Or, sur ce point, les opinions les plus diverses et les plus opposées ont été soutenues [1].

Le fait essentiel est que ces historiettes se retrouvent ailleurs, et dans des textes que l'on considère généralement comme d'ins-

---

1. Voici les ouvrages essentiels où la question est traitée : Jonckbloet, *Guillaume d'Orange*, La Haye, 1854, II, 134-144 ; Pio Rajna, *Rom.* XXIII (1894), pp. 36-61 ; Ph.-A. Becker, *Die altfranzösische Wilhemsage*, 1896, pp. 104-119 ; Cloetta, *Les deux rédactions en vers du Moniage Guillaume*, Paris, Sat, 1906-1911, II, 130-134 et 148-154 ; Th. Walker, *Die altfr. Dichtungen vom Helden im Kloster*, Diss. de Tübingen, 1910, principalement pp. 53-56 ; Ph.-A. Becker, *Das Werden der Wilhem- und der Aimerigeste*, in *Abh. der ph.-hist. Klasse der sächsischen Ak. der Wissenschaften*, XLIV, I, Leipzig, 1939, pp. 39-51. On ajoutera C. Voretzsch, *Ueber die Sage von Ogier dem Dänen*, Halle, 1891, p. 113 ss et Bédier, *Légendes épiques*, II, 304 ss en ce qui concerne plus particulièrement l'épisode du destrier retrouvé.

piration populaire, à savoir dans des épopées — plus précisément des épopées françaises. C'est ainsi que l'épisode des brigands est raconté de Guillaume d'Orange dans les deux versions du *Moniage* dont il est le héros (*Moniage* I, vv. 209-685, *Moniage* II, vv. 404-1729), que l'épisode du destrier retrouvé figure dans la *Chevalerie Ogier* (vv. 10389 ss de l'éd. Barrois) ainsi que dans une des deux rédactions du *Moniage Guillaume* (version II, vv. 5277-5316), et que l'épreuve des clochettes est utilisée par Ogier le Danois, à la recherche, lui aussi, d'un couvent où il pourra faire son salut [1].

De là à conclure que nous avons dans le *Chronicon Novaliciense* des reflets d'épopée ou de légendes populaires, il n'y a qu'un pas, et ce pas fut franchi par les premiers érudits qui s'occupèrent de la question, je veux dire Jonckbloet dans son étude sur la légende de Guillaume d'Orange, et surtout P. Rajna dans le bel article de la *Romania* cité ci-dessus et consacré à notre chronique. On alla même plus loin, et l'on voulut préciser : P. Rajna pensait que c'était sans doute à des versions d'épopée française analogues à celles que nous possédons et qui traitent d'Ogier et de Guillaume — mais antérieures naturellement — que le moine de la Novalèse avait emprunté ses histoires. Il niait que ce dernier eût pu avoir recours à des sources écrites de caractère hagiographique, et cela, en dépit d'une ou deux expressions de l'auteur, relevées par Bethmann, mais dont il contestait l'interprétation (avec raison d'ailleurs). S'appuyant sur des formules du type « Nam ferunt aliquanti » ou « Tradunt autem nonnulli », il croyait que la connaissance des épisodes en question était venue à notre auteur par le canal de jongleurs français parcourant la route du Mont Cenis, soit directement, soit par l'intermédiaire de narrateurs populaires, qui les tenaient eux-mêmes de ces mêmes jongleurs. Son principal argument consistait à soutenir que ces épisodes se pré-

---

1. Dans ce dernier cas, il est vrai, le trait nous est rapporté non pas par un texte à proprement parler populaire, mais par un texte hagiographique rédigé en latin, la *Conversio Othgerii militis*. Toutefois il a paru loisible aux critiques de supposer que l'hagiographe puisait à une source populaire, puisque son héros lui-même devait sa célébrité — et même probablement son existence — à l'inspiration épique.

sentent plus logiquement construits, plus purement conservés
dans les textes français, tandis que le texte latin, au contraire,
porterait les marques d'une réfection maladroite, d'une adaptation quelque peu boiteuse, d'une incompréhension visible de
la logique interne de ses modèles.

Le procès de ce raisonnement a été fait presque immédiate-
ment par M. Ph.-A. Becker dans son étude citée plus haut de
la légende de Guillaume d'Orange, et son argumentation a été
adoptée, au moins pour l'essentiel, par Cloetta, dans son édition des deux rédactions du *Moniage Guillaume*. M. Ph.-
A. Becker a d'abord contesté la valeur des arguments littéraires.
Sans nier que les narrations françaises fussent plus cohérentes
et plus habiles, il a montré qu'on ne pouvait guère concevoir
comment on aurait pu en tirer la narration du *Chronicon Novaliciense*. Comme, par ailleurs, les mêmes histoires se retrouvent
dans d'autres textes latins pour lesquels toute influence de la
part de l'épopée française est exclue [1], il faut bien admettre
qu'elles vivaient d'une vie indépendante de la littérature française en langue vulgaire : pour M. Ph.-A. Becker, le doute n'est
guère possible, ces histoires sont des narrations d'origine
monastique, des histoires de couvent, des *joca monachorum* qui
circulaient dans les cloîtres, peut-être aussi des sujets de développement d'école qu'on se passait de génération en génération.
En tant que telles, elles sont venues à la connaissance des auteurs
du *Moniage Guillaume* ou de la *Chevalerie Ogier* comme à celle
de l'auteur du *Chronicon*, et chacun d'eux les a utilisées, indépendamment, pour les besoins de sa cause [2] : là gît tout le
mystère de ces coïncidences curieuses.

---

1. L'histoire des brigands, par exemple, se trouve déjà dans la *Fecunda
Ratis* d'Egbert de Liége (vers 1020), vv. 1717-1736, et, fait à noter, le héros
en est également Waltharius. Elle figure encore sous une forme très diver-
gente, dans le *Chronicon Cassinense*, I, 7 (Migne PL 173, 498) de Léon d'Ostie (après 1098), attribuée cette fois à Carloman, fils de Charles Martel.

2. Tout récemment, dans son étude intitulée *Das Werden der Wilhem- und
der Aimeregeste*, Leipzig, 1939, M. Ph.-A. Becker a accentué sa position et
retourné en quelque sorte l'affirmation de Pio Rajna : il soutient, pp. 42 ss,
que l'auteur du *Moniage Guillaume* s'est inspiré du *Chronicon Novaliciense* :
nous discuterons cette opinion à la fin de notre enquête.

Nous sommes, nous aussi, d'avis que les historiettes qui nous occupent sont d'origine cléricale, et non populaire. Mais M. Becker n'ayant pas exposé comment il en concevait la naissance ou la formation, nous allons en étudier au moins une d'un peu plus près, celle que nous avons déjà souvent mentionnée, l'« historiette des brigands ou des braies ».

Cette historiette, avons-nous dit, figure non seulement dans le *Chronicon Novaliciense* et les deux versions du *Moniage Guillaume*, mais aussi dans la *Fecunda Ratis* d'Egbert de Liége et dans le *Chronicon Cassinense* de Léon d'Ostie. Toutefois les conditions dans lesquelles elle est rapportée dans ces deux derniers ouvrages lui ont fait perdre un trait essentiel ; aussi les négligerons-nous pour le moment [1].

Ce trait, c'est la scène qui se déroule, au moment du départ, entre le héros et l'abbé de son couvent. Au cours de cette scène, le héros s'enquiert de l'attitude qu'il devra adopter si les brigands s'en prennent à lui, et, en particulier, à ses vêtements. On le voit poser une série de questions concernant ses gants, ses bottes, son estamine, sa gonne, sa cote dans le *Moniage* I, sa cape, son caperon, son froc, sa coule, sa pelice, sa chemise, ses bottes, ses « cauchons et tribous » dans le *Moniage* II, sa tunique, sa coule, sa pelice, sa chemise dans le *Chronicon*. Chaque fois, l'abbé lui déclare qu'il doit se laisser faire. C'est seulement quand il arrive, dans les trois textes, à ses braies que toute liberté lui est accordée de se défendre — plus exactement de les défendre.

Que nous soyons là en présence d'une plaisanterie — et même sans doute d'une plaisanterie d'un goût légèrement dou-

---

1. Dans la *Fecunda Ratis*, la narration se présente certainement comme un corrigé de devoir ou d'exercice. Ce qui le prouve, c'est que dans la première partie du poème, au vers 214, figure en quelque sorte le thème du sujet : *Mandant Walthero fratres non reddere bracchas*. N'oublions pas qu'Egbert était *magister* aux écoles de Liége ou il enseignait le *trivium*. D'autre part, son texte vise à la brièveté, aussi va-t-il droit au but, écartant tous les détails qui ne sont pas indispensables à l'intelligence de l'action. — Léon d'Ostie, lui, n'a pas cru qu'il était convenable à sa dignité d'historien, par ailleurs estimable, de conserver un épisode évidemment fantaisiste et quelque peu burlesque.

teux ¹ —, c'est ce que personne ne saurait nier. Les textes eux-mêmes le prouvent, au moins le *Moniage* II :

> 694 L'abes l'entent, adont ne se pot taire,
> Ains *en a ris* desous sa cape gaie.

Et Egbert de Liége, qui a pourtant négligé la scène, fait proférer par son héros cette déclaration qui ne mâche pas les mots :

> ...Omne quidem spolium, *de podice nullum*,
> Fratres his tolerant, qui fratrum nuntia portant.

Ceci posé, on voit très bien d'où vient la plaisanterie. Ce ne peut être qu'un commentaire burlesque — un commentaire né naturellement dans les milieux d'école, dans les milieux d'étudiants ou de clercs — d'un passage fameux du *Sermon sur la Montagne* : « Ego autem dico vobis non resistere malo ; sed si quis te percusserit in maxillam tuam, praebe illi et alteram. Et ei qui vult tecum judicio contendere et *tunicam tuam tollere, dimitte ei et pallium* (Math. V, 39-40). » Un coup d'œil jeté sur l'un quelconque des innombrables développements dont ce passage a été l'objet chez les Pères de l'Église et au moyen âge nous renseignera sur la façon dont la plaisanterie est née. Ouvrons par exemple le *Liber de sermone Domini in monte* de saint Augustin ; nous y lisons (Migne PL 34, 1260) : « Sane animadvertendum est omnem tunicam vestimentum esse, non omne vestimentum tunicam esse. Vestimenti ergo nomen plura significat quam nomen tunicae. Et ideo sic dictum esse arbitror « Et qui voluerit tecum judicio contendere et tunicam

---

1. Il ne faut pas se laisser influencer par le terme « braies », qui est aujourd'hui, en français, un terme noble. En réalité, ce à quoi Guillaume pense, c'est tout simplement à ce que nous devrions appeler son « caleçon » ; dans le texte du *Moniage Guillaume*, d'ailleurs, « braies » n'est lui-même qu'un pis-aller pour rendre le latin « femoralia » ou « feminalia ». L'auteur français n'avait pas à sa disposition de mot populaire pour exprimer la chose, et voilà pourquoi il dit, afin qu'il n'y ait pas de confusion et que ses lecteurs ou ses auditeurs comprennent bien qu'il s'agit d'un vêtement de dessous :

> Que ferai jou, s'il me tolent mes braies ?
> C'est une cose c'on claime famulaires.

tuam tollere, remitte illi et vestimentum », tanquam si diceret : qui voluerit tunicam tuam tollere, remitte illi et *si quid aliud indumenti habes* [1]. » Les derniers mots ne pouvaient manquer de susciter des objections de plaisantins, et l'on se représente très bien un dialogue humoristique entre maître et disciple sur ce point de doctrine, le disciple demandant à être renseigné d'une façon complète sur ses obligations dans un cas douteux : abandonner son manteau ou sa cape, son froc ou sa coule en cas de besoin, passe encore — mais ses braies ? Fallait-il renoncer à toute pudeur et s'en laisser aussi dépouiller ? Non, naturellement.

Et ce qui prouve que le texte évangélique était présent à l'esprit de ceux qui rapportaient l'historiette, c'est qu'il est cité en termes exprès par l'un d'eux. Pierre le Diacre, en effet, reprenant la narration de Léon d'Ostie à propos de Carloman, dans son *Chronicon Cassinense*, raconte, à la suite de sa source, que le pauvre moine fut mal reçu par son abbé à son retour au monastère, et qu'on lui reprocha vivement d'avoir victorieusement défendu ses braies. Or, cette petite scène nous est rapportée en ces termes : « ...increpare eum vehementissime coepit (sc. abbas), cur femoralia sua recuperare praesumpsisset, *illud Evangelii ei objiciens* : Qui te percusserit in unam maxillam, praebe ei et alteram ; auferenti tunicam, dimitte et pallium [2]. »

---

1. Cf. encore le *Commentarius in Matthaeum* de saint Hilaire (Pl. 9, 941) ; l'*Expositio quatuor evangeliorum* faussement attribuée à saint Jérôme (Pl. 30, 547) ; l'*Expositio in Matthaei evangelium* de Bède (Pl. 92, 30) ; l'*Expositio in Matthaeum,·* III, 5 de saint Paschase Radbert (Pl. 120, 259-260). Au reste, tous ces textes ne font que se copier et se contaminer.

2. Muratori, *Rer. Ital. Script.* II, 358. Autre preuve du lien de l'historiette avec les commentaires de l'Écriture : chez Pierre le Diacre, comme chez Léon d'Ostie, Carloman déclare aux brigands qu'ils peuvent faire de lui ce qu'ils veulent, mais qu'ils ne doivent pas toucher aux brebis qui lui sont confiées (dans ce texte, en effet, le héros est berger de couvent) : « De me, quod Dominus vobis facere permiserit, patienter sustineo ; de ovibus autem auferendis quae meae curae commissae sunt, nullo pacto pro meo posse assentior. » Or, cette restriction concernant les objets qui ne vous appartiennent pas figure dans certains commentaires, cf. par ex., malgré sa date postérieure, les *Commentaria in epistolas S. Pauli* de saint Thomas (à propos de 1 Cor., VI, 7), t. I, p. 486 de l'éd. lyonnaise de Petrus Michael, 1556.

Mais on peut aller plus loin encore, et fixer à peu près la date à laquelle cette historiette a pris naissance. Si simple et si naturelle que puisse, en effet, paraître la question concernant les braies, toujours est-il qu'on n'a pu la poser — ou qu'on n'a pu s'y intéresser dans les monastères — qu'à une époque où les moines faisaient usage de ce vêtement. Or il y a eu, au moyen âge, dans le monde monastique, une question des *femoralia*.

Saint Benoît, en effet, avait expressément déclaré que cette pièce d'habillement, considérée sans doute comme superflue, ne devait pas faire partie du vestiaire ordinaire d'un religieux. Seuls ceux qui partaient en voyage en recevaient une paire, qu'il devait ensuite déposer, lors de leur retour, au vestiaire du monastère [1]. C'est à Cluny que la règle fut modifiée, vraisemblablement dans la seconde moitié du xe siècle [2].

Mais il ne faut pas croire que cette innovation fut bien accueillie par tous. Une opposition violente se déchaîna contre ce malheureux détail, au point que Cluny fut obligé de se défendre et de soutenir son point de vue [3]. Et la querelle fit

---

1. Cf. le chapitre LV de la règle : « Sufficit enim monacho duas tunicas et duas cucullas habere, propter noctes et propter lavare ipsas res : jam quod supra fuerit, superfluum est et amputari debet. Et pedules et quodcumque est vetustum reddant, dum accipiant novum. *Femoralia* hi qui in via diriguntur de vestiario accipiant : *quae revertentes lota ibi restituant.*

2. Déjà la *Disciplina Farfensis* décrit en détail la forme et les dimensions de l'objet, marquant d'ailleurs que son usage généralisé est une nouveauté : « Femoralia, quae sanctus Beneditus concessit iter agentibus (quia nunc temporis incentum est qui vel quali tempore foris mittantur, omnibus conceduntur) taliter mensurentur... (P L 150, 1254). On notera que la raison avancée pour justifier la nouveauté n'est qu'une défaite : on sent que l'auteur éprouvait le besoin de répondre à des objections touchant ce point de la règle. — D'après les *Antiquiores consuetudines* d'Ulrich (Pl. 149, 752), le trousseau d'un frère comprend « ... duo stamina, duo quoque femoralia... » Mais comme prêtres et diacres ne peuvent célébrer l'office ou y prendre part qu'avec des *femoralia*, il est ajouté ce détail, en prévision d'un accident toujours possible : « Sacerdos et diaconus habere solent tria femoralia, ut, si tale quid eis in nocte contigerit, in promptu sit ea mutare. »

3. Il n'y a pas à faire état d'un passage, intéressant d'ailleurs, de la chronique de Richer (III, 41). Mais le *Dict. d'Archéologie chrétienne et de Liturgie, s. v^o*, cite un passage d'Hildemar qui traduit cette opposition : « Notandum

long feu : les Cisterciens, au début du xiie siècle, reprochaient encore aux moines de Cluny d'avoir sur ce point — comme sur d'autres — modifié la règle de saint Benoît. Nous avons une fort belle lettre de Pierre le Vénérable, adressée à saint Bernard, où la question est traitée tout au long, concurremment avec d'autres détails de discipline [1].

Ainsi donc on peut penser que c'est vers la fin du xe siècle que quelque faraud de collège, jouant sur les mots du texte évangélique et mettant à profit une question à l'ordre du jour dans les milieux conventuels, livra notre historiette à la circulation. Quand Egbert de Liége l'introduisit dans sa *Fecunda Ratis* vers 1023, elle ne devait pas être très ancienne. En tout cas, il est impossible d'y voir le travestissement ou l'avatar d'une narration épique ou populaire au départ [2].

---

est enim quia sunt talia monasteria ubi, cum necessitas fuerit, femoralia de vestiario accipiunt : ista monasteria omnino bona sunt. Et iterum sunt alia monasteria ubi omnes generaliter accipiunt femoralia, sed tamen non omnes generaliter semper utuntur, nisi cum necessitas exposcet... : ista monasteria bona sunt eo quod illa maxima pars semper non portat. Et iterum alia monasteria ubi omnes generaliter accipiunt et generaliter optant (*sic* : portant ?) : ista monasteria non sunt laudabilia. » L'article en question ne parle d'ailleurs pas de la querelle qui nous occupe.

1. Cf. P L 189, 112 ss. Le texte vaut la peine d'être lu. On y verra avec quel tact Pierre le Vénérable souligne, sans y insister, la pointe de pharisaïsme qui transparaît dans l'attachement des Cisterciens à la lettre de la règle, avec quelle délicatesse il indique l'utilité de ce vêtement, avec quelle habileté il retourne les arguments de ses adversaires qui l'accusaient de faire état d'un texte mosaïque et de s'en tenir à l'ancienne loi (allusion à *Exode* XXVIII, 42). La fin du développement : « Hujus ergo rei honestas quidem intelligitur, necessitas autem apertius exponeretur, si de talibus, sicut de caéteris, libere loqui permitteretur... » nous fait entrevoir que la discussion ne devait pas toujours rester dans le domaine théorique, et qu'elle pouvait prendre à l'occasion une allure quelque peu scabreuse. — Une autre défense du même point dans le *Liber super quaedam capitula Regulae divi Benedicti abbatis* de Robert, abbé de Saint-Héribert de Tuy (P L 170, 524). — On trouve dans dom Martène, *De antiquis monachorum ritibus*, I, 210, l'histoire d'un miracle attribué à saint Constable, abbé de Cava (mort en 1124), où l'on voit ce dernier recevoir des braies des mains d'un envoyé mystérieux, alors qu'il avait lui-même donné les siennes à un pauvre et que cette circonstance l'empêchait de célébrer la messe.

2. L'arme étrange que constitue la cuisse d'un cheval ou d'un veau que le

Il est probable qu'une origine analogue doit être attribuée aux autres narrations de la *Chronique*, bien que je n'en puisse apporter la preuve en ce moment. Pour l'épisode des clochettes, on peut dire que cela va de soi. En ce qui concerne celui de Waltharius jardinier, il semble qu'il faille penser à la contribution considérable que les couvents ont apportée, au cours du haut moyen âge, à la diffusion des cultures maraîchères [1]. Ce rôle de jardinier, qui nous paraît aujourd'hui bien modeste, a très bien pu revêtir un certain éclat, à l'époque des grands défrichements de l'Europe, alors qu'il s'agissait de mettre à profit tant de terres restées vierges jusqu'alors. Il est naturel de penser que l'on a pu, à ce moment, attribuer à des personnages que l'on voulait honorer ou dont on voulait relever le rôle des connaissances spéciales ou une habileté particulière dans ce genre d'exercice ; et si l'on a inventé des anecdotes propres à mettre ce trait en lumière, ce ne peut être naturellement, une fois de plus, que dans les milieux monastiques.

Reste l'histoire du destrier retrouvé, qui, elle, porte bien la la marque d'une narration épique et qu'il est plus difficile de de faire rentrer dans le cadre d'une histoire de couvent [2]. Toutefois, comme il s'agit dans les trois cas connus, Ogier, Guillaume, Waltharius, de moines qui avaient été guerriers, on peut concevoir que c'était peut-être une nécessité, même pour leur légende hagiographique, de contenir quelque trait qui rappelât leur condition première. Et, dans le cas présent, ce

---

héros arrache à une pauvre bête qui se trouve sur les lieux est un argument supplémentaire qui plaide en faveur de l'origine cléricale de notre thème. N'en déplaise à Rajna, il y a là évidemment un emprunt aux exploits de Samson où on a combiné l'épisode fameux de la mâchoire d'âne (*Juges*, XV, 15) et celui où l'on voit le géant hébreu dépecer de ses mains, aussi facilement qu'un chevreau, un lion qu'il trouve sur sa route (*ibid.*, 14).

1. Cf. par ex. une lettre d'Alcuin adressée justement à Benoît, abbé d'Aniane, MGH, *Epistolae*, IV, 100. Cf. encore A. Dopsch, *Wirtschaftentwickelung der Karolingerzeit*, I, 43 ss.

2. On n'a pas encore découvert de parallèle à cette histoire dans la littérature de la chrétienté occidentale. Pour des traits analogues qui figurent dans l'épopée iranienne, cf. Th. Walker, *Die altfr. Dichtungen vom Helden im Kloster*, pp. 62 ss. et 110 ss.

trait a très bien pu être emprunté à quelque « histoire naturelle »,
qui a depuis disparu et qui contenait des exemples de l'attachement des animaux domestiques à leur maître.

Nous conclurons donc que, si les raisonnements ci-dessus
ont quelque valeur, il faut renoncer à voir dans les narrations
de cette partie du *Chronicon Novaliciense* des reflets de thèmes
populaires, à plus forte raison des emprunts à une légende
épique constituée.

Il reste toutefois un dernier point à élucider. Ce point, c'est
celui du *groupement* des épisodes que nous venons de rapporter,
de la *chaîne* qu'ils constituent. On ne peut, en effet, en bonne
méthode, supposer que par trois fois, en des lieux et à des
époques différentes, les mêmes histoires ont été groupées à
peu près de la même façon sur trois têtes différentes [1]. Et
c'est ce groupement surtout qui avait amené les érudits à supposer un emprunt d'une légende à l'autre, et en particulier
dans le sens épopées-chroniques chez P. Rajna. Nous venons
de voir que cette construction était invraisemblable, étant
donné le caractère des épisodes en cause. Reste l'explication de
M. Ph.-A. Becker, qui, lui, suppose le mouvement inverse
(que nous croyons, nous aussi, être le vrai). Mais M. Becker,
dans une première forme donnée à sa pensée (*Die altfr.
Wilhemsage*, 1896), s'était contenté de déclarer que les histoires
mises en œuvre par nos différents auteurs étaient des histoires
de couvent, sans doute, mais des histoires qui traînaient partout
(*Wandersage*, *ibid.*, p. 105, 106, 109) et qui s'étaient ainsi
offertes à ceux qui les avaient utilisées. Depuis, frappé comme
il convient de l'être par le groupement dont nous parlons, il a
bien vu que ce groupement réclamait impérieusement une
explication, et je pense que c'est le sentiment de cette nécessité
qui l'a poussé à accentuer son ancienne position et à supposer
un emprunt direct de l'auteur du *Moniage Guillaume* original

---

1. L'identité des « chaînes » n'est qu'approximative : on raconte de
Walther la « clochette », le « destrier retrouvé », les « brigands » — de
de Guillaume le « destrier retrouvé », les « brigands » (mais non pas dans
les mêmes conditions, l'histoire du destrier et celle des brigands étant dis-
sociées à propos de Guillaume, fondues en une seule à propos de Walther)
— d'Ogier la « clochette » et le « destrier retrouvé ». Toutefois l'accord est
suffisant pour *exiger* qu'on en rende compte.

à la *Chronique de la Novalèse*. Quant à la *Chronique de la Novalèse*, elle aurait elle-même emprunté l'histoire des braies à Egbert de Liége [1].

Cette construction ne saurait être admise : la *Chronique de la Novalèse* n'a eu aucune diffusion, puisqu'elle ne semble même pas avoir jamais été recopiée au net, et l'on ne voit pas, dans ces conditions, comment elle aurait pu venir à la connaissance d'un jongleur français [2].

Il faut nécessairement [3] avoir recours à l'hypothèse d'une source commune à tous nos textes, source qui présentait déjà nos histoires groupées à peu près comme nous les trouvons aujourd'hui. Cette source devait être, sinon un texte hagiographique proprement dit, du moins un texte d'allure hagiographique, analogue, si l'on veut, à la *Conversio Othgerii militis*. Et

1. Aucune explication n'est donnée sur le rapport Novalèse-Ogier ou Ogier-Guillaume, cf. Ph.-A. Becker, *Das Werden der Wilhem- und der Aimerigeste*, 1939, pp. 42 ss.

2. Je ne parle pas des difficultés chronologiques que l'on pourrait invoquer : elles n'existent pas pour M. Becker, pour qui toutes les épopées françaises du cycle de Guillaume, même les plus anciennes, ne sauraient être antérieures au second quart du xiie siècle.

3. Je dis « nécessairement » : en effet, Egbert n'a pu emprunter sa narration au *Chronicon*, puisqu'il lui est antérieur. Le *Chronicon* ne peut avoir eu Egbert comme source, puisqu'il connaît des détails qu'Egbert ignore. Au reste la diffusion de la *Fecunda Ratis* a été faible également (cf. Voigt, dans la préface de son édition, p. LXII), et, par ailleurs, trop peu de temps s'est écoulé entre les dates de rédaction des deux œuvres, même si on adopte pour le *Chronicon* la date de Cipolla (1040/1050) — à plus forte raison, si, comme le voulait Rajna, il est antérieur à 1029 (*Fecunda Ratis* entre 1022 et 1026). Nous avons vu qu'il n'y a pas de rapports d'emprunt entre le *Chronicon* et les épopées françaises, ni dans un sens ni dans l'autre. Au reste, comme ces dernières ne parlent pas de Walther, et que le nom se présente chez Egbert et dans le *Chronicon*, cette coïncidence justifierait à elle seule notre hypothèse d'une source commune. Il convient de signaler ici, pour rendre entière justice à Rajna, que ce dernier ne connaissait pas le passage de la *Fecunda Ratis*. S'il l'avait connu, il aurait certainement hésité à supposer que le moine de la Novalèse avait emprunté ses narrations aux jongleurs français. Le mérite d'avoir mis ce nouveau texte en lumière revient soit à Th. Walker dans sa dissertation citée ci-dessus, soit à Cloetta dans son édition du *Moniage Guillaume* : je ne saurais décider.

il nous faut bien supposer que ce texte, a l'origine, célébrait
un guerrier-moine nommé Waltharius, puisque c'est ce nom
que nous voyons apparaître indépendamment chez Egbert de Liége
et dans le *Chronicon Novaliciense*.

Et c'est le lieu d'attirer l'attention sur quelques particularités
de la narration de notre auteur. Tout d'abord, nous trouvons,
en tête des chapitres consacrés à Waltharius, un petit poème
formé de cinq distiques et composé, nous dit notre moine, par
un « sapiens versicanorus ». On peut le croire ; il était, pour sa
part, bien incapable d'écrire en un tel latin :

> Vualtarius fortis, quem nullus terruit hostis,
>   Colla superba domans, victor ad astra volans,
> Vicerat hic totum duplici certamine mundum,
>   Insignis bellis, clarior ast meritis.
> Hunc boreas rigidus, tremuit quoque torridus Indus,
>   Ortus et occasus solis eum metuit.
> Cujus fama suis titulis redimita coruscis,
>   Ultra caesareas scandit abhinc aquilas.

On n'hésitera pas, je pense, à voir dans ce beau morceau de
rhétorique, une épitaphe, ou une manière d'épitaphe, qui
figurait sans doute dans les archives de la Novalèse. — Un peu
plus loin, au chap. XIII, il nous est raconté qu'à la suite des
invasions sarrasines, on avait perdu le souvenir du lieu où
Waltharius avait été inhumé. Heureusement, une vieille femme
nommée Pétronille, dont la démarche était courbée par le poids
de ses deux cents ans, se trouva fort à propos pour indiquer
l'emplacement de la sépulture. N'avons-nous pas là affaire à
une histoire d'invention de reliques, ou à quelque chose qui
s'en approche ? — Enfin, n'oublions pas que le crâne du fils de
Waltharius — moine lui aussi à la Novalèse et enterré dans le
même tombeau que son père — était capable d'arrêter les
incendies (miracle rapporté au chap. XII).

Tout cela, à notre avis, prouve qu'il y a eu dans notre monastère un embryon de légende hagiographique qui avait commencé
à se développer sur le nom d'un moine appelé Waltharius. On
avait dû se mettre à réunir les éléments nécessaires à une
pareille promotion et à emprunter à droite et à gauche les pièces
du dossier. Le poème de saint Gall célébrant le vieux héros

germanique avait été le bien venu ; on y accueillit aussi cette
source commune que nous sommes obligés de postuler pour
expliquer le classement de tous nos textes, cet opuscule qu'au
pis aller nous appellerons *Conversio Waltharii militis* et qui
contenait, à peu près, l'ensemble des narrations que nous venons
d'étudier.

D'où venait-il et à quel Waltharius avait-il été appliqué à
l'origine ? Dans quelles circonstances et avec quelle intention
avait-il été composé ? Ce sont des questions auxquelles, faute
d'éléments précis de critique, on nous permettra de ne pas
répondre [1].

En tout cas, je pense que de tout ce long raisonnement on
peut conclure deux choses. La première, c'est que la légende de
Waltharius a pu se développer et fleurir à la Novalèse indépendamment des épopées françaises et indépendamment même de
toute narration de caractère populaire ; la seconde (de beaucoup

---

1. On pense évidemment, pour l'origine, aux pays germaniques, Aléma-
nie, Franconie ou Pays-Bas, régions où florissait la légende de *Waltharius
manu fortis* et où nous voyons notre texte utilisé par Egbert — et, pour le
héros auquel on l'a appliqué en premier lieu, également àu héros germanique. Mais, en cette matière, les germanistes ont leur mot à dire. On trouvera dans Hermann Schneider, *Germanische Heldensage*, I, Berlin, 1928,
pp. 331-344 et pp. 414-416, une étude de la légende de Waltharius.
M. H. Schneider connaît le texte de la Novalèse, mais comme il ne connaît
pas Egbert, il attribue à notre moine l'invention de toute la partie monacale
de la légende, ou, du moins, l'idée d'avoir accroché au nom de Waltharius
tout ce fatras — et il rejette le tout, comme sans intérêt, parce que
« monnaie courante du répertoire des jongleurs ». Je pense que cette opinion
est en partie à reviser. Naturellement cette *Conversio Waltharii militis*
n'était pas forcément à l'origine un texte sérieux : l'ensemble a très bien pu,
au début, être conçu comme une plaisanterie, comme un jeu humoristique,
une semi-parodie, caractère dont les moniages ne se sont jamais entièrement
départis. C'est notre moine de la Novalèse qui aurait fait passer les choses
sur le plan de l'histoire — ou de la pseudo-histoire —, parce que le nasard
faisait que l'opuscule servait les intérêts de son monastère. — Il y a bien
dans l'épopée germanique des types de guerriers-moines, en particulier dans
la légende de Dietrich (Ilsan et Heime) ; mais leur modèle ne saurait avoir
été transposé sur le personnage de Waltharius, car ce sont des figures tardives, tout entières empruntées aux moniages français, cf. H. Schneider, *op.
cit*. I, 293 et 322-324.

la plus importante sans doute par les horizons qu'elle ouvre), c'est qu'il existait, en Europe, dans les milieux de clercs, dès les premières années du x1ᵉ siècle, un groupe de narrations latines bien constitué, qui offrait déjà tout préparé à qui voudrait les utiliser et les développer, le cadre et les éléments que nous retrouverons plus tard dans les moniages en langue vulgaire.

Mais il est temps de passer à la seconde partie de cette étude, que nous voudrions consacrer à un autre passage du même *Chronicon Novaliciense.*

II

Au printemps 773, Charlemagne se trouva amené à intervenir en Italie contre les Lombards et au profit, tout au moins nominal, de la papauté. Ce n'est pas ici le lieu de rapporter les événements antérieurs, d'analyser la conduite de Didier, roi des Barbares, à l'égard du pape Hadrien, d'exposer avec quelle habileté le nouveau pontife sut parer les coups dont il était menacé et utiliser au mieux les bonnes dispositions que la monarchie franque avait dès longtemps témoignées à l'égard du prince de l'Église et du siège de saint Pierre [1]. Ce n'est pas non plus le lieu d'essayer de tirer au clair les motifs qui ont déterminé l'attitude du futur empereur dans toute cette affaire.

Mais, que Charles ne se soit au début engagé qu'avec répugnance dans une action qui l'éloignait de ses marches saxonnes, ou qu'il ait au contraire saisi avec joie l'occasion qui s'offrait ainsi de réaliser un plan auquel il avait déjà mûrement réfléchi, c'est un fait, en tout cas, qu'après avoir réuni son armée à Genève au début de l'été, il entreprenait sur le champ le passage des Alpes, à la fois par les cols du Mont Cenis et du Grand Saint-Bernard. Il confiait à l'un de ses oncles le commandement des contingents qui devaient passer par la route d'Aoste, et se réservait la direction des opérations, qui s'annon-

---

1. Les faits sont exposés et discutés dans les ouvrages classiques suivants : Abel et Simson, *Jahrbücher des fränkischen Reiches unter Karl dem Grossen,* 2ᵉ éd., Leipzig, 1886, I, pp. 133-149 ; L. M. Hartmann, *Geschichte Italiens im Mittelalter,* Gotha, 1903, II, 2ᵉ partie, pp. 250-270.

çaient sévères, dans le Val de Suse C'est là, en effet, que le
roi lombard attendait les troupes franques. Mettant à profit un
resserrement de la vallée de la Doire Ripaire, un peu en amont
de l'actuel village de San Ambrogio (di Torino), entre les deux
hameaux des Chiavrie et la Chiusa San Michele [1], confiant
dans les avantages du terrain, il espérait mettre en échec
l'armée des envahisseurs et la contraindre à rebrousser chemin.
Toutefois, les événements ne répondirent pas à son attente, et
Charles réussit, sans trop de peine, semble-t-il, à forcer le
passage, tandis que son ennemi allait s'enfermer dans Pavie,
sa capitale, pour se rendre à son vainqueur après huit mois d'une
stérile résistance.

Ce n'était pas la première fois que les armées franques exé-
cutaient une pareille manœuvre : déjà en 754 et en 756, elles
avaient franchi les cols des Alpes pour descendre dans l'ancienne Cisalpine. Mais elles avaient bientôt regagné le Nord,
sans avoir réglé définitivement les affaires italiennes. Ce coup-
ci, au contraire, la campagne aboutissait à un résultat décisif ;
elle amenait la ruine de la puissance lombarde, et signifiait,
pour l'Italie du Nord, un changement radical de régime et de
situation politiques. Désormais, la majeure partie de la péninsule — le Sud résistera longtemps encore — va entrer dans le
grand mouvement de centralisation auquel les pays transalpins
avaient déjà cédé, et qui tendait à reconstituer, au moins en
apparence, au profit d'une race barbare venue du Nord, le
grand empire romain, avec toute sa puissance et son prestige.

De ce mouvement, les clercs ont parfaitement conscience ;
de cette histoire qui se bâtit sous leurs yeux, ils conçoivent
clairement l'importance et la grandeur D'ailleurs ne l'ont-ils
pas voulue en partie et favorisée ? Aussi les événements de 773
étaient-ils destinés à occuper, sinon dans la mémoire du peuple,
du moins dans les préoccupations des historiens et des chroniqueurs ecclésiastiques, une place de choix.

En fait, quand l'auteur du *Chronicon Novaliciense* en vint à
parler de l'histoire de son monastère sous Charlemagne — il

---

1. Le détail des opérations peut être suivi facilement sur la carte Michelin
de la France, au 200.000ᵉ, feuille 77, pli 10. Cf. la longue note de Cipolla,
op. cit., II, p. 175, note 1.

s'agit principalement des chapitres VI à XXVIII du livre III,—
il ne manqua pas de raconter la guerre du roi franc contre
Didier ; et ce récit, au moins par son début, entrait d'autant
mieux dans le cadre de son ouvrage que son monastère s'était
trouvé jouer un certain rôle au cours de cette campagne,
puisqu'il avait servi de quartier général aux Francs pendant les
quelques jours où ils se trouvèrent arrêtés par les Lombards
dans la vallée. A qui franchissait, en effet, le Mont Cenis au
vIIIe siècle, la route n'offrait pas encore le refuge de l'hospice
qui se dresse au sommet du col [1], et force lui était de descendre
le cours torrentueux de la Cenischia pour trouver, à mi-chemin
environ entre le col et Suse, les bâtiments, alors tout flambants
neufs, de notre monastère [2]. Si l'on pense d'autre part que
tout ce versant relevait de l'empire franc et que le royaume
lombard ne commençait qu'au Chiuse [3], c'est-à-dire en aval de
Suse, on comprend l'importance que la Novalèse pouvait avoir
aux yeux de Charlemagne et, du même coup, la sollicitude
qu'il n'avait cessé de manifester à l'égard de ce bastion avancé
de sa puissance [4].

Ainsi donc le monastère de la Novalèse avait été le centre

---

1. Cf. Cipolla, *op. cit.*, II, p. 174, note 1. Cet hospice est une fondation
Louis le Pieux.

2. Nous avons encore en original la charte de fondation donnée par Abbon
le 30 janvier 726, cf. Cipolla, *op. cit.*, I, pp. 3-13.

3. Ceci ressort clairement, entre autres, du testament d'Abbon qui légua,
en 739, à la maison qu'il avait fondée, la plus grande partie de ses posses-
sions. Le texte dans Cipolla, *op. cit.*, I, 13-38. Or, le testateur distingue nettement les biens qu'il possédait *circa civitate Segusia* et dans la vallée vers
l'amont jusqu'au Mont Cenis d'autres biens, dont l'identification est difficile,
mais dont il affirme expressément, par opposition aux premiers, qu'ils sont
situés *infra regnum Langobardorum, infra fines Langobardorum*, cf. *loc. cit.*,
p. 21, l. 17 à p. 22, l. 13.

4. Les preuves sont nombreuses, même si l'on fait les réserves nécessaires
touchant les affirmations de notre chroniqueur, aussi retors que naïf. En particulier, quelques semaines avant d'entreprendre son expedition, le 25 mars
773, à Quierzy-sur-Oise, Charlemagne accordait à Frodoin, abbé de la
Novalèse, l'immunité judiciaire complète pour son monastère. Le document
est publié par Muratori, *Antiquitates*, V, 967, Cipolla, *op. cit.*, I, pp. 47 ss.
Le texte que nous en avons n'est pas l'original, mais son authenticité n'est
guère douteuse.

des opérations au début de la campagne de 773 ; c'était dans son voisinage que s'étaient livrés les premiers combats, ceux dont le succès avait conditionné la suite du conflit. Charlemagne arrêté à l'entrée de la plaine, c'était, en effet, l'échec de son entreprise et l'éviction des Francs de la péninsule. Il apparaissait, d'autre part, à qui connaissait le pays, que la manœuvre n'avait pas dû être facile : le fait d'armes était assez brillant. Notre auteur ne pouvait donc passer sous silence un épisode aussi capital et qui touchait sa maison de si près. On était même en droit d'attendre de lui que, non content de le mentionner, il le racontât avec un certain luxe de détails.

C'est ce qu'il fit. Mais, ce faisant, comment s'y prit-il ?

Les textes auxquels il pouvait s'adresser pour s'informer, la tradition historique qui avait pu, par un canal ou par un autre, parvenir jusqu'à lui, étaient assez pauvres. Si l'on interroge, en effet, les documents contemporains ou rédigés dans des cercles susceptibles d'avoir possédé des renseignements de première main — il s'agit essentiellement des *Annales Regii*, de la *Vita Caroli* d'Eginhard et de la *Vita Hadriani papae* du *Liber Pontificalis* —, on s'aperçoit que, tout en étant d'accord sur les grandes lignes, ces documents n'offrent vraiment qu'un détail de commun, c'est à savoir qu'il n'y eut pas à proprement parler de combat : les Lombards abandonnèrent leurs positions sans essayer de les défendre [1]. Mais sur les raisons qui expliquent

---

1. Cf. *Annales Laurissenses Majores* (*Annales Regii*), éd. Kurze, Hanovre, 1895, p. 36 : « Carolus rex... sine lesione vel aliquo conturbio Clusas apertas introivit. » *Vita Hadriani* (Duchesne, *Liber Pontificalis*, I, 495) : « Fugam omnes generaliter (sc. Longobardi) nemine eos persequente arripuerunt. » Cf. encore *Pauli gesta epp. Mett.* (Bouquet V, 191) : « Longobardorum gentem... universam sine gravi praelio suae subdidit dicioni. » La *Continuatio romana* (Waitz, *SS rerum longobardicarum*, p. 201) et la *Continuatio tertia* (*ibid.*, p. 213) de Paul Diacre suivent le *Liber Pontificalis* et ne constituent pas un témoignage indépendant. Eginhard, dans sa *Vita Caroli*, ne s'exprime qu'en termes généraux et rhétoriques (cf. *infra*), mais le Poeta Saxo dit expressément, I, 124-26 : « Nam Desiderium, primo qui bella parabat, Se frustra Carolo sperans obsistere posse, *Congressu necdum facto*, terrore fugavit. » Cf. encore le témoignage de Cathvulf cité par Abel et Simson, *op. cit.*, I, p. 145, note 3 *in fine* et les *Annales Einhardi* (éd. Kurze, Hanovre, 1895, p. 37) : « Desiderium regem... citra congressum fugavit. »

un abandon aussi rapide, les textes divergent et se répartissent *grosso modo* en deux groupes, suivant l'inspiration qui les anime.

Ceux qui nous donnent ce qu'on pourrait appeler la version officielle attribuent le succès de Charles à un habile mouvement stratégique : les troupes franques utilisèrent un chemin de montagne qui permettait de tourner les positions lombardes [1]. Ceux, au contraire, qui furent rédigés dans les cercles ecclésiastiques se soucient moins des misérables contingences humaines et parlent tout simplement de miracle. Ils sont évidemment préoccupés par le souci de mettre tous les torts du côté de Didier et de présenter le roi franc comme l'instrument de la vengeance divine ; ce n'est plus un conquérant ou un guerrier qui descend du Nord, c'est le champion des droits outragés du trône de saint Pierre. De là les minutieuses négociations qui précèdent le conflit, négociations dont la *Vita Hadriani* est seule à nous parler, de là les larges concessions accordées au Lombard, concessions dont le rejet met en pleine lumière la duplicité et les intentions perverses de cet ennemi

---

1. Cf. *Annales Laurissenses majores, éd. cit.*, p. 36 : « Rex una cum Francis castra metatus est ad easdem Clusas et *mittens scaram suam per montanis.* Hoc sentiens Desiderius Clusas relinquens. » — Eginhard, *Vita Caroli*, éd. Halphen, p. 20, reste dans le vague ; il n'y a rien à tirer de son texte : « Italiam intranti, quam difficilis Alpium transitus fuerit, quantoque Francorum labore invia montium juga et eminentes in caelum scopuli atque asperae cautes superatae sint, hoc loco describerem, nisi vitae illius modum potius quam bellorum quae gessit memoriae mandare praesenti opere animo esset propositum ». Du moins ne s'oppose-t-il pas à la version rapportée ci-dessus. Chose curieuse, les *Annales dites d'Eginhard*, qui ne sont, comme on sait, qu'une réfection des *Annales Royales*, suppriment l'indication de la manœuvre et se contentent de dire (éd. Kurze, p. 37) : « Desiderium regem frustra sibi resistere conantem... fugavit. » Mais les *Annales Tiliani*, par exemple, reproduisent, en l'abrégeant quelque peu, le texte des *Annales royales* (cf. Bouquet, V, 19). L'indication *mittens scaram per montanis* est développée par la source, commune ici, des *Annales Mettenses priores* et de la *Chronique de Moissac*. Cf., pour les premières, l'éd. de Simson, Hanovre, 1905, p. 60 : « Misit autem (rex Carolus) *per difficilem ascensum mòntis legionem ex probatissimis propugnatoribus, qui, transcenso monte,* Longobardos cum Desiderio rege eorum in fugam converterunt, » et pour la seconde Pertz, *SS*, 1, 295. Sur les enjolivements de cette version que l'on trouve dans Galvano Fiamma, cf. *infra*.

de Dieu ; de là la narration elle-même : au moment où Charles, bloqué par les défenses de Didier, lassé par son opiniâtreté et sa perfidie, désespérant de forcer le passage, allait justement plier bagage et regagner ses bases de départ, une terreur divine s'empara du cœur de Didier, de son fils, de ses guerriers, et l'armée lombarde tout entière s'évanouit au cours de la nuit ; il ne restait plus aux Francs qu'à s'engager sur la voie que Dieu leur avait si à propos dégagée [1].

Nous ne trancherons pas, pour notre part, la question de savoir laquelle de ces deux explications peut être la bonne [2]. Mais notre chroniqueur était tenu, lui, de se décider.

---

1. Cf. *Liber Pontificalis*, éd. Duchesne, I, 495 : « Unde omnipotens Deus... dum vellent Franci alio die ad propia reverti, misit terrorem et validam trepidationem in cor ejus (sc. Desiderii) vel filii ipsius Adalgisis, scilicet et universorum Longobardorum : et eadem nocte, dimissis propriis tentoriis atque omni suppellectile, fugam omnes generaliter nemine eos persequente arripuerunt. Quod cernentes exerciti Francorum persecuti sunt eos. » L'auteur de la *Continuatio Romana* de Paul Diacre reproduit à peu près le même texte, mais atténue fortement le caractère miraculeux de la narration (cf. Waitz, *Script. rer. Longob.* p. 201, ou Bouquet V, 189) ; celui de la *Continuatio tertia*, au contraire, l'accentue, en introduisant dans le texte du *Liber Pontificalis* des considérations générales sur les châtiments dont Dieu gratifie le superbe ou le méchant et en citant les prophètes, *juxta propheticum dictum*, cf. Waitz *op. cit.*, p. 213. Même interprétation des faits chez André de Bergame, auteur par ailleurs sans autorité en ce qui concerne notre épisode : « Italia contra Longobardos veniens (Carolus), *divino judicio* terror in Longobardus irruit, absque grave pugna Italiam invasit. » Cf. Waitz, *op. cit.*, p. 224.

2. Peut-être conviendrait-il d'en adopter un troisième. Les *Annales Regii* déclarent, en effet, que les troupes de Bernard, qui étaient descendues en Italie par la vallée de la Doire Baltée, firent leur jonction avec celle de Charles en amont des Cluses, c'est-à-dire en amont des retranchements élevés par Didier. Mais il y a là une impossibilité topographique manifeste : si ces troupes, en effet, ne sont pas descendues jusque dans la plaine, après avoir dépassé Aoste et Ivrée, pour prendre Didier à revers, c'est qu'elles ont franchi les trois chaînes de montagnes qui séparent le Val d'Aoste du Val de Suse, ainsi que les deux vallées de l'Orco et de la Scura — et ce, par des cols dont aucun n'est inférieur à deux mille mètres et qui n'ont jamais été accessibles que par d'insignifiants sentiers de montagne : or c'est là une marche qu'aucune armée ne saurait réaliser, surtout en quelques jours. On peut donc penser que ces troupes sont, en réalité, parvenues dans la plaine

Il connaissait certainement la *Vita Hadriani* [1], et pouvait, par conséquent, opter pour la version miraculeuse. Il préféra toutefois s'en tenir à la version militaire, et il expliqua le succès des hommes du Nord en ayant recours, lui aussi, au mouvement tournant qui avait permis de prendre à revers les troupes de Didier.

Ce n'est pas que notre bon moine fût le moins du monde incrédule à l'égard des anecdotes surnaturelles, ni qu'il doutât, si peu que ce fût, de la mission divine du roi franc. Quelques lignes plus haut, au chapitre vi du livre III, il avait déclaré que Charles descendait en Italie sur l'ordre de Dieu, dont la volonté s'était manifestée à lui sous la forme classique — et biblique — d'un songe. Mais il trouvait sans doute que le Ciel avait assez fait pour ses champions en assurant leur subsistance, au cours de leur séjour à la Novalèse, par un miracle renouvelé de l'Évangile (liv. III, ch. xi-xii). C'était maintenant aux hommes de montrer ce dont ils étaient capables et de s'aider en quelque sorte eux-mêmes. Et puis, surtout, il se trouvait en mesure d'exposer à ses lecteurs un certain nombre de détails inédits touchant le développement de l'opération, et il n'avait garde de renoncer au bénéfice que pouvait en retirer sa narration, tant du point de vue de l'intérêt dramatique que de celui du pittoresque.

---

sans encombre, et que c'est la menace de leur arrivée qui aurait contraint les Lombards à abandonner leurs positions sans lutte. Ce départ pouvait facilement être présenté comme miraculeux, surtout quand on avait négligé d'indiquer — comme c'est le cas de la *Vita Hadriani* — que Charles avait divisé ses armées en deux corps et qu'on passe sous silence le risque qu'il y avait pour Didier à être pris entre deux troupes. Cette explication, la plus simple et la plus vraisemblable à notre avis, a été adoptée par certains historiens modernes. Cf., entre autres, Duchesne, *Liber Pontificalis*, I, p. 516, note 22, et Harnack, cité par Abel et Simson, *op. cit.*, p. 142, note 2 et même Leibniz, *ibid.* Si toutefois on répugne à l'idée que les Lombards aient pu laisser ouverte la route d'Aoste, tandis qu'ils se gardaient si bien sur le chemin de Suse, alors on peut avoir recours à l'explication par le mouvement tournant ; nous verrons que le terrain se prête à cette hypothèse.

1. A dire le vrai, Cipolla n'a relevé qu'un emprunt précis de notre chronique au *Liber Pontificalis*, *op. cit.*, II, p. 108, note 3. Mais il serait invraisemblable que la bibliothèque de son couvent n'en eût pas possédé un exemplaire.

La sèche indication du chroniqueur officiel — *et mittens sca-ram per montanis* — reçoit, en effet, chez lui un développement circonstancié, que les historiens ont depuis longtemps, et sans doute avec raison, traité par le mépris, mais qui a, depuis long-temps aussi, éveillé à bon droit l'attention des curieux de litté-rature, et c'est ce développement qui va principalement nous occuper.

Voici à peu près ce qu'il nous apprend, au chapitre x du livre III de sa Chronique. Didier, pour se défendre contre l'invasion franque, avait fait élever, sur le conseil de ses barons, un formidable retranchement. Devant ce mur, les hommes de Charles étaient arrêtés. Sans doute recevaient-ils chaque jour de nouveaux renforts ; mais ils étaient sans cesse en butte aux attaques et aux escarmouches d'Algisus, fils de Didier, et ne pouvaient trouver aucun moyen de forcer le passage. Les choses en étaient là, quand un jongleur de race lombarde arriva dans le camp de Charles et se mit à chanter par les bivouacs, en s'accompagnant d'une rote, une chanson qu'il avait lui-même composée à propos des événements. Et cette chanson disait :

> Quob dabitur viro premium
> Qui Karolum perduxerit in Italie regnum,
> Per qua quoque itinera
> Nulla erit contra se hasta levata,
> Neque clypeum repercussum,
> Nec aliquod recipietur ex suis dampnum ?

Ces paroles étant arrivées aux oreilles de Charles, il fit venir le jongleur, s'engageant à lui donner, après la victoire, et si lui-même tenait sa promesse, tout ce qu'il lui demanderait. Mar-ché conclu : dès le lendemain, sous la conduite de l'homme, *praecedente jam dicto joculatore*, les troupes de Charles quittent le grand chemin de la vallée pour remonter un sentier qui utili-sait une terrasse de la montagne, *per crepidinem cujusdam mon-tis*. Elles débordent ainsi les positions de Didier, redescendent dans la plaine à la hauteur du village de Giaveno et surprennent les Lombards, qui n'ont plus qu'à quitter la place. Ce chemin providentiel porte encore aujourd'hui le nom de *Route des Francs, Via Francorum* [1].

---

1. On trouvera dans Bédier, *Légendes épiques*, 3ᵉ éd., II, pp. 167-170, une

Ce récit quelque peu surprenant se laisse décomposer en un certain nombre d'éléments, dont les origines sont diverses et en partie — mais en partie seulement — faciles à déterminer. En premier lieu, on peut se demander d'où notre auteur a appris que Charles avait dû sa victoire à une manœuvre qui mettait à profit les accidents du terrain. A cette question, la réponse est immédiate ; il n'avait qu'à ouvrir une chronique carolingienne pour être renseigné sur ce point. On admettra sans peine qu'il a eu connaissance de textes de ce genre. La bibliothèque de son monastère avait été très riche [1], et, malgré les pertes qu'elle avait subies à la suite des invasions sarrasines et de la destruction de la maison mère, elle devait être encore assez considérable au xiᵉ siècle. De plus, notre moine avait pas mal voyagé dans l'Italie du Nord, séjournant à Brême, à Turin, réunissant partout des matériaux et des renseignements pour la chronique qu'il rédigeait. Si son esprit critique est faible, son goût de l'information, son souci de l'exactitude sont certains [2]. De plus, il disposait de textes que nous avons perdus depuis, entre autres d'une vie de l'abbé Frodoin qu'en termes exprès il déclare avoir lue (II, 4) : or Frodoin dirigeait justement l'abbaye à l'époque des événements qui nous occupent. Enfin la Novalèse était — ou avait été — en relations étroites avec des maisons situées au Nord des Alpes, puisque le *Liber Confraternitatum* de l'abbaye de Reichenau contient un nécrologe provenant de notre monastère et qui date de la seconde moitié du ixᵉ siècle [3]. Les traditions carolingiennes devaient donc y être assez profondément enracinées. Nous verrons du reste qu'au xivᵉ siècle encore Galvano Fiamma connaissait lui aussi l'épisode du mouvement tournant.

---

traduction légèrement résumée de tout le passage ainsi que des épisodes précédents et subséquents, qui ne nous intéressent pas ici. Le chemin décrit par l'auteur de notre chronique a été facilement identifié par les érudits locaux, cf. la note déjà citée de Cipolla, *op. cit.*, II, p. 175, note 1, et *ibid.*, p. 180, note 1.

1. Cf le mémoire de Cipolla, *Ricerche sull'antica biblioteca del monasterio della Novalesa*, in *Mem. Accad. di Torino*, ser. II, vol. XLIV, 1894.

2 Cf. Cipolla, *op. cit.*, II, pp. 87-92.

3. Cf. Cipolla, *op. cit.*, I, pp. 279-282.

En ce qui concerne les défenses élevées par Didier pour
arrêter la marche des Francs, les documents carolingiens sont
muets. Mais il suffisait, cette fois, de consulter la *Vita Ha-*
driani : « Jam dictus vero Desiderius et universa Longobardorum exercituum multitudo ad resistendum fortiter in ipsis
clusis adsistebant : *quas fabriciis et diversis maceriis curiose*
munire visi sunt [1]. » Comme on rencontre aujourd'hui encore
dans la vallée, au point où la bataille est censée avoir eu lieu,
les restes d'imposantes murailles, il n'était pas nécessaire
d'être grand clerc pour établir un rapport entre ce qu'on cons-
tatait d'une part sur le terrain et lisait de l'autre dans les textes ;
point n'est besoin, je pense, d'avoir recours à l'hypothèse
d'une tradition ininterrompue qui aurait conservé le souvenir
d'événements vieux de près de trois siècles, en les rattachant
aux ruines qui se dressaient sur le chemin. Le rapprochement
doit être porté au compte de notre moine [2].

Reste l'épisode du jongleur. Là, toute explication par une
source historique quelconque est impossible. Jamais aucun
chroniqueur, ni contemporain ni postérieur, n'a parlé d'un
personnage qui aurait pu révéler à Charles l'existence d'un
chemin détourné et servir de guide à ses troupes ; à plus forte
raison, jamais un chroniqueur n'a fait de ce personnage un
jongleur qui se serait révélé de la manière si particulière qu'on
nous décrit. Et, quoique nous ayons perdu bien des textes
depuis le xie siècle, on peut affirmer, je crois, sans grand
risque de se tromper, que cette historiette ne figurait pas plus

---

1. *Liber Pontificalis*, éd. Duchesne, I, p. 495. Le texte de l'éd. porte *visi*,
sans variante. Bouquet, V, 460, porte *nisi*, qui paraît plus clair.

2. Avec bien plus de hardiesse, devant l'arc romain de Suse, il déclare
que les inscriptions qu'on y lit (cf. CIL, V, 2, 7231), sont dues au patricien
Abbon, et qu'elles contiennent une liste des privilèges et des dons que ce
dernier avait accordés à sa maison. Ainsi, ajoute-t-il, ces dispositions sont à
l'abri de toute injure et de toute destruction. On a là un texte auquel on
pourra toujours se rapporter. Même l'inscription avait été répétée sur les
deux faces, afin qu'on pût la lire, qu'on allât d'Italie en France ou de France
en Italie (II, 18). A qui a pu avoir cette étrange idée (car, ce coup-ci, il ne
peut s'agir que d'une invention de clerc), on ne saurait refuser une certaine
imagination dans l'art d'interpréter et d'expliquer les ruines ou les monu-
ments qu'il avait sous les yeux.

dans les chroniques disparues qu'elle ne figure dans celles que nous avons conservées [1]. Il s'agit évidemment d'un détail inventé, d'une imagination destinée à corser le récit. Mais qui peut avoir eu, le premier, l'idée de cet ornement, là est la question. Et c'est une question qui, si elle reste secondaire pour les historiens proprement dits, intéresse vivement au contraire les historiens de la littérature, non pas tant en elle-même que par ce qu'elle suppose ou révèle ou suggère.

Or il y a longtemps déjà qu'à cette question on a fait une première réponse. Dès 1845, Bethmann, dans la préface de son édition (p. 76 et *ibid.* note 34), déclarait que cette historiette du jongleur était le reflet ou la survivance d'une légende populaire ancienne, pieusement recueillie et miraculeusement conservée par notre auteur. Il reconnaissait que la valeur historique du *Chronicon* était faible, mais il affirmait que son témoignage sur les légendes épiques était important : « quae enim narrat historica, aut non magni momenti aut aliunde etiam nota ; fabellae autem populares suavissimae omnino deperditae forent, ni noster eas conservasset. » Et un peu plus loin : « Sed ob hoc ipsum tanto pluris faciendae mihi videntur hae reliquiae, prae ceteris vero venerandae Italis, eo quod hi poesis ipsorum romanticae hic habent incunabula. » Et il ajoutait en note : « Incunabula dico, nam carmina de Albuino, Authari, Theudelinda Longobarda erant, Germanae itaque originis, non Itala. Multum a vero aberravit, quum tamen vero proximus esset, Napione, *Piemontesi illustri* IV, 151, et post eum abbas Valperga di Caluso ob res Waltharii narratas *inventore di romanzi italiani* dicentes nostrum, qui illas in Germania ortas ex carmine Latino ultra Alpes condito desumpsit. Recte igitur

---

1. Bethmann, toutefois, dans l'édition du *Chronicon* qu'il a procurée pour les *Monumenta* (SS., VII, p. 73 ss.) a cette note à propos de l'épisode (note 56) : « Ita fabula popularis mutavit Andream presbytem Ravennatem, qui alias dicitur Karolo dux viae factus ». Je ne sais à quoi il peut faire allusion, à moins qu'il n'interprète ainsi ces lignes du *Liber pontificalis ecclesiae Ravennatis*, à propos de Léon (*Script. rer. Longob.*, p. 381) : « Hic primus Francis Italiae iter ostendit per *Martinum diaconem suum*, qui post eum quartum ecclesiae regimen tenuit ». Mais il faudrait admettre qu'il a confondu les noms, ce qui semble bien improbable.

contradicit Sauli in libro elegantissimo *Sulla condizione degli studj nella Monarchia di Savoia*, 1843, pp. 19 sqq.; at neque hic attendit revera a chronographo nostro servata esse poesis Italorum epicae prima initia, at non in hisce de Walthario, sed in III, 6-14, 21-23 [1]; servata — *nam noster ea non effinxit* ».

Ainsi donc, pour Bethmann, aucun doute n'était possible ; les « fables » dont le chroniqueur a parsemé son texte sont empruntées à la littérature épique, et à la littérature épique *italienne*, puisqu'il les oppose aux narrations non moins imaginaires concernant Alboin, Authari, Theodolinda que l'on rencontre chez Paul Diacre et qui, elles, seraient d'origine lombarde, c'est-à-dire germanique.

Depuis, cette opinion, tout en conservant la faveur de la plupart des historiens, a subi une mise au point. On a cru impossible ou invraisemblable qu'une population romane ait possédé une littérature épique à une date aussi reculée — car on considère naturellement toute littérature épique comme contemporaine, ou à peu près, des événements dont elle est censée s'inspirer — et les *fabellae* du moine de la Novalèse ont été elles aussi rapportées à une source lombarde. Plus particulièrement, en ce qui concerne l'historiette du jongleur, on a cru reconnaître [2] dans les vers que reproduit notre homme la traduction ou l'adaptation d'un chant de langue germanique, et on a essayé d'en établir une rétroversion, beau pendant à placer aux côtés de la *Cantilène* de saint Faron.

Cette nouvelle opinion offre bien une difficulté ; car il est peu probable que des chants lombards aient été utilisés par un chroniqueur italien du xɪᵉ siècle, et on admet, en conséquence, que ces chants ont été traduits ou adaptés à l'usage des populations romanes. Toutefois, il faut admettre aussi qu'au cours de cette métamorphose ils ont dépouillé non seulement leur vêtement linguistique original, mais aussi tous les caractères qui devaient les rendre incompréhensibles, ou, en tout cas, sans intérêt pour les nouveaux publics auxquels on les destinait, je

---

1. Il s'agit des différents épisodes de la guerre de Charles contre Didier et des exploits d'Algisus.

2. E. Schröder, *Langobardische Alliteration*, Zts. f. Deutsches Alterthum u. Litt., XXXVII (1893), pp. 127-128, et Dümmler, *Neues Archiv*, XVIII, 252.

veux dire l'idéal qu'ils exaltaient, les sentiments de race ou de communauté qui les animaient, les types guerriers ou héroïques qu'ils mettaient en œuvre, la société qu'ils peignaient, en un mot, tout ce qui est capable de faire vibrer les cœurs un peu frustes des auditeurs auxquels s'adresse une poésie épique populaire. Or, ce travail accompli, on ne voit guère ce qui pouvait subsister des anciens modèles, ni même si de semblables avatars sont concevables. Mais c'est là la difficulté à laquelle achoppe toute la théorie de l'origine germanique des chansons de gestes, et nous ne voulons en faire ici ni le procès ni la critique.

Quoi qu'il en soit, si l'on adopte ces vues, les conséquences en sont importantes. On voit ainsi émerger des noirs flots de l'oubli où elle aurait sombré quelques rares épaves de toute une littérature épique, mettons italo-lombarde, quelques pauvres débris miraculeusement sauvés par le hasard. Ces quelques restes permettent de supposer des ensembles plus grandioses et plus imposants, et enrichissent en droit, sinon en fait, le passé littéraire de toute une race qui semblait jusqu'ici avoir été assez stérile dans le domaine de l'art ou des lettres. On mesure sans peine tout le poids de l'édifice que soutient de ses faibles épaules le jongleur de notre chronique.

Cependant il y avait une autre explication possible à l'historiette : c'est que le moine de la Novalèse l'eût inventée lui-même. Et cette idée si simple n'est pas venue à l'esprit de Bethmann.

Pourtant il avait relevé l'erreur de Napione qui avait pris pour des narrations populaires ce qui n'était qu'un démarquage du *Waltharius*; pourtant, il avait noté qu'au chapitre XI du livre V, notre auteur rapporte gravement et présente comme historique une anecdote qui remonte en dernière analyse aux *Stratagèmes* de Frontin et dont il avait eu vraisemblablement connaissance par quelque texte d'école [1]. C'est donc qu'il ne se

---

1. Il s'agit du trait bien connu, selon lequel des assiégés affamés gavent de blé un sanglier et le lâchent dans le camp ennemi pour faire croire qu'ils ont encore des vivres en abondance. La chronique raconte l'événement à propos du siège de Canossa, où la reine Adelaïde se trouva bloquée par Bérengier en 952. Ce siège lui-même est d'ailleurs douteux. Cf. Frontini, *Stratagemata*, III, 15, 5.

faisait pas scrupule d'égayer sa narration d'ornements totalement étrangers à ses sources, ou même, plus simplement, à
l'histoire proprement dite. Depuis, on est allé plus loin :
Cipolla a remarqué que Paul Diacre avait été mis à contribution par notre chronique. Elle raconte, par exemple (V, 10),
que la reine Adelaïde, ayant échappé à la prison de Béranger à
Pavie et fuyant à travers le pays marécageux, rencontra un
clerc nommé Vuarinus, qui la requérit d'amour, tout en la
menaçant de la ramener au roi, si elle lui résistait. La reine,
pressée par le danger, lui proposa, *ne foedaret reginam*, de se
contenter de la suivante qui l'accompagnait. Le clerc révéla alors
qu'il n'avait parlé que par feinte, et il reçut plus tard l'évêché
de Modène, en récompense de sa belle âme. Cipolla rapproche
cette aventure de celle de Rosmunda et Peredeo dans l'*Historia
Longobardorum* (II, 28). J'avoue ne saisir aucun rapport entre
les deux textes ; mais l'anecdote est certainement d'origine cléricale et présente vaguement le caractère d'un début de légende
hagiographique ; de toutes façons, l'évêque en question était
contemporain de notre auteur [1], et on ne saurait, à son propos, parler de traditions populaires. — Ailleurs nous est rapportée l'histoire de la fille de Didier, qui, brûlant d'amour
pour Charlemagne, lui ouvre les portes de Pavie et meurt
frappée d'un châtiment céleste (III, 14) : il s'agit cette fois
d'un emprunt évident à l'*Historia Longobardorum* ; Cipolla l'avait
indiqué, et M. Bédier a heureusement développé cette remarque [2]. Or la narration de Paul Diacre est elle-même de la
même lignée que les légendes antiques de Tarpeia ou de Scylla,
fille de Nisus, et, chez Paul Diacre, elle est naturellement rapportée à un autre événement [3]. Notre auteur en offre une
troisième utilisation, et elle est chez lui un embellissement
surajouté. — L'épisode des *Transcornati*, qui fait suite à l'épisode du jongleur et qui lui est intimement lié, les éléments

---

1. Il est vrai que celui-ci brouille complètement les dates, cf. Cipolla,
op. cit., II, p. 254, note 4.
2. Cipolla, *op. cit.*, II, p. 183, note 1, et Bédier, *Légendes épiques*, II,
pp. 176-177.
3. Cf. *Historia Longobardorum*, IV, 37. Le rapprochement avec les
légendes antiques est de Gaston Paris, *Hist. poétique de Charlemagne*, p. 335.

épiques qui entrent dans la composition du personnage d'Algisus, fils de Didier, présentent le même caractère [1].

Nous sommes donc en mesure de réunir tout un ensemble de faits qui tendent à prouver que notre auteur, s'il avait une conscience assez ferme de ses devoirs d'historien, n'était toutefois pas ennemi de la belle littérature. Il n'hésitait pas à incor-

---

1. Sur ces deux cas, cf. Bédier, *Légendes épiques*, II, p. 175 et 177-178. Il convient de noter que ce que nous nions ici, ce n'est point le caractère épique ou folklorique des traits utilisés par le chroniqueur. Ce que l'on conteste, c'est qu'il les ait empruntés à une *légende déjà constituée* et que l'arrangement qu'il nous en offre ne soit pas son œuvre, ce qui est tout autre chose. Gabotto, par exemple, dans un article de la *Revue des Langues romanes* XL (1897), pp. 241-264, et plus part. pp. 259 ss., a soutenu que l'on pouvait conclure de ce que nous raconte le chroniqueur de la Novalèse à propos d'Algisus à l'existence d'une épopée lombarde concernant le fils de Didier. Plus tard, la légende du héros aurait été adoptée par l'épopée française et celle-ci l'aurait utilisée pour créer le personnage d'Ogier : en d'autres termes, Ogier ne serait qu'un Algisus « naturalisé ». Mais les ressemblances entre les personnages d'Algisus et d'Ogier ne consistent qu'en quelques traits qui sont de style et communs à une foule de héros de chansons de geste. Le seul trait un peu précis que la chronique mentionne à propos d'Algisus — celui des bracelets de fer — ne se retrouve justement pas chez Ogier. Et l'on voit bien, d'autre part, que, s'il y a eu vraiment transfert, ce transfert a aussi bien pu avoir lieu en sens inverse. Autrement dit, pourquoi ne serait-ce pas le personnage d'Algisus qui serait secondaire et pourquoi le moine de la Novalèse ne l'aurait-il pas créé lui-même, à l'aide d'éléments épars, recueillis de toutes mains ? Ce que nous venons de voir concernant ses habitudes de développement ne contredit pas cette hypothèse. Elle est peut-être corroborée, au contraire, par le fait qu'Algisus, malgré la grande importance que semble lui attribuer notre auteur, est en définitive un personnage qui ne fait rien et n'accomplit aucun exploit. La peinture qu'on nous fait de lui se borne à reproduire quelques traits généraux, ce qui semble bien prouver qu'en réalité on ne racontait rien sur lui, et qu'il n'était nullement le héros d'une légende spécifique ; car ce n'est pas le caractère invraisemblable de ses hauts faits épiques qui aurait pu arrêter notre moine : il n'hésite pas à nous exposer ceux de Waltharius. Par contre, s'il avait prêté à Algisus quelque action précise, empruntée à la légende d'un autre héros, il avait à craindre d'être facilement convaincu d'imposture. Il s'en est donc tenu à un portrait très vague et peu compromettant, mais qui lui a paru toutefois suffisant pour agrémenter d'un peu de pittoresque le cours de sa narration.

porer à sa narration de base certains éléments qu'il avait recueillis dans ses lectures et qu'il combinait à son gré. L'épisode du jongleur pourrait donc bien être, lui aussi, le fruit de son imagination et de ses préoccupations d'ordre esthétique. Nous croyons, pour notre part, qu'on peut essayer de le démontrer [1].

L'histoire nous apprend qu'au cours des âges plus d'une armée, embusquée dans un défilé pour barrer la route à l'ennemi, forte de positions réputées imprenables, s'est trouvée néanmoins brutalement déçue dans ses espérances de victoire par une manœuvre de l'adversaire, grâce à laquelle ce dernier franchit l'obstacle. Les sentiers de montagne détournés qui permettent le mouvement jouent, dans ces épisodes stratégiques, un rôle essentiel ; jamais n'y fait défaut non plus le personnage — traître ou partisan, mais toujours d'origine locale — qui connaît le pays et qui sert de guide à l'envahisseur. Il y a là un procédé si banal et, en apparence, si usé qu'on en arrive à s'étonner de voir tant de chefs d'armée se laisser surprendre aussi simplement et à si peu de frais, et les plus célèbres de ces chefs d'armée s'appellent Léonidas, Philippe, Didier.

Nous ne remonterons pas à la bataille des Thermopyles, où la trahison d'Ephialte assura aux troupes de Xerxès la victoire sur les Grecs [2] ; elle serait de peu d'utilité pour notre propos. Mais nous fixerons notre attention sur un épisode de la campagne de Titus Quinctius Flamininus contre Philippe V de Macédoine, tel qu'il nous est rapporté par Tite-Live, XXXII, 10-12.

Au printemps de 198, le consul romain, après avoir débarqué dans les parages de l'actuelle Avlona, remontait le cours

---

1. Tel était l'avis de Bédier, *Légendes épiques*, II, p. 175. Mais il s'est borné à déclarer que la chose allait de soi. Nous tenterons de serrer le problème d'un peu plus près.

2. Est-il besoin de dire que la narration d'Hérodote, VII, 213-233, est une narration embellie qui s'efforce de sauver au moins l'honneur ? Il semble bien que Léonidas se soit vraiment laissé surprendre, cf. entre beaucoup d'autres, J. Kromayer, *Antike Schlachtfelder*, IV (Berlin, 1924), pp. 21-63. La même ruse livra le même passage en 279 aux troupes de Brennus contre Callippos et en 191 aux troupes romaines contre le roi de Syrie Antiochus III.

de l'Aoos (la Voiousa), qui, à travers la chaîne du Pinde, permet d'atteindre la plaine thessalienne. Il se trouva alors arrêté
dans les défilés de la moyenne vallée du fleuve par les troupes
de Phillipe, sans pouvoir rien tenter contre les positions de
l'ennemi. Et voici ce que nous dit, à peu près, l'historien latin.
Les deux armées restèrent en présence pendant quarante jours.
A ce moment, on songea à négocier. Une entrevue fut ména-
gée entre le Grec et le Romain, au point où le courant du
fleuve était le plus resserré. Chacun des chefs se tenait sur
une rive, et le Romain exposa à quelles conditions il consen-
tait à l'abandon de sa marche en avant. Ces conditions sem-
blaient justes : il demandait au roi de rendre leur liberté aux
villes qu'il détenait à tort, *praesidia ex civitatibus rex deduceret,*
et de les indemniser des pertes subies. Mais, quand on en vint à
énumérer les villes en question, Philippe refusa violemment,
et peu s'en fallut que le colloque ne dégénérât en bataille, *et*
temperatum aegre est quin missilibus (quia dirempti medio amni
fuerant) pugnam inter se consererent. Les négociations ayant
échoué, les Romains se retrouvèrent dans l'embarras. C'est
alors que se présenta un berger du pays — envoyé par le roi
Charops — qui s'offrit à servir de guide aux troupes du consul
et à leur faire franchir le défilé par un sentier de montagne
bien connu de lui. Après quelques hésitations, Flamininus
accepta et envoya, sous la conduite dudit berger, une colonne
qui prit l'ennemi à revers. Auparavant, il avait fait à l'homme
les plus merveilleuses promesses — mais, pour plus de sûreté,
l'avait remis chargé de chaînes au chef de la troupe qu'il
devait diriger, en attendant que le succès fît la preuve de sa
bonne foi : *ducem promissis ingentibus oneratum, si fides extet,*
vinctum tamen tribuno tradit. Cependant cette suspicion se
révéla sans objet ; le berger était sincère, et l'opération réussit
parfaitement. Attaquées par les deux faces, les troupes de
Philippe durent céder le terrain et le passage.

L'analogie avec les événements de 773 saute aux yeux, et
je mets en fait que, si le moine de la Novalèse a connu ce
texte de Tite-Live, il n'a pas pu ne pas penser en le lisant, au *mit-*
tens scaram per montanis de ses sources carolingiennes, surtout
s'il était tant soit peu préoccupé du désir d'étoffer la note laco-
nique de l'annaliste. Dans les deux cas, il s'agit d'une expédi-

tion à travers la montagne; dans les deux cas, une des deux
armées, celle qui a pour elle les sympathies du narrateur, est
arrêtée par les accidents du terrain ; dans les deux cas, on pié-
tine, on s'attarde, on négocie (ce détail, notre chroniqueur le
connaissait pour 773 par la *Vita Hadriani*) ; dans les deux cas,
il suffisait à l'un des deux antagonistes de rendre des villes
qu'il détenait injustement pour voir la menace s'éloigner de
lui ; dans les deux cas, il refuse; dans les deux cas, la situation
se dénoue d'une façon identique : les positions de l'adversaire
sont tournées par un sentier dont il ne soupçonne pas l'existence, ou sur lequel, en tout cas, il ne se garde pas. Certaines
expressions de l'auteur latin pouvaient même faire naître dans
l'esprit d'un lecteur rapide l'idée que les troupes macédo-
niennes avaient élevé, tout comme Didier, de véritables
retranchements pour ajouter encore aux obstacles naturels [1].

Notre auteur trouvait donc, rassemblés par Tite-Live, tous
les éléments nécessaires pour orner son récit, et, même, à
vrai dire, pour le construire de toutes pièces. Il était si facile
de penser que les choses s'étaient passées de la même façon
dans la vallée de la Doire et dans celle de l'Aoos, ou, tout au
moins, d'une façon analogue. Il est vrai que quelques détails
précis — ceux-là même sur lesquels il semble qu'un auteur
désireux de donner de la vie à son récit eût dû insister — ont
été supprimés par le *Chronicon*. Ainsi la scène de l'entrevue
entre les deux chefs n'a pas été utilisée, et on ne nous montre
pas non plus le guide prenant la tête de la colonne qu'il a
promis de mener à la victoire, lourd des chaînes dont l'aurait
chargé une méfiance, au reste fort naturelle. Mais la dispari-
tion du premier trait s'explique sans plus, si l'on pense que
l'auteur médiéval, conformant en gros son récit à celui des
annales carolingiennes, ne mentionne pas de négociations du
tout; quant au second, il lui a peut-être semblé trop hardi, et
il a préféré ne pas le retenir. Si le vrai, en effet, peut parfois

---

1. XXXII, 9 : « pro his (i. e. Romanis) ordo et militaris disciplina et
genus armorum erat, aptum tegendis corporibus, pro hoste loca et cata-
pultae ballistaeque in omnibus prope rupibus *quasi in muro* dispositae. » Et
plus loin, XXXII, 11 : « postquam multis vulneratis interfectisque recepere
se regii in loca aut *munimento* aut natura tuta... »

se permettre de n'être pas vraisemblable, la fantaisie, elle, est
tenue à plus de prudence [1].

Obéissant, en conséquence, au désir de rester dans les
limites de la vérité possible, notre auteur n'a emprunté à la
narration de Tite-Live que le trait essentiel, et, puisqu'il fal-
lait que les troupes de Charlemagne utilisassent une route
détournée et sans doute peu connue, il les a fait guider par
un homme du pays, qui se présente au moment où on l'attend
le moins, qui s'offre à cette tâche et en espère en retour de
riches récompenses : tel s'était déjà offert, dans des circonstances analogues, il y avait bien longtemps, le berger de
Charops.

Et tout cela pourrait paraître simple et clair, s'il ne restait
dans notre texte un détail, mais un détail si précis, si particulier — si étrange, du reste — qu'il apparaît comme fondamen-
tal et semble constituer le noyau même de l'histoire : or, ce
détail n'est pas chez Tite-Live. Chacun l'a déjà noté : dans le
Chronicon, le guide n'est pas un berger du pays, c'est un jongleur, et un jongleur qui attire sur lui l'attention de Charles
par sa chanson. Il y a là une différence grave et de nature à
faire réfléchir. Or, cette différence, loin de creuser un fossé
infranchissable, comme on pourrait le croire au premier abord,
entre le texte de Tite-Live et le texte médiéval, permet au
contraire, croyons-nous, d'apporter la preuve que c'est bien à
l'historien latin que notre auteur a emprunté le fond de sa
narration. Jusqu'ici nous n'avions que des présomptions.

Ouvrons un texte qui, de tout temps, a été très lu, un
texte de Cicéron, le *Cato Major de Senectute*. Il débute ainsi :

> O Tite, si quid ego adjuro curamve levasso
> Quae nunc te coquit et versat in pectore fixa,
> Ecquid erit praemi ?

Or, de qui sont ces vers ? — D'Ennius, extraits vraisembla-

---

1. Je n'oserais prétendre que le détail du guide enchaîné soit historique ;
mais il est bien évident que Tite-Live le rapporte comme tel. Au reste, sa
source est ici vraisemblablement Polybe, XXVII, 15, 2. Sur l'épisode lui-
même, on lira avec intérêt Kromayer, *Antike Schlachtfelder*, II (Berlin, 1907),
33-50.

blement du chant X de ses *Annales*. A quel épisode se rapportent-ils ? — Au passage des défilés de l'Aoos par Flamininus, car c'est lui, le Titus à qui ils sont adressés. Dans la bouche de qui sont-ils placés ? — Dans celle du berger qui vint trouver le consul romain et lui proposa de le tirer d'affaire.

Rappelons maintenant les vers que prononce le jongleur devant les hommes de Charles :

> Quod dabitur viro praemium
> Qui Karolum perduxerit in Italie regnum,
> Per qua quoque itinera
> Nulla erit contra se hasta levata,
> Neque clypeum repercussum,
> Nec aliquod recipietur ex suis damnum ?

Il y a entre les deux passages une coïncidence assez étrange, et on nous accordera que, si le second ne reproduit pas le premier, il a bien l'air, du moins, d'en être à la fois un démarquage et un développement, une grossière réfection. Le mouvement est identique dans les deux textes.

Et voici, — du moins est-on en droit de le supposer — ce qui a dû se passer dans l'esprit de notre auteur. Il connaît d'une part le texte de Tite-Live, et il n'a pas manqué de noter le parti qu'il pourrait en tirer pour donner un peu de corps à la narration qu'il se propose de faire. Il connaît aussi le début du *de Senectute*, et. il sait — comment ? c'est un point sur lequel nous allons revenir — il sait que ces vers se rapportent à l'épisode qui l'intéresse. Naturellement il ignore tout d'Ennius et de ses *Annales*, ou ne se fait, s'il est renseigné par quelque glose, qu'une très vague idée de ce qu'a pu être l'œuvre du vieil auteur latin. Il voit simplement qu'un texte antique — — donc vénérable — reproduit *en vers* les paroles que le berger-guide est censé avoir adressées au général romain. *En vers ?* Ce berger était donc un poète, ou, tout au moins, un personnage accoutumé à se servir de ce langage qui sort de l'ordinaire ; il en fait, lui, un jongleur, un chanteur ambulant, et il l'introduit dans le schéma que lui offrait Tite-Live. Une sorte de confusion se produit en lui, ou plutôt, devant l'apparente dualité de ses sources d'inspiration, il choisit l'interprétation qui lui apparaît comme la plus belle, la plus étrange, celle qui est capable, plus que l'autre, de donner à tout l'épisode ce caractère hors de l'ordre commun dont il n'est pas fâché de le revêtir, puisque son personnage de Charles en sera rehaussé d'autant. Peut-être même les caractères de berger et de chanteur ne lui semblaient-ils pas absolument incompatibles : les pâtres de Théocrite ou de Virgile ne sont pas les seuls à charmer les loisirs de leur solitude forcée par l'exercice de talents musicaux ou poétiques.

Si les rapprochements que nous venons de faire ont quelque valeur, voilà donc expliquée la formation de l'historiette du jongleur. Tout recours à une hypothétique légende lombarde devient inutile ; nous avons à faire à une invention littéraire, dont les éléments ont été fournis à son auteur par ses lectures : le reste doit être porté au compte de son imagination. Quant au procédé si peu respectueux de la confiance qu'un lecteur a pu mettre en vous, et qui consiste à présenter comme authentiques des vers que l'on a soi-même composés ou empruntés à une source quelque peu trouble, il ne doit pas nous étonner. Si l'on nous conteste le droit de rapprocher le cas de notre auteur de celui d'Hildegaire et de la fameuse « cantilène » qu'il a insérée dans sa *Vita Sancti Faronis* [1], nous renverrons aux vers que l'auteur de la *Chronique de Turpin* attribue sans sourciller à Charlemagne, et qui sont tout simplement de Fortunat [2].

Cependant notre hypothèse se heurte peut-être à quelques difficultés qu'il convient de ne pas dissimuler.

Et tout d'abord, l'auteur du *Chronicon Novaliciense* avait-il lu Tite-Live et Cicéron ?

A ces deux questions, on ne peut répondre que par des présomptions. Pour le *de Senectute*, on admettra sans peine qu'il était arrivé à la connaissance de notre moine. Il s'agit, en effet,

---

1. Cf. sur ce sujet, Bédier, *Légendes épiques*, IV, pp. 287-335, et Foerster-Koschwitz, *Altfranzösisches Uebungsbuch*, 7e éd., Leipzig, 1932, col. 257-262.

2. Cf. Meredith-Jones, *Historica Karoli Magni et Rotholandi ou Chronique du Pseudo-Turpin*, Paris, 1936, p. 200 et la note sur le procédé dans le *Codex Calixtinus*, p. 319.

d'un texte dont nous savons qu'il a été très pratiqué pendant tout le moyen âge [1]. Mais pour Tite-Live, le cas est un peu plus complexe. Les dimensions de son œuvre étaient, en effet, un obstacle sérieux à sa diffusion. Très tôt, l'ouvrage fut découpé en un certain nombre de tronçons, et il devint rapidement difficile de se le procurer dans son ensemble : le *Breviaire* d'Eutrope, ou plutôt les réfections qui ont pour auteurs Paul Diacre et Landulf Sagax, voilà principalement la source où les écrivains médiévaux vont puiser leur connaissance de l'histoire ancienne. Toutefois, nous avons des preuves nombreuses que Tite-Live n'a jamais cessé d'être connu et utilisé [2]. Une chaîne ininterrompue de témoignages relie Jonas de Bobbio, qui cite notre Padouan dans sa *Vita Columbani*, à Sigebert de Gembloux, en passant par Andoenus, Eginhard, Walahfrid Strabo, Eulogius, Loup de Ferrières, Odon de Cluny, Flodoard de Reims, Widukind de Corvey, Abbon de Fleury, Fulbert de Chartres, Ekkehard IV de Saint-Gall, Pierre Damien, Lambert d'Hersfeld — et cela, sans franchir la limite inférieure du XIe siècle [3]. Touchant plus particulièrement l'Italie, outre

---

1. Les tables des tomes II et III de Manitius, *Lat. lit. des Mittelalters*, renseignent sur le succès de Cicéron à l'époque qui nous intéresse. Sans doute, pour les écrivains du moyen âge, Cicéron est-il avant tout l'auteur des traités de rhétorique. Mais en ce qui concerne le *de Senectute*, on le trouve mentionné dans un certain nombre de catalogues de bibliothèque. Saint-Amand, par exemple, en possédait une copie, ainsi que Corbie et que Saint-Victor. L'exemplaire de Bobbio mentionné dans un catalogue du Xe siècle (cf. Muratori, *Antiquitates Italicae*, III, 818) nous intéresse particulièrement : de là, en effet, la connaissance du texte a pu se répandre dant l'Italie du Nord. Cf. les listes dressées par L. Maître, à la fin de son ouvrage, *Les écoles épiscopales et monastiques en Occident*, 2e éd., Paris, 1924. — Dans la dernière édition critique du *de Senectute*, celle d'A. Barriera, parue dans le *Corpus Paravianum*, l'auteur a catalogué au moins quinze mss antérieurs au XIIe siècle : encore n'a-t-il exploré pour les *recentiores*, c'est-à-dire pour les textes postérieurs au IXe siècle, que les collections italiennes.

2. On consultera sur ce point principalement deux articles de Manitius : a) *Beiträge zur Geschichte der röm. Prosaiker im Mittelalter* in *Philologus*, XLVIII (1889, p. 570 ss.), et b) *Philologisches aus alten Bibliothekskatalogen bis 1300* in *Rheinisches Museum*, XLVII (1892), Ergänzungshheft, p. 37.

3. Naturellement plus on descend le cours des temps, plus les témoi-

Pierre Damien, on relèvera un passage bien connu de la préface à l'*Historia de Proeliis* de l'Archiprêtre Leo [1], où ce dernier déclare que son maître, Jean, duc de Capoue, s'était
préoccupé de faire remettre en état et de renouveler les éditions d'un grand nombre d'œuvres littéraires importantes : or,
parmi ces dernières figure Tite-Live — et ceci se passait dans
les alentours de 950. Vers la même époque, Aimé du Mont
Cassin, introduisant dans un poème en l'honneur des saints
Pierre et Paul un éloquent éloge de Rome, cite Tite-Live
parmi les écrivains qui ont chanté la gloire de la ville éternelle :

> Quae sis, quam praestans, Cicero dictamine narrat,
> Cui similis nullus describitur atque secundus,
> Et *Livius Titus*, Lucanus in ense peritus
> Egregiusque Maro magnusque poemate Naso
> Et vir mirificus Varro, quem fovet iste Casinus,
> Et plures de te scripserunt plura poete [2].

---

gnages deviennent nombreux. Au XIIe siècle, Guillaume de Malmes-
bury, Guillaume de Tyr, Pierre de Blois, Jean de Salisbury, Thierry
de Saint-Trond ont pratiqué Tite-Live. Aux témoignages des chroniqueurs de second plan que Manitius a relevés dans son article du *Philologus* pour la fin du XIIIe siècle et le début du XIVe, on ajoutera celui, si important, de Dante (cf. l'éd. de la *Società Dantesca Italiana*, Firenze, 1621, à la
table) et celui, quelque peu antérieur, de Jean de Meun (cf. E. Langlois,
Origines et Sources du Roman de la Rose, Paris, 1891). On sait de reste que,
vers 1350, l'œuvre de Tite-Live, à peu près telle qu'elle nous a été conservée, était traduite en français par Pierre Bersuire et que, sous cette forme,
elle a connu un succès considérable. Cf. encore M. Bloch, *La Société féodale*,
Paris, 1939, I, p. 140-141, où l'on voit que Tite-Live fait partie des auteurs
distribués aux moines de Cluny pour leurs lectures de Carême de 1039 à
1049. Le jugement de Haskins, *The Renaissance of the twelfth century*, p. 225,
ne peut donc être accepté qu'avec certaines réserves.

1. Éd. F. Pfister, Heidelberg, 1913, p. 46, ll. 9-16.
2. Cf. A. Graf, *Roma nella memoria e nelle immaginazioni del medioevo*,
I, p. 15, et E. Dümmler, *Neues Archiv*, IV, 182. Tite-Live se trouve ici en
compagnie des auteurs anciens les plus lus au moyen âge, Cicéron, Lucain,
Virgile, Ovide. Varron est un cas légèrement différent ; il venait, en effet,
d'être découvert, et c'est précisément du vieux fonds de la Bibliothèque du
Mont Cassin qu'on l'avait exhumé. De là, sans doute, la mention particulière dont il a été jugé digne et la note de tendresse dont son nom est suivi :
« quem fovet iste Casinus ». Cf. la préface de l'éd. Goetz et Schöll, Leipzig, 1910, pp. XI ss.

Nous avons conservé un chant de « gaite » latin, datant de la fin du IXe ou du début du Xe siècle : l'auteur, un clerc de Modène, invite ses concitoyens à veiller du haut de leurs murailles au salut de la ville, et il connaissait Tite-Live, puisqu'il fait allusion à l'épisode des oies du Capitole [1].

Il est vrai que l'on pouvait posséder des fragments importants de l'œuvre de l'historien latin, sans pour cela posséder l'ensemble de l'ouvrage — et, en particulier, la quatrième décade, la seule qui nous intéresse ici [2]. Cependant nous avons justement des raisons de croire que cette portion de l'ouvrage était facilement accessible aux clercs du Nord de l'Italie, à l'époque où vivait notre auteur : rien ne s'oppose donc à ce qu'il en ait eu connaissance [3].

---

1. Cf. Raby, *Secular latin poetry*, I, p. 289 : « Vigili voce avis anser candida fugavit Gallos ex arce romulea, Pro qua virtute facta est argentea Et a romanis adorata ut dea. » Le texte également dans *Poetae latini aevi Carolini*, III, 703.

2. C'est ainsi que le catalogue de la Bibliothèque de Corbie, pourtant très riche, ne mentionne que la troisième décade, cf. L. Maître, *op. cit.*, p. 194. A Pomposa, un catalogue de 1093 signale lui aussi la présence d'un Tite-Live, mais ajoute : « Libri decem ab urbe condita, sed capita XL adhuc desunt Pomposiano abbati quae reperire avide anhelat. » Cf. Manitius, *art. cit.* du *Philologus*, remarque qui prouve qu'il ne devait pas être très commode de compléter ses exemplaires.

3. Voici ces raisons : notre connaissance actuelle de la quatrième décade repose essentiellement sur un ms. de Bamberg (M IV 9) du XIe siècle, d'origine allemande ; mais nous savons que ce ms. a été copié à Bamberg même vraisemblablement, sur un ms. beaucoup plus ancien, en onciales, du Ve ou du VIe siècle ; des fragments de cet archétype ont été retrouvés en 1904 dans de vieilles reliures. Or cet ancien ms. n'a été amené en Allemagne, avec quelques autres, que par Otton III, à la suite d'un séjour que ce dernier fit en Italie de 996 à 1001 ; le lot provenait de Plaisance. D'autre part, les très nombreux *recentiores* de la quatrième décade qui sont aujourd'hui disséminés dans les Bibliothèques d'Europe, à Turin, Florence, Holkamhall, Cheltenham, Oxford, Breslau, Dresde, sans compter ceux qu'a utilisés Drackenborch, remontent à une copie de ce même archétype, exécutée en Italie, vraisemblablement avant son départ pour le Nord. En d'autres termes, il a existé à Plaisance, aux alentours de l'an 1000, un texte de la quatrième décade de Tite-Live, et, à cette date, ce texte avait déjà été recopié et avait commencé à proliférer. Il n'y a donc rien d'invraisemblable à supposer qu'une de ces copies ait été lue par notre

Beaucoup plus délicate est la question de savoir comment
notre moine avait appris que les vers cités par Cicéron, au
début de son traité, se rapportent au berger de Charops. Le
contexte où ils sont introduits ne nous apprend rien, en effet,
sur le sens qu'ils pouvaient avoir chez Ennius, ni sur l'épisode
d'où ils sont extraits. Cicéron utilise sa citation métaphorique-
ment, et il néglige même de nous indiquer à quel auteur il l'a
empruntée. La chose allait de soi, sans doute, pour lui et ses
lecteurs.

Toutefois, que ces vers soient bien d'Ennius, c'est un point
dont personne n'a jamais douté, du moins depuis qu'il s'est
trouvé des érudits pour s'intéresser au vieux poète latin : ils
figurent déjà en 1590 dans l'édition de Columna [1], et cette
attribution n'a jamais été contestée depuis [2]. Mais si ce
premier point s'est trouvé résolu d'entrée de jeu sans difficulté
et d'une façon sans doute définitive, malgré l'absence de tout
témoignage antique autorisé [3], on a mis plus longtemps à
replacer le passage dans son contexte possible. Les premiers
éditeurs d'Ennius avaient bien vu que ces quelques mots
devaient être adressés à Flamininus, puisqu'ils contiennent son
prénom ; mais ils les faisaient prononcer par Sextius Aelius,
le second consul de 198 : ce dernier aurait ainsi encouragé
son collègue, effrayé des difficultés qui l'attendaient en Grèce
et lui aurait offert l'aide de ses conseils [4]. L'interprétation
actuelle, celle que nous avons utilisée, et qui place le discours
dans la bouche du berger de Charops, n'a été proposée que de

---

moine. Sur tout ceci, cf. L. Traube, *Bamberger Fragmente der vierten
Dekade des Livius*, in *Palaeo-graphische Studien*, IV, *Abh. der k. Bayer. Ak. der
Wiss.*, Münich, 1904. — Depuis l'article de Traube, on a d'ailleurs retrouvé
en Italie des fragments d'un autre ms. de Tite-Live, du Ve siècle, qui contenait lui aussi la quatrième décade, cf. M. Vatasso, *Frammenti d'un Livio
del V° secolo recentemente scoperto, codice Vat. lat. 10696*, Roma, 1906. Ceci
ne fait donc qu'augmenter les chances en faveur de notre supposition.

1. Cf. l'éd. de P. Merula, Leyde, 1595, p. XXV et DIII.

2. Cf. en dernier lieu l'éd. de E. M. Steuart, Cambridge, 1925, p. 49, et
l'éd. de Vahlen, Leipzig, 1903, p. 60.

3. Il y a toutefois une réserve à faire, cf. infra.

4. Cf. l'éd. de Merula, *loc. cit.*, et encore l'éd. de Spangenberg, Leipzig,
1825, pp. 136-137.

nos jours — ou presque — par Madvig [1] : elle n'a pour elle
que sa vraisemblance ; aucun texte — que nous connaissions —
ne l'a jamais mentionnée.

Il faut donc supposer que cette interprétation, que les érudits modernes ont mis si longtemps à donner, notre moine
de la Novalèse la connaissait déjà — et c'est une difficulté.
Toutefois, il n'y a à cela rien d'impossible. On lisait les textes
classiques au Xe et au XIe siècle comme de nos jours, et,
comme de nos jours, on cherchait à les comprendre et on les
commentait. Or, le rapprochement qui s'est produit à un
moment du siècle passé dans l'esprit de Madvig avait bien pu
naître déjà dans l'esprit de quelque *scholasticus* du moyen âge.
Il nous faut de plus compter avec l'existence possible de
gloses ou de scholies que nous aurions perdues depuis. Nous
avons dit plus haut que l'identification des vers d'Ennius ne
s'appuyait sur aucun témoignage ancien ; il y a toutefois une
réserve à faire. Le commentaire de Donat au *Phormion* de
Térence, à propos du vers 34 du prologue, cite notre passage
en l'attribuant à Ennius. Malheureusement, cette citation ne
se trouve que dans un seul manuscrit, le *Riccardianus 669,*
manuscrit du XVe siècle, et on a soupçonné qu'elle était due à
quelque humaniste, qui aurait ainsi fait montre de son érudition [2]. Toutefois, il y a doute, et l'on peut penser qu'il a cir-
culé au moyen âge des copies du commentaire de Donat qui
mentionnaient ces vers d'Ennius, attiraient ainsi l'attention
sur eux, peut-être même les expliquaient [3].

---

1. *Opuscula academica* II, pp. 290 ss. ou p. 633 de l'éd. en un volume
de 1887.

2. Sur cette question, on peut consulter P. Wessner, *Rheinisches Museum,*
LII, p. 69-98. Wessner croit que la citation est moderne ; par contre Sabbadini, *Studj italiani di filologia classica,* II (1894), pp. 1 ss, était d'avis qu'elle
remonte à Donat lui-même.

3. Notons que l'auteur du *Chronicon* connaissait Térence ; il le cite
expressément V, 9 : « ut Terentius ait. » Wessner, dans l'article cité ci-dessus,
soutient que le moyen âge n'a connu que quatre exemplaires du commentaire de Donat. Toutefois, ce qui est vrai, c'est que, jusqu'à présent, nous
n'en retrouvons que quatre, deux qui ont subsisté (le *Parisinus lat.* 7920 et
e *Vaticanus Reg. lat.* 1595) et deux dont l'existence nous est attestée (un
Maguntinus et un *Carnutensis*). Mais si l'on pense au crédit de Donat au

Nous sera-t-il permis d'aller plus loin, et de croire que la remarquable concordance entre l'hypothèse de Madvig et la nôtre, à propos du même texte, mais concernant deux problèmes radicalement différents, est une garantie supplémentaire de l'exactitude de l'une comme de l'autre. Les deux constructions se prêtent, en quelque sorte, mutuellement appui : seules les explications qui ont touché le vrai ont coutume de résister à l'épreuve d'un double examen et de se révéler féconde ou propre à résoudre des difficultés distinctes.

Il nous reste maintenant à écarter quelques arguments secondaires que l'on a parfois avancés [1], et qui semblent venir s'ajouter au témoignage du *Chronicon Novaliciense* : ils ne prouvent pas, eux non plus, l'existence d'une ancienne légende concernant le passage des Alpes par Charlemagne.

Considérons en premier lieu la narration de deux chroniqueurs du XIVᵉ siècle. Galvano Fiamma connaît, nous dit-on, lui aussi, l'épisode du mouvement tournant. Mais c'est qu'il a été renseigné tout simplement par un texte inspiré plus ou moins directement des annales carolingiennes. Ce détail mis à part, sa narration est absolument différente de celle de notre chronique. Sans doute essaye-t-il à son tour de développer un peu la maigre indication de son texte de base ; mais le moyen qu'il emploie est assez ridicule : il est sûrement de son invention — et d'une pauvre invention. Il suffira de lire le passage en cause pour être fixé [2]. On notera que, conformément aux

moyen âge d'une part, et au succès de Térence qui a toujours été très lu de l'autre, on pourra croire, avec Sabbadini, que les exemplaires du commentaire ont dû être plus nombreux. Ce dernier supposait, pour des raisons que ce n'est pas le lieu de rapporter, que le moyen âge avait eu à sa disposition au moins dix copies différentes, *art. cit.*, p. 19.

1. Il s'agit surtout des remarques de M. Bertoni, *Giorn. stor. della lett. italiana*, LIII, pp. 340 ss, et *Il Duecento*, p. 63.

2. Galvano Fiamma (dominicain milanais, meurt en 1344), *Manipulus Florum* in Muratori, *Rer. Italic. Script.*, XI, p. 599 (ch. 121) : « Audiens autem Carolus Magnus quod rex Desiderius exercitum paraverat et quod ei usque ad Clusas Longobardorum ultra Hipporegiam obviam ivisset, exercitum suum divisit, et unam partem per montem Jovis sub Bernardo avunculo suo transire jussit ; ipse vero per montem Cinisium ex altera parte transivit. Conjunctis itaque his duobus exercitibus in unum, rex Desiderius

sources carolingiennes et contrairement au *Chronicon Novaliciense*, Galvano Fiamma sait que Charles avait divisé son
armée en deux troupes et que l'une de ces troupes était dirigée
par Bernard, oncle du roi ; il parle même de la jonction des
deux groupes avant la bataille avec Didier, en amont des
Cluses. Par contre, il ignore les fortifications élevées par le roi
lombard, dont parle notre chronique à la suite de la *Vita
Hadriani*, et sur lesquelles les annales carolingiennes sont
muettes. Le trait si caractéristique du jongleur ne figure pas
dans sa narration, et il s'est contenté de remplacer le *mittens
scaram per montanis* des textes originaux par cette précision,
qui n'a pas dû lui coûter un grand effort d'imagination : *sed
Carolus magnus Rolandum et Oliverium nepotes suos occulte per
montem transmisit* [1]. Enfin il place la rencontre de Charlemagne et de Didier en amont d'Ivrée, c'est-à-dire dans la vallée de la Doire Baltée et d'Aoste, ce qui est une erreur que
nous allons retrouver.

Un autre chroniqueur, piémontais celui-là, Jacques d'Acqui,
a raconté à son tour — et romancé — la descente de Charles
en Italie, dans son *Chronicon Imaginis Mundi* [2]. Jacques
d'Acqui, comme Galvano Fiamma, dont il est à peu près le
contemporain, situe le centre de résistance des Lombards sur la
route du Grand-Saint-Bernard, en amont d'Ivrée, contrairement à la vérité historique et au texte de l'historien de la
Novalèse. Par contre, il ignore que Charlemagne avait divisé
son armée ; et il sait que Didier avait élevé une puissante
muraille dans la vallée. Fort de ce renseignement qu'il a vraisemblablement emprunté à la *Vita Hadriani*, il fait, du retranchement, une description précise, tout entière tirée de sa fan-

---

ex altera parte Clusae stans, Theutonicos transire prohibebat. Sed Carolus
Magnus Rolandum ,et Oliverium nepotes suos occulte per montem transmisit : ex quo rex Desiderius terga vertit. »

1. On remarquera que l'erreur qui fait d'Olivier un neveu de Charlemagne, au même titre que Roland, ne se conçoit guère dans un texte d'inspiration populaire ; il s'agit d'une confusion ou d'un à peu près de Galvano
Fiamma lui-même, qui fait d'ailleurs jouer à ces deux héros passe-partout
un rôle assez important dans la suite de la guerre lombarde.

2. Le passage en cause se trouve dans les *Monumenta historiæ patriæ*, V
(*Scriptores*), 1490-1491.

taisie [1]. Quant aux moyens mis en œuvre par Charles pour forcer le passage, il ne s'est pas mis en frais pour les imaginer, lui non plus : le rempart est enlevé de haute lutte par une troupe d'élite à qui le roi avait proposé une splendide récompense [2]. Du mouvement tournant, de la marche à travers la montagne, et, à plus forte raison, du jongleur, pas un mot.

Si nous groupons maintenant ces trois narrations — celles du *Chronicon Novaliciense*, du *Manipulus Florum*, du *Chronicon Imaginis Mundi* — et que nous essayions d'en tirer un fonds commun, il est facile de voir qu'on n'aboutit à rien. Tout ce que l'on peut dire, c'est que les trois chroniqueurs ont, chacun séparément, brodé sur le canevas que leur offraient leurs sources. Ces sources étant en partie communes et le tour d'imagination des auteurs en partie semblable, rien d'étonnant si l'on croit parfois saisir comme un même écho retentissant à travers les trois textes. Toutefois, en dépit des concordances, il n'est pas difficile de voir que la Chronique de la Novalèse a vraisemblablement connu la *Vita Hadriani* et des annales carolingiennes, que Galvano Fiamma n'a sans doute utilisé que des annales et que Jacques d'Acqui a eu recours surtout à la *Vita*.

Cependant, l'accord de Galvano Fiamma et de Jacques d'Acqui touchant la localisation de la bataille mérite une certaine attention. A mon sens, il s'agit uniquement d'une loca-

---

1. « In introïtu Lombardiæ de parte civitatis Yporegie fit maxima clausura de lapidibus congregatis in maxima quantitate inter Doyram et costam que dicitur Callamaz... in medio factus est murus maximus longus et latus de lapidibus grossis et minutis in modum maceⁿie congregatis, et super murum facta castra multa de lignis ita quod nullus ibi pedes vel eques poterat aliquo modo transire... et porta tota ferrea ibi posita erat, et tale edificium illius muri dicitur Loge ibi usque hodie. »

2. « Attendens Karolus Magnus et videns moram et stediatus recolligit circa CCCCC juvenes nobiles et milites et illis dat jocalia magna et majora promisit si citius locum clausum intraverint Logiarum prædictarum. Qui die statua locum illum pugnare ceperunt Gallici extra et intra Longobardi defendunt. Fit pugna maxima. Hinc inde moriuntur, vulnerantur jaculis et lapidibus et de illis supradictis juvenibus quinque mille qui totum pondus pugnæ portabant duo milia ibi moriuntur, antequam locum vincere possint Logiarum. Tandem ultimo violenter intraverunt et multos in illo introïtu de Longobardis occiderunt. »

lisation pseudo-érudite. La vallée de la Doire Baltée présente, en effet, à une vingtaine de kilomètres en amont d'Ivrée, un étranglement tout à fait propre à la défense. C'est le point traditionnel, qui s'offre pour ainsi dire de lui-même à interdire l'accès de la plaine aux troupes descendant du Nord. On y voit aujourd'hui encore un retranchement célèbre, le fort de Bard, château dont la fondation remonte au xiᵉ siècle, et qui fut pris, entre autres, par le comte Amédée de Savoie en 1242 [1]. Le château occupe l'emplacement d'anciennes fortifications romaines, et, — puisque l'histoire est un perpétuel recommencement, — quand l'armée de Napoléon, alors Premier consul, descendit du Grand-Saint-Bernard, en mai 1800, elle y fut arrêtée par quatre cents Autrichiens pendant huit jours. Un personnage qui connaissait l'expédition de 773 a sans doute cru bien faire en supposant que c'était là qu'avait eu lieu la rencontre de Charlemagne et de Didier, et son opinion s'est accréditée dans les écoles ou les cercles érudits du Nord de l'Italie au xivᵉ siècle [2].

Il reste enfin, dans le texte du *Chronicon*, un dernier point à élucider : le chemin qu'aurait emprunté Charlemagne pour tourner les positions lombardes portait encore au xiᵉ siècle le nom de *via Francorum* ; du moins, c'est ce qu'affirme notre moine (III, 14) ; et il peut sembler qu'on ait là une preuve solide de l'existence réelle de la légende que nous nions, de son existence indépendante de tout texte érudit.

Cependant nous pensons que l'expression *via Francorum*, si elle n'est pas de l'invention de notre homme, doit s'expliquer autrement. *Via Fráncorum* n'est sans doute pas autre chose qu'une variante de cette autre expression, latine elle aussi, et si fréquente dans l'Italie du moyen âge, de l'expression *via francigena*. Or *via francigena*, c'est le nom qu'on donnait en beau latin aux routes que le peuple appelait, lui, *strada* ou *via francesca*,

---

1. Cf. cette remarque des *Arnulfi gesta archiepisc. Mediolanensium*, II, 8 (*Script.* de Pertz, VIII) : « præcisa saxa inexpugnabilis oppidi Bardi. »
2. Nous avons cité plus haut la note de Cippola (II, p. 175, note 1), où celui-ci parle des ruines qui parsèment encore la vallée de la Doire Ripaire, à la hauteur du hameau de la Chiusa san Michele. Il n'est peut-être pas hors de propos de relever que l'érudit italien (non plus que les auteurs qu'il cite) n'émet aucune opinion sur l'âge possible de ces vénérables reliques.

c'est-à-dire « la route parcourue par les hommes du Nord, principalement les Français, allant en pèlerinage à Rome [1] ». C'est le nom qui réapparaît sous la forme de *camino francés* dans la péninsule ibérique, sur le chemin qui mène à Saint-Jacques de Compostelle. Et nous n'avons pas besoin de rappeler que le Val de Suse est situé sur la grande voie de communication qui relie la France à l'Italie, et que c'était, en conséquence, le point de passage obligé des innombrables pèlerins partis des régions françaises ou anglaises pour aller adorer le tombeau de l'apôtre. Nous sommes donc en droit de juger que les troupes pacifiques de pieux « paumiers » qui descendaient des Alpes à la belle saison avaient suffi à baptiser la route.

Sans doute, en toute rigueur, faudrait-il supposer que les pèlerins du moyen âge avaient accoutumé de prendre ce fameux sentier de montagne, au lieu de suivre la vallée facile de la Doire, puisque c'est lui qui porte le nom de *via Francorum*, et non le grand chemin ferré. Mais justement, on peut le faire, malgré ce que cette supposition offre d'étrange au premier abord. Voici pourquoi. M. Bédier [2] a noté que la variante de notre sentier était indiquée par l'*Itinéraire* dit *de Mathieu de Paris* [3]. Il y a là une légère inexactitude. Ce que dit, en réalité, l'*Itinéraire* en question, c'est que, aux pèlerins qui se rendent à Rome en passant par le Mont Cenis, deux routes s'offrent en aval de Suse, deux routes dont la bifurcation est située à la hauteur d'Avigliana. La première de ces routes (*versus orientem*) descend là Doire Ripaire jusqu'à Turin, puis, tout en restant sur la rive gauche, du Pô, gagne Vercelli, Mortara, Pavie. Alors seulement elle franchit le fleuve, pour rejoindre Plaisance et l'ancienne voie émilienne. L'autre se détache de la première à Avigliana, comme nous venons de le dire, pour appuyer vers le Sud (*chemin à destre*, dit l'*Itinéraire*), ou plutôt le Sud-Est. Elle franchit le Pô un peu en amont de

---

1. Sur tout ceci, cf. les deux articles de Pio Rajna dans l'*Archivio storico italiano* aux tomes XVIII (1886) et XIX (1887), principalement le dernier pp. 33-44.

2. *Légendes épiques*, II, p. 175, note 2.

3. Éd. K. Miller, *Mappæ mundi, die ältesten Weltkarten*, III (1895), pp. 84 ss.

Turin (où ? l'*Itinéraire* ne le dit pas), et, par Tortone et Gênes, gagne la Riviera et la route du littoral [1]. Or, notre sentier offre justement un raccourci qui relie directement les villages situés légèrement en aval de Suse (Villar Focchiardo, p. ex.) à Giaveno, d'où l'on peut facilement rejoindre l'itinéraire n° 2 indiqué ci-dessus, un peu au delà d'Avigliana — et ce raccourci est encore utilisé aujourd'hui, aux dires des érudits locaux, par les gens du pays [2]. Naturellement le passage de nombreux étrangers sur ce chemin d'intérêt surtout local devait frapper les esprits, et l'on s'explique sans peine qu'on ait choisi, pour le désigner, un nom qui exprimait cette particularité. Quant à l'auteur du *Chronicon*, il a peut-être cru sincèrement que le chemin devait son nom à l'exploit des guerriers germaniques de Charles. Mais dans ce cas, c'est qu'il se rendait coupable, une fois de plus, et probablement sans s'en douter, d'une de ces interprétations érudites dont nous avons vu qu'il était coutumier.

III

Arrivé au terme de cette minutieuse étude, nous nous garderons bien d'en tirer aucune conclusion générale. Touchant, en effet, la vie de l'épopée au cours de ces siècles obscurs qui ne nous ont point laissé de textes suivis, nous savons encore trop peu de choses pour que nous puissions nous permettre aucune affirmation catégorique, soit dans un sens, soit dans un autre. Les témoignages sont rares ; encore ne nous sont-ils fournis, la plupart du temps, que par des auteurs ou des textes qui rusent, en quelque sorte, et se dérobent, dont l'interprétation ou la mise en juste lumière est difficile. Il semble bien, toutefois, que nous soyons souvent en présence d'une sorte de collusion, d'entente secrète entre la littérature érudite et une littérature qui échappe aujourd'hui à notre observation, littérature que l'on peut appeler populaire, si on y tient — populaire, non pas tant par ses origines ou sa naissance que par le

---

1. Cf. K. Miller, *op. cit.*, p. 88.
2. Cf. Cipolla, *loc. cit.*, II, p. 180, note 1, qui cite l'opinion de Placido Bacco, *Cenni storici su Avigliana e Susa*, Susa, 1881.

public auquel elle était destinée et la plus vaste audience à
laquelle elle s'adressait. Ce fait a été constaté, il y a longtemps.
Mais il faut sans doute rectifier, dans un grand nombre de
cas, les jugements que l'on a trop souvent portés sur les rapports qu'entretiennent ces deux littératures. En particulier,
on ne saurait, à tout coup et sans plus ample informé, quali-
fier de « populaire » toute narration érudite qui éveille la suspicion de nos scrupules d'historiens modernes. Plus d'une fois,
ce sont les « érudits » du moyen âge eux-mêmes qui ont été
les inventeurs et les propagateurs de ces « suavissimae fabulae »,
où une critique romantique croyait surprendre *flagrante
delicto* l'imagination des foules en travail ; plus d'une fois
l'humble « joculator » a emprunté à de plus nobles confrères
le thème qu'il utilisait et qui pouvait faire son succès sur la place
publique. — Mais il y a loin aussi de cette simple constatation
à la doctrine extrême qui veut ne voir aujourd'hui dans l'épopée française (au moins au départ) que la pure adaptation
d'une littérature savante au profit de publics qui étaient hors
d'état de la goûter directement. Sachons nous contenter,
pour le moment, d'avoir pu saisir sur le vif, dans deux cas
précis, les procédés d'invention ou de combinaison d'un écrivain du moyen âge.

Aus: Romania. 67 (1942/43).

Der Waltharius Ekkehards und das Chronicon Novaliciense

Von L u d w i g W o l f f

Über den Waltharius, seinen Verfasser und seine Entstehungszeit hat neuerdings eine große Unsicherheit um sich gegriffen. Die Antwort, die man findet, bestimmt das Bild der
literarischen Entwicklung, aber auch stoffgeschichtliche Fragen und Theorien hängen davon ab, und so scheint es angebracht, daß man versucht, ob man nicht zur Entscheidung kommen kann. Den einen Erfolg haben die Arbeiten der jüngeren
Zeit gehabt, daß alte Zweifel beseitigt sind. Der Geraldus des
Prologs kommt als Verfasser nicht mehr in Betracht. Alfred
Wolf hat es in einer kenntnisreichen Abhandlung gezeigt [1]),
und Karl Langosch hat aus Stil und Sprachgebrauch den festen
Beweis erbracht, daß Prolog und Epos nicht von dem Gleichen
stammen können [2]). Aber zu derselben Zeit stellte Alfred Wolf
eine völlig neue Hypothese auf, der Karl Strecker sich, wenn
auch mit einigem Bedenken angeschlossen hat, und die seitdem
wohl weithin als richtige Lösung angesehen wird: danach sollte
der bekannte Bericht Ekkehards IV., daß Ekkehard I. als *puer*
vitam Waltharii manu fortis geschrieben habe, sich gar nicht
auf unseren Waltharius, sondern auf den gleichnamigen Helden

---

[1]) Der mittelalterliche Waltharius und Ekkehard I. v. St. Gallen I, Studia
Neophilologica 13 (Uppsala 1940), 80 ff.

[2]) Der Verfasser des „Waltharius". ZfdPh. 65 (1941), 117 ff. Vgl. W. Bulst,
AfdA. 61 (1942), 102 f. Vgl. jetzt O. Schumann, ZfdA. 83, 12 ff., AfdA. 65, 13 ff.

einer ganz anderen Geschichte beziehen, den wir im 11. Jahrhundert im Chronicon Novaliciense kennen lernen, und der dort ganz äußerlich mit unserem Waltharius gleichgesetzt wird [3]). Die Dichtung von Walther aus Aquitanien sollte schon aus karolingischer Zeit stammen. Leider hat A. Wolf seine These den Interessierten nur mündlich vorgetragen, er wollte sie vor dem Druck wohl noch weiter begründen, und so fußen wir vorläufig nur auf dem Bericht von Strecker, der ein Stenogramm benutzen konnte [4]).

Die Bedenken gegen den Bericht Ekkehards und gegen seinen Zeugniswert für unseren Waltharius hat großenteils, so weit sie bereits für Gerald angeführt waren, schon Langosch als nicht stichhaltig erwiesen, und ich brauche darauf nicht näher einzugehen. Das Wort *puer,* an dem man besonderen Anstoß genommen hatte, wurde im Mittellateinischen, wie er feststellt, in viel weiterem Sinn gebraucht und konnte bis zum Alter von 28 Jahren angewendet werden, die Angabe aber, daß die Dichtung eine Schularbeit, eine Anfangsarbeit gewesen sei, stimmt ganz zu den Schlußversen des Dichters, und diese Übereinstimmung macht es unglaubhaft, daß die Worte Ekkehards IV. auf ein anderes Werk zu beziehen wären. Dazu hatte es Strecker selbst festgestellt, daß Ekkehard IV. den Waltharius gekannt und sich an einer Stelle der Casus an einen Vers angelehnt hat (vgl. Langosch a. a. O. 131): wenn das richtig ist, kann der Waltharius, von dem er spricht, natürlich kein anderes Werk sein.

Unglaubhaft ist es auch, daß die Dichtung schon in karolingischer Zeit entstanden wäre; für ein Werk das so spöttisch von den *Franci nebulones* (V. 555) reden kann, war dort kein Raum [5]). Unverständlich wäre es auch, daß man ein Werk, das

---

[3]) Ausgabe früher v. L. Bethmann, MGH., SS. 7, 73 ff. u. SS. in us. schol. (1846). Ersetzt durch C. Cipolla, Monumenta Novaliciensia vetustiora (Fonti per la storia d'Italia Bd. 31/32), Rom 1898/1901. Der Text im 2. Bd. Vgl. auch M. Manitius, Geschichte der lat. Lit. des Mittelalters Bd. 2 (München 1923), 294 ff. sowie W. Wattenbach u. R. Holtzmann, Deutschlands Geschichtsquellen im MA., Deutsche Kaiserzeit Bd. 1, 2. Heft (Berlin 1939), 327. Nachdem das Kloster Anfang des 10. Jhs. von den Sarrazenen zerstört und um 1000 wieder hergestellt war, ist die Chronik zwischen 1027 und 1050 entstanden.

[4]) K. Strecker, Der Walthariusdichter. Dt. Archiv f. Geschichte des Mittelalters 4 (1940), 355 ff.

[5]) Vgl. C. Erdmann, Forschungen und Fortschritte 17 (1941), 169 ff.: fränkisch könne der W nicht sein.

schon ein Alter von eineinhalb Jahrhunderten hatte, Ende des
10. Jhs. auf einmal mit einem feierlichen Gedicht dem Bischof
Erchenbald gewidmet hätte, in dem man wahrscheinlich den
Straßburger sehen muß, wie in Gerald den Magister aus St.
Gallen [6]). Die gesamte Überlieferung macht ein solches Alter
unwahrscheinlich.

Andererseits sind die Gründe, die in die Zeit um 930 weisen,
in die Zeit, als auch Widukind auf die Heldendichtung griff,
kräftig genug. Die Ungarnkämpfe haben dem Stoff offenbar
neue Bedeutung gegeben und haben für die Schlachtschilderung
und Bewaffnung Farben geliefert (vgl. Langosch a. a. O. 140).
Manches andere kommt hinzu , was in die Zeit um 926 und wie
die irischen Einschläge gerade nach St. Gallen paßt [7]). Aber ich
will auf diese und andere Dinge, die man deutlich genug her-
vorgekehrt hat, nicht eingehen und sie nicht wiederholen. Ein
Beweis für die Entstehungszeit des Waltharius, den alle als
bündig anerkennen, ist offenbar schwer zu führen, und so will
ich lieber den Blick einmal auf das Chronicon Novaliciense richten, das durch die Aufzeichnungen so vieler, großenteils aus
dem Volksmund stammender Geschichten in verwildertem Latein so merkwürdig ist: die nähere Prüfung muß es zeigen, ob
sich hinter der Erzählung von dem Mönch gewordenen Waltharius wirklich eine Dichtung bergen kann, die Ekkehard IV. im
Auge gehabt hätte.

Die Bezeichnung *manu fortis* würde ja zweifellos auf diesen
Klosterhelden passen, von dessen Stärke der Chronist erzählt;
in dem Gedicht auf ihn, das er mitteilt, wird er ausdrücklich
Waltharius fortis genannt. Aber als *fortis* und *fortissimus* wird
auch der Epenheld häufig bezeichnet (V. 454. 649. 895. 1383.
1419, vgl. auch 1028), und *manu fortis* ist ein Ausdruck, den Ekkehard IV. auch an anderer Stelle in den Casus braucht (Langosch 131). Weiter sollte der Ausdruck *vita* nicht auf das Heldenepos passen, sondern nur auf die Erzählung von dem Klosterhelden. In Wirklichkeit ist sie auch dafür nicht sonderlich
passend, denn es geht nur um den Abschluß im Kloster, in das
der Held erst in hohem Alter eintritt *(cum iam prope corpus
eius senio conficeretur, K. 7)*. Aber wenn man sie einmal dafür

---

[6]) Vgl. Langosch 128 und 140 f.
[7]) Vgl. G. Baesecke, Vor- und Frühgeschichte des deutschen Schrifttums,
1. Bd. Vorgeschichte, Halle 1940, S. 407 ff.

gelten lassen wollte, so müßte man ja logischerweise auch die *vita Waltharii,* die der Katalog von Stablo im Jahre 1105 verzeichnet, auf das gleiche Werk beziehen. Auch in einer der Hss. aus Toul will A. Wolf es finden, und so käme man zu einer erstaunlichen Verbreitung dieser unbekannten Dichtung, obwohl sie doch nur für das Kloster Bedeutung haben konnte, das sich dieses Mönches rühmte: Ekkehard I. hätte den Stoff bearbeitet, der mit St. Gallen doch sicher gar nichts zu tun hatte, Ekkehard IV. hätte die Dichtung für den Erzbischof Aribo von Mainz einer Verbesserung unterzogen, und dazu kämen die Hss. von Stablo, Toul und Novalese. Sieht man sich nun um, was uns in Novalese überliefert ist, so muß man das vollends für undenkbar halten.

Vor allem scheint es ausgeschlossen, daß der Chronist wirklich eine Dichtung für den Bericht von seinem Klosterhelden benutzt hat. Sein Verfahren ist uns ja wohl bekannt, und wir sehen, daß er es sich überall sehr bequem gemacht hat. Aus unserem Waltharius hat er viele Seiten ausgeschrieben und dabei wechseln lange, wörtlich übernommene Versreihen mit Prosaabschnitten. Da könnten auch in den Erzählungen von dem anderen mit ihm verschmolzenen Waltharius nicht die Verse fehlen, wenn die Vorlage versgefaßt gewesen wäre. Aber es erscheint nur im Anfang (Buch 2, K. 7) das kleine, vollkommen abgerundete Gedicht, das ihn in der üblichen Art der Denkgedichte in ganz allgemeinen Wendungen in vier Distichen feiert; das konnte sich so in der Klosterüberlieferung finden [8]), genau so wie die Verse, die das Andenken an den *pater Frodoinus* erhalten (Buch 3, K. 19). Gedächtnisverse zu verfassen, gehört zum Klosterbrauch. Im übrigen aber findet sich in den Erzählungen, wenn man sie aufmerksam prüft, auch nicht die leiseste Spur, die auf eine Dichtung als Vorlage deutet, dagegen vieles, was dagegen spricht.

Von Taten seines Helden aus der Zeit seines weltlichen Lebens hat der Chronist wohl nichts gewußt, sonst hätte er es sich nach seiner Art wohl nicht entgehen lassen. Eben deshalb war ihm zum Ersatz das Epos so willkommen, damit der Held doch nicht ohne Vorgeschichte und namhafte Vorfahren bliebe. In der Freude an möglichst buntem Erzählstoff beginnt er damit, wie sein Waltharius auszog, um ein Kloster von besonders stren-

---

[8]) Vgl. C. Cipolla, Anm. S. 135.

ger, ganz im Religiösen aufgehender Zucht zu finden, und schließlich, nachdem er schon fast die ganze Welt durchwandert hatte, nach Novalese kam, *ad Novaliciensem tunc in studio sanctitatis famosissimum monasterium,* und dort das Kloster fand, das im heiligen Ernst alle anderen übertraf; als einziges bestand es in glänzender Weise die seltsame Prüfung mit dem großen Schellenstab, die er sich ersonnen hatte (B. 2, K. 7). Man möchte denken, daß vielleicht ein alter Schellenbaum unbekannter Herkunft, der sich unter den Klostergeräten fand, den Anlaß für die Erzählung gegeben hätte. Jedenfalls hatte man weder in St. Gallen noch anderwärts irgendwelchen Grund, sich mit dieser Geschichte zu beschäftigen, die allein zur Verherrlichung des einen Klosters ersonnen war.

Als der Held vom Abt aufgenommen ist, wird er zum Klostergärtner, und dann wird noch von ihm berichtet, daß er zwei sehr lange Stricke quer über den Garten spannt und alle schädlichen Kräuter daran aufhängt, damit die Wurzeln in der glühenden Sonne (die auf Italien deutet) verdorren sollen. Dieser Bericht, der ohne erzählerische Handlung ist und mit den sonstigen Taten und Eigenschaften des starken Helden nichts zu tun hat, kann auf keinen Fall aus einer Dichtung stammen, sondern weist offenbar auf heimische Klosterüberlieferungen, die von einem Klostergärtner Waltharius wußten.

Kap. 8 und 9 bringen darauf, um den Helden unter die Großen der Geschichte einzureihen, die umfangreichen Auszüge aus dem Epos, die zuletzt unvermittelt abbrechen; man nimmt an, daß die Hs., die dem Chronisten vorlag, am Schluß verstümmelt war. Kap. 10 wendet sich dann wieder zum Kloster und beschreibt zunächst einen kostbaren, früher in seinem Besitz gewesenen Wagen *(plaustrum ligneum mirę pulchritudinis operatum).* Er war nur dazu bestimmt, bei gegebener Gelegenheit eine Stange darauf aufzupflanzen, die an der Spitze eine weit schallende Glocke trug. Mit diesem Wagen suchte man die *cortes ... vel vicos* des Klosters auf, die *per Italię tellus* näher gelegen waren und *granum aut vinum* abzuliefern hatten. Dann schlossen sich ihm überall die Wagen mit den fälligen Abgaben an, so daß sich ein langer Zug von 100 oder gar 500 Wagen bildete. *Hunc vero plaustrum domnicalem nil ob aliud mittebatur nisi ut agnoscerent universi magnates, quod ex illo inclito essent plaustra monasterio;* es war keiner vom *dux* bis zum *vil-*

licus, der gewagt hätte, sich irgendwie an den Wagen zu ver-
greifen oder auf den Jahrmärkten Italiens Handel zu treiben,
bis sie diesen Wagen mit der *skilla* hatten kommen sehen. Als
Hoheitssymbol vertritt er damit den gleichen Typus, den wir
von dem italienischen Fahnenwagen kennen, neben dem auch
ein Glockenwagen vorkommt [9]). Es ist deutlich, daß die Erzählung, die sehr ausführlich wird, aus bodenständiger Überlieferung schöpft, und nicht etwa eine Geschichte deutschen Ur-
sprungs vom Kloster Novalese aufgegriffen sein kann (das Wort
skilla, vom got. *skilla,* war ja eben mit diesem *i* frühmlat. und
hat auch in Italien Fuß gefaßt). Für Deutschland ist der Fahnenwagen, dessen lombardischer Ursprung bewußt blieb, erst seit
dem 12. Jh. bezeugt. Aber auch für Italien beginnen die Berichte erst im 11. Jh.; so wird die Erzählung auch erst in der
jüngsten Zeit die bezeichnende Gestalt gewonnen haben und
kann nicht schon 100 Jahre früher in einer deutschen Dichtung
ausgeformt sein.

Einstmals, so erzählt der Chronist, wäre nun der Zug mit
den beladenen Wagen in ein Wiesental gekommen, wo das Ge-
sinde *(familia)* des Königs seine Pferde weidete; aus Kap. 11
ergibt sich, daß Desiderius gemeint ist. Beim Anblick so großer
Güter hätten diese sich auf die Gottesdiener gestürzt und ihnen
alles gewaltsam abgenommen. Kap. 11 fährt fort, der Abt Asinarius, ein *vir sanctitatis egregius,* der auch in anderen Ka-
piteln noch mehrfach genannt wird und uns (mit seinem Todesjahr 770) aus sonstigen Klosterzeugnissen hinlänglich bekannt
ist [10]), habe auf diese Nachricht die Brüder versammelt. Auf
den Vorschlag von Waltharius, der Abt möge einige weise Brüder auswählen, welche die Räuber um Rückgabe bitten sollten,
habe dieser erklärt, daß man dafür keinen besseren finden
könne als den Sprecher selbst. Der sieht voraus, daß er keine
schimpfliche Behandlung würde ertragen können, und fragt
den Abt, wie er sich verhalten solle, wenn man ihn der Kleider
berauben wolle. Der erklärt in längerem Hin und Wider, daß
er sich alles nehmen lassen solle, unter Berufung auf das Gebot
der Brüder, auf die letzte Frage aber, was er tun solle, wenn

---

[9]) Vgl. A. Schulz, Das höfische Leben zur Zeit der Minnesänger, 2. Aufl.
(Leipzig 1889), Bd. 2, 228 ff.

[10]) Vgl. C. Cipolla, Register Bd. II, 335.

man ihm auch die Hose *(femoralia)* rauben wolle, erwidert er,
wenn man ihm schon die anderen Kleider genommen habe, sei
es der *humilitas* genug. Darauf fordert Waltharius, um für den
Notfall ausgerüstet zu sein, ein für den Kampf geeignetes
Pferd, erprobt verschiedene, die man ihm vorführt, und erfindet
sie als untauglich, bis ihm auf seine Forderung zuletzt das alte
Pferd gebracht wird, mit dem er selbst einstmals ins Kloster gekommen ist, und von ihm für gut befunden wird. Das Motiv,
das hier so verheißungsvoll angeschlagen wird, kommt im Folgenden jedoch in keiner Weise zur Geltung. Im übrigen nimmt
alles den erwarteten Verlauf. Waltharius nimmt (in der unbe-
stimmten Angabe eines prosaischen Berichts) zwei oder drei
Diener mit, die später nicht mehr erwähnt werden, findet die
Räuber und stellt seine Forderung. Harte Worte, die sie entgeg-
nen, erwidert er mit härteren, sie nötigen ihm die Kleider ab,
er läßt es sich gefallen, bis sie auch die Hose fordern und ihm
bei seiner Weigerung gewaltsam abreißen wollen. Da reißt er
vom Sattel seines Pferdes einen Steigbügel los, schlägt damit
einen an den Kopf, daß er wie tot niederstürzt, entreißt ihm die
Waffen und schlägt nach rechts und links. Dann sieht er ein
Kalb, das dicht bei ihm weidet, und reißt, obwohl er doch gerade Waffen bekommen hat, mitten während des Kampfes diesem Tier, dem lebenden, eine Schulter aus, schlägt damit auf
die Feinde ein, verfolgt sie und streckt sie nieder. Es ist wohl
klar, daß eine derartig ungereimte, in sich widerspruchsvolle
Darstellung nicht aus einer Dichtung stammen kann. Wohl aber
entspricht sie der Sorglosigkeit und dem Geschmack des Novaleser Mönchs, der seinem Helden, so gut oder schlecht es ging,
etwas von der Art Simsons zu geben trachtete. Manche, so fährt
er fort, wollen auch wissen *(volunt autem nonnulli)*, daß er
einem, der vor ihm niederkniete, um ihm die Stiefel auszuzie-
hen, mit der Faust einen Schlag in den Nacken gegeben habe,
daß die Knochen ihm zerbrochen in den Schlund gefallen wären.
Die Eingangswendung weist deutlich auf formlose mündliche
Überlieferung: eine Dichtung muß sich ja für eine bestimmte
Fassung entscheiden. Dazu steht die Angabe im Widerspruch zu
der vorausgehenden Erzählung, daß Waltharius sich ruhig die
Stiefel und Strümpfe habe nehmen lassen.

Nachdem die Mehrzahl der Gegner erschlagen war, so hören
wir weiter, ergriffen die anderen die Flucht und ließen alles

zurück. So brachte Waltharius dem Kloster alles wieder, was ihm gehörte, und dazu das, was die Feinde noch von ihrem Eigenen im Stich gelassen hatten. Der Abt aber seufzte, als er von diesen kriegerischen Taten hörte, machte dem Helden harte Vorwürfe und legte ihm eine Buße auf.

Danach folgt wieder eine Wendung, die auf unbestimmte mündliche Überlieferung weist: viele berichten (tradunt autem nonnulli), er habe dreimal mit den Heiden gekämpft, von denen er überfallen war, und jedesmal den Sieg gewonnen. Wenn damit die Sarrazenen gemeint wären, könnte es sich dabei nur um Überlieferungen handeln, die der jüngsten Zeit entstammen. Sollte der Erzähler aber an die Langobarden denken, so kann eine solche Angabe auch erst aus Zeiten stammen, als das Bild von den geschichtlichen Verhältnissen schon ganz unsicher geworden war. Auf die Langobarden geht jedenfalls der nächste Satz, der von den gerade angeführten Kämpfen nur einen herauszugreifen scheint und sich wieder in gleicher Weise auf unbestimmte, bald so, bald anders laufende mündliche Überlieferung bezieht: einige berichten (nam ferunt aliquanti), als er zu anderer Zeit von einer Klosterwiese mit Namen Mollis die Pferde des Königs Desiderius vertrieben hätte, habe er auf dem Rückwege neben dem Weg eine Marmorsäule gefunden und habe gleichsam aus Freude über den Sieg, den er erkämpft hatte, zweimal mit dem Dolch (ex pugione) hineingestoßen und sie zum größten Teil auf die Erde gestürzt. Unde usque in hodiernum ibi dicitur Percussio vel Ferita Vualtari. Es ist unverkennbar, daß hier rein örtliche Überlieferungen vorliegen. Ein ganz bestimmter Ruinenrest im Bereich des Klosters hat die Sagenbildung herausgefordert, und die besondere Gestalt der Bruchstellen an der zertrümmerten Säule hat wohl die seltsame Angabe von dem zweifachen Dolchstoß hervorgerufen (darum darf man auch kaum in pugno ändern, da die Faust keine klar deutbaren Spuren geben würde). Die Verknüpfung mit den vom Hauptabenteuer bekannten Pferden des Königs Desiderius ist offenbar nur durch die Nachbarschaft der beiden genau benannten Örtlichkeiten veranlaßt.

Kap. 12 berichtet schließlich, daß der Held senex et plenus dierum gestorben sei. Daran schließt sich abermals eine Berufung auf die mündliche Klosterüberlieferung: die Unsern versichern (asserunt nostri), daß er viele Jahre gelebt habe. Die

Zahl, sagt der Chronist, habe er nicht feststellen können, *sed in actis* (so C. Cipolla) *vitę suę cognoscitur, quibus extiterit temporibus*. Bei diesen acta wird man schwerlich an eine Dichtung denken dürfen, sondern einfach an die „Akten", an das geschichtliche Material des Klosters. Eben daraus versteht man, daß die Bemerkung so unbestimmt gehalten ist: für Waltharius selbst waren wohl keine Jahreszahlen angegeben, die Zeit aber konnte der Interessierte ungefähr aus der Lebenszeit der Gleichzeitigen wie des Abtes Asinarius oder der vor und hinter ihm Verzeichneten entnehmen *(cognoscere)*. Im Anschluß an diesen Hinweis werden die vortrefflichen Eigenschaften des Helden angeführt, von denen man dort lesen könne *(sicut legitur)*, Klugheit und Schönheit ebenso wie die vorbildliche klösterliche Haltung. Von anderem abgesehen, was im Kloster von ihm gemacht sei, habe er sich schon selbst auf der Spitze eines Felsens in mühsamer Arbeit ein Grab ausgehauen. Dort sei er mit seinem Enkel *Rataldus* bestattet, dem Sohn seines Sohnes *Ratherius*. Der Chronist selber habe ihre Gebeine oftmals in der Hand gehabt *(pre manibus)*. Offenbar fanden sich im Kloster irgendwelche Aufzeichnungen, die von der Bestattung des Waltharius und seines Enkels wußten, von dessen Schädel noch eine Wundergeschichte im Stil primitiver Reliquienerzählungen folgt. Um den Einklang mit der Vorgeschichte herzustellen, die er aus dem Epos genommen hat, macht der Chronist Ratherius zum Sohne Hildegunds.

Kap. 13 erzählt endlich noch, daß die Stelle des Grabes nach dem Einfall der Heiden in Vergessenheit geraten sei, und daß schließlich eine steinalte Witwe, von der Näheres erzählt wird, einigen Leuten die Grabstelle gezeigt habe. Offenbar stehen wir damit bei Nachrichten der jüngsten Zeit von ganz fester bodenständiger Verwurzelung.

Hiermit sind wir am Schluß. Unter allem, was das Chronicon Novaliciense von seinem Klosterhelden bringt, finde ich nichts, was auf eine Dichtung zurückzuführen wäre; es sind Erzählungen von gleichem Charakter wie die anderen Fabeleien, bei denen niemand an eine dichterische Grundlage denkt: wie der Text in diesem Fall aussehen würde, zeigen eben die Auszüge aus dem Waltharius. Auf eine schriftliche Quelle weisen nur die unbestimmte Angabe über die Zeit, die man aus den

actis vitẹ suẹ ermitteln könne, die lobende Charakterisierung
und wohl die Nachricht von der Bestattung sowie die preisen-
den Verse: es ist nichts dabei, was sich nicht in die üblichen
Denkwürdigkeiten eines Klosters fügt. Für das Erzählerische
dagegen, für die unterhaltenden Geschichten, die er seinem
Waltharius beilegt, beruft sich der Chronist zu wiederholten
Malen auf auseinanderlaufende mündliche Berichte. Bei allem
fällt es auf, wie fest es mit Ort und Stelle und den besonderen
heimischen Verhältnissen verknüpft ist, so daß sich nichts loslösen und in der Dichtung eines anderen Klosters und eines anderen Landes behandelt denken läßt. Ich sehe also keine Möglichkeit, die Nachricht Ekkehards IV. auf die Fabeleien zu beziehen, die wir in Novalese kennen lernen; sie sind dort ja erst
nach 1000 zusammen mit den Auszügen aus dem Waltharius von
dem kombinations- und fabelfreudigen Mönch niedergeschrieben
worden, als das Kloster, das seit der Zerstörung durch die Sarrazenen zu Anfang des 10. Jhs. öde gelegen hatte, wieder neu
begründet war, und die Geschichte von dem Felsengrab reicht
sichtbar bis in die jüngste Zeit hinein.

So werden wir auch Ekkehard I. unser Epos und den Ruhm
des wunderbaren Werkes lassen und also auch bei der Datierung
um 930 bleiben müssen. Das hat auch für die Stoffgeschichte
entscheidende Bedeutung. Wenn die Dichtung, so wie man es
früher als feststehende Tatsache angenommen hatte, erst in
dieser Zeit entstanden ist, und der Siegeszug wieder noch einige
Jahrzehnte später eingesetzt hat, wie wir aus dem Geraldusprolog, aus den späteren Bemühungen Ekkehards IV. und der
handschriftlichen Verbreitung schließen, dann entfällt die Voraussetzung für den kühnen Versuch, den ags. Waldere auch von
unserem Epos abzuleiten, obwohl nichts darauf deutet, daß es
auch auf englischem Boden bekannt geworden wäre. Freilich
hatte Panzer, der auf diese Weise ein deutsches Heldenlied als
gemeinsame letzte Grundlage beider Seiten ausschalten wollte,
übersehen, daß E. Schröder schon 1931 aus den Eigennamen im
Waltharius erwiesen hatte, daß der Lateiner stofflich auf einer
wesentlich älteren deutschen Dichtung fußte [11]). Auf die Schwierigkeiten und Unwahrscheinlichkeiten, die sich aus der neuen

---

[11]) Die deutschen Personennamen in Ekkehards Waltharius. Jetzt: Deutsche Namenkunde, 2. Aufl. Göttingen 1944, 88 ff.

Annahme für die Auffassung des Waldere ergeben, brauche ich
hier nicht einzugehen, man vergleiche zur Deutung der ags.
Dichtung auch Fr. Klaeber, Beiträge 72 (1950), 127. So werden
wir zu der alten Auffassung zurückzukehren haben, welche die
Heldensagenforschung entwickelt hat; ich weise nur auf meine
eigene Darstellung [12]) und die vielfach weiterführenden Untersuchungen von Baesecke. Es liegt doch ein Heldenlied wenn
auch jüngerer Zeit zugrunde (nach Baesecke wäre es um 725
bis 730 bei den Alemannen entstanden). Man hat es hüben und
drüben in verschiedenem Geist und Stil behandelt, und der
Waltharius bleibt ein Werk, in dem Germanisches, Christliches
und Antikes sich vereinigt haben und zu neuer Einheit ver-
schmolzen sind.

---

[12]) Zu den Waldere-Bruchstücken, ZfdA. 62 (1925), 81 ff.

Aus: Erbe der Vergangenheit. Festgabe für K. Helm 1951.

WALDERE UND WALTHARIUS

von Levin Schücking

§ 1.

Die früheren Auffassungen von dem Verhältnis beider.

Nachdem G. Stephens im Jahre 1860 die beiden Waldere-
fragmente "from the originals of the 9th century" veröffent-
licht hatte, setzte sich zunächst Müllenhoff (Z. f. d. A. 12,
S. 264 ff.) mit ihnen auseinander. Ein Zweifel an Stephens'
Angabe über das Alter des MS kam ihm nicht; die Entstehung
des Gedichtes selbst datierte er als »ohne Zweifel aus der Blütezeit des ags. Epos und daher spätestens um die Mitte des 8. Jahrhunderts«. Es erschien ihm unwahrscheinlich, daß der Stoff aus
der damaligen deutschen Sage geschöpft habe; wahrscheinlich
sei vielmehr »eine schon längere Zeit dauernde Unabhängigkeit
der angels. Überlieferung«, die »nur die erste Ausbildung und
Verbreitung der epischen Sage voraussetzt«. Die auffälligen
Ähnlichkeiten in der Situation zwischen Waldere und dem
somit etwa 180 Jahre jüngeren Waltharius verkannte auch er
nicht; aber bedeutungsvoller erschienen ihm die Unterschiede.
Wenn von einer Waffe Walthers als Ælfheres lāf die Rede ist,
muß Ælfhere also bereits verstorben sein; »Walderes Flucht
ward daher in dem ags. Liede wohl anders motiviert als bei
Ekkehard und dem mhd. Gedicht, wo Alphere oder Alpker
noch am Leben ist, als W. zurückkehrt.« Diese Schluß-
folgerung ist nun freilich willkürlich, und ihre Voraussetzung,
obschon nach dem gewöhnlichen Sprachgebrauch von lāf =
»Erbstück« berechtigt, ist doch hier (wie schon Jos. Fischer:
Zu den Waldere-Fragmenten, Breslauer Diss. 1886, S. 10) an-
merkte, deshalb bedenklich, weil dem Waldere, wenn sein
Vater fern in der Heimat starb, die Rüstung nicht gut an
den Hof Attilas geschickt sein kann. Man müßte also entweder annehmen, daß im ags. Gedicht Ælfhere schon vor der

Vergeiselung Walthers starb, was nicht wohl angeht, oder
aber mit Fischer (gegen Dieter, Anglia XI, 160) den Sinn von
'lāf' etwas weiter fassen. — Ein ferneres Argument für die
Verschiedenheit beider Fassungen hat schon Binz (PBrB 20,
218) bestritten, daß nämlich Waldere mehr Schwertkämpfer,
Waltharius mehr Speerkämpfer sei, allerdings mit dem nicht
ganz unbedenklichen Zusatz, daß auch aus den Worten der
Hildegund hervorgehe, wie Waldere sich im Schwertkampf
weniger geübt fühle. Dies aber stimme zu der ahd. Sage.
Indes wenn dies aus den Worten der Hildegund 'ne murn
þū for þī mēce' herausgelesen werden soll[1]), wie das in der
Tat zahlreiche Erklärer getan haben, so muß demgegenüber
betont werden, daß der Sinn dieser Worte durch Parallelstellen
wie By. 259 ne for feore murnan u. a. ziemlich klar ist.
'Ne murnan fore' heißt: 'sich nicht bekümmern um', also:
'Sei um das Schwert nicht besorgt', d. h. 'Du brauchst um
das Schwert nicht besorgt zu sein' (vgl. auch Cosijn, Versl. en
Mededeel. d. k. Akad. v. Wetensch. III, 12, Amsterdam 1896,
S. 69), ein Fall der im Ags. so häufigen Litotesfigur ('under-
statement'), die hier durch den folgenden Satz ganz deutlich
wird: "þē wearð māðma cyst" usw. Also nicht eine vorhandene
Besorgnis Walderes, die dem Krieger schlecht anstehen würde,
soll zerstreut, sondern der Preis des Schwertes gesungen
werden. (Der stilistische Typ ist derselbe wie in Beow. 1760
»oferhȳda ne gȳm = befleißige dich nicht des Übermuts,
d. h. verschmähe Übermut«.)

Wenn Müllenhoff weiter findet, daß dadurch, daß Gunthers
Schwert in Zusammenhang mit þeodric und Widia gebracht
wird, 'das ganze chronologische System auf den Kopf gestellt
wird', wie das die deutsche Sage mutwillig nie getan hätte, so
mag Binz' Einwand, daß die 'Verwirrung vielleicht doch auch
in Deutschland eingetreten' sein könnte, auf sich beruhen; auf

---

[1]) Eine Reihe von Auslegern wie Dieter, Anglia XI 165, verstehen über-
haupt die Stelle falsch, indem sie glauben, Hildegund belebe den sinkenden
Mut des Waldere wieder. Von Mutlosigkeit bei Waldere kann gar nicht die
Rede sein. Es handelt sich hier vielmehr um den typischen Zuspruch im
Kampf, bei dem Hildegund an die Stelle des jungen Gefolgsmannes tritt.
Vgl. die auf uns Heutige überraschend väterlich wirkende Art, wie der junge
Wiglaf zum greisen König Beowulf spricht: "Lēofa Biowulf, lǣst eall tela,
swā þū on geoguð-fēore geāra gecwǣde etc. 2663.

alle Fälle aber handelt es sich doch um keinen wesentlichen
Bestandteil des Gedichts, sondern es ließe sich leicht an einen
Zusatz denken. Mit diesen Gründen konnte also Müllenhoff
seine These schlecht stützen. Die Heinzelsche aber (Die
Walthersage 1888) hat in dem hier wichtigsten Punkte, daß
in den Fragmenten überhaupt nicht Hildegund, sondern Hagen
zu Waldere spreche, mit Recht so übereinstimmend Ablehnung
gefunden, daß es überflüssig ist, auf sie einzugehen. — Die
Einwirkung der überraschenden Bestätigung der Sieversschen
Genesishypothese hat dann Kögels Stellungnahme zu dem
Verhältnis von Waldere und Waltharius bestimmt. Er wollte
in dem angelsächsischen Gedicht die Spuren einer deutschen
Vorlage erkennen. Aber was er an Argumenten für seine
These in dem angelsächsischen Wortgebrauch vorbrachte, haben
Binz (PBrB. 20, 217), Cosijn (a. a. O. 64 ff.) und namentlich
Kraus (Z. f. ö. G. 1896, 329) restlos zerpflückt. Trotzdem
stimmte Binz mit Rücksicht auf die auch von Kögel immer
wieder betonte nahe inhaltliche Übereinstimmung im allgemeinen der These einer deutschen Vorlage zu, während Kraus
die Frage offen ließ, »ob der Dichter seinen Stoff einer Quelle
entnahm, die mit dem lateinischen Walther mittelbar oder unmittelbar zusammenhing.« — Brandls Literaturgeschichte
(Pauls Gdr. 2. A., 1908, S. 987), nimmt dann — in Verfolg
der Müllenhoffschen These — Herkunft des von einem Geistlichen geschriebenen Waldere aus einer »angelsächsischen
Spielmannsfassung« an. Für das hohe Alter des Stoffes in
England und die Unmöglichkeit des direkten Zusammenhangs
von Waldere und Waltharius werden verschiedene Gründe angeführt, so der, daß »Flurnamen mit Anspielungen auf Motive
der Walthersage schon in früh kolonisierten Grafschaften vorkommen: Wealderes Well in Wiltshire seit ca. 552 (?), Wealderes
Weg in Somersetshire seit ca. 652 (?)«. Aber dies Argument, das
ähnlich auch Binz (a. a. O.) beibringt, kann doch gewiß nicht
ernsthaft in Frage kommen. Die Auffassung, die in jedem
Vorkommen eines Namens der Heldensage im wirklichen Leben
einen Reflex der Dichtung sieht, macht unsere Altvordern in
einem Maße zu Kunstenthusiasten, das durch keine Parallele
aus späterer Zeit wahrscheinlich wird. Was speziell den Namen
Waldere angeht, so ist er in der Bildung ganz geläufig (vgl.
R. Müller, Über die Namen des nhbr. Liber Vitae, Palaestra IX).

Es ist nicht einzusehen, warum neben Wealdhelm, Wealdred, Waldwine nicht auch ein Waldhere vorkommen soll, zumal here-Bildungen auch sonst nichts Seltenes sind. In der Tat war 'Walther' offenbar ein so geläufiger Name, daß man sich versucht fühlt, anzunehmen, der Walther der Heldensage sei von den vielen anderen gerade durch das »manu fortis« — auf deutsch, wie Kluge einmal ausführt, vermutlich = Walther »Starkhand« — unterschieden worden, so wie man Harald »Schönhaar« oder Karl »den Kahlen« von andern Haralden und Karlen unterschied. Überdies aber würde man, wenn die Walthersage in England die behauptete Bodenständigkeit durch das Vorkommen des Namens Waldere nachweisen könnte, auch eine entsprechende Häufigkeit des Namens der weiblichen Heldin erwarten. Ein nur zweimaliges Vorkommen eines in der Namensform noch dazu nicht ganz entsprechenden Hildigyð (Binz a. a. O.) befriedigt aber sehr wenig, zumal da dieser Name sich wieder zwanglos ähnlichen Bildungen wie Badugyð, Waldgyð, Oldgyð (Müller § 74) anreiht. Mit diesem Argument wird also nichts zu machen sein.

Daß der Verfasser »Walderes Schwert nicht bloß als Werk Welands kennt, sondern auch dessen Namen Mimming« weiß, was Brandl weiterhin ins Feld führt, würde doch nur etwas besagen, wenn irgendwie zu erhärten wäre, daß der Gebrauch des Namens hier richtig, d. h. ursprünglich, und später verloren gegangen sei. Darauf aber deutet nichts. Auf der anderen Seite aber wissen wir etwa aus Widsiths Ealhhilde-Episode, wie willkürlich angelsächsische Dichter gelegentlich altes Sagengut behandeln. Das gleiche gilt von der Verknüpfung der Walthersage mit Dietrichs Riesenkämpfen, die doch gewiß nicht für hohes Alter der Walderefassung ins Feld geführt werden können. Was aber Brandls Schluß auf das Alter der Walderefragmente aus den »Artikelverhältnissen« angeht: »'æt þus heaðuwērigan I, 17, daneben freilich schon tō þām hālgan I, 27, lassen ihn noch vor-alfredisch erscheinen«, so kann man ihm heute nur noch einen Kuriositätswert zubilligen (vgl. Verf. PBrB. 42, 356 ff.). Dasselbe gilt von Richters Feststellung, die ähnlich schon Cosijn (a. a. O.) gemacht hatte: weil »einmal das Metrum die Auflösung einer kontrahierten Form, und zwar von flēon, also nach Ausfall von h,« verlangt, dürfte »das Gedicht wohl noch in die Zeit

vor Cynewulf (2. Hälfte des 8. Jahrhunderts) zu setzen sein«.
Als ob diese Erscheinung nicht noch Jahrhunderte später auf-
tauchte! Vgl. dasselbe flēon in König Alfreds Metr. 21, 306.
Wesentlich ernsthaftere Argumente bringt Heusler bei
(vgl. Hoops' R-L). Ihm scheint aus verschiedenen Gründen
die innere Form des Gedichtes eine ältere Fassung, als der
Waltharius bietet, vorauszusetzen. So war, seiner Meinung
nach, in dem Gedicht, von dem wir die Fragmente besitzen,
die »Nachtrast in der Klamm« noch nicht vorhanden, sondern
die Kämpfe verliefen hier in geschlossener Folge. Er
stützt sich für diese Auffassung darauf, daß sich Waldere in
seiner Ansprache an Gunther als 'h e a ð u - w ē r i g' bezeichnet.
Er ist also kampfmüde, abgekämpft, was er nicht sagen würde,
wenn zwischen den Kämpfen mit Gunthers Mannen und dem
entscheidenden Endringen eine Nachtrast läge, wie sie Waltharius schildert. — Allein, es dürfte nicht schwer sein, den
Nachweis zu erbringen, daß sämtliche bisherigen Erklärer diese
Stelle völlig mißverstanden haben. Waldere sagt hier:

> Hwæt! þū hūrū wēndest, wine Burgenda,
> þæt me Hagenan hand hilde getwæmde,
> fēðewigges. Feta, gyf þū dyrre,
> æt þus heaðuwērigan hāre byrnan:
> Standeþ mē hēr on eaxelum Ælfheres lāf etc.

Es wäre nun aber doch sehr töricht von Waldere, wenn er
dem Feinde im entscheidenden Augenblick verriete, daß er
schon »kampfmüde« sei; ein solcher sentimentaler Appell an
den Edelmut des Gegners ist ihm gewiß nicht zuzutrauen
und entspräche auch nicht der Zuversicht und dem Trotz der
folgenden Worte. Diese Bemerkung atmet vielmehr auf das
allerdeutlichste I r o n i e u n d S p o t t. Das zeigt auch der ganze
Zusammenhang. Denn wem nimmt man die Brünne fort?
Dem t o t e n Gegner! Die Hoffnung Gunthers, dem durch
Hagen erschlagenen Gegner die Brünne abzuziehen[1]) aber
verspottet Walther. Es ist bisher übersehen worden, daß dazu
das 'heaðuwērig' vortrefflich stimmt. Es heißt nämlich gar
nicht 'kampfmüde', sondern kann direkt den Sinn 'abgekämpft'
= 'erledigt' = 't o t' haben. Vgl. Beowulf 1586:

---

[1]) Offenbar ein geläufiger Gedanke in »Gelphreden«, vgl. Hildebr. 55 ff.:
Doh maht dû nû aodlîhho, ... hrusti giwinnan, rauba bihrahanen.

hē on ræste geseah
gūðwērigne Grendel licgan

wo es sich um die schon einen Tag alte Leiche Grendels
handelt. Der Sinn ist also: »Du meintest, Hagen hätte mich
erschlagen, wohlan denn, hole dir von dem — wie du siehst —
ganz Erledigten, von dieser Leiche, die Brünne. Noch habe
ich sie auf den Schultern usw.« Man sieht, erst bei dieser
Erklärung kommt der rechte Sinn in die Stelle, und gleichzeitig wird ihr dadurch ein sehr wirksames Licht aufgesetzt [1] [2]).
Eine »geschlossene Folge« der Kämpfe läßt sich also
aus diesen Worten ganz gewiß nicht erschließen, wohl aber
deutet das eft onginnað B 23 auf das Gegenteil.

Eine Reihe alter und neuer Einzelargumente faßt dann
Neckel in seiner Abhandlung GRM IX (1921), 209 ff. zu
einem Abschnitt zusammen. Wie Brandl u. a., erscheint es
auch ihm als ein Zeichen höheren Alters, daß Waldere den
Gunther noch als Burgunden kennt, während Ekkehard ihn
als Franken bezeichnet. Aber warum soll sich durchaus die
Eigenheit, die Ekkehard in diesem Punkte zeigt, im Ags.
wiederfinden, wo gute Tradition, die in der epischen Formel
wine Burgenda (= Akv. 19. 4 vinr Borgunda), ihren Niederschlag gefunden hat, eben doch den "Gūðhere mid Burgundum"
(Wids. 65/6) kennt? Wenn die angelsächsische Epik irgend-
einen auffallenden Zug hat, so ist es ja, wie Beowulf und
Widsith erweisen, ihr gutes Gedächtnis für Namen. Und
E. Schröders bemerkenswerte Feststellung, daß der Name
Burgunder möglicherweise jahrhundertelang der Nibelungensage verloren ging, so daß ihn der Dichter des Nibelungenliedes in der eigenwilligen Form 'Burgonden' wieder einführen
konnte, will doch schwerlich schon die angelsächsische Zeit
mit einbeziehen.

Ein anderes viel erörtertes Argument, das bei Neckel eine
neue Beleuchtung erfährt, ist der verschiedenartige Charakter
der Hildegund im Waldere und bei Ekkehard. Bei dem
Deutschen ist sie ein banges Mädchen, bei dem Angelsachsen

---

[1]) Daß die Worte in Waltharius Selbstgespräch 1349 isti uana fatigatum
memet per ludicra fallent rein zufällig anklingen, versteht sich danach von selbst.

[2]) Übrigens nimmt für das folgende auch Cosijn ironischen Sinn an: to
habbanne 'zu haben' d. i. te varkrijgen zou hier een wonderlijke ironie zijn.
'Om te behouden, niet af te staan' zal wel de bedoeling zijn.

eine Art »Schildjungfrau«. »Sie erscheint an Heldensinn nicht
bloß Walther ebenbürtig; sie spricht ihm sogar Mut zu. Und
sie hat ihn früher tapfer kämpfen sehen, das heißt doch wohl:
sie ist seine Kriegsgefährtin gewesen.« Diese Auffassung wird
indes dem Sachverhalt schwerlich gerecht. Daß sie Walderes
»Kriegsgefährtin« gewesen sei, davon kann zunächst einmal
nicht gut die Rede sein, liegt doch nichts näher, als ihre Bemerkung über die von ihr mitangesehenen Heldentaten auf
Walderes vorausgegangene Kämpfe mit Gunthers Mannen zu
beziehen, deren Augenzeugin sie nach Ekkehard war. Was
aber ihre seelische Einstellung angeht, so kann man sie als
die der »Schildjungfrau« doch nur bezeichnen, wenn man große
Teile ihrer Rede nicht berücksichtigt. Was sie sagt, ist:
»Der Augenblick für Sieg oder Tod ist für dich gekommen.
Wovor ich Furcht habe, ist nicht, daß es dir an Mut fehlte,
sondern daß du zu tollkühn (ofer mearce, to fyrenlīce) drauf-
los gehst. Geh richtig vor, und du hast Gottes Hilfe. Auch
hast du ein ausgezeichnetes Schwert usw.« An dieser Erklärung ist nichts, was der Stelle Gewalt antäte. Denn das
»weorða þē selfne gōdum dǣdum«, an dessen Erklärung man
vielleicht Anstoß nehmen könnte, kann nur so verstanden
werden. Brandls Tadel der Stelle, diese Mahnung sei so un-
passend wie möglich, geht von falschen Voraussetzungen aus.
Unter den »gōdum dǣdum« sind natürlich nicht »gute Werke«
im christlichen Sinne, sondern ist ein richtiges, lobenswertes,
würdiges Verhalten zu verstehen. So heißt es z. B. von Beowulf, als (V. 2177 ff.) eine Betrachtung über sein gesamtes
Verhalten angestellt wird, daß er »sich hervortat« (bealdode)
gōdum dǣdum — in späteren Jahrhunderten würde man vielleicht gesagt haben: durch »Tugendhaftigkeit«. Die Übersetzung 'Heldentaten' träfe nicht den Sinn; treffender übersetzt
Gering: »durch würdige Taten«. — Den Sinn »angemessen,
richtig« hat »gōd« im Angels. öfters[1]). [Für þenden vgl.
E. Glogauer, Die Bedeutungsübergänge der Konjunktionen in
der ags. Dichtersprache (1922, S. 33).] Es enthält also die
Rede der Hildegund eine so starke Mahnung zur Besonnenheit, daß man von ihr nicht gut als Schildjungfrau
sprechen kann. In der Gegenüberstellung von tollkühn und

---

[1]) Vgl. geläufiges mlt. bonum im Sinne von 'Tugend'.

maßvoll in ihrem Munde hat man es vielmehr (worauf ich schon Kl. ags. Dichterbuch S. 56 ff. aufmerksam gemacht habe) mit der Betonung des angelsächsischen höfischen Tugend-ideals zu tun, wie es u. a. im Wanderer V. 65 ff. entwickelt wird. Getreu dem aristotelischen Satze von der Tugend als dem Mittleren zwischen zwei Extremen, von denen das eine dem Übermaß, das andere dem Mangel der in Frage kommenden Eigenschaft entspricht, wird dort ein Mannesideal entworfen, das die Vorzüge wesentlich negativ, und zwar oft nach beiden Seiten hin, bestimmt. Hier wird vom Kämpfer ausdrücklich ausgesagt, er solle »nicht zu furchtsam (wāc) und nicht zu unbesonnen (wanhȳdig) sein. Dasselbe meint Hildegund, aus der also nicht altgermanische Walkyrenwildheit, sondern gerade im Gegenteil die Selbstbeherrschung der höfischen Tugendlehre spricht. Daß sie aber als Frau derart zum Manne redet, kann denjenigen nicht wundernehmen, der den mahnenden Ton beachtet, den z. B. Wealhtheow im Beowulf (1169 ff.) ihrem Gatten gegenüber anschlägt. Sie ist »cynna gemyndig« und weiß »swā sceal man dōn«. Wenn aber jemand, der noch immer an den »uralten« Beowulf glaubt, gerade in dieser Ähnlichkeit mit ihm ein Zeichen des Alters der Stelle sieht, dann bedenke er, daß auch in den Exeter-Gnomen, die niemand für uralt hält, der (vornehmen) Frau ausdrücklich die Aufgabe zugewiesen wird, ihrem Mann Rat zu erteilen. (Vgl V. 92 and him rǣd witan boldāgendum bǣm ætsomne.)

§ 2.
Die Datierung des Waldere-Fragments.

Wenn wir die Summe der im vorigen behandelten Be-weise für das Alter des Waldere ziehen, so ergibt sich also eine Null. Alle Argumente erbringen keine Wahrscheinlich-keit für das behauptete Datum. Daß an ihm nie gezweifelt ist, erklärt sich übrigens psychologisch auch einfach daraus, daß der ursprünglich von Stephens gemachte falsche paläo-graphische Ansatz der HS bis in die jüngste Zeit gegolten hat. Noch Brandl (1908) führt als Grund an: »Waldere ist nicht abhängig von der Darstellung des St. Galler Mönches — dem widerspricht schon das Alter der angelsächsischen HS.« Dabei hatte Wolfgang Keller schon 1906 (Ags. Paläographie, Palästra 43) festgestellt, was ein Blick auf die Tafeln »Angel-

sächsische Schrift« in Hoops' R-L als ganz unbedenkliche Feststellung nachzuprüfen erlaubt, daß nämlich die HS fraglos
erst nach dem Jahre 1000 entstanden ist. Warum
aber soll das Gedicht dann in die Mitte des 8. Jahrhunderts
gesetzt werden? Was hindert uns, es vielmehr dem zehnten
gutzuschreiben? Schon die Verbindung mit der Dietrichsage
weist auf ganz späte Entstehung. »Dietrichs Abenteuer mit
Riesen, Zwergen und Drachen«, sagt Heusler, »werden ihrer
Hauptmasse nach spielmännische Neuschöpfung des 12. und
13. Jahrhunderts sein« (R-L). (Vgl. auch B. Symons Pauls
Gdr. 3² S. 698 über Dietrichsabenteuer im Norden »spätestens
im 10. Jahrhundert«.) Aber es gibt auch einen formalen Grund
für späten Ansatz. Wie wir wissen, weisen ganz späte Denkmäler bisweilen skandinavischen Einfluß im Wortschatz auf.
ceallian in Byrhtnoð 91 (991), cnear in Æthelstan 35 (937)
sind skandinavische Worte (vgl. Björkman S. 215). Wie steht
es in dieser Hinsicht um Waldere? mǣl A 19 ist zu unsicher in der Bedeutung an dieser Stelle, um sichere Schlüsse
zu erlauben (vgl. Björkman 104), metod in derselben Zeile
in der Bedeutung zwar ganz auffällig isoliert (vgl. A. Wolf,
Die Bezeichnungen für Schicksal in der ags. Dichtersprache,
Breslau 1919, S. 37f.) und der skandin. verwandt, aber doch,
wie schon Kraus Z. f. ö. G. 1896, 331 anmerkt, durch ein
vereinzeltes meotudwang immerhin gestützt. Allein völlig
einwandfrei ist gripe in dem Verse: »hæfde him on handa
hildefrōfre, gūðbilla gripe.« Cosijn (a. a. O.) will es zwar für
das Ags. retten, indem er einen Sinn 'zwaardhow', d. i. ab-
stractum pro concreto, 'snijdend (tot den houw gereed) zwaard'
annimmt, aber grīpan heißt nicht »hauen« und auch nicht
»schneiden«, sondern »greifen« und »angreifen«, was nicht zu
einem concretum »Schwert« für »gripe« führen kann. Wie
sollte sich überdies der gen. pl. gūðbilla erklären? Tollers
Erklärung (Suppl.): »He hæfde him on handa hilde frōfre,
gūðbilla gripe: he had in his hand aid for war, for the assault
of battle-bills«, operiert mit einem falschen Bedeutungsansatz
von frōfor, das niemals im Sinne von »Hilfe« in Zusammen-
setzungen wie etwa *fēonda frōfor = »Hilfe gegen die Feinde«
vorkommt, sondern »Trost« bedeutet und höchstens gelegentlich — obgleich sehr selten, der einzige Fall ist Beowulf 628
fyrena frōfor, V. 7 ist andersartig — den Nebensinn von

»Abhilfe« (Beseitigung) annimmt. Ein solcher Sinn kommt
hier nicht in Frage. Der alte Ansatz hilde-frōfor = »Kampf-
trost«, konkret im Sinne von »Schwert« verstanden aber, der
an Fälle wie »gūðwine« = »Kampffreund« für »Schwert« gemahnt, paßt auf das beste. Es muß also schon bei der
Kögelschen Feststellung bleiben, daß gripe hier den an. Sinn
von »Kleinod« = gripr hat. Zu Unrecht hat Cosijn sie mit
der Behauptung angefochten, daß dieser Sinn im An. gar nicht
recht nachweisbar sei, heißt doch sogar noch heute in den vom
An. stark beeinflußten ne. Dialekten 'gripe': 'an excellent article
of its kind' (vgl. Wright s. v.). »Gripe« (oder grīpe?) ist also
hier unzweifelhaft ein skandinavisches Bedeutungslehnwort.
Schon deshalb aber kann das Gedicht nicht gut, wie alle
Forscher nach Müllenhoffs Vorgang annehmen, im 8. Jahrhundert entstanden sein. —

§ 3.
Kann Waldere eine Bearbeitung des Waltharius sein?

Unter solchen Umständen verlangt die bisher überhaupt
nicht ernsthaft in Erwägung gekommene Frage eine eingehen-
dere Beantwortung, ob der Waldere etwa als eine Bearbeitung des älteren Waltharius anzusehen ist. Der Hergang der
Handlung in beiden ist oft verglichen worden, und es genügt deshalb an dieser Stelle, die wichtigsten für uns in Frage
kommenden Punkte herauszuheben. Dabei kommt nicht sehr
viel darauf an, welche Reihenfolge man für die Fragmente
annimmt. In die Augen springt zunächst die Abweichung
des in ihnen Erzählten vom Waltharius. Von dem einen Unterschied ist schon die Rede gewesen: Hildegund, bei Ekkehard
ein furchtsames Mädchen, hält hier die oben gekennzeichnete
Rede an ihren Bräutigam. In dem andern Fragment liegen
Bruchstücke einer Wechselrede zwischen Gunther und Waldere
vor. Gunther rühmt sich anscheinend eines vortrefflichen
Schwertes [1] — hierzu enthält der Waltharius nichts Entsprechendes —, Waldere antwortet ihm in einer höhnischen,
trotzigen, selbstbewußten, schließlich von Gottvertrauen er-
füllten Rede. Bei Ekkehard dagegen straft Walther den

---

[1] P r a h l t er vielleicht mit seinen Kostbarkeiten? Vgl. þe ic ēac
hafa etc. [In der Z. f. d. A. 62, 81 erörtert ganz neuerdings L. Wolff diesen
Gedanken und glaubt ihn abweisen zu können. Es scheint mir nicht so sicher.]

Gunther mit Verachtung. Eine Wechselrede führt er dort
nur mit Hagen. Heusler findet einen besonders bedeutsamen
Unterschied, worauf schon früher gelegentlich aufmerksam
gemacht wurde (vgl. Dieter, Anglia X, 229) darin, daß
Gunther im Waldere »sich zum ehrlichen Einzelkampf stellt«.
Wie Dieter hat er keinen Zweifel, daß Gunther den Waldere
allein angreifen will. Daraus würde dann eine, wie auch
Neckel meint, »heldenmäßigere Auffassung des Königs« sich
ergeben als im Waltharius, was den Forschern gleichbedeutend
mit einer ältern Darstellung der Geschehnisse ist, die auch
noch im Waltharius deutlich durchschimmere. Denn daß
Ekkehard Hagen und Gunther gemeinsam über den Waltharius herfallen läßt, wäre ursprünglich gewiß nicht der Sinn
der Handlung, sondern sicher käme in der Urfassung Hagen
dem König erst im Augenblick höchster Not zu Hilfe. Also
stellte der Dichter des Waldere eine ältere Fassung dar.
Diese Auffassung hat fraglos auf den ersten Blick etwas Be-
stechendes. Aber sie ist nicht ohne Bedenken. Einmal sind
die Fragmente kurz und keineswegs völlig eindeutig. Allerlei
Möglichkeiten für den weitern Handlungsablauf bleiben offen.
Merkwürdig ist z. B. die Befürchtung Walderes, nach dem
Abschnitt, in dem die Unterredung mit Gunther stattfindet,
von mehreren angegriffen zu werden (I, 23 unmægas). Aber
nehmen wir einmal mit Heusler, Neckel u. a. an, die Handlung im Waldere steuere zunächst auf etwas wie einen Einzelkampf mit Gunther hin. (Vgl. mid þȳ þū Gūđhere scealt etc.
. . . nū sceal . . . hlāford sēcan usw.). Haben wir es in diesem
Falle hier zweifellos mit der älteren Fassung zu tun? Eigentümlich, daß diese dann, da es doch nach Neckel deutsche Waltherdichtung vor und neben der lateinischen gab, gar nicht mehr
weiterlebte und der Nibelungendichter z. B., als er den
Hildebrand dem Hagen den dunkelsten Punkt seiner Vergangenheit vorrücken ließ, ihm nicht etwa zum Vorwurf
machte, daß er seinen König habe in den Kampf gehen und
ihn der schlimmsten Gefahr sich allein habe aussetzen lassen,
ehe er selbst den Finger rührte, sondern daß er ihm nur das
nachsagt, was auch der Waltharius erzählt:
Nu wer was, der ûfme schilde · vor dem Wasgensteine saz,
Dô im von Spâne Walther · sô vil der mâge sluoc!
Auf der andern Seite ist die angelsächsische Version als

j ü n g e r e sehr wohl zu begreifen. Der angelsächsische
Dichter ging von eigenen Gesichtspunkten aus, die wir aus
der angelsächsischen Epik gut kennen. Diese beruhen nicht
nur in seiner größeren Geschichtstreue, die für den Franken
wieder den B u r g u n d e r Gunther einsetzte. Vor allem kommt
vielmehr die Ethik in Frage.

Heinzel spricht einmal (Wiener Sitz.-Ber. Bd. 115 [1889],
S. 87) von dem »idealisierenden Kunstprinzip der angelsächsischen Epik«. Eine Probe davon haben wir im Beowulf, wo
alle Beteiligten bekanntlich von Edelmut nur so triefen. Noch
der Stänker Unferd macht dort hochsinnige Leihgaben und
Geschenke mit seinem Schwerte, und sogar einem grausamen
Unhold wie Grendel gegenüber verspricht der Held "fair play"
walten zu lassen und, da jener sich nicht auf den Schwertkampf versteht, seinerseits auf Waffen verzichten und das
Ringen als eine Art Gottesgericht auffassen zu wollen. War
der angelsächsische Bearbeiter, dem der Waltharius vorlag,
ebenso 'high-principled' wie der Beowulfdichter, so mußte er
natürlich an verschiedenen Stellen ä n d e r n. Eine Änderung
solcher Art lernten wir schon bei der Behandlung der Hildegund kennen. Ein furchtsames Mädchen, das immer Angst hat
und sich verbergen möchte, konnte er als ideale Fürsten-
tochter nicht gebrauchen. Um so weniger, wenn sie, wie
Neckel feststellt (S. 143), etwas im Typ ja ganz Ungerma-
nisches ist. So wurde sie dem Typ der höfisch-heroischen
Dichtung in ähnlicher Weise angepaßt wie etwa später der
König Artus, der in älteren französischen Vorlagen viel fort-
geschrittenere Züge aufweist, in mittelenglischen Gedichten
wieder dem germanischen König angeähnelt wird: die Tradition der eigenen Literatur erweist sich als sieghaft. In
Hinsicht auf den Kampf am Wasgenstein kamen nun ähnliche
Gesichtspunkte in Frage. Möglichst viel Vorbildliches soll aufgezeigt werden. Dazu paßt aber die alte Darstellung schlecht.
Und wenn auch das moralische Unrecht des Königs Gunther zur
Genüge klar gemacht wird (þæsþe hē þās beaduwe ongan
mid unrihte ǣrest sēcan) und die höhnische Behandlung, die
ihm Walther angedeihen läßt, zeigt, daß er — dies muß gegen
Heusler und Neckel hervorgehoben werden — im Grunde
nicht viel anders eingeschätzt wird als im Waltharius, so erfährt er doch — ganz in dem oben gekennzeichneten Sinne —

eine gewisse persönliche »Aufwertung«: er stellt sich auch seinerseits zum Einzelkampfe. Ist nun eine derartige — idealisierende — Umarbeitung, die das lateinische Walthergedicht des Klosterschülers durch einen angelsächsischen Hofdichter geistlichen Standes erfährt, etwas in sich Unwahrscheinliches? Die Unwahrscheinlichkeit könnte wohl nur in der Freiheit gesucht werden, mit der die Vorlage behandelt ist. Aber ein wirklich enger Anschluß, ein Übersetzen Wort für Wort findet sich wohl, wo aus dem nah verwandten altsächsischen Dialekt die Arbeit des Genesisdichters für angelsächsische Leser oder Hörer mundgerecht gemacht werden soll; bei lateinischen Quellen dagegen bemerken wir häufig — wie z. B. bei vielen Rätseln, bei den Variationen über die sog. Adventsantiphone, die wir Christ I nennen und an zahlreichen andern Stellen — eine Freiheit der Benutzung der Vorlage, die den Fall Waltharius-Waldere weit hinter sich läßt [1]). Wollte man dieser Freiheit wegen jene Beziehungen überhaupt leugnen, so bliebe von der angelsächsischen Quellenforschung an Ergebnissen nicht viel übrig. Darf man doch nicht über den Unterschieden aus dem Auge verlieren, was Binz schon einmal treffend hervorhebt, nämlich wie ähnlich sich im Grunde die Situationen von Waldere und Waltharius sind. — Nur der kann eine solche Umbildung bei der Bearbeitung grundsätzlich leugnen, der an der Lachmannschen Auffassung festhält, daß dem »Dichter, dem Verfasser einer einzelnen poetischen Erzählung, von der Fabel und ihren Personen und Begebenheiten nichts Wesentliches eigentümlich zugehört, ebensowenig als der Glaube oder die sittlichen Ansichten, auf die er fußt«. (Kl. Schr. I 467.) Diese Ansicht ist indes gerade von der neueren Forschung gründlich über Bord geworfen. Nimmt doch z. B. Heusler auch bei der Burgundensage eine »bewußte, planmäßige Umdichtung« zugunsten des Charakterbildes des Etzel an. Um das ganz bewußte Schaffen eines angelsächsischen klerikalen Hofdichters handelt es sich auch hier. —

---

[1]) Die von fast allen, die sich mit dem Problem beschäftigt haben, hervorgehobene Gleichung: Welandes worc = Welandia fabrica V. 965 (von einem von Walthers Waffenstücken) hat schwerlich irgendeine Bedeutung. Die Formel ist eiserner Bestand der ags. Epik. Vgl. Beow. 455 Wēlandes geweorc.

§ 4.
Schlußfolgerungen.

Wenn damit auch die eigentliche Aufgabe, die hier gestellt wird, zu Ende ist, so bleibt es doch verlockend, die
Schlußfolgerungen aus der gewonnenen veränderten Auffassung ein wenig weiter zu verfolgen. Eine uralte Walthersage in England wäre demnach ein Phantom. Es gibt nichts
dergleichen. Auch der Widsith weiß ja übrigens nichts von
einem Waldere. Daß ferner von einer alten angelsächsischen
Fassung der Sage aus Licht auf die Vorstufen des Waltharius
fiele, ist Einbildung. Daß nun unter dieser Erkenntnis die
Sicherheit bei der Rekonstruktion solcher Vorstufen überhaupt
erheblichen Schaden leidet, dürfte keinem Zweifel unterliegen.
Am weitesten ist in diesem Unternehmen Neckel gegangen,
der ein imposantes Gebäude scharfsinniger — vielleicht hier
und da überscharfsinniger — Schlüsse errichtet hat, dem einige
der wichtigsten Stützen und Fundamente zu nehmen im vorigen
versucht worden ist. Wenn man den Versuch für gelungen
hält und den Glauben an eine gemeinsame »Versüberlieferung«,
aus der beide Gedichte schöpfen, aufgegeben hat, so ist die Frage
nach Ekkehards Vorlage von neuem gestellt [1]). Heusler hatte
seinerzeit (R-L.) getreu seinen Theorien über Lied und Epos,
die so viel Klarheit über ein früher dunkles Gebiet verbreitet
haben, als Quelle für Ekkehard ein stabreimendes Heldenlied
vermutet. Aber die Schwierigkeit lag hier darin, daß das
vorauszusetzende stabende Gedicht, die vermeintliche gemeinsame Quelle für Waltharius und Waldere, doch eigentlich
schon in der Fabel fast zu umfangreich für den Typ »episches
Lied« war und für dessen Eigenart zu sehr ins einzelne ging.
Deshalb hatte Seemüller (Mélanges Godefroid Kurth II,
1908, S. 365) die Frage aufgeworfen, ob nicht hier die Zu-
sammenarbeitung zweier epischer Lieder derart, wie sie
Heusler definiert hatte, vorliege, von denen eines die Flucht
und den — in den späteren Formen auftauchenden — Hunnen-

---

[1]) Die alte, von Jiriczek, Sijmons u. a. neuerdings noch vertretene Ansicht, die die Walther- aus der Hildesage ableitet, muß dabei als erledigt
gelten, vgl. Heusler im R-L. Der jüngst von Krappe im Journal of Engl. a.
Germ. Phil. XXII (1923) S. 75 ff. gemachte Versuch, als Urgrund der Hildesage ein Märchen von der Flucht des jungen Helden mit der Zaubererstochter
aufzudecken, kommt deshalb für uns hier nicht in Betracht.

kampf, das andere den Kampf am Wasgenstein als Haupt-
gegenstand habe. Wobei denn nur verkannt ist, daß die
erstere Fassung deswegen höchst unwahrscheinlich ist, weil
ihr der innere Kern, nämlich der im epischen Liede vorhandene tragische Konflikt, ganz fehlen würde. Neckel aber
war von der Heuslerschen Idee wieder zu einer älteren Auffassung zurückgekehrt, indem er ein kleines Spielmanns-
epos von etwa 250 Langzeilen oder Reimpaaren annahm,
das sozusagen alles Gute des Waltharius schon enthielt und
deshalb zu seiner Zeit etwas Epochemachendes und Einzig-
artiges war (S. 287). Heusler aber, anscheinend durch diese
Ausführungen veranlaßt, kam, vielleicht zu rasch, von seiner
früheren Meinung wieder ab und setzte nun auch (Walzels
Handbuch S. 158) ein »gereimtes Lied« als Quelle an, in
dem auch ihm Spielmannseinflüsse vorzuliegen scheinen.

Aber es dürfte auf der Hand liegen, daß es methodisch
vorzuziehen ist, wo man mit gegebenen Größen auskommt,
keine unbekannten einzustellen, zumal wenn sich gegen ihre
Eigenart die schwersten Bedenken geltend machen lassen.
Dies ist von Hans Naumann neuerdings in sehr beherzigens-
werten Ausführungen ganz allgemein in Hinsicht auf den
immer wieder behaupteten schöpferischen Anteil des Spielmanns an der deutschen Dichtung geschehen, bei dem man
so wesentliche Dinge wie die Veränderung des Publikums
mehr oder weniger übersehen hat [1]). Vielleicht läßt sich aber
in diesem besondern Fall noch folgendes sagen. Wenn man
die Komposition des Waltharius näher betrachtet, so muß
einem auffallen, daß sie aus zwei völlig verschiedenen Ele-
menten besteht. Das eine ist der Kampf am Wasgenstein.
Viele sind der Meinung, daß es der eigentliche Kern des
Gedichtes ist. Schon Müllenhoff (Z. f. d. A. XII, 279) stellte
das fest und meinte, daß dieser Kampf »vielleicht die einzige,
ursprüngliche und unabhängige Sage sei, die zu Walther gehört«. Aber es läßt sich noch mehr von diesem Kern sagen.
Offenbar haben wir es hier mit einem auch in Hinsicht auf
den Konflikt als Pointe typischen epischen Lied zu tun. Es
ist im Grunde — das ist merkwürdigerweise niemals recht

---

[1]) Versuch einer Einschränkung des romantischen Begriffs Spielmanns-
dichtung. Deutsche Vierteljahrsschrift II, S. 777 ff. (1924).

beachtet worden — dem Hildebrandslied in der
Fabel ungemein ähnlich. Hildebrand kommt zurück
aus der Verbannung bei König Etzel; glücklich heimkehrend,
sieht er sich unerwartet in der entsetzlichsten Situation: sein
Leben wird bedroht durch jemanden, der ihm näher steht
als irgendein andrer, nämlich seinen Sohn, der ihn nicht erkennt. Vergebens bietet er Lösegeld in Gestalt von Attila
mitgebrachter Schätze, der Gegner verlangt den Kampf. Im
Zwiespalt der Gefühle siegt seine Kriegerehre, der Kampf ist
unausbleiblich. — Auch Walther kommt heim aus einer Art
Verbannung: er war Geisel am Hof desselben Etzel. Auch
er sieht sich plötzlich, nachdem er allen Gefahren einer müh-
samen Wanderung entronnen ist, in einer furchtbaren Lage:
jemand, der ihm nahestand wie ein Bruder, Hagen, sein
alter Blutsfreund, ehemals Geisel bei König Etzel wie er,
steht ihm als Feind gegenüber und verwehrt ihm den Weg,
wie Hadubrand dem Hildebrand. Er ist der Gefolgsmann
König Gunthers, und Gunther erhebt Anspruch auf die von
Attillas Hof mitgeführten Schätze, die er als den ihm früher
abgepreßten Tribut anspricht. Ohne Erfolg sucht auch hier der
Held durch ein Teilangebot der Kostbarkeiten sich vor dem
Kampf zu retten. Gunther bleibt unerbittlich. Der tragische
Zwiespalt der Empfindungen liegt hier freilich nicht in der Seele
des Ankömmlings, sondern der seines auf dem Heimatboden
stehenden Gegners. Er wird beendet durch den Kampf. Wie
man sieht, sind das erregende Motiv und die ganze Situation
ungemein nahe verwandt. Auf der weitern Entwicklung, der
Kampfschilderung, ruht dann der Nachdruck. Offenbar ist dies
das eigentlich Wesentliche an der Geschichte. Das Paar
Gunther und Hagen tritt dabei in seinem Charakter wohl
schon ganz scharf heraus. Diese Erzählung wird nun aber
nicht nur, wie oft dargetan, nach dem Muster antiker
und mittellateinischer Dichter breit ausgesponnen, sondern
zusammengewoben mit einer Geschichte von einem ganz andern Typ. Zwei Liebende von vornehmster Abkunft, Königs-
kinder, befinden sich in der Gewalt von Fremden, nämlich
eines berühmten feindlichen Tyrannen, an dessen Hof sie festgehalten und mit allerlei Aufgaben beschäftigt werden. Der
Held bleibt der Heldin treu, trotzdem ihm eine andere Vermählung nahegelegt wird; er entwirft einen Fluchtplan, bei

dem die Geliebte hilft. Die Machthaber werden in einen tiefen Schlaf versetzt und auf solche Weise überlistet. Es folgt nun, da die Liebenden weit von Hause sind, eine gefahrvolle Wanderung, die bis zu Krisen führt, in denen die Liebende an den Helden die Aufforderung richtet, sie lieber umzubringen als zum Opfer der feindlichen Gewalten werden zu lassen. Ein glückliches Ende belohnt sie schließlich für alle Leiden.

Diese beiden Erzählungstypen ließen sich schwer restlos miteinander vereinen. Für die Haupthandlung ist die Frau fast völlig überflüssig. Sie würde sich ohne sie nicht viel anders abspielen. Ja, es wird eine Spannung angelegt, die nachher einschläft, so daß sehr begreiflicherweise spätere Fassungen sie wenigstens insoweit lösen zu müssen glaubten, als sie die beraubten Hunnen auf der Verfolgung auftauchen und mit dem Helden kämpfen ließen. Es ist also nicht, wie Müllenhoff meinte, fränkischer Nationalstolz nötig, um diese abweichende Version herbeizuführen.

Was im Anfang ein dramatisches Motiv zu sein scheint, gibt hier im Hauptteil nur noch einen lyrischen Begleitakkord her. Der Verfasser weiß offenbar, wenn er an den epischen Liedinhalt kommt, nicht viel mit der weiblichen Figur mehr anzufangen. In der Tat hatte sie in dessen Schema keinen Platz.

Was nun aber besonders deutlich dieser Einkleidung den Charakter des Sekundären gibt, ist, daß die Heldin als die Tochter des Burgundenkönigs Heriricus bezeichnet wird, was doch nur möglich ist, weil im Waltharius der Burgundenkönig Gunther zum Franken geworden war. Das verrät (vgl. Dieter, Anglia XI, 161) jüngere Erfindung. Es taucht die Frage auf: Hat es überhaupt eine uralte germanische Sage von Walther und Hildegund gegeben? Oder hat man dem Walther die Hildegund später beigesellt? Aus welcher Zeit stammt die Einkleidung?

Eine Reihe von Forschern nimmt nun schon für die altgermanische Zeit epische Lieder an, die Fluchtmotive behandeln. Am weitesten ist darin Godefroid Kurth (Histoire Poétique des Merovingiens, Paris 1893) gegangen, der an verschiedenen Stellen "histoires d'évasions" zu erkennen glaubt "que la voix ailée de la poésie faisait retentir de peuple en peuple" (S. 170). Noch Friedrich von der Leyen in seinem schönen Buch: »Die deutschen Heldensagen«, 2. Aufl. München 1923, hält diesen Gedanken eines epischen Typs fest, den er als »Fluchtdichtung« bezeichnet, und für den er, genau wie Kurth, ein altes Beispiel in der bekannten von Grillparzer aufgenommenen Geschichte von Gregor von Tours über Attalus und Leo findet, während andere ihm in den schon von Heinzel aufgezeigten Fällen der Kormakssaga, Gönguhrolfssaga und Herbortsage vorzuliegen scheinen. Aber bereits Voretsch hatte gegen eine Auffassung wie die Kurthsche, die überall Lieder wittert, wo etwas Ungewöhnliches erzählt wird, Verwahrung eingelegt (Das Merowingerepos und die fränkische Heldensage, Festgabe für Sievers 1896, S. 53 ff.) und zumal bei dem »Liede« von der Flucht des Attalus aus Trier ein großes Fragezeichen an den Rand gesetzt (S. 78). In der Tat kann man sich schwer vorstellen, wie diese amüsante historische Anekdote, eine Geschichte überdies, die einem Vorfahren Gregors selbst widerfahren war (vgl. Hellmanns Notiz, Geschichtschr. d. d. V. 8, 1, 151) im Liede ausgesehen haben sollte. Wo sonst noch in sagenhaften Erzählungen der Vorzeit von Flucht die Rede ist, wird man desgleichen mit Voretsch keine Lieder annehmen, aber auch keine große Ähnlichkeit mit dem Motiv von Walther und Hildegundes Abenteuer finden können. Die andern bei Heinzel und von der Leyen verzeichneten Fälle aber sind viele Jahrhunderte später entstandenes Literaturgut, das die Einwirkung von allerlei epischer Kunst erfahren, ja womöglich vom Waltharius selber — der doch eine Art Schulklassiker geworden war, und dessen Auswirkungsmöglichkeiten dadurch außerordentliche gewesen sind — beeinflußt war.

Es fragt sich, ob nicht die Verschmelzung der beiden Geschichtentypen viel später erfolgt ist, als man in der Regel bisher — durch die Vorstellung einer durch das Angelsächsische bewiesenen uralten Walther-Hildegund-Sage verführt — angenommen hat. Die Frage nach dem Zeitpunkt freilich ist schwer zu beantworten und kann kaum getrennt werden von jener nach den Anfängen des Abenteuerromans, über denen so tiefe Dunkelheit liegt. Daß der griechische Roman mit seinem eisernen Schema des auf der Flucht begriffenen, immer neu verfolgten, tausend Widrigkeiten ausge-

setzten Liebespaars, dessen Not sich bis zur Erreichung
des Glückshafens aufs höchste steigert (Rohde, Der griechische
Roman. 2. A., S. 405, E. Schwartz, Fünf Vorträge über den
griechischen Roman, S. 144) mittelbar eingewirkt haben kann,
liegt auf der Hand[1]). Vor allem wird man diese Verknüpfung
von Altem und Neuem in Zusammenhang mit dem Interesse
zu bringen haben, das gegen Ende der altgermanischen Zeit
für die romantischere Phantasiewelt der Mittelmeerkultur aufkommt. Es äußert sich auch in der Übernahme von Legenden
durch das Abendland, die vom griechischen Roman ihre
Motive entlehnen. Eine solche ist etwa die Vita Malchi Captivi (vgl. Brandl, Geschichte der altenglischen Literatur 1908,
S. 177 ff.), eine Erzählung, die der hl. Hieronymus aus älterer
»offenbar griechischer oder anonymer Quelle« adaptierte
(Kunze, Theol. Lit.-Bl. 1898 Nr. 34), und die eine abenteuerliche Gefangenschaft und Flucht des Mönches
Malchus und einer mit ihm geraubten und gefangenen Frau enthält, die viele Fährnisse zu erdulden
haben, bis sie ihr Ziel erreichen. Es verlohnt nicht, auf die
Motive dieser Erzählung näher einzugehen, da sie als Quelle
wohl nicht in Frage kommt. Wichtig ist die aus spätangel-
sächsischer Zeit herrührende Version nur, weil sie ebenso
wie die angelsächsische Appolloniusübersetzung die Möglichkeit der Phantasieanregung der Zeit von dieser Seite her zeigt.
Auf alle Fälle bot das internationale St. Gallen mit seinen
direkten Beziehungen zur griechischen Kultur (vgl. Franz
Landsberger, der St. Galler Folchartpsalter, 1912, S. 38)
wohl ganz besondere Möglichkeiten. Ob man deshalb
nicht doch dem Ekkehard statt eines nebelhaften
unbekannten »Spielmanns« zutrauen soll, die
entscheidenden Schritte getan zu haben, einen

---

[1]) Neckel ist der Meinung, der Ausgang des Kampfes sei ursprünglich
ein tragischer gewesen. H. Schneider (GRM 13, 128) meint, vielleicht habe
der Waldere diesen Ausgang noch gezeigt. Das ist angesichts des Gott-
vertrauens, das hier so breit zum Ausdruck kommt, ganz unmöglich. Aber
sei dem, wie ihm wolle, jedenfalls ließe sich Neckels Meinung damit begründen,
daß der jüngere Geschichtentyp, der auf einen glücklichen Schluß angelegt
war, den andersartigen älteren in diesem Punkte verdrängte. Seitdem die
heroische Fabel in eine Liebesgeschichte umgewandelt war, erlaubte sie nicht
mehr das tragische Ende. Was sollte sonst aus dem Mädchen werden? Aber
es fragt sich allerdings, ob Neckels Gründe gewichtig genug sind.

altgermanischen Liedinhalt durch die Erfindung
eines Liebesmotivs in ein moderneres, roman-
tischeres Gewand zu hüllen, erscheint mir noch
durchaus der Überlegung wert. Auf alle Fälle erwies
sich diese Vermischung des Geistes heroischer Poesie mit
dem des romantischen Abenteuerromans als ganz besonders
reizvoll und hat wohl nicht wenig zu dem ungeheuren Erfolge
des Werkes beigetragen; ist damit doch auch zum ersten Male
auf deutschem Boden jene Vereinigung zustande gekommen,
die später zu den höchsten Höhen unserer epischen Kunst-
entwicklung führt.

Aus: Englische Studien. 60 (1925/26).

WALTHER ET HILDEGUND
REMARQUES SUR LA VIE D'UNE LEGENDE
von Georges Zink

AU cours de la mêlée générale qui met aux prises Burgondes et Amelungen, Hildebrand, blessé, rompt le combat avec Hagen et s'enfuit. Quand plus tard, en compagnie de Dietrich, il revient auprès de son adversaire, celui-ci lui fait honte se sa lâcheté : « J'aurais cru », lui dit-il en substance, « que vous étiez homme à mieux résister à vos ennemis ». A cela, le vieux guerrier répond (nous citons d'après la traduction Colleville-Tonnelat) : « Comment pouvez-vous me faire un tel reproche ? Et qui donc resta assis sur son écu au pied du Waskenstein, tandis que Walther d'Espagne tuait tant de ses parents ? Il y aurait encore bien des choses à dire sur votre compte ». (str. 2344).

On chercherait en vain dans toute la *Chanson des Nibelungen* l'explication de ce passage. Plus d'une fois, certes, le poème nous parle de Walther et de ses rapports avec Hagen : ensemble, ils ont séjourné comme otages à la cour du roi Etzel, ils se sont distingués tous deux dans les combats contre les ennemis des Huns; finalement, Etzel renvoie Hagen dans son pays, tandis que Walther 's'enfuit avec Hildegund (str. 1756, 1797). Mais ce ne sont là que des allusions, et seuls pouvaient les comprendre ceux des auditeurs ou des lecteurs à qui la légende de Walther et de Hildegund était familière.

Or, nous savons par d'autres textes que cette légende était effectivement connue au XIIIᵉ siècle dans les pays de langue allemande, que de là elle avait même gagné la Norvège et la Pologne. Elle formait en particulier le sujet d'une épopée que l'on appelle communément le *Waltherepos* ou *Walther et Hildegund* et qui a sans doute été composée vers 1230, mais dont nous n'avons plus que quelques rares fragments, ou obscurs, ou insignifiants. On a essayé, non sans succès, d'en reconstituer la fable[1], en faisant

---

1. Cf. en particulier H. SCHNEIDER, « Das Epos von Walther und Hildegund », *GRM* XIII, 1925; W. LENZ, « Der Ausgang der Dichtung von Walther und Hildegund », *Hermaea* XXXIV, Halle 1939; B. H. CAROLL Jr., « On the Lineage of the Walther Legend », *Germanic Review* XXVIII, 1953.

appel à des poèmes plus récents qui manifestement s'en sont inspirés ; l'auteur du *Biterolf* en particulier semble l'avoir suivie de
près en plus d'un passage, il a modelé sur la légende de Walther
les aventures qu'il prête à ses héros, le roi Biterolf et son fils
Dietleib. On a invoqué aussi le témoignage de la *Þiðrekssaga* : la
compilation norvégienne relate en effet dans un de ses chapitres
l'histoire de Walther et de Hildegund ; d'autre part, elle la met à
contribution pour étoffer d'autres récits (enlèvement de Hilde par
Herbort, retour de Dietrich dans son royaume). Pour certains épisodes enfin, on s'est tourné vers les chroniques polonaises, dont
la plus ancienne date du xive siècle[2].

Mais aucun de ces textes, qu'il s'agisse des poèmes allemands,
de la saga norvégienne ou des chroniques polonaises, ne nous
explique en quelle circonstance Hagen avait assisté, sans intervenir, au massacre de ses proches parents par Walther.

Pour comprendre le reproche que Hildebrand adresse à son
adversaire, il faut revenir de quelques siècles en arrière et inter-
roger le poème latin du *Waltharius manu fortis*, la seule relation
à la fois complète et détaillée que nous ayons de la légende de
Walther et de Hildegund[3].

2. L'ensemble des textes, latins, germaniques et polonais, a été très utile-
ment rassemblé et traduit en anglais par F. P. MAGOUN, Jr. et H. M. SMYSER
dans *Walter of Aquitaine, Materials for the Study of his Legend*, Connecticut
College Monograph n° 4, 1950.
3. On assiste en ce moment, dans les revues d'Allemagne surtout, à une
véritable « querelle du *Waltharius* ». Elle porte en particulier sur les deux
questions connexes de l'auteur et de la date. La thèse classique, que l'autorité
de J. Grimm avait fait triompher, donne comme auteur Ekkehard Ier de Saint-
Gall qui aurait écrit le poème vers 930 ; de nos jours encore, elle trouve des
défenseurs (K. LANGOSCH, « Der Verfasser des Waltharius », *ZfdPh* LXV, 1949 ;
cf. du même auteur l'article « Waltharius » dans la *Deutsche Literatur des
Mittelalters*, *Verfasserlexikon*, t. IV, 1953 ; L. WOLFF, « Der Waltharius Ekkehards und das Chronicon Novaliciense » dans *Erbe der Vergangenheit-Festgabe
für K. Helm*, Tübingen, 1951). Pour la plupart des critiques cependant, le poète
ne saurait être que ce Geraldus qui, dans le prologue, offre le *Waltharius* à
un « summus pontifex » du nom d'Erchamboldus. Mais qui est ce Geraldus ?
De quel Erchamboldus s'agit-il ? Là-dessus, les avis sont partagés. Les uns
pensent à l'évêque de Strasbourg Erchambald (965-993) et à un clerc de son
entourage qui aurait écrit le *Waltharius* vers 970 (R. REEH, « Zur Frage nach
dem Verfasser des Walthariliedes », *ZfdPh* LI, 1926 ; H. GRÉGOIRE, « Le Waltharius et Strasbourg », *Bull. de la Fac. des L. de Strasb.*, 1935-1936 ; du même,
« L'auteur strasbourgeois du Waltharius », *La Nouvelle Clio*, IV, 1952 ; W.
STACH, Geralds Waltharius, das erste Heldenepos der Deutschen, *Hist. Zeitschrift*,
CLXVIII, 1943). D'autres critiques, estimant que le *Waltharius* appartient encore
à l'époque carolingienne, placent Gerald soit dans l'entourage du chancelier
de Lothaire II, Erchambald, attesté entre 855 et 865 (W. von den STEINEN, « Der
Waltharius und sein Dichter », *ZfdA* LXXXIV, 1952), soit dans celui de l'évêque
d'Eichstätt Erchambald (K. HAUCK, Das Walthariusepos des Bruders Gerald von
Eichstätt, *GRM* 1954). Dans la grande édition du poème parue récemment (*MGH,
Poetarum Latinorum medii aevi*. Tomus VI/fasc. I, Weimar, 1951, K. STRECKER
admet que le *Waltharius* date sans doute du ixe siècle, mais il refuse de se

Si Hagen est resté à l'écart, pendant que ses compagnons, parmi lesquels son neveu Patavrid, succombent l'un après l'autre sous les coups de Walther, c'est parce qu'en dépit de ses avertissements répétés, Gunther avait engagé un combat que son vassal trouvait injuste et dangereux. Brûlant du désir de dépouiller Walther de ses trésors et de lui ravir sa fiancée, le seigneur de Worms est demeuré sourd à toutes les objurgations de Hagen, il est allé jusqu'à traiter de lâche (v. 623-631) le guerrier éprouvé qui, fidèle aux lois de l'amitié, mais soucieux aussi de l'intérêt bien compris de son maître, avait déconseillé le combat. Alors, tel Achille, Hagen s'est retiré ; les combats se déroulent sans qu'il intervienne, et il faut que le *rex superbus*, cruellement humilié dans son orgueil par l'issue de ces combats, se jette à ses genoux pour qu'il consente enfin à sortir de sa neutralité. On connaît la fin : Hagen a recours à un stratagème (un départ simulé) pour éloigner Walther de son réduit, et le dernier combat, au cours duquel Walther lutte contre deux adversaires, Gunther et Hagen, se termine par l'atroce mutilation des trois guerriers, l'un perdant une jambe, l'autre une main, le troisième un œil, et par une réconciliation générale assortie de quelques grosses plaisanteries sur l'inconvénient qu'il y a à être borgne ou manchot.

Cette rencontre sur un point précis entre la *Chanson des Nibelungen*, composée vers l'an 1200, et un poème latin qui date de la fin du IXe ou du début du Xe siècle, pose dans toute son ampleur une question aussi importante que délicate : celle des rapports entre les deux poèmes ou, d'une façon plus générale, celle des voies par lesquelles la légende, relatée vers l'an 900 dans un poème latin, est passée dans les textes allemands ou norvégiens du XIIIe siècle.

A des questions de ce genre, hâtons-nous de le dire, il n'est pas de réponse dont on puisse démontrer le bien-fondé avec une rigueur mathématique. Trop d'éléments d'appréciation nous font défaut, des textes ont pu disparaître — et ont certainement disparu — sans laisser de traces, d'autres ne nous sont parvenus que mutilés. Bref, tout ce que l'on peut espérer, c'est faire la part entre ce qui est simplement possible et ce qui est probable.

On a prétendu que, si l'auteur du *Waltharius* connaissait les légendes germaniques auxquelles il a emprunté ses personnages (Attila, Gunther, Hagen) et un certain nombre de thèmes, il n'avait

---

prononcer sur la personnalité de Gerald. Nombreuses indications bibliographiques dans les articles cités de K. Langosch et de K. Hauck ainsi que dans l'article de O. Schumann, Waltharius-Literatur seit 1926, ZfdA LXXXIII, 1951.

en revanche pas de véritable « source » en langue vulgaire ; avant
lui, en d'autres termes, la légende de Walther n'aurait pas existé,
c'est lui qui, s'inspirant de ses modèles latins (Virgile, Stace, Prudence), aurait inventé la fable. A l'origine de la légende de Walther,
il y a, dit-on, un poème en hexamètres latins, le *Waltharius ;* inutile
donc de vouloir rechercher dans ce poème la trace de quelque
Urlied germanique disparu ; inutile aussi de postuler l'existence
d'une « tradition parallèle » en langue vulgaire pour expliquer les
textes du xiiiᵉ siècle : le *Waltharius* y suffit. Toute cette théorie,
que le doyen des germanistes allemands, Friedrich Panzer, a exposée
avec une fougue juvénile dans un travail paru en 1948[4], peut se
ramener en définitive aux deux propositions suivantes : rien n'a
existé avant le *Waltharius* — tout ce qui vient après le *Waltharius*
découle du poème latin.

On comprend l'attrait que cette deuxième proposition peut exercer
sur les esprits. Le poème latin a été certainement apprécié
à sa valeur — qui est grande — durant tout le moyen âge, il a été
lu, écouté, recopié. Au début du xiᵉ siècle, on le connaissait déjà
au couvent de Novalese dans le Piémont. Et les nombreux manuscrits, dont K. Strecker a fait le compte et qui s'échelonnent sur
des siècles, témoignent de sa popularité. C'est un fait, d'autre part,
qu'avant la *Chanson des Nibelungen,* nous ne connaissons aucun
texte allemand qui relate la légende de Walther ou même qui y
fasse allusion. Plutôt que d'opérer avec ces inconnues que sont
les poèmes perdus, il peut paraître tentant de partir d'un texte
existant, le *Waltharius,* pour essayer d'expliquer comment les versions ultérieures ont pu en découler.

De telles tentatives d'explication, cependant, ne vont pas sans
difficultés. Prenons par exemple le récit que la Þiðrekssaga nous
donne de la fuite de Walther et des combats qui s'ensuivent. Le
rédacteur norvégien, nous dit-on, avait à sa disposition un manuscrit du poème latin dont il a tiré son résumé. Mais ce résumé, sur
des points très importants, s'écarte de son prétendu modèle :
Gunther n'y figure pas, et si Hagen attaque Walther — qui n'est
d'ailleurs pas son ami —, c'est sur l'ordre d'Attila. Le conflit dans
le cœur de Hagen entre l'amitié et le devoir, cette donnée centrale
du *Waltharius,* est ainsi tout simplement escamoté. On essaie de
minimiser ces divergences en parlant de la « manière habituelle »

---

4. Fr. PANZER, *Der Kampf am Wasichenstein — Waltharius-Studien,* Speyer,
1948 ; la thèse de Panzer a été appuyée par O. SCHUMANN (*art. cit.*) ; quelques
années auparavant, G. BAESECKE avait déjà admis que le rédacteur de la
Þiðrekssaga avait puisé directement dans le *Waltharius* latin pour le récit
de la fuite de Walther, alors que, pour le retour de Dietrich dans son royaume,
il se serait inspiré du *Waltherepos (Vor-und Frühgeschichte des deutschen
Schrifttums,* I. Bd., *Vorgeschichte,* Halle, 1940).

du rédacteur de la saga, celui-ci étant présenté comme une sorte
de rustre incapable de comprendre la beauté tragique de certaines
situations. On monte, par contre, en épingle certaines ressemblances portant sur des points de détail, ce qui serait un principe
excellent si ces détails étaient vraiment caractéristiques; mais
n'importe quelle « source » pouvait apprendre au compilateur norvégien qu'Attila était très puissant ou que Walther et Hildegund,
avant leur fuite, avaient eu ensemble un entretien secret.

Dans un autre de ses chapitres, la *Þiðrekssaga* a manifestement
fait des emprunts à la légende de Walther; il s'agit du chapitre
relatant le retour de Dietrich dans son royaume. Comme Walther
et Hildegund, Dietrich et Herrad, sa femme, chevauchent de nuit,
ils emmènent avec eux un cheval chargé de trésors; Herrad pleure
en voyant approcher les ennemis... Tout cela pourrait fort bien
être tiré du *Waltharius*. Mais le combat qui suit, au lieu de se
dérouler dans un site pareil à celui que nous décrit le poème latin
— un défilé qui ne permet qu'à un seul adversaire à la fois d'atta-
quer Walther — a lieu dans une plaine sur les bords du Rhin.
Ce détail a son importance, car il semble établi que dans la tradition allemande telle qu'elle apparaît dans le *Waltherepos*, l'attaque de Gunther se produit sur les bords du Rhin aussi. Pourquoi,
si l'auteur de la saga norvégienne n'a eu comme source que le
Waltharius, aurait-il abandonné une localisation qui joue un tel
rôle dans le poème latin, et par quel hasard se serait-il rencontré
avec la tradition allemande pour la nouvelle localisation ?

Mais en Allemagne même, il existe au XIII⁰ siècle une autre
tradition d'après laquelle les combats se sont déroulés dans les
Vosges, tout comme jadis dans le *Waltharius*. C'est cette tradition
que connaît l'auteur de la *Chanson des Nibelungen,* c'est elle qui
a valu à Walther le nom qu'il porte dans la saga scandinave (*af
Vaskasteini*) et dans le *Jardin des Roses* (*von Wasgenstein*). Mais
cette fois-ci, la localisation est trop précise pour qu'on puisse la
faire dériver directement du poème latin. Celui-ci ne parle que des
Vosges d'une façon générale, désignant sans doute par là les montagnes qui bordent la plaine du Rhin à l'ouest de Worms (il faut
se rappeler qu'à l'époque le terme de Vosges s'appliquait à un
ensemble bien plus vaste que de nos jours). L'auteur de la *Chanson
des Nibelungen,* quant à lui, songe à un site précis, le *Waskenstein*
c'est-à-dire le *Wasichenstein,* non loin de la frontière entre l'Alsace
et la Palatinat. Cette localisation, il ne l'a pas inventée, car il la
supposait connue de ses auditeurs. Il y a donc tout lieu de croire
qu'antérieurement à la *Chanson des Nibelungen* il existait, en langue
vulgaire, une version de la légende de Walther où il était question
du *Waskenstein*.

Nous avons jusqu'à présent laissé de côté une question qui a son importance. Si l'on suppose qu'au départ il n'y a eu que le *Waltharius*, comment se représenter les conditions dans lesquelles son action s'est exercée sur les textes ultérieurs ? Admettra-t-on que les auteurs du XIII° siècle ont consulté chacun de son côté un manuscrit du poème latin et qu'ils s'en sont servis, l'un (*Chanson des Nibelungen*) pour placer dans son récit un certain nombre d'allusions, l'autre (*Þiðrekssaga*) pour y puiser les éléments de quelques chapitres, le troisième enfin (*Waltherepos*) pour mettre la fable entière au goût du jour, pour en tirer, en d'autres termes, un poème courtois ? Un « pèlerinage aux sources » si souvent répété ne nous paraît guère probable, sans compter que, pour bien faire, il faudrait supposer le *Waltharius* connu non seulement des auteurs, mais aussi du public, ce public auquel *Walther* (von der Vogelweide) adressait sans doute un sourire de connivence en lui révélant que sa bien-aimée s'appelait *Hildegund* ! Ou bien dira-t-on que les hexamètres de Gerald ou d'Ekkehard ont eu tant de succès que tout aussitôt on a fait des adaptations en langue vulgaire ? Une telle hypothèse supprimerait bien des difficultés, mais on retombe alors dans la « tradition parallèle », car il est évident qu'une adaptation allemande, une fois lancée, devait évoluer selon ses lois propres, ou plutôt selon les lois de la tradition orale, et s'écarter ainsi de plus en plus d'un *Waltharius* depuis longtemps fixé par écrit.

Mais ne faut-il pas aller plus loin et se demander si la « tradition parallèle » ne remonte pas au-delà du *Waltharius* ? Cela revient à se demander si ce poème est vraiment un *Urlied*, comme on l'a prétendu, et à examiner les problèmes que pose l'existence du *Waldere*.

On a découvert en 1860 deux fragments d'un poème vieil-anglais qui devait être de dimensions assez considérables et qui relatait les aventures de Walther et de Hildegund. Il est probable que ces fragments, assez courts (31 vers chacun), se situaient vers la fin du poème, avant l'ultime combat que Walther devait livrer à Gunther et à Hagen ; ils rapportent les paroles de Hildegund exhortant son compagnon à bien se battre, les paroles d'un guerrier (Gunther ? Hagen ? Walther[5] ?) qui vante les qualités de son épée, les paroles de Walther enfin qui exprime sa confiance en Dieu.

5. Les trois opinions ont été soutenues. Personnellement, nous serions enclins à nous rallier à la dernière interprétation qui a été exposée, avec des arguments solides à l'appui, par F. NORMAN (*Waldere*, ed. by F. Norman, London, 1953).

Il est évident que la légende n'est pas née en Angleterre même, mais qu'elle est venue du continent. La question est de savoir comment s'est faite la transmission. L'auteur du *Waldere* s'est-il inspiré d'un chant allemand ? Ou bien, comme le veut Friedrich Panzer, a-t-il connu le *Waltharius* latin et en a-t-il fait une adaptation dans le style du *Beowulf* ?

Tout se ramène en dernière analyse à une question de date. Le manuscrit du *Waldere*, tout le monde est d'accord là-dessus, date des environs de l'an 1000. Mais quand a été composé le poème lui-même ? Au VIIIe siècle, comme on l'admet d'ordinaire ? Ou à la fin du Xe siècle, comme le veut F. Panzer, suivant en cela L. Schücking ? La question ne saurait être tranchée définitivement ni dans un sens ni dans un autre ; fort sagement, un des derniers éditeurs du poème[6], tout en penchant pour le VIIIe siècle, admet cependant que toute datation antérieure à l'an 1000 est possible. On remarquera cependant que, si le *Waldere* est du VIIIe siècle, toute la théorie de F. Panzer s'effondre du coup ; s'il est de la fin du Xe siècle, cela ne signifie pas nécessairement que la source en ait été le *Waltharius*.

Il y a même de fortes raisons de croire que cette source était autre. Le caractère de l'héroïne — la remarque a souvent été faite — n'est nullement le même dans le *Waltharius* et dans le poème anglais : d'une part une jeune fille éplorée qui, voyant surgir les guerriers francs qu'elle prend pour des Huns, demande à son fiancé de la tuer pour lui éviter de tomber entre les mains des ennemis ; de l'autre, la vierge guerrière qui prodigue à son défenseur des paroles d'encouragement.

A cela s'ajoute une divergence assez frappante qui porte sur le peuple auquel appartient Gunther ; d'après le *Waltharius*, il règne sur les Francs ; pour le *Waldere*, il est le chef des Burgondes. Cette dernière donnée, conforme à la réalité historique, est celle de la tradition légendaire, depuis le *Widsið* anglais en passant par l'*Atlakviða* scandinave jusqu'à la *Chanson des Nibelungen* allemande. L'auteur du *Waltharius* est seul à l'avoir écartée, sans doute mû par le désir de faire concorder la légende avec la réalité de son temps (au moment où il écrivait, Worms était effectivement situé dans le domaine des Francs). Or, quelle est dans ces conditions l'explication la plus probable pour le *Waldere* ? Dire que son auteur, s'inspirant du *Waltharius*, a cru nécessaire cependant de rejeter la «modernisation» que sa source avait fait subir à Gunther pour en revenir, de son propre chef, à l'antique donnée

---

6. *Anglo-Saxon Poetic Records*. VI. *The Anglo-Saxon Minor Poems*, ed. by Elliot van Kirk DOBBIE, Columbia Univ. Press, 1942.

légendaire ? Ou admettre qu'en faisant de Gunther le chef des
Burgondes, il a tout simplement suivi sa source, ce qui revient
à dire que cette source ne pouvait être le *Waltharius*, mais qu'il
devait s'agir d'un poème en langue vulgaire d'où procèdent à la
fois le *Waltharius* et le *Waldere* ?

Tout récemment, Friedrich von der Leyen a essayé de reconstituer la « table des matières » du recueil de chants germaniques
qu'au dire de son biographe Eginhard, Charlemagne avait fait
établir, et il y fait figurer — avec raison, croyons-nous —, un
poème allemand sur Walther.

Si un tel poème a existé (en une ou plusieurs versions), il
n'est guère probable que l'apparition du *Waltharius* latin l'ait
condamné à sombrer dans l'oubli. Les deux œuvres en effet ne
s'adressaient pas au même public : le *Waltharius,* composé par
un clerc, dédié à un prince de l'Eglise, charmait sans doute les
loisirs de certains moines, d'évêques cultivés, comme cet Erchamboldus dont nous parle le Prologue ; les poèmes en langue vulgaire
en revanche trouvaient leur public surtout parmi les seigneurs
laïcs et leur mesnie. Elles présentaient d'autre part des différences
notables dans leur mode de transmission. Poème savant, destiné
à la lecture, le *Waltharius* a certainement été fixé par écrit par
son auteur même, et ce sont les copies qui ont été faites de ce
manuscrit primitif, les copies de ces copies qui en ont assuré le
rayonnement ; soigneusement conservés dans les bibliothèques des
couvents, les manuscrits sont parvenus jusqu'à nous, du moins
en partie. Quant aux poèmes allemands, ils entraient sans doute
dans le répertoire de ces *Spielleute,* de ces jongleurs (nous em-
ployons ces mots à défaut de termes meilleurs) qui tiraient leur
subsistance de la récitation de tels poèmes. C'est dire que la transmission se faisait surtout par la voie orale ; c'est dire aussi que,
quand un chant passait de mode ou quand il s'épanouissait dans
une épopée, comme cela s'est produit pour les chants du cycle
des Nibelungen, il risquait de disparaître sans laisser de traces.
Rares sont en effet les chants qu'un heureux hasard nous a
conservés, parfois dans des rédactions très tardives : le chant bas-
allemand de la *Mort d'Ermanaric (Koninc Ermenrikes dōt),* la
Chanson de Seyfrid et surtout la *Chanson de Hildebrand.* Rapprochés de certaines allusions que l'on trouve dans les chroniques,
ils suffisent du moins à attester l'existence d'une tradition orale
vigoureuse. Le cas de la *Chanson de Hildebrand* est particulièrement
instructif : là, nous touchons pour ainsi dire du doigt à la fois
la persistance d'un chant et son évolution quand nous voyons

comment le vieux chant héroïque du VIII° siècle prend le caractère d'une ballade, à l'époque sans doute où le vers rimé supplantait
l'ancien vers allitéré dans la poésie allemande. Nous croyons que
les poèmes consacrés à Walther ont suivi une évolution analogue.

Si, de la sorte, la légende de Walther a vécu pendant des
siècles dans des poèmes allemands, faut-il en conclure que le
Waltharius latin n'a été qu'une belle excroissance et qu'il n'a
exercé aucune influence sur le développement ultérieur de cette
légende ? Ce n'est pas vraisemblable. Nous croyons au contraire
qu'assez souvent le poème latin et les versions en langue vulgaire
ont été confrontés. Transportons-nous en esprit à la cour d'un
prince ou d'un évêque, à celle par exemple de cet évêque Gunther
de Bamberg à qui l'écolâtre Meinhard reprochait en termes si
véhéments de consacrer plus de temps à Attila et à Amelung qu'à
Saint Augustin. L'évêque en effet s'intéressait à la poésie allemande, c'est à son instigation que fut composée la *Chanson d'Ezzo*,
il aimait écouter des poèmes en langue vulgaire relatant les vieilles
légendes germaniques, en particulier celle de Dietrich. Dans sa
bibliothèque d'autre part, il avait sans doute aussi un manuscrit
du *Waltharius*, poème latin où il retrouvait quelques-uns des héros
qui lui étaient chers. Donc, en présence de l'évêque Gunther et
de sa cour, un jongleur déclame une ballade qui raconte comment
deux otages, Walther et Hildegund, se sont enfuis de la cour
d'Attila. On imagine alors très bien qu'un auditeur, peut-être l'évêque lui-même, ait pu faire le rapprochement avec le poème latin
et attirer l'attention du récitant sur certaines divergences entre
ce poème et la ballade allemande. Et le jongleur, avide de tirer
parti des indications fournies par une œuvre « savante », aura
peut-être, pour une nouvelle séance de récitation, remanié sur
certains points sa ballade. Ainsi, certaines versions de la « tradition parallèle » n'auraient jamais perdu le contact avec le *Waltharius* et en seraient restées — ou redevenues — très proches.[7]

7. De n'est qu'après l'achèvement cu présent article que nous avons pu prendre
connaissance de l'étude de K. GENZMER, « Wie der Waltgarius entstanden ist », GRM
1954, dont les conclusions rejoignent celles de F. Panzer.

Aus: Etudes Germaniques. 11. (1956).

Zur Geschichte der Walthersage

von Hans Kuhn

Levin L. Schücking hat 1925 die Meinung verfochten, das angelsächsische Walderelied sei jünger als der lateinische Waltharius und ihm nachgedichtet (Engl. Studien 60, S. 17—36). Noch weiter ging dann 1948 Friedrich Panzer. Er behauptet, dies mönchische Epos sei das „Urlied" der Sage, sein Dichter habe diese überhaupt erst nach lateinischen Vorbildern (v. a. Vergil, Ovid und Statius) geschaffen (Der Kampf am Wasichenstein. Waltharius-Studien). Karl Stackmann hat gegen diese kühne These mancherlei Bedenken geäußert, doch fast nur vom Verhältnis des Waltharius zu seinen lateinischen Vorbildern her (Euphorion 45, 1950, S. 231—248). Andere Einwände sind mir nicht bekannt. Felix Genzmer hat die Konstruktion in der Einleitung seiner Waltharius-Übersetzung (Reclam, 1953) bedingungslos gutgeheißen.

Eine Voraussetzung für Panzers These ist, daß das angelsächsische Epos jünger als das lateinische ist, so wie Schücking es behauptet und zu beweisen versucht hat. Daß die Handschrift, der die erhaltenen Bruchstücke angehörten, nicht, wie früher angenommen, schon im 8. Jahrhundert, sondern erst um oder nach 1000 geschrieben ist, ist zwar für beide Forscher eine Conditio sine qua non, aber kein Argument dafür, daß das Lied ähnlich spät entstanden und jünger als der Waltharius ist. Ist doch selbst von dessen vielen Handschriften keine einzige älter. Die Chronologie des größten Teils der angelsächsischen Dichtung liegt noch sehr im Dunkeln. Für relativ späte Entstehung eines Gedichtes können da am ehesten Verstöße gegen die alte strenge Verstechnik und vor allem nordische Einflüsse sprechen. Aber die Waldere-Bruchstücke sind mit ihren 60 Versen für beides reichlich knapp. Der Bau ihrer Verse läßt sich viel eher gegen als für eine Entstehung erst im 10. Jahrhundert in die Waagschale werfen. Schücking hat hierauf nicht geachtet. Er verläßt sich vor allem auf ein vermeintes nordisches Lehnwort der Wikingerzeit (S. 25 f.). Es ist *gripe* in *gūðbilla gripe* (II 13). Es scheint „das Beste" oder Ähnliches zu bedeuten. Schücking leitet es von altn. *gripr* „Kleinod" ab. Dies Wort ist nie, so wie *gripe* im Waldere, mit einem abhängigen partitiven Genitiv bezeugt und taucht in der nordischen Dichtung erst um die Mitte des 12. Jahrhunderts auf. Das ist auffallend spät, wenn es eine alte Bezeichnung für ein Kleinod war. Es bedeutete damals auch nur etwa „Gegenstand, Ding", und allein der Zusatz von *dýrr* „kostbar" — *dýrr gripr* und *dýrgripr* —, *góðr* „gut" und dsgl. machte es zur „Kostbarkeit". Später heißt es meist *kostgripr* (zu *kostr* „Auslese"). Daß *gripr* ohne eine Stütze im Zusammenhang dasselbe bedeutet, ist selten. Die

alte neutrale Bedeutung lebte weiter und stand dem im Wege. Es ist unwahrscheinlich, daß das Wort im 9. oder 10. Jahrhundert in der oben genannten Bedeutung und Verwendung ins Angelsächsische gekommen ist.

Was Schücking sonst noch für eine späte Entstehung des Walderes beibringt,
ist zumindest für eine absolute Chronologie nicht brauchbar und für die Kern-
frage, das Verhältnis dieses Lieds zum Waltharius, bedeutungslos. Für sie sind
weit wichtiger die vielen inhaltlichen Abweichungen von jenem. Gunther ist Burgunde, nicht Franke. Hildegund zeigt sich nicht furchtsam, sondern tapfer.
Walther trägt das Schwert Mimming, er hat Gunther nicht nur Schätze, sondern
auch ein Schwert angeboten, ein (drittes?) Schwert liegt still in einem Steinbehälter.
Der Lateiner hat von dem allen nichts. Walthers Brünne ist ein Erbstück von seinem
Vater, im Waltharius aber Etzel entwendet, während der Vater noch lebte.
Dazu kommt wahrscheinlich, im Gegensatz zu jenem Epos, daß Gunther wagt,
allein gegen Walther zu kämpfen, und daß die Zweikämpfe von keiner Nacht
unterbrochen sind. Auch die Erwähnung Dietrichs und Witeges bei dem Angelsachsen fehlt dem Waltharius. Dies sind allzuviele Eigenheiten in nur 60 Versen,
als daß ich an die behauptete Abhängigkeit glauben kann.

Daß Gunther im Waldere Burgunde (*wine Burgenda*) und kein Franke ist,
scheint sich leicht als eine fast selbstverständliche Berichtigung zu erklären, zumal
er im Widsid als burgundischer König erwähnt ist. Dies alte Gedicht ist jedoch
der einzige weitere Zeuge für die Kenntnis Gunthers im alten England, und auch
andere Burgunden der Sage sind da drüben nur in ihm bezeugt (Gibeche und
Giselher). Die burgundische Sage scheint darum in England nur wenig bekannt
gewesen und früh vergessen zu sein. Die Bezeichnung *wine Burgenda* setzt jedoch
nicht nur eine vielleicht blasse Erinnerung voraus, sondern Dichtung (vgl. *vinir
Borgunda* im alten Atlilied der Edda). Es gehörte weiterhin ein guter Philologe
dazu, um die Identität des unheldischen Franken *Guntharius* mit dem burgundischen Helden *Gûdhere* zu durchschauen. Es kommt noch hinzu, daß nach der ver-
meinten Quelle Hildegund eine burgundische Prinzessin war. Der Angelsachse
hätte also Gunther zu ihrem Bruder oder Vater (oder Oheim) gemacht. Damit
hätte die Fabel eine ganz andere Verwicklung erhalten. Sie wäre reicher und zugleich der Hildesage ähnlich geworden: Walther entführt eine nahe Verwandte
Gunthers und wird deshalb von diesem verfolgt und gestellt. Die Bruchstücke
lassen eine solche Wendung jedoch nicht ahnen. Es ist unwahrscheinlich, daß der
Nachdichter, um ihr zu entgehen, dem Mädchen eine andere Nationalität gegeben hat.

Der Waldere nennt auch Dietrich von Bern. Auch von diesem Lieblingshelden
der deutschen Sage gibt es im alten England nur schwache Spuren, und von seinen
Riesenkämpfen, seiner Verbindung mit Witege und dessen Herkunft von Wieland,
auf die in den Bruchstücken angespielt wird, sonst keine. Wir kennen dieses alles
sonst nur als deutsche Sage. Im Waldere aber soll es nach Schücking und Panzer
Zutat des englischen Dichters sein. Schücking gebraucht die Erwähnung eines

Riesenabenteuers Dietrichs als ein Argument für die späte Entstehung des Waldere-
lieds. Denn dieser Teil der Dietrichsagen sei jung. Darüber wissen wir nichts.
Die erörterte These der beiden Genannten führt somit in ein ganzes Bündel
von Unwahrscheinlichkeiten und Schwierigkeiten. Ähnlich tut es die Herleitung der
meisten jüngeren Quellen der Walthersage aus dem Waltharius. Selbst die paar
knappen Anspielungen auf unsere Sage im Niblungenlied enthalten allerlei Abweichungen von diesem: Walther ist von Spanien statt von Aquitanien, der große
Kampf ist am Waskenstein, Hagen sitzt da auf seinem Schilde und Etzel sagt,
er habe diesen, der nach dem lateinischen Epos von ihm geflohen war, nach Hause
gesandt. Panzer erklärt dies Letzte als eine höfische Rücksicht: Etzel mußte so tun,
als sei zwischen ihnen beiden alles im reinen. Damit wird verdeckt, daß eine der
Grundlagen der Walthariusfabel mit der des Nibelungenliedes unvereinbar war.
Nach dem zweiten stand der burgundische König frei und unabhängig neben
Etzel, nach dem ersten schuldete er ihm Tribut. Er hatte sich der Zahlung zwar
entzogen, aber Etzels Anspruch mußte bestehen bleiben. Ich glaube nicht, daß der
Niblungendichter sich über diesen Gegensatz so leicht hinweggesetzt hätte, wenn
er die Walthersage nur in der Form des Waltharius kannte. Er hätte dann über
Hagens Geiselschaft wohl lieber geschwiegen. Da man außerdem nur auf solches
anzuspielen pflegt, das man als bekannt voraussetzen darf, so liegt die Folgerung
nah, daß die Walthersage in Österreich um 1200 nicht in der Gestalt des Waltharius umgegangen ist, sondern in einer anderen. Aus diesem selben Grunde machen
es die erwähnten ähnlich kurzen Angaben über Dietrich und Witege im angelsächsischen Waldere wahrscheinlich, daß das Lied, wie längst vermutet, nach
einer deutschen Vorlage gedichtet ist. Die aber kann nicht das lateinische Epos
gewesen sein.

Hildegund heißt bei dem Lateiner *Hiltgunt (Hiltgundis)*, in allen deutschen
Quellen, die sie nennen (dem Niblungenlied, beiden Walther-Bruchstücken, dem
Biterolf und bei Walther von der Vogelweide), dagegen, mit bewahrtem Fugen-
vokal, *Hilde-* oder *Hiltegunt*. Dies ist die richtige Namenform, aber sie war, mit
der Silbenfolge — ᴜ —, in den Hexametern des lateinischen Liedes nicht möglich.
Sein Dichter half sich mit der Kürzung. Wenn er, wie Panzer behauptet, die Sage
selbst erfunden hätte, so hätte er schwerlich für eine der Hauptpersonen einen
Namen gewählt, der in seinem Versmaß nur verfälscht zu gebrauchen war. Hätte
die kürzere Form aber doch existiert und wären alle späteren Quellen aus dem
Waltharius geflossen, dann wäre schwer zu begreifen, daß sie alle zu der drei-
silbigen Namenform übergingen. Dieses eine genügt fast schon, um Panzers These
ad absurdum zu führen. Im Grunde hatte Edward Schröder sie, auf ähnlichem
Wege, schon 1931 widerlegt, lange vor ihrer Geburt. Er hat darauf aufmerksam
gemacht, daß viele der Personennamen des lateinischen Gedichts im Hexameter
nur schlecht und eng begrenzt zu verwenden waren, und daraus geschlossen, daß
der Dichter sie nicht frei gewählt, sondern in seinen Quellen vorgefunden hat
(Die deutschen Personennamen in Ekkehards Waltharius, Festschrift f. Karl

Strecker, neugedruckt in Schröders Deutscher Namenkunde [2], S. 80—94). Doch war er auf Hildegund nicht eingegangen. Es muß also vor dem Waltharius eine Walthersage gegeben haben.

Die wichtigsten Namen der Sage, *Hildegund* und *Walther,* scheinen dasselbe im Norden zu bezeugen, obschon wir den Stoff da direkt nur aus der þidreks saga und damit aus später deutscher Einfuhr kennen. Personennamen mit *Hildi-* als erstem Gliede sind dort oben in der Frühzeit äußerst selten und meist entweder sekundäre Bildungen (wie *Hildi-Glúmr*) oder ungeschichtlich. Nur *Hildigunnr* ist häufiger, und es ist spätestens seit der 1. Hälfte des 10. Jahrhunderts sicher. Es ist da wahrscheinlich, daß es aus unserer Sage genommen ist, aber schwerlich aus einem mönchisch-lateinischen Epos, das vor kurzem in Süddeutschland gedichtet war und dessen Überlieferung es in Zweifel läßt, ob es selbst in Norddeutschland je bekannt geworden ist. *Vald-* ist als erstes Namenglied im alten Norden — abgesehn von dem aus dem Slavischen geholten *Valdimarr* — sogar ganz auf *Valdarr* (= *Walther*) beschränkt. Ein dänischer König der sagenhaften Frühzeit soll so geheißen haben (oder auch zwei). Sicherer scheint der Name in dem dänischen Ortsnamen *Vollerslev* auf Seeland, 1472 *Waldersleff* (dazu ein *Volderslev* auf Fünen). Mit den *-lev*-Namen kommen wir wahrscheinlich sogar bis in die Völkerwanderungszeit zurück.

Im Vorausgehenden sind viele und teilweise starke und doch kaum alle Argumente genannt, die gegen die These Panzers sprechen. Die andere Waagschale aber bleibt fast leer. In ihr ist nichts von Gewicht. Nichts, das bisher ein Rätsel schien, wird erst durch diese Lehre verständlich oder sinnvoll. Ich behandle sie deshalb als widerlegt. Die Frage ist nun, welche Gestalt die Walthersage vor dem lateinischen Epos, dem einzigen Denkmal, das eine vollständige Fassung gibt, gehabt haben mag. Die frühere Forschung nahm, wie es fast selbstverständlich war, ein altes Heldenlied als Grundlage an. Das können wir heute nur dann noch tun, wenn wir gute Argumente dafür in den Händen haben. Die Fabel des Waltharius gibt sie uns kaum, trotz des Konfliktes zwischen Freundes- und Mannentreue, in den sie Hagen versetzt. Die Jugendkameradschaft Walthers und Hagens in Etzels Dienst, von der zunächst allein die Rede ist, begründete keine Pflicht, die im Heldenlied in einen tragischen Konflikt mit einer anderen geraten konnte. Nicht einmal die echte Freundschaft hat das getan. Vielmehr sind dazu, das zeigen die nordischen Sagen und Lieder, Eidesleistungen oder mindestens Gelübde nötig gewesen. Einige spätere Äußerungen des lateinischen Dichters über das Verhältnis der beiden Männer erlauben die Vermutung, daß da einst Gelübde oder Eide vorausgesetzt waren. Ich denke vor allem an die *sponsa plerumque fides* (1089 f.) und die *fides saepissime pacta* (1259) neben den oft geschworenen Eiden des alten Atlilieds (Str. 30). Dem frommen Dichter mögen die Eide überflüssig geschienen haben oder gar — du sollst nicht schwören — ein Ärgernis gewesen sein. In der anderen Waagschale scheint ihm Hagens Mannenpflicht gegen Gunther genügt zu haben. Auch das ist schwerlich ein alter Zug. Diese Treuepflicht hat, zum mindesten in der Heldendichtung, im allgemeinen nicht so hoch gestanden, wie oft behauptet wird. Hildebrand zum Beispiel tut alles, um seinen Sohn zu bewegen, vom Zweikampf mit ihm abzustehn, erwähnt jedoch mit keinem Worte, daß er, wenn so geschah, die Pflicht gegenüber seinem Herren Dietrich und dem auf ihn blickenden Heere verletzte. Diese Pflicht befahl ihm den Kampf. Aber sie hat an seinem Seelenzwist keinen Teil gehabt. Im Waltharius hatte überdies die schwere Kränkung, die Gunther Hagen antat (629 ff. und 1067—72), das Treueband zerschnitten. Der Dichter erkennt das allerdings nicht mehr an (633). Ursprünglich hat in dieser Waagschale offenkundig etwas anderes gelegen: ein Neffe Hagens war vor Walther gefallen, und Hagen war daher zur Rache verpflichtet. Diese Pflicht war bedingungslos und wurde nicht etwa dadurch aufgehoben, daß der Neffe der Angreifer und damit selbst an seinem Tode schuldig war. Diese Ethik scheint dem Mönch mißfallen zu haben. Zwar läßt er Hagen am Ende von Walther Sühne für die Tötung des Neffen fordern (1278), hat ihm aber vorher in den Mund gelegt, er werde um des Todes seines Neffen wegen nicht zur Waffe greifen (1111 f.). Hiermit hat er diesem Motive ebenso wie dem der Kränkung Hagens den Sinn genommen und beweist damit zugleich, daß er beides nicht selbst erfunden, sondern übernommen hat.

Die deutsche Quelle des Waltharius hat nach dem Gesagten wahrscheinlich einen Pflichtenkampf Hagens enthalten, in dem vor allem feierlich gelobte oder geschworene Freundestreue und Rachepflicht für einen Verwandten gegeneinander standen. Das sieht nach dem Kernproblem eines tragischen Liedes aus. Die Wahrscheinlichkeit einer solchen Grundlage, und zwar noch aus der Zeit des Stabreims, wird von zwei stabenden Wortverbindungen vermehrt, die sich für sie erschließen lassen. Die erste ist *Wēlandes werk*, gesagt von einer Waffe. Auf sie führt *Welandia fabrica* Walth. 965 in Verbindung mit *Wēlande(s) worc* Wald. I 2 und gestützt von *Wēlandes geweorc* im Beowulf (455). Die zweite ist *Walther von *Wasken(land)*. Es ist eine alte und ansprechende Vermutung, daß den vielerlei Heimatländern, die Walther in den Quellen zugesprochen werden, ein **Wasken* oder **Waskenland*, das ist die Gascogne oder das Baskenland, zugrunde liegt und daß auch der *Waskenstein*, an dem er mit den Burgunden kämpfte, damit zusammenhängt und dadurch zur Herkunftsbezeichnung werden konnte (vgl. Wilhelm Grimm, Die deutsche Heldensage S. 97 f.). Da die Basken damals noch beiderseits der Pyrenäen wohnten, erklärt dies gut, daß unsere Quellen als die Heimat des Helden sowohl Spanien wie auch Aquitanien (und Kerlingen) nennen, während es kaum zu verstehen ist, wie etwa ⸗ nach Panzers Theorie — der Niblungendichter dazu kam, das Aquitanien seiner lateinischen Quelle durch Spanien zu ersetzen. Das *Walther von *Wasken(land)* setzt zwar nicht notwendig Stabreimverse voraus, macht, da der zweite Name bei uns sicher wenig bekannt gewesen ist, eine solche Grundlage oder Vermittlung aber doch wahrscheinlich.

Über den Inhalt des ältesten vorausgesetzten Waltherliedes ist viel diskutiert. Hier soll nur etwas auf eine der wichtigsten Fragen eingegangen werden, seinen

Schluß. Die meisten Forscher rechnen mit einem glimpflichen Ende, zwar nicht dem spielmännisch derben des lateinischen Epos — dem einzigen überhaupt erhaltenen —, aber doch so, daß die drei vornehmsten Kämpfer, Walther, Gunther und Hagen, am Leben blieben und es zwischen ihnen zur Aussöhnung kam. Einen tragischen Ausgang haben nur wenige Forscher postuliert. Und doch müssen wir das hier, so scheint mir, nicht minder tun als in der Fabel von Hildebrand und Hadubrand. Der Waltharius nimmt zwar wenig Rücksicht auf die Sage vom Untergang der Burgunden, läßt Gunther das eine Bein verlieren und Hagen ein Auge und erniedrigt den ersten zu einer kläglichen Figur, weit über sein wenig günstiges Bild in der Sigfridsage hinaus. Manches davon hat er vielleicht schon in einer Quelle gefunden. Aber diese ist doch schwerlich so weit gegangen, daß sie Gunther und Hagen, deren Sage von früh an in ihrem Tod durch hunnische Hände gegipfelt haben muß, oder auch nur einen der beiden vor Walther fallen ließ. Hiermit scheint auch noch niemand gerechnet zu haben. Es ist dann Walther, der hat sterben müssen.

Zu demselben Schlusse führt mich noch ein zweites. Die Heldenlieder duldeten keine mißlungene Rache. Die Sage von Ingeld endete mit einem mißglückten Rachezuge (Wids. 47—49), aber die L i e d e r von ihm brachen nach der Wiedergabe sowohl im Beowulf wie bei Saxo vor diesem Zuge ab (vgl. jedoch unten). Trat Hagen gegen Walther an, um den Tod des erschlagenen Neffen zu rächen, dann mußte diese Rache vollzogen werden und Walther fallen. Hätte Hagen ihn etwa bloß verwundet und sie dann Frieden geschlossen, so wäre die Rachepflicht unerfüllt geblieben. Gegen dieses Ende, Walthers Tod, hat man vor allem zweierlei eingewandt: daß es dann nicht auszudenken sei, was aus Hildegund wurde, und daß das Vertrauen auf Walthers Schwert und Brünne, auf Gott und das gute Recht, das in den Waldere-Fragmenten aus Hildegunds und Walthers Worten spricht, einen solchen Ausgang nicht erlaube. Beides ist falsch. Aus dem, was Hildegund vor dem schweren Kampfe sagt, um ihren Verlobten zu stärken, sowie dem, was dieser da seinen Feinden entgegenhält, kann man unmöglich auf den Ausgang schließen. Es ist auch der Kampf mit Gunther und nicht mit Hagen, vor dem Walther da steht. Außerdem rechnet Hildegund selber mit beiden Möglichkeiten für diesen, Tod oder langem Ruhm (I 9—11), so wie ähnlich Hildebrand sich vor dem Kampf mit seinem Sohne auf beides gefaßt macht, vor ihm zu fallen oder ihn zu töten (Hild. 53 f.; vgl. auch 60—62). Er betont dann sogar gerade diejenige Möglichkeit, die nicht eintrifft und die er auch schwerlich will, den Sieg des Sohnes (55—57).

Was Hildegund nach Walthers Tode tat oder was dann aus ihr wurde, können wir allerdings nicht wissen. Vielleicht hat das Lied darüber geschwiegen. Hagen als der geschlagene Sieger über dem toten Eidgenossen, so wie einst Hildebrand über seinem Sohne und im Hunnenschlachtliede Anganty über dem Halbbruder Hlöd, das konnte ein so eindrucksvolles Schlußbild sein, daß die Hörer nicht mehr nach Hildegunds Schicksal frugen. Wem das nicht genügt, auch für den sind Antworten denkbar. Es ist möglich, daß sich Hildegund nach dem Tode des Geliebten das Leben nahm, so wie etwa in einer alten dänischen Sage Signy nach der Henkung Hagbards. Zum zweiten kann es sein, daß Hildegund Hagen wegen des Treubruchs an seinem Schwurbruder Walther verwünscht und seinen Tod durch Etzel — der ihm noch die heimliche Flucht aus seinem Dienste heimzuzahlen hatte — als die Wirkung seines Eidbruchs vorausgesagt hat, so wie es nach dem alten Sigurdlied der Edda Gudrun/Kriemhild mit ihrem Bruder Gunther wegen der Ermordung seines Schwurbruders Sigurds/Sigfrids getan hat. Ebenso wie da in der Sigfridsage kann Etzel auch in unserer Sage als das Werkzeug der Vernichtung angesehen sein, die dem Eidbruch nach altem Glauben unentrinnbar gefolgt ist. Dort traf es Gunther, hier seinen Genossen Hagen. Die Übertragung vom einen auf den andern hat nahe gelegen. Zum dritten ist denkbar, daß Hildegund selbst die Rache für Walther betrieben hat, so wie zum Beispiel, in einer sehr ähnlichen Lage, ihre unversöhnliche Namenschwester in der Njáls saga, Hildigunnr Starkaðardóttir (Kap. 116). Doch war es in der Heldendichtung kein Brauch, auf eine Rache noch einen Gegenschlag folgen zu lassen, und ein solches Ende würde wohl auch Spuren hinterlassen haben. Wenig wahrscheinlich ist auch die vierte Möglichkeit, daß eine Schlußbemerkung angab, Hildegund sei nach Walthers Tode vor Gram gestorben, so wie es das zweite Lied von Helgi Hundingsbani in der Edda von der Walküre Sigrun nach dem Tode des Helden sagt. Daß ein altes Heldenlied so geendet hat, ist zweifelhaft. Wie dies nun auch sei, so brauchen wir der ältesten Walthersage nicht deshalb ein dem Stil der alten Lieder widersprechendes gutes Ende zuzuschreiben, weil im anderen Falle das weitere Schicksal Hildegunds eine ungelöste Frage bleiben müßte.

Den zuletzt genannten Tod, das Sterben vor Leid, nennt auch die Laxdœla saga, eine der besten der isländischen Sagas. Sie schreibt ihn Hrefna, der Frau ihres Lieblingshelden Kjartan 'Olafsson, nach dessen Erschlagung zu (Kap. 50). Die Szene von seinem Fall, die vorausgeht (Kap. 49), muß hier noch herangezogen werden, da sie einiges Licht auf den verlorenen alten Ausgang der Walthersage wirft. Zu der Ausgestaltung und Vertiefung der Hauptkonflikte dieser Saga hat die Niblungensage, vielleicht sogar unser Niblungenlied, vielerlei Motive beigesteuert. An der großen Kernszene von Kjartans Tode jedoch ist ebenso sicher der Schlußteil der Walthersage beteiligt gewesen. Guðrún Osvífsdóttir, die Hauptgestalt der Saga, gewinnt ihre Brüder und zuletzt auch ihren Gatten Bolli dazu, den genannten Kjartan, Bollis Vetter und Ziehbruder, zu erschlagen. Sie überfallen Kjartan mit Übermacht, aber Bolli bleibt zunächst dem Kampfe fern und greift erst ein, als ein Vetter seiner Frau gefallen ist und ihre Brüder mit Kjartan nicht fertig werden. Da wirft Kjartan, der nicht geglaubt hat, daß Bolli gegen ihn die Waffe heben werde, sein Schwert beiseite und läßt sich von ihm niederhauen.

Die Verwandtschaft dieser Szene mit dem Kampf am Waskenstein ist schon in diesen Grundzügen offenkundig. Es kommen aber noch starke weitere Gemeinsamkeiten hinzu. Kjartan wird ebenso wie Walther als ein fast unüberwindlicher

Kämpe geschildert. Ebenso wie im angelsächsischen Waldere spielen in der Saga mehrere Schwerter eine Rolle, die das gewöhnliche Maß übersteigt. Sowohl Kjartan wie Bolli hatten vorzügliche Schwerter, und auf dem des zweiten lag ein Fluch. Aber Kjartan hatte seines nicht bei sich, als er überfallen wurde, und mußte mit einem schlechteren kämpfen, während im Waldere ein besseres Schwert erwähnt wird, das in einer Steinkiste verwahrt oder verborgen liegt — die Bruchstücke lassen allerdings nicht ersehen, wem es gehört und wer es da niedergelegt hat und warum er es tat —. Und so wie Kjartan das Schwert, mit dem er sich verteidigt hatte, hinwarf, als Bolli ihn angriff, so warf nach dem lateinischen Epos Walther das seine fort, als es an Hagens Helm zerbrochen war (1374 ff.). Im Waldere nennt sich Walther, ehe ihn Gunther angreift, kampfmüde (*headuwērig*, II 17), und ebenso wird Kjartan vor dem Kampfe mit Bolli genannt (*vígmóðr*).

Diese Züge zusammengenommen sichern, so scheint mir, den Einfluß der Walthersage auf die Gestaltung der Szene in der Laxdœla saga. Die Form der Sage, die der Verfasser der Saga kannte, muß dem angelsächsischen Liede nahegestanden haben. Was den Isländer dazu geführt hat, seine Darstellung an dieser einen Stelle mit solchen Anleihen auszuschmücken, kann wohl nur eine Verwandtschaft der Szenen gewesen sein. Ich glaube deshalb folgern zu dürfen, daß in der benutzten Quelle Walther ebenso gefallen ist wie in der Saga Kjartan, und vermute, daß er deshalb fiel, weil sein gutes Schwert ihm fehlte und das, mit dem er kämpfen mußte, versagte. An Indizien für einen solchen Hergang fehlt es, wie schon berührt, in den Waldere-Bruchstücken und auch im Waltharius nicht. Vielleicht hatte Hagen vor dem Kampfe Walthers gutes Schwert beiseite geschafft, so wie er es nach dem Niblungenlied mit dem Schwerte Sigfrids getan hat (Str. 980). In der Saga hatten Gudruns Brüder, die Kjartan überfielen, diesem früher einmal das gute Schwert gestohlen, das ihm nachher — obwohl es wieder herbeigeschafft war — fehlte. Ob das Ende dieses Teils der Saga, Hrefnas Tod aus Schmerz um Kjartan, dem gesuchten Ende Hildegunds in der Walthersage nachgebildet ist? Wenn auch die meisten der beigebrachten Einzelheiten fragwürdig sind, so bin ich doch überzeugt, daß die Laxdœla saga uns hilft, einiges in den Waldere-Bruchstücken besser zu verstehen und vor allen Dingen den erschlossenen tragischen Ausgang der ältesten Walthersage zu sichern und damit auch die Thesen Schückings und Panzers, von denen ich ausging, zu widerlegen.

Aus: Festgabe für Ulrich Pretzel 1963.

DIE WALTHERSAGE

von Hendrick Willem Kroes

In seinem Büchlein 'Der Kampf am Wasichenstein'
(1948) hat Friedrich Panzer den Waltharius als Original-
dichtung oder 'Urlied' zu erweisen gesucht; vor dem lateinischen Epos soll es kein Waltherlied, keine Walthersage
gegeben haben und alle Waltherüberlieferungen sind aus dem
Waltharius abzuleiten. Er verteidigt diese Hypothese mit
großer Gelehrsamkeit und gutem Geschick; dennoch glaube
ich nicht, daß ihm der Beweis gelungen ist. Schon die Herleitung der ags. Überlieferung in den Walderefragmenten
aus dem lateinischen Epos stößt auf große Schwierigkeiten.
Gúdhere heißt darin *wine Burgenda* (B 14), was sicher ursprünglicher ist als sein Titel *rex Francorum* im Waltharius.
Waldere wird (*Ætlan*) *ordwyga* genannt (A 6), was 'Spitzen-
kämpfer' bedeutet und altgermanischer Kampfsitte entspricht; es überzeugt nicht, daß *ordwyga* Wiedergabe von
militiae primus (Oberanführer) sein soll, wie Panzer S. 67
vermutet. Hildegýd wird als Walthers wackere Kameradin geschildert, die ihn im Kampfe ermutigt; eine für eine altgermanische Prinzessin passendere Haltung als die der Jungfrau
im Waltharius, die sich während der Kämpfe scheu zurückhält. Es ist sodann anzunehmen, daß Gúdhere sich im Waldere
als Vorletzter zum ehrlichen Einzelkampf stellt; von einem
unritterlichen Angriff zweier auf einen ist nicht die Rede.
Hagena greift wohl erst ein, als sein verwundeter Herr in
Gefahr ist, durch Walthers Schwert das Leben zu verlieren.
Auch scheinen die Kämpfe im Waldere an einem Tage
abzulaufen (vgl. *headuwérig* B 17). In all diesen Punkten
stehen die ags. Fragmente meines Erachtens auf einer älteren
Stufe als der Waltharius; daß der ags. Dichter das lateinische
Werk mehr ins Altgermanische, in den Béowulfstil, um-
gedichtet hätte, wie Panzer in der Festschrift Kluckhohn-
Schneider S. 74 annimmt, ist wohl wenig wahrscheinlich.

Auch die anderen Waltherüberlieferungen weichen in
manchen Einzelheiten vom Waltharius ab; so heißt es
Nibelungenlied 1756, 4 nicht etwa, daß Hagen vom Hunnenhof geflohen wäre, sondern daß Etzel ihn heimgesandt hat;

auch das mhd. Waltherepos kennt diese Entlassung. Die
Thidrekssaga berichtet, daß Walther und Hildegund zusammen
auf einem Roß reiten, was vermutlich ein ursprünglicher
Zug ist (H. Schneider, Zs.fdA. 62, 107); die polnische Walthersage sagt, daß der Ferge mit einem Goldstück belohnt wird,
eine Freigebigkeit, die sich für einen Krieger, dessen Pack-
sattel Schätze enthält, besser ziemt als eine Bezahlung mit
Donaufischen, die eher zu einem armen Pilgrim passen würde.
Ausschlaggebend in der Frage, ob es ein Waltherlied vor dem
Waltharius (Abkürzung W.) gegeben hat, scheint mir aber
die Tatsache zu sein, daß Gunther im lateinischen Epos in
doppelter Gestalt erscheint; der König wird bald *heros*
genannt, bald als ein schwächlicher Kämpfer geschildert
(W. Betz, PBB. 73, 468ff.). Mit Betz werden wir diese Unsicherheit am besten als eine Vermischung der Schilderung
in der Vorstufe, dem Waltherlied, mit der eigenen Auffassung
des Walthariusdichters erklären. Es kommt noch eine Erwägung hinzu. Schon J. Grimm hat darauf aufmerksam
gemacht, daß ähnliche Goldmengen, wie sie Attila für die
Zurückbringung der Flüchtlinge verspricht (W. 1405ff.) von
Angantyr im Hunnenschlachtlied dem Halbbruder Hloð in
Aussicht gestellt werden (Str. 14). G. Neckel hat weiter
darauf hingewiesen, daß die Schilderung des Festgelages vor
der Flucht der Geiseln Ähnlichkeit hat mit dem Gelage am
Schluß der Atlakviþa; sogar der Saalbrand klingt Waltharius
322f. noch an (GRM. 9, 215). Ein weiterer Zug stammt wohl
aus der Wielandsage; Hadawart prahlt W. 803, daß Walther
nicht entfliehen könne, und wenn er sich in einen gefiederten
Vogel verwandele. Solche Anspielungen lassen sich am besten
verstehen, wenn wir sie auf den Dichter des Waltherliedes
zurückführen, dem danach sowohl das Lied von der Hunnenschlacht wie die deutsche Atlakviþa (noch in der alten Form
mit der Bruderrache) und das deutsche Wielandlied bekannt
waren; für den Mönch, der den Waltharius dichtete, ist die
Kenntnis dieser Lieder viel weniger wahrscheinlich.

Wir werden im Folgenden denn auch von einem altgermanischen Waltherlied ausgehen, das die Grundlage des
lateinischen Epos gewesen ist und sich daneben behauptet

hat. In *Wielandia fabrica* für die Brünne (W. 965) neben *Wélandes worc* (Waldere A 2) für das Schwert Walthers schimmert noch eine stabende Verbindung *Wielandes werc* durch, die ein alliterierendes althochdeutsches Lied als direkte Quelle vermuten läßt.

Was nun die **Walthersage** betrifft, so wurde diese bis vor wenigen Jahrzehnten ziemlich allgemein als ein Ableger der Hildesage aufgefaßt; so von Sijmons, Germ. HdS. (1898) und von Ehrismann, Gesch. der d. Lit. I, 1918, 384 ff. G. Neckels Ansicht wich ab; er hielt die Sage für eine Umdichtung der Siegfriedsage mit gleichzeitiger Benutzung der Sage vom Burgundenuntergang — wobei er natürlich von den drei übereinstimmenden Gestalten Gunther, Hagen und Attila ausging. Die Geschichte von den fliehenden Geiseln und die Figur des starken Walther sollten nach ihm aus anderen, unbekannten Quellen geflossen sein (GRM. 9, 213). H. Schneider steht in seiner Germ. HdS. 1, 342 diesen Ursprungshypothesen ablehnend gegenüber; er nennt die Zurückführung der Sage von Walther und Hildegund auf die Hildesage 'wunderlich' und staunt, daß soviel Tinte darüber verschrieben worden ist. Motive wie die Flucht schatzbeladener Geiseln vom Hunnenhof und der Überfall des Wormser Königs auf diese Landfahrer scheinen ihm für die Völkerwanderungszeit völlig annehmbar. Als Ganzes ist nach Schneider an der Walthersage „nichts zu erklären".

Der Ablehnung der Hildesage als Ursprung der Walthersage möchte ich gern beitreten; letztere ist keine Brautraubsage und kennt keine Verfolgung durch den Vater der Jungfrau mit anschließendem Kampf, in dem der Entführer und der Verfolger beide fallen. Daß aber an der Walthersage nichts zu erklären sei, scheint mir sehr anfechtbar.

Es fällt schon auf, daß die Handlung der Walthersage ein besonders weites Gebiet umspannt, das vom Hunnenhof in Ungarn nach Worms und weiter bis nach Aquitanien reicht. Dabei ist nicht recht klar, ob der Hunnenhof oder der Wasgenwald als geographischer Zentralpunkt des Geschehens aufgefaßt werden muß. — Sodann möchte ich darauf hinweisen, daß die Wormser Partie nur durch ziemlich schwache Fäden

mit dem Rest der Fabel verbunden ist. Walther bezahlt den
Fergen mit Donaufischen; diese kommen auf Gunthers Tisch,
werden da als fremdartig erkannt, und aus dem Bericht des
Fährmanns über den hochgewachsenen Krieger mit der
Jungfrau und dem Roß mit Schätzen erschließt Hagen ohne
weiteres, daß sein Geselle Walther mit Hildegund vom
Hunnenhof entflohen ist. — Auch ist merkwürdig, daß Attilas
Wut über die Flucht der Beiden und über den Raub der
Schätze wie ein Feuerwerk verpufft; kein Hunne hat Lust
die ungeheure Belohnung zu verdienen, die der Hunnenfürst
für die Zurückbringung der Flüchtlinge verspricht, und erst
vom Wormser Hof aus setzen Gunthers Krieger ihnen nach. —
Die Komposition der Walthersage ist demnach sehr locker;
wir dürfen wohl sagen: zu locker, um von Anfang an so gewesen zu sein. Wer darüber nachdenkt, kombiniert unwillkürlich die Passivität der Hunnen mit dem nur schwach mit
der Fabel verbundenen Wormser Abenteuer; die Vermutung
drängt sich auf, daß die Verfolgung der entflohenen Geiseln
sekundär vom Hunnenhof nach Worms verlegt worden ist[1]).

Wenn wir nun von diesem Gesichtspunkt aus durch
Zurückverpflanzung der Wormser Partie die ursprüngliche
Gestalt der Waltherfabel wiederherzustellen versuchen, so
wird manches in ein anderes Licht gerückt. Der Hunnenhof
kommt jetzt im Zentrum der Handlung zu stehen: dort halten
sich nicht nur Walther und Hildegund als Geiseln auf, sondern
auch Hagen, der mit Walther in intimer Freundschaft verbunden ist. Wie wir vermuten dürfen, entflieht Hagen nicht
vor Walther vom Hunnenhof und wird er auch nicht von
Attila entlassen; er braucht ja in Worms keine Rolle mehr
zu spielen. — Ospirin, die Gemahlin Attilas, will, wie es
W. 123 ff. heißt, Walther mit einer pannonischen Prinzessin
vermählen, um ihn festzuhalten, welcher Heiratsplan von
Walther sofort abgelehnt wird, aber ihn doch dazu bringt, mit
der ihm in früher Jugend anverlobten Hildegund die Flucht

---

[1]) Es ist wohl als ein Rest der früheren Verhältnisse aufzufassen,
daß Hildegund, die im Wasgenwald die Verfolger zuerst erblickt,
glaubt, daß es Hunnen sind; sie bittet Walther, ihr das Haupt abzu-
schlagen, um nicht lebend in ihre Hände zu fallen (W. 543 ff.).

zu verabreden. Das Heiratsmotiv fällt auf, denn Walther ist ja als Geisel und nicht allein als Gast am Hunnenhof: er braucht also nicht gebunden zu werden. Vermutlich lag für die Flucht ursprünglich ein besserer Grund vor. Nach dem Waltharius entrinnt Hagen, als er hört, daß Gunther das von seinem Vater mit Attila abgeschlossene Bündnis gelöst hat; einst bezog dieser Zug sich wohl auf Walther und ist es Albhere von Aquitanien, der vom Hunnenfürsten abgefallen ist. Das Roß Löwe wird die beiden Flüchtlinge tragen nebst den Kostbarkeiten, die Hildegund als Hüterin der Schatzkammer Ospirins leicht mitnehmen kann. In diesem Eingriff in Attilas Besitz ist wohl kein Diebstahl zu erblicken; in der Wormser Partie ist uns der Zug bewahrt geblieben, daß die Kontribution, die einst Gunthers Vater den Hunnen hat bezahlen müssen, nach des Königs Worten „nun heimkehrt". Auch dieses Motiv ist wohl zuerst mit Walther verknüpft gewesen; die Flüchtlinge versuchen, westgotische Schätze heimzubringen. Es wird auch gesagt, daß Walther die wertvolle Brünne seines Vaters Albhere trägt. — Dann folgt das Festgelage nach Walthers Sieg als Feldherr Attilas und die Flucht in der darauffolgenden Nacht, welche erst am Morgen entdeckt wird. Der Hunnenfürst entbrennt in wilder Wut, als er hört, daß die Beiden verschwunden sind, und setzt einen Haufen Goldes für die Zurückbringung der Geiseln aus. Von einer 'Katerstimmung' bei den Hunnen wird ursprünglich kaum die Rede gewesen sein, da diese nicht zu den Verhältnissen am Hunnenhof paßt. Auf Grund der Wormser Partie vermuten wir aber, daß Hagen mit einer Warnung vor dem Schwert und der starken Faust seines Gesellen Walther von einer Verfolgung abgeraten hat; wahrscheinlich hat Attila darauf ihn — ebenso wie seinen Vater Hagathie — der Feigheit beschuldigt. Von Golddurst getrieben rüsten sich dann einige Hunnen und fremdländische Recken — vielleicht zwölf im Ganzen — und Hagen schließt sich der Gruppe an, die wohl von einem hochgestellten Hunnen geführt wird[1]). Wir werden annehmen

---

[1]) Ich möchte die Vermutung nicht zurückhalten, daß der Verlobungsplan Ospirins ursprünglich mit der Wahl des Anführers zu-

dürfen, daß die Fergenepisode einst auch im Hunnenlande
lokalisiert war, eventuell an der Grenze. So glatt wie im
Waltharius wird die Fahrt nicht verlaufen sein, und die mitgeführten Schätze, die das lateinische Epos hier auch erwähnt, werden eine Rolle gespielt haben. Es scheint mir
möglich, daß Walther Gold bot für die Überfahrt und diese
eventuell mit Gewalt erzwang.

Nun werden die Beiden von den Hunnen eingeholt und
es entspinnt sich eine Reihe von Einzelkämpfen. Ein Verfolger nach dem anderen greift den Flüchtling in seiner
geschützten Stellung an und fällt durch die starken Hiebe
von Walthers Hand. Nur Hagen macht nicht mit; er läßt
sein Schwert in der Scheide (setzt sich abseits hin auf den
Schild, vgl. NL. 2344) als deutliches Symbol für seine kampf-
abgeneigte Haltung und schaut zu. In seiner Brust liegt die
Pflicht, die er Attila schuldig ist, im Kampf mit seiner
Freundschaft für Walther. Dann rüstet sich sein Schwester-
sohn Patavrid zum Angriff; er versucht ihn zurückzuhalten
und klagt, daß die Goldgier den jungen Krieger in den Tod
treibt. Als Patavrid fällt, trägt Hagens Sippentreue den
Sieg über die Freundestreue davon. Vor ihm greift noch der
Anführer der Verfolger an; er verliert durch Walthers Schwerthieb ein Bein. In dem Augenblick, wo der Aquitanier ihm
das Leben nehmen will, wirft sich Hagen zwischen die
Kämpfenden und fängt den tödlichen Hieb auf. In dem
Schlußkampf wird darauf Walthers gefürchtete rechte Hand
abgehauen, nachdem sein Schwert zersprungen ist; dem
Gegner Hagen weiß er mit einem hunnischen Halbschwert
aber noch einen schweren Schlag zu versetzen, der ihm die
Lippen spaltet und ein Auge und einige Zähne raubt. Wie
dieser letzte Zweikampf ursprünglich ablief, ist umstritten;
ich glaube, daß wir nicht an ein tragisches Ende Walthers
zu denken haben. Dagegen spricht Walthers Gottvertrauen

---

sammenhing. Ließ einer von Attilas Verwandten — etwa sein Bruder
Bleda (der Blœdelin der deutschen Heldensage) sich durch das Versprechen verlocken, daß er Hildegund als Belohnung zur Braut bekommen würde? Von Walther wird gefordert, daß er die Schätze
und die Jungfrau ausliefern soll. — In der polnischen Walthersage
ist ein Nebenbuhler Walthers Gegenspieler.

(W. 522; Waldere B 25 ff.); auch das Los, das Hildegund bevorstünde, wenn sie der Rache Attilas ausgeliefert werden müßte, scheint eine tragische Lösung zu verbieten. Wir werden annehmen dürfen, daß der Kampf von Anfang an unentschieden bleibt; es scheint möglich, daß Hagen davor zurückscheute, den Jugendfreund zu töten, der so harte Kämpfe siegreich bestanden hat und dessen Schwert nun zertrümmert ist. Vielleicht spielt auch ein Anruf Hildegunds im entscheidenden Augenblick eine Rolle[1]). Es ist mir denn auch wahrscheinlich, daß zwischen den beiden Geiseln eine Versöhnung stattfand; Walther und Hildegund setzen ihre Reise fort, retten die westgotischen Schätze und heiraten in Aquitanien. Und Hagen? Ich bezweifle, daß er, nachdem Attila ihm und seinem Geschlecht Feigheit vorgeworfen hat, als einziger Überlebender des Gefolges an den Hunnenhof zurückkehrte[2]). Möglicherweise schloß er sich den Flüchtlingen an und leitete er in Worms den Abfall der Burgunden von Attila ein. Die Thidrekssaga kennt Hagen später als Einäugigen (in der Niflungasaga); das NL. erwähnt Hagens *eislich gesihene* (1734), wobei sowohl an die Einäugigkeit wie an seine Gesichtsnarben zu denken sein wird.

Unsere Ausführungen haben die Umrisse eines altgermanischen Waltherliedes erkennen lassen; der Inhalt rundete sich mehr oder weniger, wenn auch manches zweifelhaft blieb. Die Fabel, die die Flucht von Geiseln nach der Lösung des Bündnisses schildert, versetzt uns nach dem Hunnenhof zur Zeit, da die germanischen Stämme von Attila abfielen und sich um 450 die große Schlacht auf den Katalaunischen Feldern vorbereitete. Wir sehen im Hunnenschlachtlied, wie das Völkerschicksal, das sich da vollzog, dem Dichter zum Einzelschicksal wurde, zum Kampf zwischen Angantýr und seinem Halbbruder Hloð. Im Waltherlied ist das noch in viel stärkerem Maße der Fall; der Abfall eines Volkes tritt nur in der Flucht der Geiseln an den Tag.

---

[1]) Nach dem mhd. Waltherepos waren Hildegund und Hagen Jugendbekannte.

[2]) Das mhd. Waltherepos spricht von der Rückkehr der Geiseln „unter burgundischem Geleit".

Dennoch ist der historische Hintergrund überall spürbar;
das Lied ist keine freie Erfindung, sondern schildert uns
in dichterischer Spiegelung Ereignisse der Hunnenzeit und
läßt die Befreiung ahnen. Das Waltherlied muß ein westgotisches Lied gewesen sein; daß weder Albhere von Aquitanien (*Wascônolant*), noch Walther und Hildegund historisch
zu belegen sind, darf bei einem so alten Lied aus der Völkerwanderungszeit nicht wundernehmen.

Im lateinischen Epos Waltharius, das jetzt um 850 an-
gesetzt wird und dessen Dichter vielleicht im oberrheinischen
Land oder im Elsaß zu suchen ist (vgl. zuletzt v. d. Steinen,
Zs.fdA. 84, 1 ff.), liegt die Waltherfabel in veränderter Gestalt
vor; wir werden in der zweiten Hälfte des 8. Jh.s oder im
Anfang des 9. Jh.s eine Umarbeitung des Waltherliedes annehmen müssen, nach der König Gunther von Worms mit
seinen Kriegern den heimkehrenden Walther überfällt und
die Zwölfkämpfe nach dem Elsaß verlegt sind. Das Waltherlied ist nach fränkischen Gegenden verpflanzt worden, wo es
an das Lied vom Burgundenuntergang angelehnt wird. Ursprünglich war in der Fabel für Gunther kaum Platz; aber
durch Hagen ist die Verbindung mit Worms gegeben, und
so kommt der burgundische Fürst in die Walthersage hinein.
Der Anklang von *Wascônolant* an den Wasgenwald wird, wie
man längst vermutet hat, eine Rolle gespielt haben. Die
Goldgier, die eine Gruppe von Gefolgsleuten am Hunnenhof
zu Verfolgern der Flüchtlinge werden ließ, ist auf Gunther
übergegangen; während der König im Lied vom Burgundenuntergang mit heroischen Zügen ausgestattet ist — obgleich
Hagen ihn schon in den Schatten stellt —, wird er nun zum
Wegelagerer. Er hat, wie es scheint, die Rolle des hunnischen
Anführers (Blœdelîn?) übernommen und sinkt dadurch auf
ein niedrigeres Niveau.

Der Dichter des Waltharius hat dann den Waltherstoff
in seiner neuen Form mit großer Kunst lateinisch bearbeitet;
Vergil und Prudentius sind seine Vorbilder gewesen. Die
Zwölfkämpfe werden in ihrer schönen Variation zum Kernstück des ganzen Werkes; Fr. Panzer hat überzeugend nachgewiesen, daß er dafür von der Thebais des Statius ausgiebig

Gebrauch gemacht hat (Der Kampf am Wasichenstein S. 11 ff).
Als Ganzes wird das Epos nun zu einer Predigt gegen die
avaritia, worin sich der geistliche Verfasser verrät; am deut-
lichsten tritt das in den Scherzreden am Schluß hervor.
„Da lagen Walthers Hand, Hagens Auge und Gunthers Bein
im Grase; so teilten sie die hunnischen Spangen" (W. 1360 ff.).
Hier spricht klösterlicher Witz, der vielleicht auf irischem
Boden gewachsen ist. Auch manches andere ist mit mönchi-
schem Auge gesehen; es braucht nur daran erinnert zu werden,
daß Walther unterwegs mit Leimruten Vögel fängt zum
Lebensunterhalt und daß er den Fergen mit Fischen bezahlt.
Weiter ist Hildegund zur scheuen Jungfrau umgearbeitet
worden; sie reitet nicht mehr mit ihrem Verlobten auf einem
Roß und rät Walther, den Kampf mit den nachsetzenden
Kriegern zu vermeiden. Auch wird sie dem Anführer der
Verfolger nicht mehr als Beute versprochen. Gunther er-
scheint in sehr ungünstigem Licht, nicht nur als goldgieriger
Fürst, sondern auch als schwächlicher Krieger.

Auf die wichtigsten weiteren Waltherüberlieferungen
möchte ich noch kurz eingehen. Das Waltherlied in seiner
umgearbeiteten Gestalt ist früh nach England gelangt und
da die Grundlage zum Epos W a l d e r e geworden, von dem
zwei Fragmente (31 + 32 alliterierende Zeilen) auf uns gekommen sind. F. Norman setzt das Werk in seiner Ausgabe
(1933) frühestens um 750 an und schätzt den Umfang auf
1000 Zeilen. Im Eingang dieses Aufsatzes habe ich schon
— gegen Panzer, Der Kampf am Wasichenstein S. 65 ff. —
darauf hingewiesen, daß der Waldere nicht auf den Waltharius
zurückgeführt werden kann.

Weiter enthält das N i b e l u n g e n l i e d einige Anspielungen auf die Walthersage, die nach Panzer (a. a. O. S. 50 ff.)
direkt auf dem Waltharius beruhen. Es gibt aber manche
Abweichungen. Hagen entflieht nicht, sondern wird von Etzel
entlassen (1756): als sein Vater gilt Aldriân statt Hagathie.
Etzels Gemahlin heißt Helche und nicht Ospirin: Walther
stammt aus Spâne und nicht aus Aquitanien. Auch heißt
es, daß Hagen auf dem Schilde sitzend den Kämpfen zu-
schaute; der Zug wird als bekannt vorausgesetzt (Hildebrand

fragt Hagen: *Nû wer was, der ûf einem schilde vor dem Wasken-
steine saz?* 2344) und kann deshalb keine 'symbolische Ge-
bärde' des Nibelungendichters sein, wie Panzer S. 52 annimmt. Ich glaube, daß all diese Züge aus dem Waltherlied
stammen, das sich offenbar neben dem Waltharius behauptet
hat. Solch ein deutsches Lied wird es auch dem Ritter-
publikum möglich gemacht haben, die schalkhafte Anspielung
auf 'Walther und Hildegunde' in Walther von der Vogelweide 74, 18 zu verstehen.

Die Walthersage hat aber wohl noch andere Spuren im
Nibelungenlied hinterlassen. An G. Roethes Nibelungias,
die stark unter dem Einfluß des Waltharius stehen sollte,
glauben wir nicht mehr; es gibt aber Übereinstimmungen
zwischen der Nibelungenfabel und dem Waltherlied, die
kaum zufällig sein können. Die Fergenepisode gehört zum
alten Bestand der Walthersage; sie erscheint im NL. mehr
als Ornament neben der Meerweiberepisode. Rüdeger in
seinem Pflichtenkonflikt hat, wie ziemlich allgemein angenommen wird, in Hagen, dem Gesellen Walthers, sein
Vorbild. Die Art und Weise, wie Kriemhild und Etzel immer
neue Streiter durch Goldgeschenke und Versprechungen in
den Kampf hineinlocken (eventuell auch Blœdelin durch
Vorspiegelung einer Braut), steht deutlich in Parallele zur
Walthersage. Bei der Ausbildung des Liedes vom Burgundenuntergang zur Nibelunge Not hat das Waltherlied demnach
Stoff geliefert, der schöpferisch verarbeitet wurde.

Von dem mhd. Waltherepos sind uns nur dürftige
Reste bewahrt geblieben; trotzdem H. Schneider uns in einer
feinsinnigen Untersuchung (GRM. 13, 14ff. 119ff.) manches
Verlorene zurückgewonnen hat, bleibt es schwierig, das Verhältnis des Werkes zum Waltharius zu bestimmen. Ein paar
abweichende Züge — Hagen wird von Etzel gütlich entlassen
und nimmt von Walther und Hildegund Abschied, wobei er
an seine alte Freundschaft mit der Prinzessin erinnert —
scheinen es wahrscheinlich zu machen, daß das Waltherlied
auch diesem Epos zugrunde liegt. Manches andere ist Bei-
werk oder Entlehnung aus dem NL.; so die Einführung von
Ruedegêr, Gernôt, Volkêr usw.

Die Thidrekssaga berichtet in C. 241/4 (Bertelsen),
daß Hagen (Hǫgni) als Führer einer Schar von zwölf hunnischen Kriegern die Flüchtlinge verfolgt; die verlockende
Annahme, daß hier ein Rest des ursprünglichen Waltherliedes vorläge, verbietet sich aber durch die genauen Übereinstimmungen zwischen der ThS. und dem Waltharius, insbesondere in der Schilderung der Flucht vom Hunnenhofe.
Panzer nimmt denn auch (a. a. O. S. 30ff.) wohl mit Recht
an, daß der Sagamann einen Auszug aus dem lateinischen
Epos hat geben wollen. Manches ist dabei weggelassen worden;
die Fergenepisode fehlt, die sehr knapp berichteten Zwölfkämpfe schließen sich der Flucht gleich an. Alle Verfolger
fallen; nur Hagen entkommt in den Wald. Als dieser die
Flüchtlinge abends beim Essen überfällt, wirft Walther
(Valtari) ihm mit einem abgenagten Eberknochen ein Auge aus,
welchen Zug Panzer in glücklicher Weise auf die Scherzreden am Schluß des Waltharius zurückführt, wo es heißt,
daß Hagen nicht mehr Eberfleisch, sondern Brei wird essen
müssen. Der Knochenwurf wird wohl eine grobe Erfindung
des Sagamannes sein; Heranziehung der Hrólfssaga Kraka
(Panzer S. 41) scheint mir unrichtig, weil da vom Knochen-
werfen aus Übermut die Rede ist. Hagen als Führer der
Hunnen beruht wohl auf Hildegunds Irrtum, als sie die
Verfolger entdeckt und sie für Hunnen hält (W. 543ff.).
Der Name *Valtari af Vaskasteinn* scheint aus dem Rosen-
garten A zu stammen, wo Walther auf dem Waskenstein
ansässig ist (H. Schneider, Germ. HdS. 1, 340).

Ein letzter merkwürdiger Ableger des Waltherliedes
liegt in der polnischen Walthersage vor, die uns in der
lateinischen Chronik des Boguphalus (14. Jh.) bewahrt ist;
R. Heinzel hat sie weiteren Kreisen zugänglich gemacht
(WSB. 117, 1888). Walther (Walczerz wdały) gewinnt die
Königstochter Helgunda durch seinen Gesang (hier scheint
eine Erinnerung an die Hildesage vorzuliegen); sein Nebenbuhler ist der Königssohn von Alemannien. Auf der Flucht
werden Walther und Helgunde aufgehalten, da die Fähren
auf Befehl des deutschen Prinzen gesperrt sind. Die Schiffer
verlangen eine Goldmark, bekommen diese und verweigern

trotzdem die Überfahrt; da nimmt Walther die Jungfrau
hinter sich aufs Roß und durchreitet den Strom. Der Alemanne
behauptet, daß Walther das Fährgeld nicht bezahlt und die
Königstochter geraubt habe; ein Kampf folgt, bei dem das
Roß, die Waffen und die Jungfrau der Einsatz sind. Die
Fergenepisode scheint hier mit dem Überfall zusammen-
geflossen zu sein. Walther siegt und tötet seinen Gegner;
die Flüchtlinge setzen die Reise nach Walthers Burg Tyniec
bei Krakau fort und heiraten. Eine Fortsetzung berichtet,
daß Helgunda später mit einem Fürsten Wislaus entflieht;
Walther erscheint plötzlich mit gezücktem Schwert vor dem
Bett der beiden und tötet sie. Die Fergenepisode und das
Reiten der zwei auf einem Roß ist hier gut bewahrt geblieben;
die Nebenbuhlerschaft haben wir oben schon mit der Auffassung der Hildegund als Siegerbeute verbunden. Heinzel
nimmt eine russische Ballade als Quelle der Chronikstelle an;
nach H. Schneider beruht diese Ballade auf dem mhd.
Waltherepos. Diese Annahme wird von ihm in glücklicher
Weise dadurch gestützt, daß die Wislauspartie auf eine
Episode im Biterolf zurückgeführt wird, wo Walther in
polnische Haft gerät (Germ. HdS. 1, 341).

Wir hoffen, daß es uns gelungen ist, ein westgotisches
Lied von der Flucht eines Geiselpaares vom Hofe Attilas
nach der Lösung des Bündnisses und von der Verfolgung durch
Hunnenkrieger als Basis der Waltherüberlieferungen annehmbar zu machen und dadurch das Dunkel, das noch immer
die Walthersage umschwebt, ein wenig zu erhellen. Der
Hypothese Panzers, daß alle Gestaltungen der Walthersage
auf dem Waltharius beruhen, konnten wir uns nur für die
Thidrekssaga C. 241/4 anschließen.[1]

---

[1] Wir erlauben uns zu verweisen auf Th. Frings, Herbort,
Studien zur Thidrekssaga I, Berichte Sächs. Akad. d. Wiss., phil.-hist.
Klasse 95, 1943, 5. Heft, Leipzig. Dort ist gehandelt über Flucht
von Liebenden, Verfolgung, Kampf, über den Waltharius und die
serbische Heldendichtung, über den Waltharius und 1001 Nacht.
Insbesondere ist auch verwiesen auf L. L. Schücking, Englische
Studien 60 (1925), 34. — Über den Waltharius zuletzt K. Hauck,
GRM., N. F. 4 (1954), 1. Th. F.]

Die deutschen Personennamen in Ekkehards Waltharius

von Edward Schröder

Als mir nach vielen anderen, oft lästig empfundenen Aufforderungen ähnlicher Art die Bitte zuging, zur Festschrift für unsern 70jährigen Freund Karl
Strecker einen Beitrag zu liefern, habe ich aus dem Exemplar der zweiten Auflage
seines 'Waltharius' ein paar Blätter hervorgeholt, die dort ruhten, seit ich zum
letztenmal mit jungen empfänglichen Menschen das herrliche Gedicht gelesen habe.
Ihr Inhalt sollte sowieso zu freundlicher Erwägung dem Herausgeber unter-
breitet werden, und nun mag es in Gestalt meines letzten Grußes an die mittellateinische Philologie geschehen, bei der ich zwar nur gelegentlich als Gast erschienen,
deren enge Verbundenheit aber mit meinem Fach, und nicht nur mit meinen eigenen
Interessen, zu betonen ich nie müde geworden bin.

'Carmina Burana' und 'Waltharius' sind die festesten Brücken, die unsere
Fächer verbinden, und die Dichtung Ekkehards speziell hat mich vor mehr als
einem Menschenalter zuerst mit dem unvergeßlichen Wilhelm Meyer und gleich
darauf mit unserm Jubilar zusammengeführt. Ich habe es dankbar und neidlos
erlebt, wie die stärkste Förderung nicht nur der Textkritik des 'Waltharius', sondern
auch unserer Einsicht in Wesen und Wert der Dichtung von diesen beiden klassischen
Philologen herkam; aber ich habe doch stets den Antrieb verspürt, nach bestem Vermögen auch als Germanist etwas beizusteuern. Was ich in dieser Art fertig brachte,
ist auf den folgenden Blättern niedergelegt.

Die deutschen Eigennamen des Waltharius sind schon von Jacob Grimm
in den von ihm und Schmeller herausgegebenen 'Lateinischen Gedichten des X.
und XI. Jahrhunderts' (1838) eindringend behandelt worden, dann hat K. Müllenhoff hier und da allerlei Wertvolles beigesteuert und zuletzt Rud. Kögel in seiner
'Geschichte der deutschen Litteratur bis zum Ausgange des Mittelalters' I (1897)
S. 279—330 fremde und eigene Gelehrsamkeit darüber in reichem Maße aus-
gebreitet. Aber die Germanisten haben dabei immer Etymologie und Sagengeschichte im Auge gehabt und die Namensformen nur gelegentlich einmal ge-
streift. Was bisher fehlte, und was, denk ich mir, gerade die philologischen Editoren,
die auf J. Grimm gefolgt sind, vermißt haben werden, ist eine grundsätzliche Untersuchung nicht der Herkunft der Namen, sondern ihrer Formen und des Verhältnisses, in dem der lateinische Dichter zu diesen steht: also zunächst einmal ihrer
Prosodie, weiterhin ihrer Orthographie. Daraus werden sich von selbst ein
paar Beobachtungen zur Textkritik ergeben, eine Schlußbetrachtung aber muß versuchen, zur Quelle vorzudringen. Sie war nicht das eigentliche Ziel dieser Studie
und soll nicht eine Krönung vorstellen, aber ich konnte und wollte ihr nicht aus
dem Wege gehen.

'Über die alte Latinisierung deutscher Eigennamen und ihre Rückwirkung'
habe ich in der Festgabe für Friedrich Philippi (oben S. 70ff.) ausführlich gehandelt,

und ich muß mich hier mit einem Hinweis auf diese Studie begnügen; dort findet man auch das Nötige über -harius und seine jüngeren Konkurrenten, die uns aber hier nichts weiter angehen.

Ich beginne natürlich mit Walther und nehme gleich Gunther hinzu; ihr Geschick ist ja das gleiche. Die Form und Aussprache dieser Namen zu Ekkehards Zeit war so wie sie das nur in dieser Schreibung zweimal im Eingang der Dichtung verwendete *Alphere* 77, 80 darstellt und wie sie sich der Dichter auch im letzten Viertel seiner Arbeit je einmal für die beiden Hauptpersonen gestattet: 1171 *rex Gunthere abegit*, 1434 *Cui Walthere[1] talia reddit.* Im übrigen liegen die Dinge höchst einfach: E. übernimmt die seit der späten Merowingerzeit gefestigte und noch weit über die seinige hinausgeltende Latinisierung auf -harius. So erhält er den Typus $\perp \cup \cup \div$, und er muß nur dafür sorgen, daß auf -harius stets ein Konsonant folgt. Dieser Forderung genügen:

Nom. *Guntharius* 11mal — Akk. *Guntharium* 3mal —
Gen. *Guntharii* 1mal — Dat. Abl. *Gunthario* 3mal —
zusammen 18mal.

Nom. *Waltharius* 32mal — Akk. *Waltharium* 14mal —
Gen. *Waltharii* 4mal — Dat. Abl. *Walthario* 3mal —
zusammen 53mal.

Bei 'Gunther' ist alles in Ordnung, bei 'Walther' bleiben zwei Fälle zu besprechen.

Zunächst steht V. 620 das einzige Mal *Waltharius* vor Vokal, aber der Vers ist ein tripartitus, dessen Innenreim der Dichter bei der Deklamation, wie wir eben hieraus deutlich ersehen, durch Pausa hervorzuheben pflegte:

Ignotus tibi Waltharius et maxima virtus.

Wir haben mithin 72 Verse, welche die Skandierung *Wālthārius* resp. *Gūnthārius* festhalten. Ihnen steht nun in der Überlieferung wie in unsern Ausgaben der eine Vers 1266 mit einer scheinbaren Skandierung **Walthāri* (im Vokativ) gegenüber:

Vim prius exerces, *Walthari, postque sopharis.

Der einzige Gelehrte, der bisher hieran ernsthaft Anstoß genommen hat, scheint Du Méril gewesen zu sein, der dafür *o Walthare*[2] vorschlug. Ich erneuere diesen Vorschlag, den ich für richtig, ja notwendig halte, und schreibe 1266:

Vim prius exerces, ⟨o⟩ Walthere, postque sopharis.

Zur Rechtfertigung der deutschen Namensform erinnere ich zunächst daran, daß der Vers 1266 mitten in die Schlußpartie fällt, welche auch 1171 *Gunthere* und 1434 *Walthere* in gesicherter Überlieferung bietet. Die Interjektion *o*, die den

---

[1] So ist natürlich zu schreiben, nicht *Walthare*! Eine solche deutsche Form hat es nie gegeben, die Reihe ist: *Walthari — Waltheri — Walthere — Walther.* *Walthare* ist nur ein unwillkürlicher Schreiberkompromiß zwischen *Waltharius* und *Walthere*.

[2] Hierzu gilt dasselbe wie zu V. 1434, oben Anm. 1.

Schreibern im 'Vokativ' ebenso leicht abhanden kommt, wie sie ihnen gelegentlich einschlüpft, braucht der Dichter oft genug: nicht nur in Klage und Ausruf, sondern auch in lebhafter Anrede, z. B. 528 „*o rex et comites*", 851 „*o care nepos*" — darauf, daß das *o* in diesen beiden Fällen aus dem Munde Hagens kommt (wie 1266), will ich weiter keinen Wert legen. —

Den Namen Hagens sprach und schrieb Ekkehard in deutscher Form Hagene: der Versuchung, dies Wortbild ($\smile\smile\smile$) so wie wohl *Gunthere* und *Walthere* ($\perp\smile\smile$) gelegentlich einmal zu verwenden, war er also nicht ausgesetzt, die durchgeführte Latinisierung erwies sich von vornherein notwendig. Das lat. *Hagano* fiel äußerlich mit der althochdeutschen (doch in Ekkehards Zeit schon abgeschliffenen) Form zusammen, hatte aber vor dieser die Länge des *o* voraus, so daß sich ein gut verwendbarer Typus ($\smile\smile\perp$) darbot. Es ergab sich zunächst das Paradigma I, das in 29 Belegen existiert:

I. Nom. *Hagano* 17mal (3mal vor Vokal elidiert),
Gen. *Haganonis* 3mal,
Dat. *Haganoni* 3mal (1mal vor Vokal elidiert),
Akk. *Haganonem* 2mal (1mal vor Vokal elidiert),
Abl. *Haganone* 4mal (1mal vor *h* elidiert).

Es fällt auf die geringe Anzahl der Akkusative: 2 gegenüber 17 Nominativen (wo doch 14 *Waltharium* neben 32 *Waltharius*), und diese beiden V. 123 und 129. Damit hängen zusammen die 5 Zeugen eines zweiten Paradigmas, das 477 mit dem Akk. *Haganona* einsetzt und aus griechisch-lateinischer Gelehrsamkeit stammt:

II. Nom. *Haganon* V. 1089, 1313 (beide vor Vokal),
Akk. *Haganona* V. 477, 1064, 1322 (alle vor Konsonant).

Wie *Hagano* I werden behandelt *Camalo* und *Gibicho*:
Nom. *Camalo* 4mal (vor Kons.) — Gen. *Camalonis* 1mal —
Dat. *Camaloni* 1mal — Akk. *Camalonem* 1mal (als Versschluß).
Nom. *Gibicho* 3mal (vor Kons.).

Schließlich erfordert Kimo eine etwas nähere Betrachtung. Nach dem Falle des Camalo tritt als Rächer sein Neffe Scaramund auf, 687 f.:

Filius ipsius Kimo cognomine fratris,
Quem referunt quidam Scaramundum nomine dictum.

Scaramund ist also ein Sohn des Kimo, und dieser der Bruder des Camalo. Der Tatbestand scheint völlig klar zu sein. Gleichwohl sind die Erklärer der Ansicht, E. selbst sei seiner Sache nicht sicher, oder er drücke sich jedenfalls ungeschickt aus. Was dabei den Vers angeht *Quem referunt quidam Scaramundum nomine dictum*, so braucht er allenfalls nur in ungeschickt wichtigtuerischer Weise zu besagen: „als sein Name wird Scaramund gemeldet"; ich gebe aber zu, daß es auch heißen kann: „sein Name wird verschieden angegeben, unter anderm Sc.", und ich selbst stelle unten eine dritte Möglichkeit zur Erwägung. Aber recht hat Althof mit dem Ein-

wand, in V. 687 erwarte man ſtatt *Kimo* vielmehr *Kimonis*. Man muß den Genetiv
gerade auch bei unſerm Autor erwarten, der die Kongruenz des Kaſus in dieſer
Ausdrucksweiſe ſonſt durchaus feſthält, vgl. V. 78 f. *sobolem . . . habuisse . . .
Nomine Waltharium*, V. 432 f. *tendit ad urbem Nomine Wormatiam*, V. 581
Praecipit ire virum cognomine rex Camalonem. Vgl. dazu noch aus dem Prolog
V. 17 f. *tyronis, Nomine Waltharii*. Ich zögere danach nicht, in V. 687 *Kimonis*
zu ändern, muß dann freilich *cognomine* durch *nomine* erſetzen, alſo ſchreiben:
         Filius ipsius Kimonis nomine fratris.
Darf ich das? Es iſt zunächſt zu bemerken, daß E. den Unterſchied zwiſchen 'nomen'
und 'cognomen' nicht nur kennt, ſondern ſelbſt handhabt: V. 1008 *Nonus Eleuthir
erat, Helmnod cognomine dictus* beginnt die Aufzählung der 'nomina que restant',
wobei doch für Ekkehard *Eleuthir*, wie immer man es deuten mag, das 'nomen'
iſt; anderſeits führt E. den Metzer Gamalo (581) als *cognomine Camalonem* ein,
nennt ihn aber auch weiterhin nur mit dieſem Namen, der ganz ſo ausſieht wie
ein in den Vordergrund getretener Beiname: 'der Alte'. War nun der Name
ſeines Bruders *Kimo* d. i. *Gimo* (J. Grimm) mit dem ſeinigen durch Alliteration
verbunden (Kögel) und dieſe nicht reines Zufallsergebnis, ſo wird auch *Kimo* ein
cognomen ſein[1], die tatſächliche Angabe in V. 687 der Überlieferung wäre alſo
nicht zu beanſtanden, und wen nicht der Nominativ ſtört wie mich und offenbar
alle die, welche bisher die Ausdrucksweiſe unklar fanden, der mag bei *Kimo* bleiben.
Ich bin der Meinung, daß Ekkehard entweder den Charakter des Namens *Kimo*
nicht gekannt hat (*Gamalo* war als cognomen wohl auch für ihn noch durchſichtig),
oder aber um den Ausdruck unbekümmert war, als er *Kimonis nomine* ſchrieb;
der Schreiber des Archetypus hat ihn dann im Tatſächlichen verbeſſert, wobei er
den ſprachlichen Ausdruck verſchlechterte. —
         Eine gleichmäßige Behandlung erfahren die zuſammengeſetzten Perſonennamen
der deutſchen Form ◡◡/‿ in der durchgehenden Latiniſierung (zu ◡◡‿◡):
         Heriricus (=*rici*) 35, 52, 80, 1416;
         Scaramundus (=*mundum*) 694, 705, 709, 688;
         Werinhardus 725.
Danach wird man unbedingt erwarten *Hadawardus*, und ſo finden wir es auch
782. Jedoch gleich darauf leſen unſere neuern Ausgaben 789 'Hadawart' *tum
dixit ad illum*: So ſteht aber in keiner Hſ., die geſamte Überlieferung bietet *Hada-
wardum* (=*tum*) — gewiß fehlerhaft, aber an ſich wäre doch die Emendation *Hadawardus* (J. Grimm) ebenſogut erlaubt (als alte Verleſung =*wardu* für =*ward⁹*
oder =*wardus*, unter Einfluß des Homöoteleuton *illum*?) wie die Auflöſung in
Hadawart tum (Peiper, Althof, Strecker), gegen die einmal das Herausfallen

---

[1] Daß nicht nur die erſten Namen durch Abſicht der Eltern, ſondern auch die ſpäter
auftauchenden Beinamen die Tendenz zum Stabreim zeigen, beweiſt das durch R. Much
(Zf. f. d. Alt. 36, 47 f.) ſo glücklich gedeutete wandaliſche Königspaar Raus und Raptus.

aus einem anscheinend festen (10mal bezeugten) lateinischen Typ ◡◡⊥◡ spricht, und dann doch wohl auch die Ausdrucksweise *Hadawart tum dixit*, für die ich bei zwanzigfachem Vorkommen des Adverbs, auch dreimaliger Verwendung bei Einführung der Rede (548, 653, 1044) doch keine eigentliche Parallele gefunden habe. Ich schreibe also V. 789 *Hadawardus dixit ad illum*. —

Zwei komponierte Frauennamen kommen vor: *Ospirin* (⊥/◡◡) gab einen guten Daktylus, vor Vokal 123(*Ospirin elapsum*) und allenfalls vor h 369(*Ospirin hiltgundem*) — nur war der Dichter auf den Nom. (Vok.) beschränkt und durfte keine Latinisierung riskieren; denn in diesen Formen hätte das etymologisch feste *nn*, das nur im Auslaut vereinfacht erscheint, sein Recht gefordert: *Ospirinna, *Ospirinnae, *Ospirinnam hätten einen Jambus umschlossen! Aber da der Name nur zweimal vorkommt, blieb E. dies Hemmnis erspart.

Mit *hiltgunt* (⊥/⊥) hat er sich gut abgefunden, der Jambus *hilöe*- war unmöglich, der Spondäus aber ohne Schwierigkeit verwendbar. Zunächst deutsch im Nominativ der Aussage 36, 532 wie der Anrede (Vokativ) 505, 571: *hiltgunt*, dann latinisiert nach der *i*-Deklination (deren Nominativ *hiltgundis* nicht Verwendung gefunden hat): Dat. *hiltgundi* 1448, Akk. *hiltgundem* 221, 255, 369, 379, Abl. *hiltgunde* 94.

Erst hier schließe ich die Maskulina des gleichen Typus (⊥/⊥) an: wenn die Nominative *helmnod* 982, 1008 und *Randolf* 962 in der deutschen Form erscheinen, so ist doch kein Zweifel, daß der Dichter bei den übrigen Kasus zur Latinisierung gegriffen haben würde, ebenso wie bei *hiltburg*, hier natürlich in der *o*-Deklination. Daß er bei *Gerwit von vornherein anders verfuhr: Nom. *Gerwitus* 914, Gen. *Gerwiti* 935, wird die Nötigung des Moments ergeben haben — wir brauchen uns nicht darüber den Kopf zu zerbrechen. —

Eine Schwierigkeit, die in den flektierten Formen unüberwindbar war, ergaben die beiden Namen auf -*vrid* (germ. -*frithus*), die sich als ◡◡/◡ darstellten: *Patavrid* und *Ekivrid*[1]. Sie waren mit ihrem ◡◡◡ in der Latinisierung schlechthin unmöglich, und darum hat sich der Dichter auf den deutschen Nominativ beschränkt. Auch hier mußte er darauf bedacht sein, ein konsonantisch anlautendes Wort folgen zu lassen, und dafür hat er Sorge getragen: *Patavrid soror* 846, *Patavrid sua* 912, *Ekivrid generatus* 756, *Ekivrid rivumque* 778. Da fällt nun der Versschluß 770 *Ekivrid ait ac mox* mit seiner unmöglichen Folge ◡◡◡◡◡ heraus, und wenn daran bisher kein Herausgeber Anstoß genommen hat, so kann ich mir das nur so erklären, daß man das -*vrid* als anceps gelten ließ, sei es nun weil man das Nebeneinander von (Männer-)Namen auf -*frith(u)* und (Frauen-)Namen auf -*frid(o)* nicht klar erkannte, oder weil man eine 'Dehnung' für möglich hielt, wie etwa bei dem in späterer Zeit vorkommenden *Sifrit* für *Sifrit*. Ich kann beides nicht zugeben, suche also nach einer anderen Erklärung: *Ekivrid* muß an dieser

---

[1] *Egifrid*, nicht *Ekifrid*, Kögel a. a. O. S. 308 f.

Stelle mit einer Emphase gesprochen werden, welche die Dehnung der letzten Silbe, sei es nun durch den Vokal (=vriō) oder durch den Konsonanten (=vriōō) rechtfertigt; das ist nun ganz und gar nicht der Fall in der Textfassung und Zeichensetzung unserer Ausgaben, die freilich einen, wie ich gern zugebe, untadelhaften Sinn bieten, wobei aber *Ekivrid ait* geradezu in Parenthese zu stehen kommt. Sollte es nicht möglich sein, die Rede Walthers statt mit *videre* V.769 erst mit *sis* 770, also mit einem Nachsatz zu schließen?

„Attemptabo quidem, quid sis." *„Ekivrid!"* ait, ac mox
Ferratam cornum graviter jacit.

So schleudert der Sachse, den Walther zuletzt noch gehöhnt hat: „Ich will einmal probieren, was du vorstellst", ihm nur seinen Namen zu und gleich darauf die Waffe. Ich betone nochmals: man braucht mir gegenüber den Sinn der üblichen Textfassung nicht zu verteidigen — aber man zeige mir ein zweites zuverlässiges Beispiel, wo Ekkehard derart gegen die ihm, wie die andern vier Verse mit =vriō beweisen, wohlvertrauten Quantitätsverhältnisse einer deutschen Wortform verstoßen hätte — obendrein ohne ersichtlichen Zwang. —

Der Hunnenkönig teilt mit seiner Gattin Ospirin das Schicksal, durch die Metrik des Hexameters auf eine reine Nominativrolle beschränkt zu sein: als *Attila* erscheint er 7mal vor Kons. und einmal (V.76) mit Elision vor Vokal. Ekkehard konnte den Namen soweit getrost als einen lateinischen betrachten — ob er sich über dessen gotischen Sprachcharakter überhaupt klar war, wissen wir nicht.

Wir knüpfen hier gleich die Frage an nach der möglichen Verwendung germanischer Flexionsformen. So wenig Ekkehard einen lateinischen Genitiv *Attilae* brauchen konnte (— ◡ —), so bequem hätte ihm ein deutscher Kasus *Attilin* resp. *Attilen* sein müssen, den er aber meidet, wie er überhaupt außer bequemen und schwer zu meidenden Nominativen alle unlateinischen Formen fernhält. Mit zwei wunderlichen Ausnahmen allerdings, den Akkusativen *Hagathien*[1] und *Eleuthrin*.

Den *Hagathien* (629) muß ich mir bis zum Schluß aufsparen. Der Name *Eleuthir* (1008) bleibt trotz der von Kögel a. a. O. S.317 beigebrachten langobardischen Dublette *Leutherius=Heleutherius* (Waltharius B hat *Heleutir*) eine Crux, zumal er als Hauptname des neunten Kämpfers erscheint, der mit dem ʿcognomenʾ *Helmnod* heißt — wir würden eher das umgekehrte Verhältnis erwarten. Und was soll der Akkusativ *Eleuthrin* (var. lect. =trim) 1017 vorstellen? Deutsch könnte es nur allenfalls eine schwache Form sein, aber die würde zu Kögels entstelltem *Liuthere* schlecht passen — und obendrein haben wir ja den schwachen Akk.629 in *Hagathien*, und hier steht das *e* in der Überlieferung ebenso fest wie 1017 das *i* von *Eleuthrin* (=im). Ich weiß keinen andern Ausweg, als daß Ekke=

---

[1] Bei dem unten besprochenen *Hagathien* liegt die Sache insofern anders, als E. hier einem ihm etymologisch völlig dunkeln, anscheinend nicht einmal als Kompositum erkannten Wortbild gegenüberstand.

hard, der in dem Namen ein griechisches Wort fah oder fehen wollte, mit der in-Form etwas Griechisches zu bieten glaubte. So würde fich die Form gut zu dem anderweitigen Kokettieren mit griechifchem Wiffen gefellen.

Die Unficherheit, die wir bei *Hagathien* und *Eleuthrin* wahrnehmen, darf aber keinesfalls den Eindruck fchwächen, den wir aus den vorausgehenden Be-trachtungen auf Grund des von mir völlig ausgefchöpften Materials gewonnen haben: Ekkehard ftand der deutfchen Sprache feiner Zeit mit einem den Menfchen jener Tage freilich felbftverständlichen Feingefühl für das Silbengewicht und die Quantität der Stammfilbenvokale gegenüber — einem Feingefühl, das uns heute kein linguiftifches Studium völlig zu erfetzen vermag. Mit ihm hat er die Wahl je nachdem der deutfchen oder der latinifierten Formen geregelt, fo daß ich ihm bei gründlichfter Prüfung außer dem unglückfeligen *Hagathien* (das eben für ihn ein totes Wort war!) auch nicht einen einzigen Fehler in der Quantität nach-weifen konnte: denn den Vokativ ʻ*Walthārī*ʼ hoffe ich befeitigt und für die Deh-nung in *Etivrō* einen Grund gefunden zu haben; wer meine Befferungsvorfchläge — denn es find nur Vorfchläge, keine anfpruchsvollen Emendationen — nicht an-nehmen will, mag den Dichter hier immerhin mit zwei Verftößen belaften, die gegenüber rund 170 Fällen abfoluter profodifcher Korrektheit kaum eine Rolle fpielen.

Nur ein Deutfcher auf angeftammtem und völkifch ungefährdetem Heimat-boden konnte diefe Sicherheit des Sprachgefühls haben, die nach taufend Jahren der Kontrolle des Philologen fo feften Stand hält. Wenn es wirklich noch einer Waffe zur Abwehr des törichten und frevelhaften Angriffs gegen unfer gutes deutfches Recht auf den Waltharius bedürfte, fo denke ich fie oben geliefert zu haben.

Aber auch zu der Möglichkeit, daß die fpäte Verbreitung des Werkes von Lothringen ausgegangen fei, die ich im Anz. f. d. Alt. 44, 71 noch zugeben wollte, muß ich jetzt ein kräftiges Fragezeichen machen. Es ift fchlechterdings undenkbar, daß bei einem folchen Ausgangspunkt unferer Überlieferung das anlautende *h* der Eigennamen faft durchgehends derart feftgehalten fein könnte, wie es nach Streckers (von mir nachgeprüften) Angaben im Verzeichnis der Eigennamen tat-fächlich der Fall ift: *Hadawardus, Hagano, Helmnod, Heriricus, Hiltgunt, Huni* erfcheinen in allen Handfchriften mit gleichmäßig feftem *H*. Nur die beiden un-ficheren Kantoniften *Hagathien* und *Eleuthier* zeigen Schwanken, und felbft-verftändlich die Fremdnamen *Hiberos* (1132) und *Hyftrum* (18). Daß dies fefte Anlauts-*h* fogar in nicht wenigen Fällen pofitionsbildend wirkt, hat fchon Jac. Grimm a. a. O. S. XXI f. hervorgehoben; fo findet fich beifpielsweife bei 10 Vor-kommen des Namens *Huni* die Pofitionslänge 6mal (5, 69, 155, 172, 543, 599), in zwei Fällen unterbleibt fie (121, 467), zwei find indifferent (91, 105). —

Für die Herkunft einzelner Hff. ergeben die Eigennamen nur wenig. Auf das intereffante Zeugnis von *Walandia fabrica* 965 T habe ich fchon früher (Anz. f. d.

Alt. 44, 72) hingewiesen: danach rückt die Trierer Hf. immerhin dem Gebiet nahe, für das norm. *Walander*, afz. *Galand* (*Galans*) sprechen (f. Jiriczek, Deutsche Heldensagen I, 22f. und Heusler, 3f. f. d. Alt. 52, 97. 102)[1]. Auch die zu *War-mardus* entstellte Form *Warinardus* T 725 weist auf dies flämisch=französische Grenzgebiet (vgl. nl. *Warnaer*, frz. *Guarnier*). *Wirinhardus* 725 P weist auf den deutschen Norden, am ehesten Nordwesten, und darf immerhin die Vermutung stützen, die die Pariser Hf. auf Echternach zurückführen möchte. — Zur Charakteristik der Wien=Salzburger Hf. (V) muß es dienen, daß sie unter allen die stärksten und obendrein ganz willkürliche Abweichungen in den Eigennamen aufweist: während in den übrigen Hff. nur Verlesungen, Verschreibungen, Modernisierungen vor= kommen, ersetzt dieser Schreiber *Patavrid* durch *Paterih*, *Ekevrid* durch *Ekirih* (*Ekerich*), *Werinhardus* durch *Euuarhardus*. Man erhält so eine Warnung, die durch die weitere Prüfung dieses Textes bestätigt wird.

Unter der Lektüre dieser umständlichen und spinösen Betrachtungen, dazu der eingeschobenen und angehängten Bagatellen, wird gewiß der eine und der andere Leser schon ungeduldig gefragt haben: ja, was kommt denn nun aber für die Vor= lage resp. die Quelle des 'Waltharius' dabei heraus? Das Ergebnis wird vielleicht keinen starken Eindruck machen, obwohl ich selbst kaum mehr erwartet habe und es gewiß nicht für wertlos halte.

Zunächst: Ekkehard hat nicht nur die Namen der Helden und Träger der Hand= lung, was selbstverständlich ist, sondern auch die der meisten Nebenpersonen, vor allem die der 11 weiteren Kämpfer vorgefunden: er hat diese zum Teil recht eigen= willig, altmodisch und fremdartig klingenden Namen sich nicht zusammengesucht und zusammengetüftelt, denn dann hätte er nicht metrisch so widerborstige Namen wie *Ekivrid* und *Patavrid* oder auch *Gerwit*, *Randolf*, *Helmnod* ausgewählt und anderseits so bequem liegende wie etwa *Walaramnus, **Degenhard(us)*, *Regi-noldus, **Meginolf(us)*, **Kadal=hoh(us)* verschmäht; oder auch in deutscher Form *Hartdegen, *Dietdegen. Daß alle Namen nicht nur mit **Berht=* und **Diet=*, sondern auch mit **Adal=* und **Sigi=* fehlen und dafür solche Fremdlinge sich geltend machen wie *Trogus* und *Tanastus*, ist für das 10. Jahrhundert gewiß auffällig. Man darf mit Bestimmtheit sagen, daß die Zusammenstellung der Liste reichlich ein Jahrhundert älter ist als der lateinische Dichter. Ob er freilich nicht doch etwa den einen oder andern Namen ausgetauscht hat, um damit einem ihm nahestehenden Namensträger eine Freude zu bereiten? Man könnte da z. B. an *Scaramundus* denken und dann in dem oben besprochenen Vers

Quem referunt quidam Scaramundum nomine dictum

eine kleine Schelmerei erblicken. Der bei Förstemann I[2] 1305 urkundlich noch un=

---

[1] Auf flandrischem Boden verzeichnet Mansion, Oud-Gentsche Naamkunde (1924), S. 26, einen *Galandus* (z. J. 975), den er sonderbar mißdeutet.

belegte Name ist inzwischen für das Jahr 1189 als Beiname (oder werdender Familienname) auf der Reichenau nachgewiesen: *Bertolóus Scarmunóus*, Zs. f. d. Gesch. d. Oberrh. 82, 177 (Socin, Mhd. Namenbuch 161), er war also jedenfalls in der Bodenseegegend zu Hause.

Noch über 800 hinaufgehen möchte mit der deutschen Quelle *Kögel*, und die Möglichkeit ist immerhin zuzugeben. Nur freilich das in T zu *Warmaróus* ent= stellte unumgelautete *Warinaróus* wäre dafür kein Beweis; ich habe es oben anders gedeutet, denn T ist ein sehr fragwürdiger Stützpunkt für eine Alters= bestimmung, da es womöglich französischer Herkunft ist. Eher könnte man das *th* in *Hagathien* — mit dem Nebeneinander von *th* und *ie* — heranziehen, worüber ich unten handeln werde.

Den schon von Jac. Grimm geäußerten Zweifel, ob unserm Ekkehard ein stabreimendes Heldenlied direkt vorgelegen haben könnte, hat Müllenhoff noch in seiner letzten, nachgelassenen Arbeit über 'Frija und den Halsbandmythus' (Zs. f. d. Alt. 30, 325 ff.) abgewiesen: er sah, wie wohl die meisten Germanisten, in dem Waltharius die mehr oder weniger getreue 'Bearbeitung' einer deutschen Vorlage „allerdings nach dem Muster und in der Sprache Vergils". Seit W. Meyers und K. Streckers zeitlich zusammenfallenden Arbeiten wissen wir, daß Ekkehard ein selbständiger Dichter vergilischer Schulung ist, der eine originelle Schöpfung eigener Komposition geliefert hat: von der 'Bearbeitung' einer 'Vorlage' in dem früheren Sinne kann nicht mehr die Rede sein, wohl aber bleibt die Frage der stofflichen Quelle! Und daß dafür nur eine deutsche Dichtung in alliterierenden Langzeilen in Betracht kommen kann, steht wohl außer Zweifel. Es bleibt nur allenfalls die Möglichkeit einer Zwischenstufe in lateinischer Prosa, und eine solche nimmt Kögel a. a. O. S. 332 an.

Eine Nötigung für die Annahme dieser Brücke bestand von vornherein nicht, und ich möchte glauben, daß sie durch meine Darlegungen hinfällig geworden ist. Ein lateinischer Prosabearbeiter des altdeutschen Gedichtes (ich will einmal das Bedenken unterdrücken, daß ähnliches für Deutschland nirgends bezeugt ist, denn in Frankreich und England kommt so etwas vor), hätte doch unbedingt die z. T. durch die Urkundensprache längst umgebildeten, z. T. höchst bequem neu zu schaffen= den Latinisierungen vorgenommen: bei ihm wären Formen wie *Alphere* (*Gunthere*, *Walthere*); *Ekivrió*, *Patavrió*; *Randolf*, *Helmnód*; *Hiltburg* (oder *Hiltiburg*), *Ospirin*; *Hagathio* unwahrscheinlich, ja kaum denkbar. Und alle diese Namen= bilder hat Ekkehard vorgefunden: er hat die einen mehr oder weniger bequem latinisiert und dann doch gelegentlich das gute Deutsch eingemengt (*Gunthere*, *Walthere*), die andern notgedrungen beibehalten (*Ekivrió*, *Patavrió*) oder ohne Not passieren lassen (*Randolf*, *Helmnód*), ist gelegentlich auch gescheitert (*Eleu= thrin*, *Hagathien*). Ebensowenig wie daß eine lateinische Prosa die deutschen Namensformen ganz oder teilweise bewahrt habe, ist für mich die andere Vor=

stellung faßbar, daß der Lateiner Ekkehard über *Randolfus, *Patafridus, *Hagatheus, *Ospirinna auf Randolf, Patavrid, Hagathio, Ospirin zurück=gegangen sei. Daß er vielmehr alle diese deutschen Namenformen vorgefunden und wie er sich auf recht verschiedene Art mit ihnen abgefunden habe, das, denke ich, haben meine Ausführungen erwiesen, und somit glaube ich nicht nur dem Herausgeber des Ekkehard über gewisse Unsicherheiten der Kritik hinweggeholfen, sondern auch unserer Literaturgeschichte in der Quellenfrage einen etwas festeren Boden geschaffen zu haben. —

Eine einzigartige Schwierigkeit bereitete dem Dichter der Name von Hagens Vater (629), den ihm die Quelle wohl nur an einer Stelle und zwar in der Nomi=nativ=Form *Hagathio bot — für uns aber erweisen sich eben die Anstöße Ekke=hards als aufschlußreich. Zunächst können wir bei diesem Wortbild, und vielleicht nur bei diesem, ganz bestimmt sagen: E. hat es geschaut, gelesen, denn so allein erklärt sich die Bewahrung des spirantischen th, wofür unser Name das einzige Beispiel ist. Die altertümlichen Namen auf =theo (*thewaz), die Förstemanns Namenbuch I² 1458 aufzählt (vgl. dazu Müllenhoff, Zf. f. d. Alt. 12, 298), sterben deutlich schon im 9. Jahrhundert ab, E. hat seinen *Hagathio etymologisch nicht verstanden und prosodisch nicht zu werten gewußt: das =io erkannte er natürlich nicht als Diphthong, der es längst war, sondern nahm es zweisilbig, erhielt also zunächst ein prosodisches Wortbild ◡◡◡⏊, mit dem nichts anzufangen war. Nun versucht er es (trotz Hagano!) mit Länge der Mittelsilbe, zu deren Ansetzung er sich vielleicht durch das th (das er als positionsbildende Konsonantengruppe nahm?) für berechtigt hielt — er kam aus dem Regen in die Traufe, wenn er beim Latein blieb: Hagāthiō hatte einen fatalen Jambus. So griff er endlich in der äußersten Verlegenheit zu dem deutschen Casus obliquus, setzte den Namen in den Akk. und schrieb nach dem Vorbild von (Otto) Otten jetzt Hagathien ipse. Hätte er die von Kögel vermutete lateinische Prosaquelle gehabt, in der das Wort Hagatheus (=deus) lauten mußte (s. Förstemann und Müllenhoff), dann wäre ihm dieser letzte Schritt, die Flucht zu einem deutschen Akkusativ, erspart geblieben. Ich sehe E. förmlich: wie er aufatmet, als er durch einen Bruch mit dem Latein über den fatalen Alten hinaus ist.

Vorsichtig weitertastend können wir aber aus dieser Gestalt und ihrem Sprach=gewand noch weitere Schlüsse ziehen. Den Hagathio hat E. selbstverständlich in der Hauptquelle gefunden: es ist völlig ausgeschlossen, daß er solch einen metri=schen Widerport von anderswoher heranholte. Und wir erkennen aufs neue die Gewissenhaftigkeit in den Personalangaben, die ich schon oben betont habe: die Leser hätten es ihm schwerlich angerechnet, wenn er den metrisch höchst unbequemen Namen von Hagens Vater einfach unterdrückt hätte, ihm aber widerstrebte es, irgendeine Person auszulassen, die ihm die poetische Quelle in deutscher Sprache bot.

Diese Quelle hat man mit einer Art von Selbstverständlichkeit bisher stets das 'alemannische' oder 'altalemannische Gedicht' genannt. Die Form *Hagathio drängt mir immerhin einen Zweifel auf. Im Alemannischen war die Lautentwicklung und ihr entsprechend der orthographische Wandel: =theo, =deo, =dio oder auch mit Überspringung dieser Stufe gleich =die; das Nebeneinander von th und io (ien) würde eher auf das Fränkische weisen[1].

Doch dürfen ein paar weitere Punkte der Orthographie nicht übergangen werden. Die Differenz der Schreibung Camalo und Kimo ist in Ordnung: das oberdeutsche k muß vor i in dieser Form erscheinen, während vor a die Wahl zwischen k und c frei war. Daß Guntharius—Gunthere in der Überlieferung stark vorwiegt, mag auf E. zurückgehen, der hier geschwankt zu haben scheint: vielleicht schrieb er 1171 Cunohere? Die Inkonsequenz Gunthere gegenüber Camalo, Kimo bleibt immerhin bemerkenswert, wo doch sogar im Inlaut strengalemannisch Ekivrio durchgeführt ist. Aber vielleicht lehnte hier der Dichter die Schreibung an seinen eigenen Namen an?

Bemerkenswert ist ferner die konstante Schreibung Eki=vrio, Pata=vrio. Sie entspricht nicht eigentlich einer sanktgallischen oder hochalemannischen Tradition, ich kann sie aber anderwärts auf hochdeutschem Boden noch weniger als herrschend nachweisen: auch nicht in Weißenburg, nicht in Fulda und nicht in Lorsch. F. Wilkens, Zum hochalemannischen Konsonantismus in ahd. Zeit (Leipzig 1891), S. 90 stellt für die St. Galler Urkunden bis 825 fest, daß im absoluten Anlaut und im Anlaut des zweiten Kompositionsgliedes je 93mal F — resp. f — erscheine, dem nur 2mal resp. 1mal U — resp. u — gegenüberstehe. Aber für die spätere Zeit (ich habe sie auf Grund von Wartmanns Register zu Bd. II des Urkundenbuches bis 920 überprüft) liegt es doch etwas günstiger. Freilich unter Hroadfrió findet man noch 10 Varianten alle mit frió(us), und der häufigste dieser Namen Lantfrió(us) erscheint 30mal in solcher Schreibung, niemals als =vrió(us); aber daneben tauchen vereinzelt auf Adalvrió II, 82 (858), Kisalvrió II, 327 (903), Sigevrió II, 327 (920), und der Schreiber Elolf greift II, 327 (903) sogar zu dem Schriftbild Meginuurió und Reginuurió; man sieht: es sind immer Fälle, wo ein sonorer Laut vorausgeht, und das trifft ja für Ekivrió, Patavrió zu. Und es sind niemals Latinisierungen! In solchen scheint =vrious ausgeschlossen, weil eminent unlateinisch. Daß der Dichter diese Wortbilder so vorgefunden hat und, wie er sie prosodisch wertete, sie auch orthographisch konservierte, scheint mir unzweifelhaft. Wir kommen immer wieder auf eine schriftliche deutsche Quelle zurück, und das kann nur ein stabreimendes Gedicht gewesen sein. Aber Ekkehard hat dies Gedicht eben lediglich als stoffliche Unterlage angesehen, als Kunstleistung erschien es ihm so gänzlich antiquiert und kulturfremd, daß es durch sein

---

[1] Man darf mir nicht die Thiot=Formen entgegenhalten, in denen die Orthographie archaisch sowohl als archaistisch erscheint.

Epos im Stile des Vergil nicht übersetzt, sondern völlig überwunden werden sollte.

Das deutsche Gedicht, das wir nach Feststellung seiner stofflichen Breite uns kaum als ein strophisches 'Lied' vorstellen dürfen, auch nicht von der knappen Art des langzeiligen Hildebrandsliedes, als alemannisch anzusprechen, besteht keine unbedingte Nötigung: gewiß sind *Patavrió* mit seinem *p*, *Kimo*, *Camalo* und *Ekivrió* mit ihren verschobenen *g* 'streng=hochdeutsche' Formen, aber daneben steht doch konstant *Gunthere=Guntharius* und *Hagathien*, dessen *th* entschieden nicht alemannisch ist. Den Dichter der Quelle, der sich so stark für den Schauplatz interessiert zeigt und mit Camalo (und Kimo) Metz (581f.), mit Tanastus und Trogus den nachbarlichen Bischofsstädten Speyer und Straßburg (1009f.) einen Anteil an der Wormser Kämpferschar vergönnt, wird man doch am ehesten am fränkischen Mittelrhein suchen, mag auch die Handschrift, welche Ekkehard vorlag, am Bodensee geschrieben sein.

K. Strecker hat dem Danke, mit dem er meine Beisteuer zu den ihm als 'Ehren=gabe' gewidmeten Studien zur lateinischen Dichtung des Mittelalters begrüßte, zugleich ein paar Einwendungen und kritische Noten hinzugefügt und mir gestattet, diese meinerseits zu einem Nachtrag zu verarbeiten; das tu ich um so lieber, als mir einzelne Bedenken auch von anderer Seite zugekommen — auch in mir selbst aufgetaucht sind.

Eine wohlberechtigte Rüge trifft das Versehen, welches mir (S. 83) mit V. 789 passiert ist: *Hadawart tum dixit ad illum*, wie Peiper, Althof, Strecker bieten, ist in BCV überliefert, und somit besteht keine Nötigung zu J. Grimms Änderung *Hadawardus dixit* zurückzukehren: neben *Heriricus, Scaramunós, Werinhardós* (zusammen 9mal) brauchen wir das einmalige *Hadawart* nicht anzutasten.

Daß V.1434 *Walthere* (und nicht *Walthare*) zu schreiben sei, erschien mir so selbstverständlich, daß ich die Begründung glaubte in der Anmerkung erledigen zu können (S. 81) — wenn der Herausgeber der Überlieferung V. 77. 80 *Alphere*, V.1171 *Gunthere* entnimmt, so scheint mir ein Ausweichen bei *Walthere* (so PT!) zugunsten der Lesung *Walthare* durch nichts begründet: ich bleibe dabei, daß diese Form, die in der gesprochenen Sprache nie existiert hat, ein Kompromiß zwischen *Waltharius* und *Walthere* ist, das sehr wohl sich bei mehr als einem Schreiber einstellen konnte. Ich glaube, hier hat der Germanist zu entscheiden.

Das gilt nun nicht ganz für den zweiten 'Waltherfall': 1266, wo ich mit Du Méril die Interjektions=Partikel *o* einschiebe, um den Autor, der 72mal richtig =härius skandiert, durch *o Walthere* von dem völlig isolierten *Walthäri* zu entlasten. Wenn Strecker sich gegen diese minimale Änderung sträubt und das von ihm selbst als 'monströs' zugestandene *Walthäri* lieber für eine Freiheit des Dichters als für die Verschuldung eines Schreibers ansehen will, so scheint er mir doch die an sich einem Text wie diesem gegenüber berechtigte konservative Tendenz zu übertreiben.

Wenn in diesen beiden Fällen von einem textkritischen Eingriff kaum die Rede sein kann, liegt die Sache bei V.687 (S. 82 f.) immerhin anders, wo ich aus meiner Interpretation heraus, die Strecker auch für die seine erklärt, für *Kimo cognomine* glaubte *Kimonis nomine* vorschlagen zu müssen. Str. sieht dazu keinen Zwang: er verweist auf den Geraldus-Prolog seiner Ausgabe² V.17f. *mira tyronis, nomine Waltharius* und die Begründung, die er Zs. f. d. Altertum 63, 115ff. gegeben hat; es bleibt das Bedenken, daß diese Inkongruenz dem Brauche Ekkehards nicht entspricht.

Die Bedenken, welche Str. gegen meinen Vorschlag (S. 84f.) erhebt, die Rede Walthers V.770 anders abzuteilen, gebe ich wörtlich wieder, ohne einen Versuch, sie zu entkräften. Nur erlaube ich mir dafür eine kleine Umstellung, indem ich meinen eigenen Ausgangspunkt voransetze. Ich nahm an dem *Ekivrid ait* der Ausgaben Anstoß, weil die Kürze für -*vrið* unbedingt feststeht und eine ähnliche Verletzung der Quantität in keinem zweiten deutschen Wort des Gedichtes vorkommt; und da ich am Wortlaut nichts zu ändern wagte, bemühte ich mich um eine anderweitige Entlastung des Dichters, die ich in dem verstärkten Redeton ῾*Ekivrið!*᾿ suchte. Str. wendet hiergegen ein: „Wir haben ein lateinisches Gedicht, nach den Regeln gebaut, die man damals in der lateinischen Dichtung befolgte; wenn deutsche Wörter, deutsche Namen darin vorkommen, so müssen sie sich den lateinischen Regeln fügen. Zu diesen gehört auch die, daß eine kurze Silbe den Iktus tragen darf. Sehr häufig ist dies in der Zäsur, auch im Waltharius nicht selten: z. B. 749 *Accurrit iuvenis et*, 913 *corpús, animam*, 934 *magís irarum*, 1238. 1239. 1307 u. ö." „Aber auch die Hebungen vor und nach der Zäsur fallen gelegentlich unter diese Regel, so auch im Waltharius: vor der Zäsur 1143 *Hóstis et án urbem*; nach derselben 1006 *facilé caperetur at ipsis*. Danach brauchen wir m. E. auch an *Ekivrid ait* keinen Anstoß zu nehmen."¹

Ich wage diesen Ausführungen nicht entgegenzuhalten, daß es sich bei *Ekivrid ait* immerhin um einen isolierten Fall handelt, wo ein deutsches Wort dieser Freiheit unterliegt — zumal ja auch meine eigene Interpretation nicht ohne eine singuläre Quantitätssteigerung durch Emphase auskommt. Ich gestehe daher zu, daß es sich unter diesen Umständen empfiehlt, bei der einfachen Auffassung von Rede und Gegenrede zu bleiben, welche Streckers Interpunktion V. 769. 70 bekundet, und ich kann es mithin unterlassen, seine Verteidigung hier abzudrucken.

Zu S.82 erhebt Jellinek den Einwand, mit dem er mich sofort überzeugt hat, daß für Ekkehard so gut wie für den jüngern Notker als Sprechform *Hagano* resp. *Hageno* angenommen werden dürfe, ja daß das *o* der Endung auf Grund der neuern Forschungen (die ich übersehen hatte) noch als lang anzusetzen sei. — An meinen Ausführungen wird dadurch nichts geändert.

---

¹ Ich möchte hier immerhin nachtragen, daß noch zu Ekkehards Zeit eine ziemlich scharfe Scheidung der Männernamen auf -*frið* (got. *frithus*) von den Frauennamen mit dem Adjektiv -*frið* bestand — damit wäre doch auch ein Bedenken gegen das *Ekivrid ait* gegeben, das bei meiner Interpunktion wegfallen dürfte.

Aus: Deutsche Namenkunde. Göttingen 1944.

Das Epos von Walther und Hildegunde

Von **Hermann Schneider**

Kein altgermanischer Heldenstoff kann sich rühmen, in so verschiedenen Zeiten und Zungen Gegenstand mittelalterlicher epischer Buchdichtung geworden zu sein, wie die Geschichte von Walther und Hildegunde. Welch reiche liedhafte Tradition nebenher ging, ahnen wir nur. Aber der jahrhundertelangen Blütezeit des Stoffes folgte rasches Absterben und Vergehen: über das 13. Jahrhundert reicht die Tradition nirgends hinaus, und die letzte epische Gestaltung durfte in keine Sammelhandschrift, kein Heldenbuch eingehen, sondern blieb, vereinzelt und schnell überholt, der Nachwelt fast unzugänglich.

Es war mutmaßlich kein großes Meisterstück, dieses mittelhochdeutsche Epos von Walther und Hildegund, das wir in die erste Jahrhunderthälfte setzen, zwischen Nibelungenlied und Biterolf. Dennoch reizt es die Neugier. Und hat vor kurzem Neckel durch die späteren Schichtungen buchmäßiger Waltherdichtung zu dem Urgestein des frühesten Waltherlieds durchzustoßen getrachtet (Jahrgang 1921 dieser Zeitschrift, S. 139, 209, 277), so sei jetzt dieser Versuch nach der umgekehrten Seite ergänzt: Der Wiederherstellung des ersten Vorläufers folge die des letzten Ausläufers. Sie wird zu bestimmteren Ergebnissen führen.

Seit über achtzig Jahren besitzen wir ein Doppelblatt einer Handschrift des Gedichtes, zwanzig Jahre später kam ein sehr verstümmeltes weiteres Blatt hinzu. Ihr Inhalt bedeutete eine Enttäuschung für den, der eine selbständige, von der uns vertrauten Struktur des Waltharius weit abliegende Dichtung vermutet hatte. Die Fragmente brachten, das war der Eindruck, im wesentlichen Bekanntes: Walther, Hildegund, Hagen in vertrautem Gespräch an Etzels Hof; der alten Verlobung wird gedacht, der Fluchtplan erwogen. Das Doppelblatt führt in einen so späten Teil der Handlung, daß er bei Eckehard gar nicht seinesgleichen hat: Mit burgundischem Geleite, Volker voran, ziehen die Flüchtlinge in ihre Heimat zurück. Vater und Mutter begrüßen sie, die Hochzeit wird zugerüstet, bei der Gunther und Hagen auch nicht fehlen dürfen. So befreundet scheinen jetzt die einstigen Feinde, daß der Gedanke naheliegen mag, in diesem Gedicht habe sich Walther seinen Weg in die Heimat nicht durch burgundische, sondern durch hunnische Widersacher hindurch erkämpft. Dazu scheint das Botenwort an Walthers Vater zu stimmen: „*Walther ist von dem kunige so gescheiden, das ez die Hiunen immer muzen klagen*". (B I, 12 — d. h. 1. Wiener Blatt, Str. 12; ich zitiere nach Strecker.)

Sooft Walther im Zusammenhang mit dem fränkischen, gotischen, burgundischen Kreise seit dem Nibelungenlied in der Heldenepik erscheint, überall ist seine Gestalt schattenhaft, bleiben die Angaben über seine Taten auf Allgemeinstes und Allbekanntes beschränkt Kein Dietrichepiker, kein Rosengartendichter verrät Kenntnis des mhd. Waltherepos. Nur ein er hat es gelesen, der beste Kenner der Heldensage (d. h. der Heldenepik und des Heldenlieds) im 13. Jahrhundert: der Verfasser des Biterolf. Nicht jene unbedeutenden Bruchstücke, nicht die Thidrekssaga und nicht die Reflexe in der sonstigen Heldendichtung können zum Wiederaufbau des mhd. Walther verwertet werden, sondern einzig dieses österreichische Gedicht der 1250er Jahre, das volksepische Traditionen so geschickt in das Schema des Artusgedichtes spannt und dabei stofflich in viel höherem Maße vom Borge lebt, als man sich gewöhnlich klar macht.

1. Biterolf und Walther.

Die häufigen Anspielungen des Biterolf auf die „Walthersage", wie man sich früher ausdrückte, haben schon wiederholt Aufmerksamkeit erregt. Heinzel, Haupt und Neckel haben sich aus gelegentlichen Bemerkungen Rats über die Gestaltung des Waltherstoffes im 13. Jahrhundert erholt. Aber die Ausnützung muß weiter gehen. Wir können, in steigender Folge, ein Dreifaches aussagen über das Verhältnis des Biterolf zum Walther (so heiße das verlorene mhd. Epos im Gegensatz zu Waltharius und Waldere):

1. Der Biterolf setzt Kenntnis des Walther voraus und zieht dessen Ereignisse und Personen immer herbei. — 575, beim ersten Auftreten Walthers, heißt es: *Walthêr so was er genant, er was der künec von Spanjelant. der was von Hiunen her gekomen, als ir wol habt ê vernomen.* Der Streit, der sich zwischen den beiden Vettern Walther und Biterolf erhebt, wird friedlich geschlichtet, und dann erzählt Walther in knappen Andeutungen von seinen Schicksalen, vom Hunnenreich und von dem Kampf mit den Burgunden am Rhein. Betritt Walther demnach gleich zu Beginn von Biterolfs Heldenlaufbahn den Plan, so ragt seine Gestalt auch nachdem sie sich getrennt haben fortwährend in die Erzählung herein. Am merkwürdigsten 3038ff., wo Hagen aufs Geradewohl die Befürchtung ausspricht, der von den Burgunden ungastlich begrüßte junge Fremde könne ein Verwandter Walthers sein. Das Schicksal, das sie durch den Helden von Spanien erlitten haben, ist bei ihnen also noch in frischer, peinlicher Erinnerung, trotz der schließlichen Versöhnung, die ihnen im zweiten Teile des Gedichtes erlaubt, Walther als Parteigänger gegen die Hunnen beizuziehen. Die zahlreichen direkten Anspielungen auf den Inhalt des Walther, die sich von da an zu häufen beginnen, sollen uns hier noch nicht beschäftigen, sondern später als Bausteine zu dessen Rekonstruktion dienen.

Aber wer sagt uns denn, daß der Biterolfdichter in ihnen nicht aus einem Liede schöpfte, sondern aus einem Epos, und zwar aus eben dem, von dem sich ein paar Stücke zu uns gerettet haben? Wir stellen weiter fest:

2. Der Biterolf hat aus dem Walther entlehnt, Namen, Situationen und wörtliche Wendungen. Walthers Vater heißt Alpker (die Belege im Biterolf gibt das Register; Walther B II, 7; Alker, B I, 9 ist sicher ein Schreibfehler). Er ist König von Spanien, B I, 10, wie Walther im Biterolf und in den Nibelungen. Kennzeichnender ist Walthers Verbindung mit drei anderen Ländern: Dem Biterolf ist er Herr von Kärlingen, Herrscher von Arragon, von Navarra. Nach B II, 12 ist Hildegunde in Arragon zuhause, nach 15 wird die Einladung zur Hochzeit besonders nach Kärlingen und Navarra verbreitet. Die drei Namen, die der Walther in so naher Nachbarschaft bringt, hat der Biterolf kombiniert.

Wichtiger als diese Entlehnung geographischer Namen ist die Entnahme geographischer Vorstellungen. Das Land zwischen dem Rhein und der französischen Grenze, das Walther und Hildegund in dem erhaltenen längeren Bruchstück durchziehen, ist hier wie dort genau gleich geschildert. Der Weg geht vom Rhein durch den Wasgenwald an Metz vorbei bis zur Grenze. (Walther, B I, 2 und Bit., 2671 ff.) Der Wasgenwald ist besonders gefährliches Gebiet, daher also hier das Geleit durch Volker, dort besondere Vorsichtsmaßregeln, die sich freilich als unnötig erwiesen. Aus dem Walther stammt die Vorstellung, daß die Nähe der Burgen von Gunthers großen Vasallen besondere Gefahren bringt. Vor allem Metz, wo Ortwin 1000 (B I, 4) oder 100 (Bit. 2483) Ritter hat. (*Ortwin hete drinne wol tousent kuener man — Ortwines witwe hete hie wol hundert riter oder baz* — über Ortwins Wittwe wird noch zu reden sein!) Vor allem aber: als die Landfahrenden an genau derselben Stelle angekommen sind, an der Grenze des Burgundenreiches, da heißt es:

Walther, B I, 6:
Wa sie die nahtselde
næmen durch diu lant
mit Volkere dem helde,
daz enwart mir bekant ...
ouz Ortwines lande
durch Burgonde dan
braht si do Volker
der vil kuene man.

Biterolf 2371:
Ich weiz ir nahtselden niht .
wie in in ir vart geschiht,
daz ist mir rehte niht bekant
wan ze Burgonde lant
dar begundens frâgen.

Kein Zweifel, der Biterolfdichter hat diese Stelle des Walther wörtlich vor Augen gehabt, als er seine Kompilation schuf. Sogar zu dem geleitenden Volker findet sich eine Parallele (2659). Damit diese vollständig ist, zieht die „Hute" nicht durch den ganzen Wasgenwald mit; Volker scheint ja auch erst gegen den Ausgang hin zu Walther gestoßen zu sein.

Aber was hier übereinstimmt, das wird ja im Biterolf nicht mehr von Walther erzählt, sondern von einem anderen, von Dietleib. Wir haben hier schon einen weiteren Entlehnungstypus, den kennzeichnendsten und für uns fruchtbarsten:

3. Der Biterolf überträgt Züge und Erlebnisse von Walther auf seine selbstgeschaffnen Helden. Dies Verfahren des Dichters ist nicht neu. Ein Vergleich zwischen seinem Werk und den Nibelungen zeigt es an mehr als einer Stelle, und ich habe früher zeigen können, daß er auch kecklich Züge aus dem zweiten Dietrichepos auf seinen jungen Dietleib überträgt. Zum Wiederaufbau des Walther werden also nicht nur direkte Angaben über den Helden von Spanien selbst, über Hildegund, Hagen, Etzel, Helche dienlich sein, sondern man wird die Augen offen halten müssen, ob nicht in Biterolf und Dietleib vielleicht ein verkappter Walther steckt.

An einem typischen Fall sei das Verfahren noch deutlich erwiesen. Walther erzählt Biterolf 760ff. von sich selbst: „*Helche diu hêre diu bôt mir tugentlîche krône und lant rîche. sô bedâhte ich mich baz: ich wiste âne zwîvel daz, daz ich selbe hete lant.*" Als der siegreiche Biterolf dann selbst heimkehrt, da regt 1802ff. die Königin an, man solle ihn belohnen: „*Möhten wir ihm alsô vil geben, sam wir lande hân, daz solte allez sîn getân.*" Aber Biterolf schlägt das aus (1935ff.): „*Her künec, nu lât michs âne sîn . . . ich hân noch solhes niht getân, darumbe ich krône süle empfân.*" Die Motivierung steht dicht daneben: *Si beide güetlîchen buten im ein fürsten lant, der sich dâ hete Fruote genant, des hoester name von Bergen hiez dâ er rîchiu lant und krône liez.*

Diese Übertragungen von Zügen aus Walthers Lebensgeschichte in die Biterolfs und Dietleibs sind im ersten Teil des Gedichts zum System erhoben, ja man kann sagen: der Partie vom Anfang bis zur 7. Aventiure, die den Beginn des Wormser Abenteuers bringt (V. 4741ff.) dient der Walther zur hauptsächlichen Quelle, und schiebt man die Eigenzutaten und sonstigen Entlehnungen des Biterolfdichters beiseite, so schimmert allenthalben das alte Gedicht durch, oft bis in die Einzelheiten des Wortlautes.

Ein negatives Merkmal der Arbeitsweise des Biterolfdichters könnte die Beobachtungen stören und sei also gleich erwähnt: den unbesorgten Entlehnungen dieses großen Nehmers stehen anderwärts Beispiele seltsamer Sprödigkeit, seltsamen Verschmähens dargebotener Züge gegenüber. Es genügt darauf hinzuweisen, daß in der Nibelungenschar Dankwart fehlt, und, noch seltsamer, Volker, den zwei Quellen darboten! Schlüsse dürfen daraus nicht gezogen werden, es ist reine Willkür. Es wird uns daher nicht beirren, wenn dem Biterolf Namen fehlen, die der Walther bestimmt brachte. So bleibt bei ihm Lengers, Walthers Heimat, nicht nur unberührt, sondern sogar unerwähnt;

er konnte eben auch Pedant sein und wußte, daß die Hauptstadt von Frankreich Paris heißt.

An drei Motivkomplexen, die beide Gedichte teilen, wollen wir das Verfahren studieren und den vorhin ausgesprochenen Satz zu erhärten suchen. Wir ordnen sie nicht chronologisch, nach der Reihenfolge in Walthers, Biterolfs oder Dietleibs Lebensgeschichte, sondern nach dem Maße von Wahrscheinlichkeit, mit dem sie unserem Zwecke dienlich gemacht werden können.

2. Zwischen Etzelburg und Rhein.

Zweimal wird im Biterolf der Weg, den die flüchtigen Geiseln durchmessen, in umgekehrter Richtung zurückgelegt: erst von Biterolf, dann von Dietleib. Die beiden Schilderungen ergänzen sich: wo der Vater unbehelligt durchkommt, da erwachsen dem Sohne Schwierigkeiten, dieser reitet unter sicherem Schutze dort, wo jener sich durchkämpfen muß; ein Beweis nicht nur für die Sorgfalt der Komposition, sondern auch für die Einheit der Quelle. Für eine besonders wichtige Stelle des Weges hat es sich bereits ergeben, daß geographische Begriffe und Reiseerlebnisse im Biterolf aus dem Walther bezogen sind, und zwar mit vielen Einzelheiten. Der Gedanke liegt nahe, daß die Reckenfahrten von Vater und Sohn auch sonst aus denen Walthers erwachsen sind; vereinigen wir beide und drehen wir die Richtung um, so wird sich vermutlich ein Bild von Walthers und Hildegunds Flüchtlingsschicksalen ergeben.

Nur einmal tritt kenntlich eine andere Vorlage ein: Biterolf wird an der Donau von Else und Gelpfrat überfallen (840ff.). Denkbar, daß der Waltherdichter bereits diese Anleihe aus dem Nibelungenliede gemacht hat; aber nicht wahrscheinlich. So grob, wir werden es noch sehen, entlehnt er sonst nicht. Und gleich nach diesem Abenteuer trifft Biterolf auf Rüdegers Wachtleute, die ihn in die erste Stadt des Reiches, nach Bechlarn, geleiten, und der Empfang dort schließt sich an; eine Folge, die nur in den Nibelungen ihresgleichen hat. — Andere Quellen kommen sonst nicht in Frage. Für Dietleibs Ausfahrt hat man ja an eine niederdeutsche Liedvorlage gedacht; aber auch ihre überzeugten Verfechter geben zu, daß Thetleifs ehemalige Abenteuer von dem mhd. Epiker bis zur Unkenntlichkeit entstellt worden sein müssen. Also ist auch nach dieser Seite die Bahn für den Einfluß des Walther frei.

Biterolfs Konflikt mit dem Sohne Alpkers wird uns später beschäftigen; der König von den Bergen hat dann Kampfpause bis zur Donau. Die Vergleichsmöglichkeit mit dem Walther beginnt in Bechlarn. Hier ist die Nibelungenquelle verlassen: denn anstelle des gastfreundlichen Ehepaares empfängt nur Gotelinde den Recken. Warum? Die für uns von nun an stereotype Antwort: „weil es im Walther so war" läßt sich hier schlagend als richtig erweisen. Rüdeger kann nicht zuhause gewesen sein, als Walther und Hildegund durch Bechlarn kamen; denn Hildegund verrät uns im Biterolf (12634ff.), daß Rüdeger unter denen war, die sie vor der Flucht in Etzelnburg trunken gemacht hatte. Unmöglich konnte er, die Flüchtigen überholend, schon in Bechlarn zu ihrem Empfang bereitstehen.

Aber war es denn möglich, daß die Markgräfin die nunmehrigen Feinde ihres Königs, die ihr freilich von früher vertraut waren, auf der Flucht bewirtete und unterstützte? — Eine solche Parteinahme ist sogar das Mindeste, das wir voraussetzen müssen, um Walthers und Hildegunds später stets bezeugte dankbare Gesinnung, mehr noch, um Hildebrands Anspielungen auf das zweideutige Verhalten des hunnischen Markgrafen in dieser Angelegenheit zu verstehen. Als die Kämpfer vor Worms zusammengeordnet werden, teilt Hildebrand dem Rüdeger als Gegner niemanden anders zu als Walther und bemerkt dazu (7644ff.): *„Daz er [Walther] froun Hildegunden dan enphuorte Helchen der rîchen, er [Rüdeger] richet ez ouch billîchen.“* Rüdeger hört den Vorwurf heraus: *„Waz wîzet ir mir, Hildebrant? wær iu Walthêr alsô wol bekannt als mir ist der küene degen, ir hæt mich nimmer im gewegen zu einem widerstrîten. Jâ lieze ich in noch rîten, und næme er mir die tohter mîn, sô solde er ungevangen sîn immer von der mînen hant. er rûmte mînes herren lant gar ân alle schande, daz ich sô rehte erkande sîne site, des jungen man; des muoste ich in rîten lân.“*

Man wird das Empfinden teilen: um solche Worte zu motivieren, genügt es nicht, daß Gotelinde hinter des Gatten Rücken den Flüchtigen weiterhalf. Rüdeger selbst hat sie förmlich entkommen lassen. Er hat die Möglichkeit gehabt, sie zu fangen; aber das wäre in seinen Augen nicht nur ein Verrat an der alten Freundschaft mit Walther, sondern ganz allgemein eine unritterliche Handlung. Ihnen in Bechlarn den Weg verlegen, das konnte er nicht. Etzel muß ihn also, nachdem die Räusche verschlafen waren, mit einer Schar hinter den Entflohenen hergeschickt haben; mag sein, daß der Treue sich da widersetzte — freilich nicht aus dem Motiv, das der Waltharius V. 401 angibt — und daß deshalb Walther unbehindert die Grenze erreichen konnte. Wahrscheinlicher ist, daß die beiden, Rüdiger und Walther, sich noch einmal gegenübergetreten sind. Nur so läßt sich das heftige Widerstreben Walthers, Bit. 10410ff., erklären, als er sich im Zweikampf dem Markgrafen entgegengestellt sieht. Er spielt da Rüdeger gegenüber genau dieselbe Rolle, die dieser an der hunnischen Grenze ihm gegenüber innehatte. Die Form, in der er dem Pflichtenkonflikt Ausdruck gibt (11928ff.) erinnert sogar fast an den Rüdeger des Nibelungenlieds. Rüdeger selbst, dem in der Vorlage, dem 'Walther', diese Stellungnahme und wohl auch diese Worte zuerteilt waren, verhält sich hier allerdings auffallend kalt; aber wir wissen ja, warum: Hildebrand hat ihn bei der Ehre gepackt, und so schlägt er denn, zu Hildegunds Verdruß, nicht weniger kräftig auf den alten Freund als im Nibelungenlied.

Rüdeger, so müssen wir annehmen, kehrte unverrichteter Dinge an Etzels Hof zurück und war Manns genug, den Zorn des Königs auf sich zu nehmen. Fürwahr, dieser Vasall des Hunnen muß große Macht und eine unerschütterliche Vertrauensstellung innegehabt haben! Es ist hübsch, zu sehen, daß dieser Gedanke, der sich jedem Leser des Walther unwillkürlich aufdrängen mußte, von dem Biterolfdichter mit großer Beflissenheit ausgesprochen wird. Hören wir Rüdeger selbst V. 6134 ff.: *,Ich hân gedient unz an daz zil Etzelen mînem herren: mir kan daz lützel werren, wirt er iht zornic gemuot, wand er vil selten iht getuot, daz wider mînen willen sî.*" Das darf der Markmann wohl sagen, und Walther hat allen Grund. sich des Wiedersehens mit diesem Freunde nach Jahren zu freuen: *Er gedâhte an diu mære wie er gescheiden wære von hiunischem rîche!*

Wie aber? Die Verfolger lassen Walther friedlich ziehen, und doch haben wir seine Boten dem König Alpker berichten hören: „*Walther ist von dem kunige so gescheiden, daz ez die Hiunen immer muzen klagen In etelicher drunder, daz sie im waren holt. er hat an sumelichen vil wol daz versolt, daz sie im immer fluchen, wander hat in erslagen an seiner verte vil ir lieben mage.*" Also kämpfte das hunnische Heer und nur Rüdeger selbst hielt sich vom Kampfe zurück? Saß wohl tatenlos auf dem Schilde und sah zu *wie im von Spange Walther so vil der mâge sluoc*? Und das nennt er, den wackeren Jüngling ruhig ziehen lassen, wenn nur er sich zurückhält, seinem Heer aber nicht wehrt, über den Einzelnen herzufallen? Unmöglich kann der mhd. Walther eine solch geistlose Dublette von Eckehards Kernsituation enthalten haben.

Die Kämpfe Walthers gegen die Hunnen müssen in anderen Zusammenhang gehören. Indem wir ihn aufsuchen, lenken wir wieder in den verlassenen Weg Biterolfs ein.

Der König von den Bergen kommt an Mutaren vorbei, dem Sitz Astolts und Wolfrats. Dreißig ihrer Ritter machen sich auf den Weg, um dem Landfremden sein Gut zu nehmen — *sô man noch dicke den gesten tuot.* Der Konflikt ist nicht so harmlos und sanft wie sonst, es gibt mindestens einen Toten (1079), und Astolt und Wolfrat tragen von der Hand des Fremden manche Wunde davon, so daß sie vom Kampfe ablassen. Dennoch ist natürlich die ursprüngliche Schwere des Zusammenstoßes gemildert; daß er nicht nebensächlich war und daß Astolt und Wolfrat eine bedeutendere Rolle in der Vorlage spielten, zeigt die umständliche Entschuldigungsszene, die ihnen danach gegeben ist (Bit. 5459 ff.). Es ist ja klar: der spätere Hunnenkrieger durfte sich mit Etzels Vasallen nicht so gründlich überwerfen wie der abziehende Flüchtling.

Diese Erwägung mag den Biterolfdichter auch veranlaßt haben, ähnliche feindliche Begegnungen Walthers zu unterdrücken. An sich ist ja die Vorstellung, der er folgt, durchaus richtig: das Hunnenreich,

namentlich die hunnische Westmark, wie sie das Nibelungenlied geschildert hatte, konnte von Walther nicht, wie einst von Waltharius,
heimlich durchmessen werden. Bewaffnete Konflikte mit Etzels
Wachtleuten und Burgmannen mußten auf Schritt und Tritt erfolgen.
Diese Konflikte also fielen blutig aus, und auf sie spielt die uns erhaltene Waltherstelle an.

Eine ganz wörtliche Interpretation von B I, 12f. führt zu demselben Ergebnis: es steht ja nicht da, Walther habe viele Hunnen
erschlagen, die ihm früher hold waren; dazu wäre er aber genötigt
gewesen, hätte er sich mit einem aus Etzelburg ihm nachgeschickten
Haufen, seinen früheren Kampfgenossen, gemessen. Nein, den von
ihm einst zum Siege Geführten und zum Abschied so schnöd von Hildegund Bezechten wird es erspart, mit ihm zu fechten. Eine große Zahl
von ihnen muß sich noch nach Jahren von Hildegund durch die Erinnerung an jenes fatale Gastmahl beschämen lassen (Bit. 12640ff.).
Also nicht diese Hunnen selbst, sondern ihre Verwandten hat Walther
getötet, die den Burgbesatzungen der Donaustraße angehörten. Und
es steht ja auch mit aller Deutlichkeit da, daß das *an der verte* geschah, d. h. unterwegs.

Andere hunnische Gegner des Recken nennt der Biterolf wie gesagt nicht. Aber es gibt eine merkwürdige Stelle, die vielleicht noch
etwas Licht auf Gebahren und Schicksale des die Donau entlang fliehenden Walther wirft: als die Helden von Mutaren den mächtigen Fremdling haben ziehen lassen, da trösten sie sich damit, daß e i n e r sicherlich seiner Herr werden würde, Sintram von Griechenland. „*Sît mir
des siges niht gezam,*" meint Wolfrat, „*sô mac in nemen der Krieche
von dem manec edel ist sieche worden in den rîchen.*" Da mag zunächst
die Vorstellung erwachsen, daß auch dieser Sintram ein Vasall Etzels
sei, dessen Sitz Walther erst noch zu passieren habe; aber nimmt man
eine andere Stelle hinzu, die dieser parallel steht, so ändert sich das
Bild. Als Ortwins Leute (2556) nicht imstande sind, Dietleib aufzu-
halten, da sagen sie: „*Wære er inder im gelîch, sô solden wir in dar für
hân, der valsche site nie gewan, Baltram ûz Alexandrîe.*" Das Zeugnis
ist auch sagengeschichtlich sehr interessant, uns beschäftigt hier nur
die Möglichkeit einer Entlehnung aus dem Walther. Wolfrat wird
durch den unbekannten Fremdling an Sintram gemahnt, die Ortwin-
leute an Baltram. Was war es mit diesen Helden? Wie, wenn der
flüchtige Walther sich bald als Baltram bald als Sintram ausgegeben
hätte? Das Motiv der Namennennung spielt in diesem ersten Teil
des Biterolf eine große Rolle; vielfach wird der Name ja verweigert,
aber manchmal mochte die Klugheit dem flüchtigen Walther doch
gebieten, mit Hilfe eines angenommenen Namens leichter durchzu-
schlüpfen. Wir begreifen dann auch noch besser, warum Biterolf
unter einem Decknamen (oder sollen wir gleich sagen unter zwei?)
sich in der Fremde aufhält.

Wir haben damit schon den Übergang gefunden von den Schicksalen des Vaters zu denen des Sohnes. Diesem sind ja weiter keine
Abenteuer zugedacht, nachdem er die Fährlichkeiten Burgunds glücklich überstanden hat; ein Lorbeerzweig, den er in Händen trägt,
schützt ihn vor jeder Art Überfall. Daß er diese List von Walther
erlernt hat, läßt sich nicht nachweisen, aber denkbar ist es. Dieser
muß auch die Strecke von der Donau an den Rhein zurückgelegt
haben, und vermutlich verlief sie auch für ihn abenteuerlos. Vielleicht fühlte schon der Waltherdichter das Bedürfnis dies zu motivieren. Aus Hunnenland entwich Walther als Feind, da waren die
Überfälle gerechtfertigt; wenn er nun an Donau und Main ungehindert
dahinziehen konnte, in welchem Licht erschien dann das Burgunden-
reich, in den man ihn erst anfiel und später von sechzig Mann geleiten
lassen mußte, damit er sicher sein Ziel erreichte? Die Anschauung
des Waltherdichters über eine solche Fahrt Landfremder haben wir
schon Bit. 1044 (*sô man noch dicke den gesten tuot*) widerklingen
hören. Zudem konnten den Dichter Kämpfe mit gleichgültigen Feinden
unmöglich interessieren, also begründet er kurz, warum zwischen
Passau und dem Rhein überhaupt keine Gefechte stattfinden. Ein
Seitenblick mag auf die Bayern gefallen sein, die ihre Raubgelüste
zügeln müssen. „*Soltens âne geleite sîn, swaz die füerent daz wære
mîn!*" — dieser Gedanke manches Elsenmannes ist Dietleib und den
Seinen gegenüber weniger begründet als bei Walther, der außer der
Jungfrau auch noch einen Hort mit sich geführt haben wird.

Bei ihm begreifen wir auch, daß treuer Freundesrat das Auskunfts-
mittel eingab; wer anders als Rüdeger konnte ihn auf den Gedanken
bringen, sich durch das Lorbeerreis unter kaiserlichen Schutz zu stellen? Der ad hoc eingeführte ostfränkische Gastfreund Dietleibs
(3122ff.) ist eine gar zu blasse Hilfsfigur. —

Der Waltherdichter hatte offenbar klare geographische Begriffe:
Sein Held durchreitet das Hunnenland bis zur bayrischen Grenze als
Feind, unter Kämpfen. Dann betritt er das Gebiet des deutschen
Reiches, das er unter angeblichem kaiserlichem Geleit (3154f.) un-
angefochten durchschreitet; die Grenze des Königreichs Burgund ist
der Rhein. Sobald die Flüchtigen sich dort befinden, verschlägt die
List nicht mehr, und sie sind neuen Zusammenstößen ausgesetzt.
Ihnen und damit dem Hauptproblem unserer Untersuchung wenden
wir uns nun zu.

3. Der Kampf mit den Burgunden.

Bit. 2687ff. wird erzählt, was folgt: Dietleib und die Seinen,
vor Gunther gewarnt, vermeiden Worms und setzen bei Oppenheim über den Rhein. Gunther, Gernot und Hagen, die eben aus dem
Sachsenkriege kommen, haben ihre Mannschaft nach Worms geschickt
und kommen die Straße daher geritten. (Der Rhein ist schon über-

schritten, offenbar eine Gedankenlosigkeit des Dichters, nach dem
Muster des Walther; die Ereignisse spielen hier törichterweise auf der
rechten Rheinseite.) Die drei Burgunden sehen Dietleib unter dem
Schilde reiten. Gunther sendet Hagen ab, um zu fragen, *„war sîn
wille wære"*. Der Tronjer, der die Kostbarkeit von Dietleibs Rüstung
bemerkt, erkundigt sich höflich nach dem woher und wohin. Dietleib
antwortet schroff, auch auf Hagens weiteres Drängen, und lehnt die
Aufforderung ab, sich selbst zum König zu begeben. Im Gefechte,
das sich erhebt, unterliegt Hagen und muß mit einer Brustwunde
abziehen. Gernot eilt, ihn zu rächen, ohne vorherige Wechselrede in
den Kampf, muß aber gleichfalls blutfarb das Feld räumen. Darauf
reitet endlich Gunther selbst an den Fremden heran und hofft ihn
mit sich in die Stadt zwingen zu können. Aber auch ihm setzt Dietleib hart zu, verwundet ihn und gibt schließlich auf Gunthers wieder-
holtes Fragen an, er sei ein länderloser Knappe. Von Versöhnung will
er nichts wissen, lehnt die Einladung nach Worms ab und gelobt,
Zeit seines Lebens nicht zu ruhen, bis er den Schimpf gerächt hat. Die
drei ziehen kleinlaut nach Hause und erregen in Worms durch ihre
Wunden allgemeines Aufsehen. *Die liute nâmen alle war ob den fürsten
und ir man der tiuvel hæte daz getân. die besten liefen gegen in: „herre,
waz mac ditze sîn? ûz sturme kâmt ir wol gesunt: wâ sît ir so worden
wunt?"* Die drei aber verschweigen es aus Scham und der König verbietet auch seinen vergeltungslustigen Rittern, den Feind zu verfolgen.

    Wenn wir nun wieder fragen: Was ist aus dieser ungeschickten
und unglaubhaften Erzählung für den Walther zu lernen? so drängt
sich zunächst eines auf, das dort auf keinen Fall so dargestellt worden
sein kann wie hier: Hagens jämmerliche Rolle war in einem Waltherepos unmöglich. Nicht nur, weil der Held von Tronje den Überlieferungen dieses Sagenkreises entsprechend in anderem, günstigerem
Licht erscheinen mußte, sondern vor allem, weil das Motiv der Erkennung, des Pflichtenkonflikts, der Kampfenthaltung, des Freundes-
streites der Biterolfstelle vollkommen fehlt. Aber auch sonst mag man
vieles, ja fast alles, so ganz unwaltherisch finden: Oppenheim statt
Wasgenwald, Landstraße statt geschützten Verstecks! Hier scheint
der Biterolf seine Rolle als Übermittler der Waltherdichtung ganz vergessen zu haben!

    Aber man darf nicht außer Acht lassen, daß die Schicksale von
Vater und Sohn sich immer ergänzen. Schon bei den Reiseabenteuern
konnten wir feststellen: Biterolf und Dietleib zusammen, das gibt
erst Walther. Suchen wir nach der Darstellung des Kampfes zweier
einander zunächst unbekannter Freunde, der mit Erkennung und Versöhnung endet, so brauchen wir uns nur daran zu erinnern, daß
Biterolf bei Paris einem unerkannten Verwandten feindlich gegenübertritt und daß der Konflikt der Vettern friedlich geschlichtet wird;

und dieser Vetter ist niemand anders als Walther von Spanien! Der
Fremde, der dem Biterolf mit derselben Forderung entgegentritt,
wie Hagen dem Dietleib (zu sagen, *war ir geverte wære* Bit.
587) trägt ein Wappen, das seine Herkunft aus Spanien verrät. Da ahnt
der König von den Bergen schon, mit wem er es zu tun hat, und die
Worte, die dem Ausdruck geben, könnten wörtlich aus Hagens Mund
übernommen sein: *Dô gedâhte er sâ zehant, daz widerkomen wære
Walther der degen hêre, im selben angestlîche und den sînen niht zu guote*
(620ff.). Die beiden trefflichen Schwerter werden erprobt, bis endlich
der eine, in unserem Falle Biterolf, einlenkt — wieder mit Worten,
wie sie Hagen nicht anders hätte finden können: „*waz hulfe, ob ich
slüege dich, ode ob du houbetlosen mich tætest mit der dînen kraft? unser
bêder meisterschaft wære ringe hie gelegen. bist du Walther der degen,
so hou ûf mich niht mêre.*" Er sprach: „*ir habt mich rehte erkant,
ich bin Walther genant*" (657ff.). Darauf konnten sich im Walther
die beiden statt ihrer Vetternschaft der alten Kameradschaft erinnern,
friedlich zusammen auf den Plan niedersitzen, und Walther durfte
seine Erlebnisse bei den Hunnen erzählen; Zug für Zug wie im Biterolf.

Dennoch kann hier unsere bequeme Formel: Biterolf + Dietleib
= Walther nicht statthaben. Wenn der Kampf zwischen Walther
und Hagen in der ersten Aventiure wiederklingt, muß der zwischen
Dietleib und Hagen in der vierten eine Neuschöpfung sein. In der
Tat kann dieser Hagen von dem Waltherdichter nicht stammen.
Bei seiner Zeichnung drängt die zweite Hauptquelle des Biterolf,
das Nibelungenlied, die erste zurück. Sie lieferte, in der Verklein-
lichung von C und der Klage zumal, ein wesentlich unrühmlicheres
Porträt des Tronjers, und der Verfasser unseres Gedichts, ein ungemein sorgfältiger Mann, hat den Dualismus gefühlt und zu überwinden
gesucht. Als sich Etzel bei seinen zurückkehrenden Boten nach Hagen
erkundigt, sagt er: „*Ich sol des wol getriuven daz mîn vil friundlîche
gedâhte der helt guot, lieze er wan sîn übermuot*" (5158ff.). Aber als
er von Hagens feindseligem Sinn hört, fügt er bei: „*Swaz ich nu rede
von im vernim, sô ist er doch der wirste man des ich kunde ie gewan.*"

Damit aber, daß Hagens Rolle in der Dietleibszene sich als unur-
sprünglich herausgestellt hat, ist der Auftritt zerrüttet; zum mindesten mußte der Streit mit Hagen einen anderen Ausgang nehmen.
Dann aber wurden die Kämpfe mit den Königen eigentlich überflüssig:
sobald Hagen weiß, mit wem er es zu tun hat, erübrigt sich alles weitere
und Walther kann höchstens noch nach Worms eingeladen werden.
Ist es da nicht geraten, die ganze Schilderung des Dietleibkampfes als
unergiebig auszuschalten?

Wir wollen einmal so fragen: Was könnte eingewendet werden,
wenn jemand behauptete, (etwa gestützt auf die bekannte Stelle im
Nibelungenlied), der Kampf zwischen Walther und den Burgunden
sei im Walther nicht wesentlich anders verlaufen als er uns aus dem

Waltharius geläufig ist; auch hier also sei der Streit im Wasgenwalde
vor sich gegangen. Walther, in geschützter Stellung, habe nacheinander die elf burgundischen Ritter abgetan, sei schließlich von Gunther und Hagen zugleich angefallen worden und habe sich, nachdem
er grimme Wunden empfangen und ausgeteilt, mit ihnen versöhnt? —
Wir scheiden folgende Punkte:

1. Lage des Kampfplatzes. Der Zug ist alt, daß die Flüchtlinge
Worms meiden. Ein so guter Geograph wie der Verfasser des Walther
mußte sich doch Gedanken darüber machen, wo sie nun wohl den
Rhein überschreiten mochten. Daß er schon auf Oppenheim verfallen ist, läßt sich natürlich nicht strikt nachweisen. Wohl aber
sprechen zwei Stellen des Biterolf dafür, daß der Überfall nicht im
Wasgenwald stattfand, sondern am Rhein. Wie merkwürdig wäre
es, Dietleib, bislang eine Kopie Walthers, unangefochten den Wasgenwald durchziehen und ihn dann am Rhein anfallen zu lassen! Die
Vorstellung, daß zwischen Rhein und Metz gefährliches Gebiet sei,
stammt ja aus dem Walther (B I, 7). Aber die Sache wird ganz
deutlich: Walther schließt seinen Bericht an Biterolf damit ab, daß
er erzählt *wie sich des helden hant hete ervohten an dem Rîn*! Daß der
Überfall mit dem Rheinübergang zusammenhängt, wird uns später
auch noch die Elsungepisode der Thidrekssaga erhärten.

2. Beschaffenheit des Schauplatzes. Die gesamte Walther-
tradition gibt nirgends einen Anhalt dafür, daß die Schlucht mit dem
schmalen Ausgang voreckehardisch war. Das mhd. Epos vollends
brauchte diese fein ausgeklügelte Lokalität auf keine Weise. Dreimal
kommt es im Dietleib vor, daß ein Einzelner (das Gefolge zählt nicht)
von einer Vielheit angegriffen wird. Immer löst sich der zu erwartende
Massenkampf in Einzelkämpfe auf, die allein dem Helden den Sieg
ermöglichen. Das bedarf keiner örtlichen Begründung, sondern folgt
ganz allgemein aus dem ritterlichen Komment, den in gleicher Lage
ein alter Ritter im Albhart auszusprechen hat: (162f.: *sie wolten alle
ze mâle ûf in geslagen hân. dô sprach ein alter ritter: „des müest ir immer
laster hân) In bestê der man besunder, als ez reht sî gewesen“*. Der
Hörer der Ritterzeit verstand, was Eckehards Publikum nicht verstanden hätte. Der Schlußkampf des Nibelungenliedes gegenüber
dem des Waltharius zeigt den gleichen Wechsel der Anschauungen.

3. Anzahl der Kämpfer. Die Zwölfzahl scheint durch das Zeugnis
der Thidrekssaga als voreckehardisch erwiesen. Sie konnte sich allerdings jederzeit von selbst einstellen; aber schließlich mag die liedhafte
Vorlage des Walther die Zahl noch festgehalten haben. Nur das ist
ausgeschlossen, daß der mhd. Epiker in Eckehards Art zwölf Einzelkämpfe schilderte; und das schon aus dem sehr einfachen Grunde,
weil das zur Verfügung stehende burgundische Personal kaum aus-
reichte. Daß er es gleich den Rosengartendichtern durch Siegfried
und die Riesen vermehrt habe, wird niemand glauben, und selbständig

erfundene Gestalten hätte wohl der Biterolf gewahrt. Giselher scheidet aus, wie wieder der Biterolf lehrt, der ihn als unerwachsenen Knaben kennt; also bleiben: Gunther, Hagen, Gernot, Dankwart, Rumolt, Sindolt, Hunolt, allenfalls Gere und Ekewart; vielleicht auch Volker und Ortwin, aber nur vielleicht; Walther, B I, 4 könnte schließlich so gedeutet werden, daß Ortwin in Metz sitzt und man von ihm einen Überfall erwartet; und die Ankunft Volkers mit einer Geleitschar, B I, 2 deutet doch wohl darauf hin, daß er erst von den nach Worms zurückgekehrten Königen von dort nachgeschickt wurde. Am besten kommt die Situation von Walther, B I, 2 zuwege, wenn man annimmt, daß die Angabe, Bit 2738f. aus dem Walther stammt: Gunthers Ritter sind, wenigstens zum allergrößten Teil, bereits in Worms, er selbst ist mit Wenigen in der Oppenheimer Gegend. Von Worms kann er nach der Versöhnung dem Walther ein Schutzgeleit senden.

4. Verlauf und Ausgang des Kampfes. Die unproblematische Situation Walthers schloß eine Vermannigfaltigung der Kämpfe nach der Weise des Virgilschülers aus und gestattete nur langweilige ritterliche Einzelkämpfe. Daß der Held von Spanien eine Anzahl minder wichtiger, vielleicht unbenannter Burgunden tötete, mag an sich denkbar sein, man hat es aber immer als unmöglich empfunden, daß Walther gleich Waltharius unter der Blüte der burgundischen Ritterschaft gewütet haben solle: scheidet er doch schließlich in friedlicher Übereinstimmung von Gunther und den Seinen: *„si ruhten minen win von miner hende nemen an"*, sagt Walther (oder Hildegund) am Anfang von B, und das Geleite durch Volker zeigt ebenso die nunmehrige Bundesgenossenschaft wie die Einladung zur Hochzeit, die Gunther sehr gerne annehmen möchte (B II, 19). Daß ein Kampf: Walther — Gunther als Schlußsituation nicht möglich war, zeigten schon unsere Erwägungen unter 2. Die Geschehnisse, so können wir zusammenfassen, wickelten sich in Walther ganz anders ab als im Waltharius; aber, so muß gleich angefügt werden, auch anders als im Biterolf; und das macht unsere Position unsicher. Weiter als bis zu Möglichkeiten werden wir nicht kommen.

Was aus dem Biterolf beibehalten werden kann, ist Folgendes: Zusammenstoß am Rheinübergang, Kampf mit einer kleinen Zahl Burgunden, die einer nach dem andern den Helden angreifen, der letzte ist Gunther. Hagen steht vom Kampf ab, als er Walther erkennt; blutige Wunden bei den Angreifern auch bei Gunther, dennoch schließlich Versöhnung. Es werden Zelte aufgeschlagen (733), auf dem Plan niedergesessen (703), gemeinsam getafelt (741) und Wein getrunken (s. o. Die 4. Aventiure hat bei V., 3005 recht abrupt diesen von Gunther angebahnten versöhnlichen Schluß fallen lassen, weil sie den Überfall als erregendes Moment für den späteren Zwölfkampf brauchte.) Am Schluß ziehen Gunther und die Seinen nach Worms zurück, wo man sich über ihre Verletzungen und ihr Abenteuer sehr wundert.

Ich sehe nun zwei Möglichkeiten. Die erste: Reihenfolge und Streiterzahl des Biterolf (4. Aventiure) sind ursprünglich, nur daß Hagen sich verhielt wie Biterolf (1. Aventiure). Seine Kampfweigerung rief Gernot auf den Plan und schließlich Gunther. Dann konnte aber nicht mehr ,wie so oft im Biterolf, die unbeantwortete Frage nach dem Namen oder dem Woher und Wohin Anlaß des Konfliktes sein. Gunther und die Seinen müssen zu Wegelagerern herabgedrückt worden sein, die nach dem Mädchen und vielleicht nach der Habe des Fremden lüstern waren. Denn einen dritten Grund zu einem solchen Überfall wird man schwerlich ersinnen können. Wir wissen ja, daß ein solches Verhalten gegen Gäste den Waltherdichter nicht ungewöhnlich dünkte (s. Biterolf V. 1044), und werden später noch sehen, daß die Burgunden der Liedvorlage tatsächlich Hildegunds Auslieferung von Walther verlangt haben. Der Biterolfdichter selbst hätte dann erst das Räubermotiv fallen lassen, weil bei seinem Dietleib nicht genug zu rauben war. Das scheint alles ganz logisch. Dennoch sträubt sich etwas gegen die Annahme solcher Raubritterstreiche in diesem höfischen Milieu, und auch die Versöhnungsszene gewinnt bei dieser Unterstellung nicht an Glaubhaftigkeit.

Die zweite Möglichkeit, allgemeiner und daher unbefriedigender formuliert, würde so lauten: der Zusammenstoß hat sich überhaupt ganz anders abgespielt als im Biterolf V. 2767ff. Weder die Reihenfolge noch die Dreizahl der Kämpfe ist authentisch.

Wenn wir uns denn also aufs Vermuten verlegen sollen, so wäre die Möglichkeit zu erwägen, daß Hagen sich aus irgend einem Grunde zunächst des Kampfes enthielt und sein Eingreifen eine ultima ratio war, die zur Erkennung und friedlichen Lösung führte. Dann könnte man an dem einfachen erregenden Moment der verweigerten Auskunft festhalten. Es konnten dann auch beliebig viel Kämpfe vorausgehen und sie brauchten nicht ganz harmlos zu verlaufen, d. h. es konnte den einen oder andern Toten geben. Schließlich mag auch ein Mann von Namen vor Walthers Schwert geblieben sein, nicht nur ein Statistenhaufen.

Schon Wilhelm Grimm (Heldensage, S. 143f.) hat sich über die neue Kunde von Ortwin gewundert, die der Biterolf 6002 bringt. Gunther beklagt da den Tod Ortwins von Metz, *der starp ze fruo in sînen tagen.* Von Ortwins Witwe hörten wir schon. Ein zweiter Ortwin ist *der vettern suon sîn,* der Metz geerbt hat; wie W. Grimm meint, der Ortwin des Nibelungenlieds. Wie kommt es zu dieser seltsamen Doppelheit? Der Biterolf wird aus da aus älteren Quellen geschöpft haben. Aber wir halten am besten mit Bekanntem Haus, und Nibelungenlied und Klage versagen.

Es ist nicht undenkbar, daß Ortwin von Metz zu den Opfern Walthers gehört hat, oder vielmehr dessen einzig benanntes Opfer war; ähnlich wie das große Turnier im Biterolf wenigstens e i n e m namhaften Helden das Leben kosten muß. Wir würden dann gut begreifen, warum im Biterolf von seiner Witwe die Rede ist, desgleichen, daß der Dichter, da im Nibelungenlied ein Ortwin noch bei Siegfrieds Ermordung am Burgundenhofe weilt, flugs einen neuen erstehen läßt. — Aber im Walther ist doch von Ortwin die Rede, er sitzt in Metz und kann 1000 Mann auf die Flüchtlinge loslassen? (s. o. S. 16). Sehen wir ganz genau zu, so wird das in der angezogenen Stelle B I, 4 gar nicht direkt ausgesprochen. Es findet sich da nämlich ein für Ortwin fatales Präteritum: *Ortwin hete drinne* (in Metz) *wol tousent kuener man; swaz der kunic hernach darumbe geredete, mit strite wurden wir bestan.* Also er **hatte** sie, hat sie nicht mehr; aber nicht die 1000 sind verschwunden, sondern Ortwin selbst ist nicht mehr da, und die Bemerkung der letzten Langzeile gewinnt besseren Sinn, wenn nicht Ortwin als zuchtloser Vasall erscheint, sondern die Seinen als treue Rächer ihres Herrn bezeichnet sind.

Es mag also von jeher im Waltherlied zur Seite Gunthers neben dem Tronjer der von Metz gestanden haben (vielleicht ursprünglich einfach: „der Alte von Metz?"), der durch Walther fiel und mit dem Ortwin des Nibelungenlieds erst von dem Waltherepiker identifiziert wurde. Er durfte es, denn chronologische Skrupel pflegte er sich nicht zu machen, und bei der Nibelungenkatastrophe fehlt ja Ortwin ohnehin. Daß der Biterolfdichter ihm nicht folgte und von Ortwins Fall, etwa gar durch Dietleib, nichts erzählte, ist wohl selbstversändlich. Dieser Poet war ein guter Rechner, der die Ereignisse genau einbettete zwischen die des Walther und die des Nibelungenlieds. Ortwin war im Walther gefallen, er konnte ihn nicht noch einmal fallen lassen, genau so wenig wie er bei Biterolfs Donauabenteuer Gelpfrâts Tod vorwegnahm. Wenn nicht auf Walther als Ortwins Mörder angespielt wird, so ist das nur taktvoll, denn der Held von Spanien gehört ja jetzt zur Burgundenpartei. Und ein anderes Todesopfer vor Dietleib bleiben zu lassen, ging auch nicht an; der junge Held hätte dann die Rolle der bedrängten Unschuld nicht mehr gut zu spielen vermocht.

Man mag für die eine und für die andere Möglichkeit manchen Wahrscheinlichkeitsgrund anführen: die Tatsachen, daß ihrer eben zwei sind, zeigt, daß an dieser Stelle unseres Wiederaufbauversuchs ein großes Fragezeichen stehen bleiben muß. Aber wir werden noch auf einen andern, empfindlichen Mangel unserer Rekonstruktion hingewiesen: Da Biterolf und Dietleib einsam ausziehen, bleibt uns die Gestalt von Walthers Begleiterin völlig verhüllt. Es mag dem mhd. Dichter schwer geworden sein, die richtige höfische Mitte zwischen der Heroine des Waldere und dem verschüchterten Mädchen des Waltharius innezuhalten. Der Eifer, mit dem er gegen Ende minnigliche Züge auf Hildegunde häuft, scheint zu beweisen, daß er früher nicht allzuviel für sie hat tun können. So bleibt auch ihre Rolle in diesem Kampf völlig dunkel, und auch ihr späteres Auftreten im Biterolf macht sie uns nicht farbiger.

Die Frage endlich, ob Walther auf seiner Flucht noch andere Begleiter hatte, hat schon Heinzel (Walthersage S. 16) aufgeworfen und im Hinblick auf die Bruchstücke (in denen der Heimkehrende Boten voraussendet) bejaht. Biterolf und Dietleib nehmen ja auch einige gleichgültige, im Kampf wesenlose Gefolgsleute mit sich.. Natürlich sind ihrer auch im Walther nur wenige gewesen (bei Biterolf sind es zwölf, bei Dietleib drei), aber sie führten wohl die Speisen, den Wein, die Zelte mit sich (s. o.). Ob sie aber von Etzelnburg an von der Partie waren? Das dünkte uns eine starke Störung des romantischen Fluchtabenteuers! Rüdeger mag sich den Flüchtigen beigesellt haben.

4. Walther der Hunnenkrieger.

Die Weitung des Waltherliedes zum Epos ist bei dem Mönche des 10. Jahrhunderts vor allem erzielt durch die liebevolle, bewunderungswürdig mannigfaltige Ausgestaltung der zwölf Einzelkämpfe. Der österreichische Nachfahre des 13. Jahrhunderts mußte darauf verzichten. diese Auftrittfolge zum Kernstück und Mittelpunkt seines Gedichtes werden zu lassen und hat ihr sicher keinen allzu großen Raum gegönnt. Wollte er den Stoff strecken so mußte er aus andern Keimen des Liedes epische Triebe erwachsen lassen.

Er wird sich geholfen haben wie alle: Kämpfe, d. i. Schlachten, und höfische Repräsentationsszenen mußten das Füllwerk geben. Daß er dabei recht flach und konventionell werden konnte, zeigen die leeren Strophen des Fragments B; eine uncharakteristischere Partie des Gedichtes konnte nicht leicht auf uns kommen. Die Feste an Etzels Hof, die Ereignisse auf der Flucht, erst die Kämpfe und dann das Zusammentreffen mit Rüdeger, mögen manche Gelegenheit zu epischer Entfaltung gegeben haben. Aber es gibt in der ganzen altüberkommenen Abenteuerserie doch nur ein Moment, das den Epiker auf den Plan rufen konnte, der breit ausmalt und das knappe Handlungsschema durch Episoden weitet: das ist Walthers Feldherrnstellung und der vielfache Dienst, den er dem Hunnenkönig im Kriege leistet. Wir müssen geradezu fordern, daß im Walther von diesen Dingen eingehend die Rede gewesen ist, denn wir sehen keine Möglichkeit, wie sonst aus dem Stoff ein Epos auch nur von der Länge des Rosengartens A oder des Ortnit erwachsen konnte. Die Ausbeutung dieses Motivs muß viel stärker gewesen sein als bei Eckehard, dem der Hunnenvorkämpfer Walther nur Gelegenheit gibt zu einem knappen virgilisierenden Virtuosenstück der Kampfschilderung.

Die Darstellung des Etzelhofes im Walther und die Rolle seiner hunnischen Heeresgenossen kommt im Biterolf nicht mehr voll zur Geltung. Man darf daraus wohl schließen, daß das Personal für Hof und Heer sich aus den bekannten Gestalten des Nibelungenliedes und der Dietrichepik zusammensetzte. Dietrich von Bern selbst trat bestimmt nicht auf, und auch Blödel scheint sich im Hintergrund ge-

halten zu haben; er kommt erst ganz am Schluß der 6. Aventiure des
Biterolf zum Vorschein, mit dem das Walthergedicht endgültig auf-
hört Wegweiser des Dichters zu sein, und Dietrich lebt überhaupt
noch nicht am Hunnenhof. Die andern lassen sich großenteils schon
aus dem Nibelungenlied belegen. Gotel, der Markmann, allerdings
stammt aus einem Dietrichgedicht. Daß Schrutan in Meran, Sigeher
in der Türkei zuhause sind, kann Willkür des Biterolf sein, und ein
sonst nirgends auftretender Otte ist die einzige unbekannte ·Größe
unter Etzels Leuten. Also ist hier für den Walther nichts zu lernen.
   Anders bei den Kriegszügen Etzels, von denen der Biterolf berichtet. Er verleiht ihnen zwar eine zeitgeschichtliche Färbung, aber
die ist leicht wieder zu tilgen und berührt nicht die Abenteuer, die
Biterolf persönlich in nördlichen Landen erleidet.
   Als Biterolf drei Jahre bei Etzel weilt, wird er mit Rüdeger und
Schrutan auf einen Heereszug geschickt, nach der Stadt Gamalin in
Preußen, um die die Hunnen schon lange ringen (1388). Biterolf und
Rüdeger werden durch ihr Ungestüm in eine Falle geführt: den scheinbar zurückweichenden Feinden in die Stadt folgend, werden sie von
der Übermacht der Bürger überwältigt und gefangen. Vier Jahre
schmachten sie, zu Etzels und Helches Leid, in einem tiefen Turm;
auch Etzels persönliches Erscheinen an der Spitze eines Heeres bringt
die Stadt nicht zur Übergabe. Da hilft endlich Biterolfs List: er
gräbt aus dem Turm, in dem sie sitzen, einen Gang hinüber zu einem
andern Turm; dort wohnt der König von Preußen, Bodislau, und
Biterolf dringt bei ihm ein, als er mit seiner Gattin auf dem Lager
ruht. Er verschont ihn um des schönen Weibes willen, gibt ihn gefesselt Rüdeger zur Bewachung und läßt durch ein Ausfallpförtchen
die Hunnen ein. Nach längerem Straßenkampf, der viel eingehender
geschildert ist als jene spannenden Abenteuer des Helden, muß sich
die Stadt ergeben. Etzel zieht mit den Befreiten zurück und Helche
bereitet ihnen einen fröhlichen Empfang. — Später ist nochmals von
einem Kriegszug nach Norden die Rede: ein ungetreuer Vasall Etzels,
ein Fürst von Polen, wird mit Krieg überzogen, wobei sein Nachbar,
der besiegte Preuße, widerwillig Hilfe leistet. Die Schlacht hat aber
für den Biterolfdichter nur Interesse durch den feindlichen Zusammenstoß zwischen Vater und Sohn, den er künstlich zu bewerkstelligen weiß.
   Es scheint bare Willkür, für den Hunnenkämpfer Walther einen
ähnlich verlaufenden Feldzug oder gar eines dieser Abenteuer in Anspruch zu nehmen; die Analogie des Waltharius liefert nur den Rache-
zug gegen den abtrünnigen Vasallen und die Begrüßung durch eine
Frau bei der Heimkehr — natürlich ist es nicht Helche sondern Hildegunde. Den Eindruck trägt man aber entschieden aus der Lektüre
dieser Biterolfpartie davon: hier ist eine Quelle ausgeschrieben worden. Man erfindet dergleichen nicht, um es durch flüchtige und inter-
esselose Darstellung gleich zu entwerten.

Wenn aber Walther, wie doch wahrscheinlich, in Etzels Dienst nordwärts geschickt worden ist, und also die Polen bekriegt hat, so kommt uns dabei in den Sinn, daß es ja auch einen polnischen Walther d. h. eine polnische Fassung unserer Sage gibt. Heinzel hat sie in ihren verschiedenen, zum Teil recht späten Erscheinungsformen ausführlich analysiert. Uns interessieren hier gerade die Partien, die man sonst wohl als späten Anwuchs beiseite zu schieben pflegte, weil sie in der bekannten, deutschen Sagenform nicht ihresgleichen haben.

Walther, mit Helgunda vermählt, ist Herr von Tyniec bei Krakau. Er nimmt in einer Fehde den Nachbarfürsten Wislaus, Herrn von Wislica, gefangen und sperrt ihn in einen tiefen Turm. Als Walther daraufhin zwei Jahre lang auf einem Heereszug in der Ferne weilt, beginnt Helgunda ihrer Einsamkeit überdrüssig zu werden; auf den Rat ihrer Vertrauten läßt sie den schönen Gefangenen aus dem Turm holen und flieht schließlich mit ihm. Der heimgekehrte Walther folgt beiden nach Wislica, wird dort von Helgunda zunächst heuchlerisch bewillkommnet, dann aber von Wislaus überfallen und in Eisen geschlagen. Wislaus häßliche Schwester löst des Helden Fesseln, und als Wislaus und Helgunda sich gerade auf ihrem ehelichen Lager vergnügen, steht plötzlich Walther mit dem Schwert in der Hand vor ihnen und tötet beide. Die älteste Darstellung, die Chronik des Boguphalus, knüpft diese Geschichte an die Regierungszeit des Königs Boleslaus I. von Polen, den sie gleich im Anschluß an Helgundas Ermordung namhaft macht.

Schon Heinzel hat diese Abenteuerreihe vorsichtig nach Berührungen mit der deutschen Heldensage abgetastet; an die Seite des Wislaus stellt er den Wizlan des Biterolf und den Wenezlan des bekannten Fragments, der ja Dietrichs Helden lange in Haft hält (Walthersage S. 91). Aber wir wissen jetzt, daß da der böhmische Wenzel gemeint ist.

Vielleicht ist man unseren Darlegungen bisher mit einigem Zutrauen gefolgt; wir würden es gröblich aufs Spiel stellen, wollten wir die beiden Abenteuer, das Biterolfs und das des polnischen Walther, keck einander gleichsetzen und ihren Abstand durch künstelnde Harmonistik verschleiern. Wir begnügen uns vielmehr, zu sagen: War etwa im Walther erzählt — wozu der Biterolf die Möglichkeit offen läßt — daß Walther mit den Polen kämpfte, mit König Boleslaus oder gar vielleicht mit einem Wislan; daß er mehrere Jahre in einem Turm in strenger Haft und Qual (1467) gefangen saß; daß er endlich überraschend frei kam und mit einem Male vor dem ehelichen Lager seines Zwingherrn und der Königin stand, an denen er nun seine Rache nehmen konnte; daß er nach Jahren der Abwesenheit siegreich heimkehrte und von der ihn bitter vermissenden Hildegund fröhlich empfangen wurde — war das alles in unserem Epos erzählt, dann begreifen

wir leichter als vorher, wie sich die polnische Walthersage hat bilden
können.

Und man gestatte, daß wir bei der Möglichkeit noch einen Augenblick verweilen: natürlich könnte es sich dann um kein sonst ganz
unbekanntes episodisches Waltherlied handeln, das hier und dort
seinen Niederschlag fand, sondern wir hätten es zunächst mit einer
Erfindung des Waltherepikers zu tun, und vom Waltherepos würde
die weitere Entwicklung ausgehen. Heinzel hat zwei sehr einleuchtende
Vermutungen ausgesprochen: ,,Eine sehr schöne Ballade in der Art
der dänischen Kämpeviser" könne dem Bericht der Chronik zugrunde
liegen; und : die Form von Walthers Beinamen im polnischen (udaly =
manufortis) weise auf ein russisches Medium. Das deutsche Epos wäre
demnach zu einer russischen Ballade verarbeitet und diese von einem
polnischen Chronisten übernommen und lokalisiert worden. Eine
wahrscheinliche Entwicklung, zu der die in vielen Punkten typi-
sierende Umgestaltung der epischen Handlung recht wohl stimmen
würde.

Aus: Germanisch-Romanische Monatsschrift. 13 (1925).

Antike Elemente im *Waltharius*
Zu Friedrich Panzers neuer These

Von

Karl Stackmann

Der Bericht, den ich hier vorlege, wird nicht die gesamte *Waltharius*-Literatur der letzten zehn oder fünfzehn Jahre zusammenfassend behandeln, obgleich es längst an der Zeit ist, die Ergebnisse zu sichten. Für ein solches Unternehmen wäre der Augenblick allzu ungünstig gewählt, da grundlegende Arbeiten noch ausstehen[1]. Einstweilen muß die vortreffliche, wenn auch dem Zweck entsprechend oft sehr knappe Einleitung Karl Streckers zur letzten Auflage seines *Waltharius*-Textes den fehlenden Forschungsbericht ersetzen[2]. Es soll hier nur ein einzelnes Problem behandelt werden, dem allerdings nach dem Erscheinen von Friedrich Panzers Buch[3] in den Diskussionen der nächsten Zeit erhöhte Bedeutung zukommen dürfte. Panzer stellt erneut die Frage nach dem Verhältnis zwischen dem *Waltharius* und der römischen Epik, und er kommt dabei zu ähnlich umwälzenden Ergebnissen wie einst Karl Strecker in seiner berühmten Abhandlung „Ekkehard und Vergil"[4]. Strecker zog damals in aller Schärfe die Konsequenzen aus dem Material, das ihm vorlag. Seine Sammlung von Virgil-Parallelen (um von anderen antiken und frühchristlichen Autoren ganz zu schweigen) mußte ihn zwangsläufig zu dem Schluß führen, die eigene Leistung des Dichters beschränke sich — mindestens streckenweise — auf eine mehr oder weniger gelungene Virgil-Imitatio. Streckers Aufsatz bezeichnet den Gegenpunkt einer Bewegung, die nach der Entdeckung des Denkmals mit seiner selbstverständlichen Einbeziehung in die deutsche Literaturgeschichte begonnen hatte[5]. Die lateinische Sprachform, zunächst als notwendiges Zugeständnis des Dichters an seine Zeit unbedenklich hingenommen, gab den Anlaß zu dieser neuen Wertung des Gedichts[6]. Wilhelm Meyer, ein besonnener Verteidiger der Selbständigkeit des *Waltharius*-Dichters,

---

[1] Einen weiteren Beitrag Otto Schumanns zur *Waltharius*-Forschung kündigt Friedrich Panzer in seinem neuen Buch an. Von Alfred Wolf erhoffen wir die Fortsetzung seiner Studien, deren erster Teil bereits 1940 erschienen ist (Studia Neophilologica XIII, S. 72—102).

[2] *Waltharius*, hrsg. von Karl Strecker, Deutsche Übersetzung von Peter Vossen, Berlin 1947.

[3] Der Kampf am Wasichenstein, *Waltharius*-Studien, Speyer 1948, Verlag Historisches Museum der Pfalz zu Speyer am Rhein.

[4] ZfdA 42 (1898) S. 339—365.

[5] Die ersten Auflagen der Schererschen Literaturgeschichte — mir liegt die 8. von 1899 vor — spiegeln den älteren Stand der Forschung, wenn es heißt (S. 56) „Der junge Ekkehard hat augenscheinlich seine Vorlage ziemlich treu wiedergegeben." Später hat Schröder den Text entsprechend den jüngeren Untersuchungsergebnissen abgeändert.

[6] Strecker spricht geradezu von „Beutezügen" Ekkehards durch Vergil und Prudentius (Z. 42, S. 341) und es fällt sogar — wenn auch auf eine einzelne Stelle beschränkt — der Ausdruck *Cento* (Z. 42, S. 362).

machte sogleich eine Reihe von Einwänden geltend[7], die stichhaltig genug waren, um Strecker zu überzeugen[8]. Das Ergebnis dieser Auseinandersetzung war ein Kompromiß zwischen der alten Anschauung, es handle sich beim *Waltharius* um ein deutsches Heldengedicht, das nur der Zeitumstände wegen lateinisch überliefert sei, und dem Kern der ursprünglichen Streckerschen These, der *Waltharius* sei im wesentlichen als ein antikisierendes Epos, ja teilweise geradezu als Cento aufzufassen. — Wenn ich um einer knappen Zusammenfassung willen die Entwicklung der Folgezeit in ihren Hauptlinien nachzeichnen und dabei alle feineren Differenzierungen im einzelnen übergehen darf, so läßt sich sagen, man sei seit der Strecker-Meyerschen Kontroverse übereingekommen, in dem Dichter einen Mann zu sehen, der einen heimischen Sagenstoff recht frei und selbständig in einer an Virgil und anderen lateinischen Autoren geschulten Sprache behandelt habe. In dieser Formel, die — wenn auch nie in einer so simplifizierenden Weise ausgesprochen — die Anschauung vom *Waltharius* und seinem Dichter bis heute beherrscht, lagen drei Möglichkeiten zur Beantwortung unserer Frage beschlossen.

Die selbstverständlichste und drängendste Aufgabe, der Strecker und andere ihre dauernde Aufmerksamkeit widmeten, war es, den Einfluß festzustellen, den antike und frühmittelalterliche lateinische Literatur auf das Gedicht hatten. Mit andern Worten, es mußte die Sammlung der Parallelen systematisch weitergetrieben werden. Das Ergebnis aller dieser Bemühungen faßt jetzt der vorbildliche Anhang II der Streckerschen Ausgabe zusammen. Ein Ende dieser Arbeit ist freilich trotz der unleugbar erzielten Fortschritte nicht abzusehen, sie ist ihrer Natur nach fast unendlich. Immerhin war aber schon bald nach der ersten Diskussion genügend Material bereitgestellt, um weiterzielende Forschungen zu ermöglichen, deren es bedurfte, wenn die strittige Frage einer Lösung näher gebracht werden sollte. Denn es hatte sich, so darf man rückblickend wohl feststellen, gezeigt, daß allein auf Grund einer Parallelen-Sammlung kein befriedigendes Ergebnis zu erzielen war. Die Untersuchung mußte auf eine breitere Grundlage gestellt werden.

Wenn sich die alte Anschauung, dem Gedicht läge ein deutsches Heldenlied zugrunde, mit gewissen Einschränkungen halten konnte, lag es zweitens nahe, zunächst die einheimischen Elemente auszusondern, um den Bereich der antiken Einflüsse genauer einzugrenzen. Es ist zwar nie eine Arbeit mit dieser besonderen Zielsetzung erschienen, aber die zahlreichen Darstellungen des Gegenstandes von seiten der germanischen und altdeutschen Sagen- und Literaturforschung bieten mehr als nur einen Ersatz[9]. Es zeigte sich bei fortschreitender Aufschließung des Gebietes, daß nur wenig altgermanisches Gut im *Waltharius* erhalten ist[10].

[7] Der Dichter des *Waltharius*, ZfdA 43 (1899) S. 113—146.

[8] Probleme der *Waltharius*-Forschung, N. Jb. f. Phil. und Päd. 2 (1899) S. 573—594 und S. 629—645.

[9] Über die ältere Literatur unterrichtet Gustav Ehrismann, Geschichte der deutschen Literatur des Mittelalters, Bd. 1, München ² 1932, S. 395—406. — Zu ergänzen sind noch Andreas Heusler, Die Sage von Walther und Hildegund, ZfdBild. 11 (1935), S. 69—78, und Georg Baesecke, Vor- und Frühgeschichte des deutschen Schrifttums, Bd. 1, Halle 1940, S. 407—435.

[10] Man vergleiche etwa die Zusammenfassung bei Wilhelm Lenz, Der Ausgang der Dichtung von Walther und Hildegunde, Halle 1939, S. 25f. (Hermaea Bd. XXXIV).

Daher richtete die germanische Forschung ihr Augenmerk immer ausschließlicher auf die sonstige Überlieferung der Sage in der Hoffnung, dort mehr von dem alten Lied erhalten zu finden. In diesem Punkt bestätigte sich also die Voraussetzung, der Dichter habe seinen Stoff frei und selbständig behandelt. Je deutlicher aber beim Anwachsen der Parallelen-Sammlungen seine Abhängigkeit auf dem Gebiet der sprachlichen Formulierung wurde, desto klarer mußte sich die dritte Forschungsaufgabe abzeichnen. Wenn die alte Formel, wonach sich der Dichter auch der antiken Tradition gegenüber selbständig verhalten hätte, zu recht bestand, galt es, diese Selbständigkeit neu zu bestimmen und ihrem Wesen nach darzustellen. Für den Anfang und zur ersten Abwehr einer einseitigen Betrachtungsweise genügten Wilhelm Meyers Feststellungen, aus denen sich ergab, daß der Dichter stellenweise unabhängig von Quellen gearbeitet hat. Aber mit dem allmählichen Anwachsen und bei zunehmender Vertiefung unserer Kenntnisse konnte eine so einfache Methode nicht mehr befriedigen, die letzten Endes auf die Frage hinauslief, ob für eine bestimmte Partie Quellen vorlägen oder nicht, und danach über Selbständigkeit oder Unselbständigkeit des Dichters entschied. Es wäre von Nutzen gewesen, hätte man, nachdem ohnehin ein allgemeiner Methodenwandel in der Literaturwissenschaft vor sich gegangen war, den Versuch gewagt, die geistesgeschichtliche Stellung des Dichters und seine Persönlichkeit näher zu bestimmen, um von da aus das Verhältnis zur Antike in seinen historischen und persönlichen Bedingungen zu erfassen. Denn die Verwendung einer vom Latein der augusteischen Klassik geformten Dichtersprache ist eine vereinzelte und zunächst äußerliche Erscheinung, die nur im größeren Zusammenhang der Gesamtpersönlichkeit des Dichters zu verstehen und sinnvoll zu deuten ist. Freilich wäre damit die Frage nach dem Verhältnis des Dichters zur Antike zum Teilproblem geworden, mußte doch dahinter die größere Aufgabe einer Gesamtdeutung des Werkes auftauchen, für die es, vor allem, was seine Einbeziehung in die gleichzeitige Literatur angeht, noch an vielen Voraussetzungen fehlt. Aber die Teilfrage, auf die es uns ankommt, war und ist zu lösen, da sie nur eine Eingrenzung und nähere Beschreibung der nicht-antiken (und natürlich auch der nicht-germanischen) Schicht in der Dichtung erfordert. (Wieviel davon gemeinsames Eigentum der Zeit ist, wäre natürlich vor einer Einordnung in die Gesamtdeutung zu prüfen, die aber — vor allem in methodischer Hinsicht — von einer solchen Untersuchung Vorteil haben dürfte.) Es hätte sich dabei wohl gezeigt, daß bei der Beschränkung auf einen Quellenvergleich alten Stils das eigentlich Wesentliche, die organisierende Mitte der Dichtung, ausgespart bleiben mußte. Diese Arbeit ist nicht geleistet worden[11]. Überhaupt ist unser Thema bis zum Erscheinen von Panzers Buch recht weit in den Hintergrund getreten. — Eine kurze Würdigung der Dissertation von Hans Wagner[12], die ihrem Erscheinungsjahr

[11] In gewissem Sinne sind allerdings die Darstellungen von Julius Schwietering (Deutsche Dichtung des Mittelalters, Potsdam o. J. S. 25—29) und Georg Baesecke (a. a. O., s. Anm. 9) von diesem Urteil auszunehmen. Sie gehen weit über den Rahmen dessen hinaus, was sich sonst an einfühlenden Interpretationen in der Literatur findet. Sie können aber ihrer Zielsetzung nach doch nicht die fehlende Monographie ersetzen.

[12] Ekkehard und Vergil, Heidelberg 1939 (Quellen und Studien zur Geschichte und Kultur des Mittelalters, Heft 9).

nach vor Panzers Arbeit zu besprechen wäre, verschieben wir auf einen späteren Zeitpunkt, weil sie, obgleich ihrer Zielsetzung nach hierher gehörend, andere Wege geht. Wir werden sie mit größerem Gewinn heranziehen können, wenn im Anschluß an Panzer die gegenwärtige Forschungslage zu erörtern ist.

So trat denn die *Waltharius*-Forschung in ihre große Krise, die Alfred Wolf mit seinem Berliner Vortrag von 1938 einleitete[13], ohne daß auf unserem Gebiet ein Fortschritt in Richtung auf das eben skizzierte Ziel erreicht worden wäre. Im Verlaufe dieser Bewegung, die einer Umwertung aller Werte gleichkommt, griff Friedrich Panzer das Problem erneut auf und rückte es mit einem Schlage in den Mittelpunkt der Auseinandersetzung. Er war gezwungen, an dem gleichen Punkt zu beginnen, an dem Strecker und Meyer ihre Arbeit eingestellt hatten. Wie sehr er dabei eine Untersuchung der Art vermißte, deren Ziele und Aufgaben wir zu umreißen suchten, spricht er selber aus, wenn er am Schluß seines Buches „eine subtilere Untersuchung der stilistischen Voraussetzungen des *Waltharius*" verlangt, um ihn „als geschichtliche Erscheinung ganz begreiflich zu machen" (S. 92). Ehe wir uns jedoch auf eine Untersuchung der Möglichkeiten zur weiteren Klärung unserer Frage einlassen, müssen wir uns Panzers Arbeit zuwenden und versuchen, ein Urteil über ihre Ziele und das Maß ihrer Verwirklichung zu finden. Denn sie gab den Anstoß zu der letzten Entwicklung des Problems und an ihr werden sich alle weiteren Untersuchungen orientieren müssen.

Um den *Waltharius* ist es seit Alfred Wolfs Angriff auf die bisherigen Grundlagen der Forschung nicht mehr still geworden[14]. Alte, scheinbar längst gesicherte Ergebnisse erweisen sich plötzlich als sehr fragwürdig. Wir haben einsehen müssen, daß selbst die Grundfragen nach Heimat, Datierung und Verfasser des Gedichts einer neuen Antwort bedürfen. In diesem kritischen Augenblick, da der letzte feste Anhaltspunkt verloren zu gehen droht, unternimmt es Friedrich Panzer, ausgehend von einer neuen Untersuchung des Verhältnisses unseres Dichters zur Antike, einen Ausweg zu zeigen. Schon das ist, ganz abgesehen von unserer Fragestellung, Grund genug, seine Vorschläge sehr genau zu erwägen. Er hat sich keine geringere Aufgabe gesetzt als den Nachweis, daß der *Waltharius*-Dichter ein Urlied geschaffen hat. Er nimmt an, daß der *Waltharius* ohne jede deutsche[15] Vorlage entstanden ist und selbst die Quelle aller anderen Bearbeitungen bildet. Aber Panzers Gedanken führen noch weiter. Er will dieses Urlied seiner ganzen Konzeption nach von Motiven der römischen Epik ableiten. Er bestreitet selbstverständlich nicht, daß Einzelnes aus der Vulgata, aus Prudentius und aus sonstiger spätantiker Überlieferung genommen ist. Den Kern des Ganzen aber, die Geschichte von Walther und Hiltgund, ihrer Flucht und ihren Abenteuern, denkt er sich einzig und allein aus verschiedenen Episoden von Statius' *Thebais* und Ovids *Metamorphosen* entstanden.

[13] Vgl. in Streckers Ausgabe Anm. 11, S. 19. Über die Vorgeschichte berichtet Wolf selbst in der Einleitung zu seinem Aufsatz (s. o. Anm. 1).

[14] Einen Überblick gibt die bereits mehrfach erwähnte Einleitung Streckers.

[15] Ich spreche der Einfachheit halber von einer deutschen Vorlage, da seit Neckel und Heusler wohl allgemein die Ansicht gilt, es sei eine alemannische Liedfassung der Walthersage vorhanden gewesen. Mein eigener Standpunkt in dieser Frage ist damit keineswegs festgelegt.

Es geht dabei nur um den **Stoff** der Walthersage. Panzer schließt ganz be-wußt alle weiterführenden Fragen nach dem Stil, der Persönlichkeit und der geistesgeschichtlichen Stellung des Dichters von der Erörterung aus und überläßt ihre Beantwortung, wie wir sahen, zukünftigen Untersuchungen. Damit ist ein methodischer Grundsatz von beträchtlicher Wichtigkeit ausgesprochen. Die vorsichtige Trennung von Stoff- und Stilproblemen erlaubt es Panzer, den Erzählinhalt aus der antiken Epik herzuleiten, ohne zugleich die Frage nach der Stellung des Dichters zur römischen Literatur in ihrem ganzen Umfang aufzuwerfen. Wir werden uns daher im folgenden nur mit den Problemen des Sagenstoffes zu beschäftigen haben. Panzer hat sich für eine strenge Trennung entschieden, und wir müssen uns seine Entscheidung zu eigen machen, wenn wir uns mit seiner Arbeit auseinandersetzen wollen. Die schwierige Situation, in der sich die *Waltharius*-Forschung heute befindet, läßt unter Umständen eine Einschränkung des Untersuchungsfeldes gerechtfertigt erscheinen, wenn damit irgendwo eine neue Sicherheit erkauft wird. Eine eingehende Analyse wird jetzt zu zeigen haben, ob der eingeschlagene Weg trotz der freiwilligen Beschränkung noch zu dem erstrebten Ziel führen kann.

Es ist einleuchtend, daß der zweite Schritt der Panzerschen Untersuchung, die Herleitung einer Erzählung, die bisher als einheimische deutsche Heldensage galt, aus Motiven der römischen Epik, den ersten voraussetzt, den Nachweis also, daß der *Waltharius* ein Urlied ist und alle anderen Fassungen der Sage mittelbar oder unmittelbar von ihm abhängen. Denn gesetzt den Fall, die übrigen Zeugnisse bewiesen mit Sicherheit, es sei eine vom *Waltharius* unabhängige deutsche Vorlage vorhanden gewesen, aus der sich sämtliche Versionen mit Einschluß des *Waltharius* herleiten ließen, welchen Sinn sollte dann die Suche nach den lateinischen Quellen für die Gesamtkonzeption einer abgeleiteten Fassung haben, die in diesem Fall doch mit Sicherheit auf die deutsche Vorlage zurückginge. Wollte man nicht die wenig wahrscheinliche Vermutung wagen, schon die ältere deutsche Quelle habe aus der antiken Epik geschöpft, welche Möglichkeit bliebe dann noch, den Panzerschen Standpunkt zu vertreten? Wir hätten die Übereinstimmungen dann als natürliche Ähnlichkeiten aufzufassen, wie sie sich bei einer Schilderung verwandter Vorgänge ungewollt einstellen können. Wo eine Parallelinterpretation die Abhängigkeit des *Waltharius* von einzelnen Motiven der antiken Dichtung zwingend nachweist, können wir uns in diesem Fall, d. h. bei sicher nachgewiesener deutscher Quelle, der bisher geltenden Meinung anschließen und annehmen, daß der *Waltharius*-Dichter zur Ausgestaltung dessen, was ihm seine Vorlage bot, auf das Erzählgut der antiken Autoren zurückgriff.

Das Ungewöhnliche an der Panzerschen These liegt darin, daß er eine Sage, die nach Personen, Zeit und Landschaft der Handlung in den Raum der germanisch-deutschen Heldendichtung gehört, aus antiken Quellen herzuleiten versucht. Vor dem Erscheinen seiner Arbeit rechnete man mit einheimischem Ursprung der Walthersage. Dafür sprachen alle bisher bekannten Tatsachen unserer älteren Literaturgeschichte. Wohl konnte es (und kann es heute noch) verschiedene Meinungen über die Art dieser Quellen geben — Panzers Ablehnung der Neckelschen Hypothesen (S. 83) ist sicher berechtigt —, aber im Grundsätzlichen hat der ältere Standpunkt so lange den Vorzug, wie kein zwingender Gegenbeweis erbracht ist. Diesen Beweis will Panzer liefern. Unsere Vorüberlegung dürfte gezeigt haben, daß seine neue Lösung der Ursprungsfrage erheblich an Wahrscheinlichkeit gewinnen würde, wenn er zunächst erweisen könnte, daß alle übrigen Fassungen der Sage auf den *Waltharius* zurückgehen. Wir befassen uns daher zuerst mit dem Teil der Arbeit, der dieser Frage gewidmet ist, obgleich Panzer selbst den umgekehrten Weg geht und zu Anfang die lateinischen Quellen bestimmt[16]. Eine gewisse Schwierigkeit für den Verfasser wie für den Leser liegt darin, daß bei einer Sagentradition, die durch mehrere Jahrhunderte geht, in allen späteren Bearbeitungen Abweichungen von der Quelle vorliegen werden, die sich aus der Eigenart der jüngeren Autoren und ihren besonderen Absichten erklären. Solche sekundären Veränderungen sprechen natürlich nicht für das Vorhandensein einer Sonderquelle. Das heißt in unserem Falle, wir werden nicht alles, was in den übrigen Denkmälern vom *Waltharius* verschieden ist, benutzen können, um daraus auf die Einwirkung einer vom *Waltharius* unabhängigen Überlieferung zu schließen. Es bleibt nur offen, ob sich in jedem Falle entscheiden läßt, wo die Grenze zwischen willkürlicher Veränderung des *Waltharius* und der Benutzung einer vom *Waltharius* verschiedenen Quelle zu ziehen ist.

Um da anzufangen, wo die einfachsten Verhältnisse vorliegen: die *Novaleser Chronik* fällt für die Untersuchung ganz weg, da sie nur Exzerpte aus einer *Waltharius*-Handschrift bietet. Ebenso sind die gelegentlichen Anspielungen in den mhd. Heldenepen für Panzers Fragestellung unwichtig. Man wird auch zugeben können, daß die *Thidrekssaga* als selbständiger Zeuge ausscheidet, obgleich sie in einem Punkt mit dem *Nibelungenlied* gegen den *Waltharius* steht: Hagens Vater heißt in beiden Denkmälern Aldrian und der Kampf findet am Wasichenstein statt. So spitzt sich alles auf die Untersuchung des ags. Waldere und des mhd. Waltherepos zu — und da läßt uns die Überlieferung im Stich. Die dürftigen Reste fügen sich ohne großen Zwang in den von Panzer geforderten Zusammenhang, aber es sind eben nur Reste, mit denen er arbeiten kann.

Schwierigkeiten bot für Panzers These der Waldere, der für gewöhnlich ins 9. Jahrhundert gesetzt wird. Panzer folgt Keller, Schücking und Klaeber, die eine Spätdatierung vertreten (S. 74f.). Allerdings bedeutet das zunächst nur, daß die Handschrift um 1000 geschrieben wurde (zu Schückings Auffassung von *gripe* wage ich keine Stellungnahme), über die Dichtung läßt sich auch dann nur sagen, daß sie nach dem *Beowulf* entstanden ist. Es wäre sicher gut, wenn die ganze Frage von einem Anglisten aufgegriffen würde. Man sollte dabei möglichst von einer neuen Lesung der Fragmente ausgehen.

Bei Panzers Interpretation der Waldere-Fragmente bleiben gewisse Unklarheiten, die hier nicht verschwiegen werden dürfen. Er teilt mit Norman zusammen den Anfang von B (V. 1—10) Walther zu, während bisher Gunther oder (seit L. Wolff) Hagen als Sprecher galten. Nehmen wir an, Panzers Auffassung sei richtig, Walthers erstes Schwert sei also während der Vorkämpfe zersprungen,

---

[16] Panzer nimmt zwar die Quellenuntersuchung anschließend an die Untersuchung der Sagentradition in den germanischen Literaturen noch einmal wieder auf (S. 82—92), aber in diesem Schlußkapitel wird nur die Summe gezogen aus dem, was in der einleitenden Quellenanalyse bereits vollständig angelegt war.

und er müsse sich schon jetzt, d. h. noch vor dem Endkampf, des zweiten Schwertes bedienen. Wie soll man sich dann den Ausgang der Erzählung im Waldere denken? Keinesfalls kann der Entscheidungskampf dann das gleiche Ende gehabt haben wie im *Waltharius*, wo alles vom Zerbrechen des Schwertes im Schlußgefecht abhängt. Zerspringt die Klinge nicht, so ist Gunther nicht mehr zu retten und Walther wird nicht verwundet. Ich glaube kaum, daß es geraten wäre, bei solchen Eingriffen in die Ökonomie des Ganzen noch von sekundären Veränderungen des *Waltharius* zu sprechen. Wollen wir nicht dieser Deutung des Waldere zuliebe die ganze These Panzers opfern, so werden wir bei Wolffs Deutung bleiben müssen[17], die eher in den Zusammenhang des *Waltharius* paßt.

Nach Lage der Dinge muß es dahingestellt bleiben, ob Panzer zu dem gleichen Ergebnis käme, wenn mehr vom Waldere oder dem Waltherepos überliefert wäre. In dieser Feststellung liegt nicht nur eine rhetorische Frage. Denn, mögen auch die Fragmente keinen sicheren Anhaltspunkt dafür geben, daß eine vom *Waltharius* unabhängige Überlieferung bestanden hat, so fehlt doch Panzers Beweis eben wegen der mangelhaften Erhaltung der entscheidenden Zeugen die letzte Sicherheit. Es ergibt sich, daß ein Beweis, wie er ihn braucht, mit dem vorhandenen Material ebensowenig zu führen ist wie der Gegenbeweis. Die Forschung droht hier, wie es scheint, in eine Sackgasse zu geraten. Denn jeder Versuch, über ein *non liquet* an diesem Punkt hinauszugehen, wo die Grenze einer gesicherten Aussagemöglichkeit erreicht ist, zwingt uns, mit einem Unsicherheitsfaktor zu rechnen, dessen Größe wir nicht kennen. Freilich wird dem erfahrenen Sagenforscher das Maß an Ungewißheit gering erscheinen, mit dem wir hier arbeiten müssen. Allein die Vermutung, eine deutsche Heldensage sei in karolingischer oder ottonischer Zeit unmittelbar aus lateinisch-epischen Vorlagen heraus geschaffen worden, ist so ungewöhnlich und neu, daß wir zum Beweis schon die besten Gründe fordern dürfen.

Es läßt sich natürlich einwenden, daß man auf die letzte Sicherheit in dieser Frage verzichten kann, wenn nur die Quellenuntersuchung zu schlüssigen Ergebnissen führt. Wir sehen aber jetzt, daß nach Art und Beschaffenheit des Materials die ungeteilte Last des Beweises auf eben dieser Quellenuntersuchung ruht.

Im ersten Teil (S. 11—24) des Kapitels „Der Kampf im Vosagus" will Panzer eine Abhängigkeit der elf Einzelkämpfe am Eingang der Schlucht (Wa. 489 bis 1061) vom Tydeus-Kampf in der *Thebais* (II, 496—743) nachweisen. Es folgt

---

[17] Eine weitere Deutung der strittigen Stelle gibt Lenz (s. o. Anm. 10) S. 34—42. Er teilt (im Anschluß an eine Vermutung von Imelmann) die Anfangsverse Hiltgund zu. Seine Interpretation beruht im wesentlichen auf einer neuen Deutung des Wortes *stanfaet*, die sich auf einem festländischen Bodenfund aus der jüngeren Bronzezeit gründet. Lenz selbst hat diese etwas abwegige Verbindung widerrufen. (S. 51, Anm. 58.) Es bleiben also zur Stützung seiner These nur einige recht willkürliche Kombinationen, denen jeder feste Rückhalt im überlieferten Text fehlt. Außerdem sollte man sich auch hier die Szene einmal wirklich vorstellen, um sich vor Fehlschlüssen zu bewahren. Wie kann es denn für Walther eine Beruhigung sein, wenn er weiß, daß sich bei seinem Reisegepäck ein zweites Schwert befindet, von dessen Existenz er bis jetzt nichts wußte? Soll er es sich im Falle der Gefahr holen? Oder soll man annehmen, daß er es jetzt, mitten in der Redeszene, umschnallt? Auch dafür würde der Text keinen Beleg bieten.

(S. 24—29) eine Analyse der Perseus-Geschichte aus Ovids *Metamorphosen* (IV, 663—V, 235), aus der andere Motive des *Waltharius* entlehnt sind. In beiden Fällen ist das methodische Vorgehen gleich: wenn die allgemeine Übereinstimmung im Aufbau der Handlung festgestellt ist, wird eine Reihe einzelner Parallelen sprachlicher und inhaltlicher Art angemerkt, mit deren Hilfe das im Strukturvergleich gewonnene Ergebnis gestützt werden soll. Panzer baut seinen Beweis also hauptsächlich darauf, daß sich eine geschlossene Gruppe von Erzählmotiven des *Waltharius* mit ähnlichen Gruppen in der römischen Epik deckt, oder mit anderen Worten, er sucht Ähnlichkeiten in der Handlungsführung auf, um daraus seine Schlüsse zu ziehen. Dabei ist ein gewisses Maß an Abstraktion nicht zu vermeiden. Weil wir aber der Meinung sind, daß Panzers These einer sehr sicheren Begründung bedarf, werden wir dieses Maß nicht allzu groß wählen dürfen. Hier liegt unzweifelhaft eine Schwäche des ganzen Verfahrens. Denn wenn der Beweis nur auf dem Weg über einen abstrahierenden Vergleich von typischen Handlungsabläufen zu führen ist, wird die Entscheidung, wo noch echte Abhängigkeit vorliegt oder wo nur mehr einige Äußerlichkeiten zufällig übereinstimmen, weitgehend der objektiven Beurteilung entzogen sein.

Davon ganz abgesehen ist zu fragen, ob auf diesem Wege überhaupt das gewünschte Ziel zu erreichen ist. Es soll ja nicht die Quelle für ein einzelnes und fest begrenztes Motiv gefunden, sondern die Entstehung des ganzen Gedichts aus einigen Episoden von Statius und Ovid verständlich gemacht werden. Es ist etwas anderes, ob ich die Quelle eines einzelnen Motivs bestimme oder ob ich auch noch die Gesamtkonzeption auf eine Quelle zurückführen will. Niemand zweifelt, daß Virgil eine große Anzahl von Quellen in seine *Aeneis* eingearbeitet hat, aber die Gesamtkonzeption ist sein eigenes Werk. Sie läßt sich nicht durch eine bloße Summierung aller oder einiger besonders hervorragender Quellen „erklären". Grundsätzlich andere Verhältnisse herrschen erst da, wo der Stoff einer Dichtung als Ganzes in der Quelle vorgebildet ist. In solchen Fällen, etwa bei einem Teil der deutschen Artusromane, kann man die Gesamtkonzeption auf die Vorlage zurückführen. Aber dieser zweite Fall, daran läßt auch Panzers Untersuchung keinen Zweifel, liegt beim *Waltharius* nicht vor.

In dem Ovid-Abschnitt, dem wir uns zunächst zuwenden, treten einige Schwächen der Methode deutlich zu Tage. Unvorteilhaft ist es schon, daß Panzer hier von demselben Punkt wie bei dem Vergleich mit Statius ausgehen muß. Beide Teile der Quellenuntersuchung knüpfen an den gleichen Abschnitt des *Waltharius* an, sie gehen beide vom Kampf am Wasichenstein aus, d. h. die einheitliche Konzeption des *Waltharius*, deren Geschlossenheit Panzer selbst mehrfach betont, hat nach seiner Theorie keinen einheitlichen Ursprung. Das ist zwar denkbar, ich glaube aber nicht, daß seine These, die Einzelkämpfe seien dem Statius entnommen, wahrscheinlicher wird, wenn gleich darauf auch Ovid als Anreger erscheint (wobei dann auch der Anteil Virgils an den Kampfschilderungen nicht vergessen werden darf, über den am besten Wagner unterrichtet). Jedenfalls wird man den Eindruck gewinnen, die ganze Hypothese beruhe letzten Endes auf Übereinstimmungen der allgemeinsten Art, wenn man die beiden Abschnitte bei Ovid und Statius nacheinander liest. Wenn man ein einheitlich konzipiertes

Gedicht auf eine Quelle festlegen will, ist es besser, man kann bei einer einzigen
Quelle bleiben; sonst entsteht leicht der Verdacht, die Konzeption ginge auf
keine von den vermeintlichen Quellen zurück. Panzer braucht auch die Ovid-
Parallele eigentlich gar nicht um der Kämpfe willen. Denn dafür reicht Statius
allein aus. Da aber beim Vergleich mit Statius mehr offen bleibt als erwünscht ist,
wenn das ganze Gedicht aus der antiken Epik hergeleitet werden soll, nimmt er
den Verlust in Kauf, den ihm die Erwähnung einer zweiten Quelle für den gleichen
Abschnitt notwendig bringen muß, um dafür anderes mit Hilfe des Ovid zu erklären, was sonst unerklärt bleiben müßte. Zunächst soll aus Ovid die Geschichte
vom Brautraub entlehnt sein. Die Übereinstimmung zwischen Ovid und *Waltharius* zeigt sich nach Panzer in folgendem durch Abstraktion gewonnenem
Handlungsschema: (der Held) ,,befreit eine Jungfrau . . ., will sie in seine Heimat
führen, um sie dort zu seiner Gattin zu machen, wird unterwegs von einem König
und dessen Gefolge überfallen, die ihm die Jungfrau wegnehmen wollen, erwehrt
sich ihrer in einer Anzahl von Einzelkämpfen, in denen er alle seine Gegner tötet
und behauptet sich . . . schließlich auch im Endkampf gegen zwei seiner Bedränger" (S. 29). Das ist aber weder der Handlungsverlauf im *Waltharius* noch
in der Perseus-Erzählung bei Ovid. Man kann jedenfalls zweifeln, ob die gemeinsame Flucht der beiden Geiseln vom Hunnenhof tatsächlich ihre Wurzeln hat in
der Tat des Perseus, der Andromeda in einem phantastisch ausgeschmückten
Kampf vor der Gefahr rettet, an einen Felsen geschmiedet von dem Meerdrachen
des Ammon gefressen zu werden. — Der Überfall des Phineus auf Perseus könnte
wirklich eine Parallele zu dem Angriff Gunthers abgeben, wenn sich nur zeigen
ließe, daß Gunther um Hiltgunds willen in den Kampf zieht. Aber davon ist gar
nicht die Rede. Er will den Schatz Walthers und weiter nichts (vgl. V. 471f., 483,
486, 577f., 641, 647, 651ff., 700, 724, 950 u. ö.). Die Forderung, Walther solle
dazu auch Hiltgund herausgeben, erhebt erst Camalo (602), dem sich Hadawart
anschließt (819). Keiner von beiden hat für dieses Verlangen einen Auftrag
Gunthers. Es ist bezeichnend und für die Interpretation wichtig, daß gerade die
beiden hochfahrendsten unter Gunthers Helden ohne eine Ermächtigung durch
ihren König dieses Ansinnen an Walther stellen. Es hieße die Verhältnisse auf den
Kopf stellen, wollte man von den Reden Camalos und Hadawarts ausgehen, um
den Konzeptionskeim der Hiltgund-Handlung in einer Brautraub-Sage finden
zu können. Die Kämpfe sind allein durch Gunthers Verlangen nach dem Schatz
veranlaßt. Wenn im Verlauf der Handlung auch die Auslieferung des Mädchens
gefordert wird, so ist das lediglich ein Nebenmotiv, das eine klug berechnete
Steigerung bringt und im übrigen nur der Charakterzeichnung Camalos und
Hadawarts dienen soll. Die Verknüpfung der Hiltgund-Handlung mit Ovid
empfiehlt sich noch weniger, wenn man erfährt, daß Panzer auch an eine Einwirkung der Hildesage denkt (S. 87). Außer auf die Namen (die verwandtschaft-
lichen Beziehungen zwischen Hagen und Hilde hätte dann der *Waltharius*-Dichter
fortfallen lassen) beruft er sich dazu ebenfalls auf das Brautraub-Motiv: der Held
wird um der geraubten Frau willen verfolgt. Aber eben davon findet sich nichts
im *Waltharius*. — Anderes kommt hinzu: bei Ovid handelt es sich um keinen ausgesprochenen Einzelkampf. Neben Perseus und seinen Gegnern treten auch andere

Kämpferpaare auf. Er bezwingt keineswegs seine letzten zwei Bedränger in einem siegreichen Endkampf. Die überlebenden Gegner, immerhin noch mehr als zweihundert, werden in Marmorbilder verwandelt.

Der Strukturvergleich zwischen *Waltharius* und Ovid führt also zu keinem Ergebnis. Es bleibt zu fragen, ob die Übereinstimmungen in Einzelheiten das Bild ändern. Aber auch damit läßt sich die Parallele nicht retten. Die Eröffnung des Kampfes durch einen Speerwurf ist ein allgemein verbreitetes Motiv[18] Panzer selbst bietet einen Beleg aus Statius (S. 18). Virgil-Parallelen finde ich z. B. *Aen.* X, 474—78; X, 521f.; XII, 711 (daß der Speer des Aeneas sein Ziel verfehlt, ergibt sich aus XII, 770—73). Alles, was das Motiv bei Ovid auszeichnet, daß nämlich Perseus den Speer auf Phineus zurückschleudert, an seiner Stelle aber einen andern trifft, fehlt im *Waltharius*. Übrigens beginnt auch der Kampf zwischen Hildebrand und Hadubrand auf die gleiche Weise. Zu *Waltharius* 938, 939, 1057, 1061 braucht man nur die Streckerschen Parallelen heranzuziehen, um einzusehen, daß Ovid höchstens als einer unter mehreren Anregern zu nennen wäre. — Wenn Hadawart sein Schwert aus der Hand verliert, so ist das nicht dasselbe, wie wenn einem Gegner des Perseus die Klinge an einer Säule zerspringt und ihm in den Hals fährt. (Eine echte Parallele zum Zerbrechen von Walthers Schwert im Schlußkampf würde ich eher in *Aen.* XII, 731—733 erblicken.) — Scaramund tritt als Rächer seines Oheims auf. Panzer (S. 27) sieht den Ursprung des Rachemotivs in dem Auftritt des Lycabas bei Ovid. (Lycabas will seinen Freund Athis rächen.) Abgesehen davon, daß Freundesrache und Verwandtenrache nicht dasselbe sind — eine bessere Parallele hätte das Eintreten des Lausus für seinen Vater Mezzentius geboten (*Aen.* X, 789ff.) —, so müßte man hier doch wohl fragen, ob es angebracht ist, sich für eine Sage, die mindestens in einer germanischen Umwelt spielt, nach Quellen für die Verwandtenrache umzusehen. Wenn irgendwo, dann läge doch in diesem Fall die Vermutung nahe, hier seien keine besonders wirksamen antiken Einflüsse im Spiel[19]. — Aus dem allen ergibt sich wohl deutlich genug, daß der Vergleich *Waltharius*-Ovid nicht aufrechtzuerhalten ist. Weder der Gesamtvergleich noch ein Zusammentreffen mehrerer prägnanter Züge lassen es vermuten, daß der *Waltharius*-Dichter der Perseus-Metamorphose besondere Anregungen zu danken habe.

Etwas anders liegen die Dinge beim Vergleich der Kämpfe am Wasichenstein mit dem Tydeus-Abenteuer im zweiten Buch der *Thebais*. Hier finden sich tatsächlich an einzelnen Stellen Entsprechungen, die eine genauere Untersuchung erfordern. Zunächst gilt es allerdings, alles auszusondern, was einer scharfen Nachprüfung nicht standhält. Dazu gehört vor allem eine Reihe von Parallelen zur Schilderung des Kampfbeginns. In der *Thebais* fragt Tydeus, als er den Hinterhalt entdeckt, wer ihn überfallen wolle (535). Im *Waltharius* erkundigt sich Camalo nach Walthers Namen, Herkunft und Reiseziel (587f.). Also einmal fragt der Überfallene, einmal der Angreifer. Es bleibt für den Vergleich kaum der nackte Inhalt der Frage, und der ist in beiden Fällen durch den (im übrigen durch-

---

[18] Wagner (s. o. Anm. 12) zählt im *Waltharius* fünfmal das gleiche Motiv (S. 73).

[19] Lenz (s. o. Anm. 10) rechnet denn auch gerade dies Motiv unter die germanischen Relikte im *Waltharius* (S. 26).

aus verschiedenen) Zusammenhang genügend motiviert. Über die Eröffnung des Kampfes durch einen Speerwurf sprachen wir schon (s. o. S. 240). Für die Schilderung des Kampfbeginns im Ganzen muß nach wie vor auf das *Hildebrandslied* hingewiesen werden[20]. Ich will gar nicht der These das Wort reden, der Dichter sei hier einem typisch germanischen Erzähl-Schema gefolgt, aber gelegentlich kann uns eine solche Überlegung vor einer Überschätzung der antiken Parallelen bewahren.

Das Motiv von dem Mann, der durch einen Speer auf das Pferd geheftet wird (Walth. 673 ff., Panzer S. 18), stammt zwar aus der *Thebais*, aber, was Panzer entgangen ist, aus gänzlich anderem Zusammenhang (Theb. VII, 634—639). Pterelas wird von einem Speer des Tydeus getroffen, und das Geschoß spießt seinen Körper auf das Pferd. (Er ist allerdings sogleich tot.) — Dieses Beispiel ist methodisch außerordentlich wichtig. Panzer findet im zweiten Buch die Erzählung von Periphas, der von einer Lanze des Tydeus getroffen sterbend an seinen toten Bruder geheftet wird. Solange die andere Stelle aus dem siebenten Buch nicht bekannt ist, mag das als eine ausreichende Parallele zu *Walth.* 673 ff. erscheinen. Die Verbindung der beiden Motive macht für Panzer folgende Abstraktion nötig: jemand wird von einem Geschoß getroffen und sterbend an etwas geheftet (s. dazu auch Panzer S. 26 mit einer noch weniger treffenden Ovid-Parallele). Sobald *Theb.* VII, 634 ff. hinzutritt, zeigt sich, daß man so weit nicht abstrahieren darf. Wir tun nur gut daran, wenn wir fordern, daß die Parallelen sich auf charakteristische und unverwechselbare Einzelzüge erstrecken, sonst besteht die Gefahr, daß bessere gefunden werden, die das ganze Ergebnis in Frage stellen. Es ist also keineswegs so, daß viele Anklänge der allgemeinsten Art, wenn sie nur in einem ähnlichen Zusammenhang erscheinen, die Untersuchung wesentlich zu fördern vermögen, weil etwa „für eine ziemlich lange Reihe ... (von) Übereinstimmungen ein bloßer Zufall im Zusammentreffen nicht ... denkbar" sein könnte (S. 21).

Es ist hier nicht der Ort, alle Parallelen Panzers einzeln zu besprechen. Diejenigen, die mir gesichert zu sein scheinen, behandele ich anschließend in einem besonderen Abschnitt. Zu den übrigen liefert teilweise Streckers Sammlung gleich gute oder bessere Entsprechungen, teilweise lassen sie sich ohne viel Mühe auffinden[21].

[20] Neueste Zusammenstellung bei Lenz (s. o. Anm. 10), S. 15f.

[21] Unter die Parallelen, die zum Beweis für Panzers These nicht taugen, rechne ich zwei, die besonders erwähnt werden müssen: zunächst die Gebetsszene nach dem Kampf (S. 20). Es entspricht sich nur die Tatsache, daß sowohl Walther als auch Tydeus zum Dank für ihren Sieg beten. Wenn ein christlicher Dichter oder Bearbeiter des Stoffes für ein Dankgebet Quellen brauchte, so bot sie ihm jede andere antike Erzählung auch. Die Szene kann aber im *Waltharius*, wie mir scheint, nur im Zusammenhang mit 564f. behandelt werden. Dahinter steht die größere Frage nach dem christlichen Einschlag überhaupt. — Dann scheidet auch die Parallele Maeon-Hagen aus. Die beiden Figuren verbindet nichts als ihre Warnrede. Für Warner-Rollen aber liefert die antike Epik — und nicht zuletzt die *Thebais* — sehr viel einprägsamere Beispiele. Da außerdem noch Cepheus und der Hagen des *Nibelungenliedes* als mögliche Vorbilder des Hagen im *Waltharius* genannt werden, zögere ich nicht, dem letzteren den Vorzug zu geben, wenn schon eine sagenfremde Quelle gefunden werden muß. Für das, was die Konzeption des *Waltharius* an einem zentralen Punkt trifft, nämlich die Freundschaft Walther-Hagen mit allem, was daraus folgt, bietet überhaupt keine der vorgeschlagenen Quellen eine Erklärung.

Wenn trotzdem der Eindruck bestehen bleibt, daß eine gewisse Verwandtschaft der beiden Partien selbst aus diesen unsicheren Parallelen abgelesen
werden kann, so liegt der Grund dazu in einer Tatsache, die Panzer, wie mir
scheint, nicht genügend berücksichtigt. Hier wie da handelt es sich um Kampfschilderungen. Was der Dichter des *Waltharius* ohne Zweifel mit den römischen
Epikern teilt, ist die Technik der Variation. Er ist so gut wie seine Vorbilder darauf bedacht, Abwechslung zu schaffen. Nun genügt eine einfache Überlegung, um
zu zeigen, daß ihm darin genau wie seinen Vorgängern enge Grenzen gesetzt sind:
die Zahl der Waffen, mit denen ein Zweikampf ausgetragen werden kann, ist beschränkt (Schild, Speer, Lanze, Pfeil, Schwert, allenfalls noch Stein und Keule)[22].
Ferner kann man wählen zwischen einem Kampf zu Fuß oder zu Pferde (der Streit-
wagen fehlt in ma. Dichtungen gewöhnlich); es können Reden, u. a. auch Warn-
reden oder Bitten um Schonung, eingefügt werden; dann läßt sich eine gewisse
Abwechslung durch eine starke Bewegung der Kämpfenden erreichen. Schließlich
werden die Verwundungen genau beschrieben. Auch das gehört seit Homer zum
traditionellen Gut der epischen Schlachtschilderung, und endlich kann noch die
Beraubung der Gefallenen, das Beutemachen, geschildert werden. Wenn sich eine
Kampfschilderung notwendig in diesem engen, sachlich gegebenen Rahmen halten
muß, anderseits aber jedes Epos eine Unmenge von Kampfszenen enthält, ja geradezu davon lebt, dann ergibt sich bei allen Kampfbeschreibungen eine mehr
oder weniger große Verwandtschaft. Die Aufdeckung von Ähnlichkeiten in der
Kampfschilderung ist also kein geeignetes Mittel, um einen Punkt zu erreichen,
von dem aus sich ein Einblick in die besondere Eigenart oder gar die Konzeption
einer Dichtung gewinnen ließe.

Wir können uns unter diesen Umständen darauf beschränken, die wirklich
schlagenden Parallelen zu behandeln. Da ist vor allem zu erwähnen (dies von
Otto Schumann beigesteuert), daß den Opfern des Tydeus die Köpfe genau so
wieder angefügt werden wie denen Walthers. Zwar leisten bei Statius die Angehörigen der Gefallenen diesen letzten Dienst, während es im *Waltharius* der
Sieger selbst tut, aber das Motiv ist eigenartig genug, um die Annahme zu recht-
fertigen, es sei übernommen. Ähnlich steht es vielleicht mit dem Motiv, daß sich
der Held mit dem Schild eines Gefallenen deckt. Auf einen dritten Punkt möchte
ich schließlich selbst noch hinweisen: *Theb.* II, 494f. heißt es beim Auszug der
50 Helden, die Tydeus überfallen sollen, *quinquaginta altis funduntur in ordine
portis. Macte animi, tantis dignus qui crederis armis.* Die entsprechende Stelle

---

[22] Eine *nodosa hasta* ist übrigens kaum dasselbe wie eine *nodosa clava* (S. 18). Virgil
bietet auch in diesem Fall die bessere Parallele (s. Streckers Anmerkung). — Auf die
enge sachliche Begrenzung der Kampfschilderungen achtet Wagner (a. a. O. S. 70—75,
vgl. Anm. 12) nicht genug. Er beobachtet richtig die vielfältige Umschichtung der
einzelnen Bausteine, aber er zieht keine Schlüsse daraus, daß es immer die gleichen
Steine sind, die nur in anderer Zusammenstellung wiederkehren. In der römischen
Epik macht sich das Bestreben geltend, der Gleichförmigkeit aller Kampfschilderungen
durch eine Flucht in immer neue Grausamkeiten zu entgehen. Was bei Virgil noch
maßvoll und gebändigt erscheint, ist bei Statius schon weit in das Gebiet des Gräß-
lichen vorgetrieben. Ein Beispiel für diese Technik der Affekterregung durch Grausamkeiten bietet etwa das eben besprochene Motiv von dem Reiter, der durch einen Speer
auf sein Pferd genagelt wird.

im *Waltharius* lautet (485 f.) *exibant portis, te Waltharium cupientes cernere* . . .
Was hier immerhin für eine Benutzung der *Thebais* sprechen mag, ist die Übereinstimmung in der Gedankenfolge ‚Auszug der Krieger aus der Stadt — Apo-
strophierung des bedrohten Helden‘.

Wir haben also Grund anzunehmen, daß die *Thebais* auf die Schilderung der
Einzelkämpfe im *Waltharius* eingewirkt hat. Es müßte sich nun im Strukturvergleich zeigen, daß die Gesamtkonzeption übernommen ist. In einem stimmen
beide Erzählungen sicherlich überein: Walther muß sich wie Tydeus in einsamer
Berggegend einer Übermacht ohne fremde Hilfe erwehren. Aber diese Übereinstimmung ist zu allgemein, als daß darauf so schwerwiegende Schlüsse aufgebaut
werden könnten, wie Panzer es will. Er weist daher vor allem auf spezielle Parallelen in der Schilderung des Kampfplatzes hin. Einzelnes ist sicher aus der *Thebais*
übernommen oder von dort angeregt, aber die Gesamtkonzeption? Bedenklich
stimmt es schon, daß Panzer sich zu der Annahme gezwungen sieht, der *Waltharius*-Dichter habe die liebliche Bergwiese *e contrario* aus dem Schauerort des
Statius entwickelt. *E contrario* ist dann auch die Nacht zum Tage geworden? —
Es ist nicht ganz einfach festzustellen, wie Statius sich die ganze Geschichte
eigentlich gedacht hat. Denn seine Darstellung zielt auf ganz andere Dinge ab als
auf eine genaue Ortsbeschreibung. Soweit es sich dem Text überhaupt entnehmen
läßt, scheint dem Überfall folgender Plan zugrunde zu liegen: fünfzig Krieger
schneiden durch einen Gewaltmarsch über einen Richtpfad Tydeus den Weg ab.
Sie legen einen Hinterhalt an der Stelle, wo die Straße durch einen mit Wald um-
säumten Hohlweg zwischen zwei Felsen hindurchführt. Tydeus geht aber nicht
in die Falle. Er bemerkt die am Waldrand verborgenen Angreifer im Mondlicht
und rettet sich auf den Felsen der Sphinx. Diesen Ort, der ihm im ersten Augenblick Rückendeckung bietet, verläßt er sofort wieder, um sich von oben auf seine
Gegner zu stürzen, unter denen er ein fürchterliches Blutbad anrichtet. An ge-
ordnete Einzelkämpfe im Sinne des *Waltharius* ist dabei nicht zu denken. Nur
weil elf der Gefallenen mit Namen genannt sind und auch Walther elf Gegner
an seiner Felsenstellung erschlägt, kann man hier von einer gewissen Parallele
sprechen. Aber die Rechnung stimmt nur, wenn man von der Rolle Gunthers
ganz absieht und den Vergleich Maeon-Hagen (s. o. Anm. 21) zuläßt. Nimmt man
den Schlußkampf hinzu, von dem wohl niemand leugnen kann, daß er in der
Konzeption eine gewisse Rolle spielt, dann bleibt nicht viel Vergleichbares übrig,
ganz gewiß aber nichts, was zu der Annahme berechtigt, im Tydeus-Kampf läge
der Keim für die Entstehung des *Waltharius*.

Viel besser steht es mit den Übereinstimmungen in der Ortsschilderung und in
der Anlage der Kämpfe auch nicht. Zugegeben, daß die zwei Felsen, zwischen
denen der Hohlweg des Statius hindurchführt, an die zwei Bergrücken erinnern,
in deren Mitte die Schlucht Walthers liegt, aber ist eine Schlucht dasselbe wie ein
Hohlweg, sind *specus* und *fauces* identisch?[23] Es steht nirgends, daß ein Weg
durch die *statio* Walthers h i n d u r c h führt, er führt nur hinein. Die ganze

---

[23] Wenn ich hier *specus* mit Schlucht wiedergebe, so deshalb, weil an eine überdachte
Höhle nicht zu denken ist. Richtig verstanden gibt vielleicht „Felsspalt" den besten
Näherungswert.

Beschreibung legt die Vermutung nahe, der Dichter habe an einen nach drei Seiten abgeschlossenen Felsspalt gedacht, zu dem ein schmaler Zugang führt. Wenn er sich bei der Ausgestaltung einzelner Züge aus der *Thebais* bedient, so entspricht das nur seiner längst bekannten Technik, zur Schilderung von Einzelheiten, die ihm seine Vorlage nicht bot, auf epische Quellen zurückzugreifen.

Und die Grundlage der Kämpfe? Die Krieger des Eteocles wollen Tydeus in den Hohlweg locken, er weicht aber vorher aus; entscheidend ist, daß er die *fauces* gar nicht betritt. Walther dagegen wählt selbst sein Lager in dem *specus* und die Angreifer müssen sich ihm einzeln nahen. Soll trotz dieser Abweichungen Statius die Quelle für die gesamte Handlung im *Waltharius* sein, so setzt das die Annahme voraus, der Dichter habe, als er seine Konzeption dem zweiten Buch der *Thebais* entnahm, nicht nur Kleinigkeiten geändert (z. B. den König in die Kämpfe einbezogen, eine nächtliche Szene auf den Tag verlegt und einen Ort des Grauens in eine angenehme Berglandschaft verwandelt), sondern er habe dazu auch noch den Kriegsplan der beiden Parteien vertauscht.

Wir haben nicht bestritten, daß gewisse Parallelen zwischen dem Tydeus-Abschnitt und dem *Waltharius* vorhanden sind. Wir bezweifeln nur, daß sie beweisen können, was sie beweisen sollen, daß nämlich die entscheidende Anregung zur Entstehung des *Waltharius* von Statius ausgegangen ist. Die wenigen stichhaltigen Parallelen zeigen den Dichter in keinem anderen Verhältnis zur *Thebais* als zu irgendeinem anderen Stück der antiken Literatur. Er entnimmt ihr einzelne Wendungen und Motive, wenn auch sehr viel weniger als Virgil, der hier wie in allen anderen Partien das meiste beigesteuert hat. Panzer selbst weist darauf hin, daß Virgil vor allem im Bereich der sprachlichen Formulierungen das entscheidende Vorbild ist. Schon diese Beobachtung hätte zur Vorsicht mahnen sollen.

Wir sehen uns vor die Alternative gestellt: sollen wir glauben, der *Waltharius* sei entstanden als die in Virgilischer Sprache abgefaßte Kompilation zweier Episoden aus Statius und Ovid? Die Leistung des Dichters wäre dann wahrlich nicht gering: ein Gesandter (Tydeus) wird unter seinen Händen zur entflohenen Geisel, der Überfallene nimmt die Stellung ein, an der ihm seine Gegner einen Hinterhalt legen wollten, wobei dann auch dieser Ort selbst erheblich umgestaltet wird, Andromeda wird zu Hiltgund und ein Warner, der mit ein paar konventionellen Worten vor der Fortsetzung eines aussichtslosen Kampfes warnt, zu Hagen. Oder sollen wir bei der alten Ansicht bleiben, der Dichter habe eine Vorlage gehabt, die — möge sie im übrigen ausgesehen haben wie sie wolle — ihm jedenfalls die Hauptpunkte der Erzählung lieferte, also die Flucht der Geiseln, den Überfall der Franken und das Verhältnis Walther-Hagen, das eigentliche Kernstück der Dichtung, das in jenem andern Fall bei der Zusammenstückelung antiker Epenmotive *post festum* hinzuerfunden wäre. Die Entscheidung dürfte einfach sein. Für die Annahme, es sei eine Vorlage vorhanden gewesen, spricht zunächst die — auch von Panzer mehrfach betonte — innere Geschlossenheit des *Waltharius*. Ja, gebe es Risse und Sprünge, deren Entstehung erklärt wäre, sobald man Statius und Ovid hinzuzöge, dann sähe alles anders aus. Für eine Beibehaltung der alten Anschauung spricht ferner die Beobachtung Edward Schröders, daß der Dichter Namensformen verwendet, für die er, wäre die Sage seine freie

Erfindung, andere hätte wählen können, die besser ins Metrum paßten[24]. Und dann, wenn keine Vorlage vorhanden war, warum ließ der Dichter nicht die Hunnen als Verfolger auftreten, die doch allen Grund hatten, sich um den geraubten Schatz zu kümmern. Der Verfasser der *Thidreksaga*, nach Panzers eigener Meinung alles andere als ein überragender Geist, fand diese naheliegende Lösung.

Wir können den Streit um die Quellen des *Waltharius* hier nicht entscheiden. Ich glaube auch gar nicht, daß es ratsam ist, der Ursprungsfrage noch länger nachzugehen. Von der sagengeschichtlichen Seite her ist der *Waltharius* nicht zu fassen. Ich habe die Panzersche Arbeit gerade deshalb so ausführlich behandelt, weil ich diesen Sachverhalt ganz klar herausarbeiten wollte. Die Überlieferung ist zu schmal, als daß entstehungsgeschichtliche Probleme mit Aussicht auf Erfolg behandelt werden könnten. Für den Augenblick wenigstens sollte sich die Forschung, so scheint mir, auf den *Waltharius* allein beschränken. Alle Möglichkeiten, von außen her eine Lösung zu finden, sind uns abgeschnitten. Es bleibt nur noch zu untersuchen, und damit kommen wir auf unseren anfänglichen Gedankengang zurück, welchen Weg wir einschlagen können, um der Antwort auf unsere Frage näherzukommen. Panzer hat in methodischer Hinsicht keine wesentlichen Neuerungen gebracht. Sein Verfahren ist noch das gleiche wie das alte Streckersche, nur daß er weitergehende Schlüsse zieht. Er schließt von einer (vermeintlichen) Abhängigkeit auf stofflichem Gebiet unmittelbar auf Abhängigkeit der Konzeption. Sein Vorgehen bleibt unbefriedigend, weil er keine genügende Definition des Begriffes „Konzeption" gibt (sie fehlt im Grunde ganz) und daher auch der Zusammenhang zwischen Stoff und Konzeption unklar bleibt, obgleich Klarheit in diesem Punkt die Hauptvoraussetzung der ganzen Methode ist. Ich lasse mich bei diesen Bemerkungen keineswegs durch eine vorgeformte Anschauung von dem leiten, was „Konzeption" eigentlich meint. Selbstverständlich wäre es unheilvoll, einen Begriff wie die „dichterische Phantasie" ohne weiteres aus dem Bereich der neudeutschen Literaturwissenschaft auf ein mittellateinisches Gedicht zu übertragen. Aber es sollte doch wenigstens einmal der Versuch gemacht werden, den dichterischen Vorgang auch für ein Werk der mittellateinischen Poesie wie den *Waltharius* auf rein induktivem Wege näher zu kennzeichnen. Denn die Übernahme sprachlicher Formulierungen und einzelner Erzählmotive aus der römischen Dichtung ist, für sich genommen, nur ein technischer Kunstgriff, der, was seine Begründung im Verhältnis des Dichters zur Antike angeht, sehr viele Deutungen zuläßt. Man muß also, wenn man weiter vordringen will, den Blick lösen von dieser äußerlich-praktischen Seite des Vorgangs, der damit keinesfalls etwas von ihrer Bedeutung genommen werden soll. Ohne Streckers Sammlungen wäre unsere Fragestellung gar nicht möglich, und sie werden in jedem Fall den Ausgangspunkt einer Untersuchung bilden müssen, die nicht auf seine sachliche Begründung von vornherein verzichten will. Aber es gilt den Zugang zu einer natürlichen Rangordnung des Fragens zu gewinnen. Die Feststellung und Sammlung von Quellen für Sprache und Motive des *Waltharius* ist selbstverständliche und elementare Voraussetzung allen weiteren Forschens. Aber man kann nicht von den Ergebnissen dieser Untersuchung aus ohne eine wohlüberlegte

[24] Deutsche Namenkunde, Göttingen 1944, S. 87.

Neuorientierung den Weg finden zur Lösung von Fragen, die ihren Ursprung in ganz anderen Schichten des Werkes haben als in seinem sprachlichen und motivischen Aufbau. Bevor wir auch nur über ein Teilproblem wie die Entstehung der Kampfszenen urteilen können, müssen wir, wenn wir eine Antwort im Verhältnis des Dichters zu Statius suchen, grundsätzlich Klarheit schaffen über seine Stellung in der Tradition des römischen Epos. Erst wenn wir wissen, an welchen Punkten er in diese Tradition einzuordnen ist und wo er zu ihr im Gegensatz steht, mit einem Wort, wenn wir ihn als geschichtliche Gestalt verstehen können, vermögen wir zu entscheiden, ob er so fest in der tradierten lateinischen Kunst verwurzelt ist, daß wir in einer Begegnung mit Statius das *primum movens* für die Entstehung seiner Dichtung suchen dürfen. Es wäre vielleicht schon um einer letzten Klärung der durch Panzer aufgeworfenen Fragen willen nötig, eine Untersuchung in diesem Sinne anzustellen. Davon wäre auch, wie wir eingangs erwähnten, eine Förderung der Gesamtdeutung des *Waltharius* zu erhoffen. Wir wollen daher versuchen, noch einige konkrete Anhaltspunkte über das Verfahren zu gewinnen, das einzuschlagen wäre. Was ich meine, läßt sich vielleicht in einer kurzen Besprechung der schon mehrfach erwähnten Dissertation von Hans Wagner zeigen[25]. Wagner hat das Thema „Ekkehard und Vergil" im wesentlichen so behandelt, daß er eine Interpretation des (teilweise ergänzten und erweiterten) Streckerschen Materials gibt. Dabei liefert er eine ganze Reihe brauchbarer Einzelbeobachtungen und sehr dankenswerte Register, die man zur Ergänzung des Streckerschen Anhangs benutzen kann. Verdienstvoll ist auch ein kleiner Exkurs über den Schauplatz der Kämpfe, der endlich Klarheit in einer lange umstrittenen Frage schafft. Die Auffassung von *gyrare caballum* als „das Pferd lenken" (S. 77f.) dürfte richtig sein, da sie den Dichter von dem Vorwurf befreit, er sei seiner eigenen Schilderung von der Enge des Zugangsweges untreu geworden. Was das Ziel der ganzen Arbeit anbelangt, so bekennt sich Wagner zu der Aufgabe, eine Ergänzung zu Meyers Ausführungen zu bieten (S. 3). Er will also im Sinne der Meyerschen Entgegnung die Selbständigkeit des *Waltharius*-Dichters nachweisen und bedient sich zu diesem Zweck der alten, von Meyer und Strecker entwickelten Methode. So ist denn auch das Ergebnis nicht wesentlich von jenem älteren verschieden, wenn Wagner feststellt, daß Ekkehard „Worte, Versteile und ganze Verse der *Aeneis* übernimmt", aber auch „Gedanken und Bilder, die er dann n a c h e i g e n e m G u t d ü n k e n verkürzt, erweitert und umwandelt" (S. 64). Im Sinne seiner Zielsetzung genügt es nachgewiesen zu haben, daß der *Waltharius*-Dichter a n d e r s verfährt als Vergil. Warum er es anders macht und wie er arbeitet, das sind Fragen, die nicht behandelt werden. Hinter dem „eigenen Gutdünken" — so formuliert es Wagner — verbirgt sich das, worum es uns jetzt gehen sollte. — Es ist natürlich leicht, die Mängel einer Arbeit aufzudecken, wenn man mit einer Fragestellung an sie herantritt, die ihr fremd ist. Es bedeutet also keine Herabminderung von Wagners Leistung, wenn wir feststellen, daß für unsere Zwecke eine genau differenzierte Bestimmung dessen, was Eigenständigkeit oder Selbständigkeit des Dichters im Falle des *Waltharius* beinhaltet, wichtiger gewesen wäre als eine saubere Aufzählung von Einzelfällen, in denen er sich selbständig verhält. So wäre denn vor allem die Terminologie, mit deren Hilfe Wagner den Sachverhalt beschreibt, zu vervollkommnen. Er begnügt sich zur näheren Kennzeichnung einiger typischer Adjektive, die aber eher geeignet sind, die eigentlichen Probleme zu verschleiern als sie zu klären[26]. Weil Wagner auf diese Dinge keinen Wert legt, unterlaufen ihm gelegentlich kleine Ungenauigkeiten. Ein Einzelfall möge zeigen, was gemeint ist. Sehr vieldeutig ist das Adjektiv „anschaulich", das gern zur Charakterisierung von Ekkehards Kunst verwandt wird. So heißt es S. 7 „Sehr interessant und für die Beurteilung der Abhängigkeit Ekkehards von Wichtigkeit ist der Vergleich, mit dem er und Vergil die Dichte des Geschoßhagels veranschaulichen. Vergil sagt einfach (*Aen.* XI, 610 ff. . . . *fundunt simul undique tela Crebra nivis ritu.* Ekkehards Umdichtung v. 188: *ac veluti boreae sub tempore nix glomerata Spargitur, haud aliter saevas iecere sagittas,* . . . Aus den *tela* Vergils werden *saevae sagittae;* entgegen dem einfachen *ritu nivis* Veigils, dessen Ausmalung der Phantasie des Lesers überlassen bleibt, geben die Worte Ekkehards uns ein weit anschaulicheres Bild . . ." Dazu ist verschiedenes anzumerken: erstens setzt Virgil den Vers fort und sagt: (XI, 611) (*crebra nivis ritu*) *caelumque obtexitur umbra,* er zwingt die Phantasie des Lesers also immerhin, sich vorzustellen, daß der Geschoßhagel dicht genug ist, um die Sonne zu verdunkeln. Zweitens steht aber auch bei Ekkehard das Bild einer weiteren Verbindung. Denn dem Vergleich geht ein Vers voraus, der bei einer Untersuchung der Anschaulichkeit in der Schilderung nicht fehlen darf 187 *fulminis inque modum cuspis vibrata micabat.* Also dem Schneeflocken-Gleichnis steht ein anderes voran, in dem die Spieße (*cuspis* ist kollektiver Singular) mit Blitzen verglichen werden. Blitze und Schneegestöber sind jedenfalls eine merkwürdige Zusammenstellung, und man darf wohl zweifeln, ob das Bild wirklich gesehen ist. Ich würde hier weit eher zu dem entgegengesetzten Schluß kommen wie Wagner und meinen, nicht die Anschaulichkeit sei es, auf der das primäre Interesse des Dichters liegt, sondern er habe hier ein fertiges Bild übernommen und in einer aller Anschauung entkleideten Weise (oder wenigstens mit stark reduzierter Anschaulichkeit) seinen Zwecken dienstbar gemacht. Dieser Zweck ist natürlich dem ursprünglichen Gehalt des Bildes entnommen, es soll die ungeheure Dichte und die gefährliche Schnelligkeit der Geschosse bezeichnet werden, aber das anfänglich streng ausgewogene Verhältnis zwischen bildhafter Anschaulichkeit und abstraktem Zeichencharakter des Vergleichs ist hier weitgehend zugunsten des abstrakten Gehalts verschoben. Das zeigt sich deutlich in der Verkoppelung zweier Bilder, die in sachlichem Gegensatz zueinander stehen. Eine solche vereinzelte Beobachtung hat nicht viel Aussagekraft. Ich glaube aber, es ergibt sich daraus, in welcher Weise ich dem Ziel näher zu kommen hoffe. Eine vergleichende Interpretation von *Waltharius*-Stellen mit den korrespondierenden Partien in der römischen Epik müßte den Ausgangspunkt bilden. Dabei wäre aber weder der sachliche Inhalt noch die sprachliche Ausformung im Einzelnen zu vergleichen, sondern die Verhaftung der Stelle mit dem Gesamtwerk, wobei ich wohl

[26] Man vergleiche etwa die abschließende Interpretation des Entscheidungskampfes: (S. 52) „Er ist ein groß angelegter, sehr anschaulich und spannend geschilderter Kampf, wie es ja auch nach der sorgfältigen und großen Vorbereitung . . . nicht anders zu erwarten war."

nicht zu betonen brauche, daß es nicht um die inhaltlichen Beziehungen geht, sondern um eine Interpretation der einzelnen Stelle aus dem Geist des ganzen Werkes. (Hätten wir in unserem Beispiel die Zusammenhänge ein wenig weiter verfolgt, so hätte sich gezeigt, daß auch bei Virgil die Anschaulichkeit die am wenigsten treffende Bezeichnung des eigentlichen Sachverhalts sein würde). Aber auch anderes müßte zur Sprache kommen, vor allem bedürfte wohl endlich die Frage einer Klärung, ob der *Waltharius* als Ganzes, etwa an der *Aeneis* oder der *Thebais* gemessen, als römisches Epos gelten kann. Diese Frage würde eine Untersuchung erfordern, die sich an Richard Heinzes klassischem Werk orientieren könnte, sie müßte also auf die epische Technik des Gedichtes gerichtet sein. Vielleicht sollte man sie sogar der anderen Arbeit voraufgehen lassen, da auch sie noch von technischen Dingen handeln müßte und vielleicht den Übergang zur Besprechung des Stilproblems erleichtern würde. Wäre das alles geschehen, so müßte die Gestalt des *Waltharius*-Dichters sich schärfer herausheben aus dem Strom der Geschichte, wir würden genauer wissen, ob wir in ihm nur den Schüler der Römer oder zugleich auch den Dichter *sui generis* erblicken dürfen. Dann kommen wir auch auf diesem Gebiet los von jener erschreckend ahistorischen Betrachtungsweise, die noch Wagner um die besten Früchte seiner Arbeit bringt. Ob freilich mit der historischen Abgrenzung gegen die Römer auch ein Fortschritt in Richtung auf die relative Zeitbestimmung des Gedichtes verbunden sein würde, vermag wohl niemand vorauszusagen. Dafür wäre vermutlich ein weiterer Schritt nötig: man müßte versuchen, den Dichter genauer in die Literatur seiner Zeit einzuordnen. Aber bevor daran zu denken ist, muß noch lange und mühevolle Arbeit geleistet werden. Einen ersten Beitrag, zu dem dieser Bericht eine Vorüberlegung darstellen soll, hoffe ich in einiger Zeit geben zu können.

Aus: Euphorion. Zeitschrift für Literaturgeschichte. 45. Band, 1950.